建筑业与房地产企业工商管理培训教材

建筑市场与房地产营销

建筑业与房地产企业工商管理
　培训教材编审委员会

中国建筑工业出版社

图书在版编目（CIP）数据

建筑市场与房地产营销/建筑业与房地产企业工商管理培训教材编审委员会编．-北京：中国建筑工业出版社，1998
建筑业与房地产企业工商管理培训教材
ISBN 7-112-03605-4

Ⅰ.建… Ⅱ.建… Ⅲ.房地产-市场营销学-教材 Ⅳ.F293.3

中国版本图书馆CIP数据核字（98）第17643号

在社会主义市场经济条件下，对于任何企事业单位，其所提供的产品或服务只有被消费者接受，才能实现其经济效益目标。市场营销是一门建立在经济科学、行为科学和现代管理理论等基础之上的综合性应用科学，研究以满足消费者需求为中心的企业市场营销活动及其规律性，具有全程性、综合性和实践性的特点。本书在对一般市场和市场营销原理进行系统介绍的基础上，密切结合建筑和房地产市场的特点，着眼于建筑业企业与房地产企业认识和把握其所服务的市场，在企业管理中开展市场营销工作的需要，重点阐述了建筑与房地产市场的市场特征、运行规律和分析方法，详细分析介绍了竞争战略、目标市场战略和产品、定价、分销、促销等策略在建筑与房地产市场营销中的应用。

建筑业与房地产企业工商管理培训教材
建筑市场与房地产营销
建筑业与房地产企业工商管理
培训教材编审委员会

*

中国建筑工业出版社出版、发行（北京西郊百万庄）
新 华 书 店 经 销
北京云浩印制厂印刷

*

开本：787×1092毫米 1/16 印张：24 字数：581千字
1998年7月第一版 2000年7月第五次印刷
印数：19,001—23,000册 定价：**31.00**元
——————————————
ISBN 7-112-03605-4
F·275（8864）

版权所有 翻印必究
如有印装质量问题，可寄本社退换
（邮政编码 100037）

建筑业与房地产企业工商管理
培训教材编审委员会

顾　　　问： 郑一军（建设部副部长）
　　　　　　　姚　兵（建设部总工程师，建筑业司、建设监理司司长）
主 任 委 员： 李竹成（建设部人事教育劳动司副司长）
副主任委员： 何俊新（建设部建筑业司、建设监理司副司长）
　　　　　　　沈建忠（建设部房地产业司副司长）
委　　　员：（按姓氏笔画为序）
　　　　　　　丁士昭（同济大学教授、博士生导师）
　　　　　　　丁烈云（武汉城建学院教授）
　　　　　　　毛鹤琴（重庆建筑大学教授）
　　　　　　　田金信（哈尔滨建筑大学教授）
　　　　　　　丛培经（北京建筑工程学院教授）
　　　　　　　吕　健（北京建工集团五建公司副经理）
　　　　　　　曲修山（天津大学教授）
　　　　　　　刘长滨（北京建筑工程学院教授、博士生导师）
　　　　　　　刘尔烈（天津大学教授）
　　　　　　　刘洪玉（清华大学教授）
　　　　　　　向建国（中国建筑工业出版社副编审）
　　　　　　　张　维（天津大学教授）
　　　　　　　张兴野（建设部人事教育劳动司培训处副处长）
　　　　　　　张学勤（建设部房地产业司综合处副处长）
　　　　　　　何伯洲（哈尔滨建筑大学教授）
　　　　　　　何伯森（天津大学教授）
　　　　　　　李宝凤（北京城建四公司总工程师）
　　　　　　　李燕鹏（建设部建筑业司工程建设处副处长）
　　　　　　　吴德夫（重庆建筑大学教授）
　　　　　　　陈德强（重庆建筑大学副教授）
　　　　　　　林知炎（同济大学教授）
　　　　　　　班增山（北京城市开发建设总公司高级会计师）
　　　　　　　蔡建民（中房集团公司经营部副经理）
　　　　　　　潘蜀健（华南建设学院教授）

出 版 说 明

党的十四届四中全会《决定》要求,"全面提高现有企业领导干部素质"和"抓紧培养和选拔优秀年轻干部,努力造就大批跨世纪担当领导重任的领导人才"是实现今后15年宏伟战略目标和两个根本性转变的重要基础。为此,国家经贸委和中央组织部根据中央《1996～2000年全国干部教育培训规划》提出的要求,制订了《"九五"期间全国企业管理人员培训纲要》。《培训纲要》明确规定,"九五"期间对企业管理人员要普遍进行一次工商管理培训,这是企业转机建制,适应"两个转变"的迫切需要,也是企业领导人员驾驭企业走向市场的基础性培训。

为了搞好建筑业与房地产企业管理人员工商管理培训,建设部于1997年10月31日下发了《关于开展建筑业与房地产企业管理人员工商管理培训的实施意见》(建教[1997]293号),对建筑业与房地产工商管理培训工作做出了具体部署。同时,我司会同建筑业司、建设监理司、房地产业司邀请部分高等院校管理系的教授和企业经理召开了两次研讨会,并成立了"建筑业与房地产企业工商管理培训教材编审委员会",仔细研究了国家经贸委培训司统一组织编写的《工商管理培训课程教学大纲》,分析了建筑业与房地产企业与一般工业企业和商业企业在生产过程、生产方式、生产手段及产品的营销形式等诸方面的差别。根据国家经贸委提出的"各地区、各行业根据自己的实际情况和需要,可增设和调整若干课程和专题讲座"的要求,结合行业特点,对国家经贸委发布的《工商管理培训课程教学大纲》(包括1个专题讲座,12门课程)做了适当调整,其中6门课程的大纲完全是重新制定,并新编了相应的教材。它们是《工程项目管理》、《建筑业与房地产企业财务报告分析》、《建筑与房地产公司理财》、《建筑市场与房地产营销》、《建设法律概论》、《国际工程管理》,分别替换经贸委组织编写的以下6本教材:《现代生产管理》、《财务报告分析》、《公司理财》、《市场营销》、《经济法律概论》、《国际贸易与国际金融》。其余6门课程的教材仍须选用国家经贸委的统编教材。

以上6本教材经"建筑业与房地产企业工商管理培训教材编审委员会"审定,现交中国建筑工业出版社出版、发行。

由于工商管理培训是一项新的培训任务,各院校教师还不太熟悉,加之时间仓促,目前拿出的教材,肯定有不尽完善之处。为此,我们建议:一是对本套教材作为试用,通过一段时间的使用和教学实践,再进行修订,使之更加完善,更加符合实际。二是在试用过程中,各培训院校一定要根据教学大纲的要求紧密结合本地区、本行业和培训对象的需要,联系实际,因材施教,精心安排好各门课程的教学内容,努力探索,不断提高培训质量。

在教材的编写过程中,我们得到了部里有关领导和很多专家教授的指导和帮助,得到了有关业务司局和高等院校、企业的大力支持和合作,在此,我们一并表示感谢。

建设部人事教育劳动司
1998年6月18日

前　言

　　市场营销是现代企业管理的重要工作内容，也是企事业单位各类管理人员必备的专业知识。《中华人民共和国国民经济和社会发展"九五"计划和2010年远景目标纲要》对市场营销问题给予了高度重视，明确指出，国有企业要"搞好市场营销，提高经济效益"。为了帮助我国建筑业及房地产企业管理人员增强市场营销观念，提高市场营销管理水平，适应社会主义市场经济发展的要求，促进"九五"计划和2010年远景目标纲要的实现，根据国家经贸委《工商管理培训课程教学大纲》和建设部的要求，结合建筑业与房地产企业所提供的产品及其服务的特点，编写了《建筑市场与房地产营销》培训教材。

　　本书在介绍市场营销基础理论知识的基础上，对建筑市场和房地产市场营销的有关理论知识作了较系统的介绍，对市场营销理论在建筑及房地产市场中的应用进行了探讨、分析和介绍。目的在于使建筑业与房地产企业领导干部通过本课程的学习，树立市场及市场营销观念，掌握市场营销管理的基本方法，深刻认识"两个根本转变"对企业市场营销的新要求，以及在社会主义市场经济条件下企业市场营销所面临的新机会与新挑战，增强企业经营适应环境发展变化的自觉性，努力改进市场营销管理，不断提高企业市场竞争能力。本书共分三篇十四章，对于来自建筑企业的学员，要求学习第一篇和第二篇；对于来自房地产企业的学员，要求学习第一篇和第三篇。两方面学员的学时均为30学时。

　　本书由刘洪玉、丛培经主编，编写人员有清华大学刘洪玉（第十一、十二、十四章）、龙奋杰（第三章）、李楠（第五章）、郑毓煌（第十三章），北京建工学院丛培经（第六、七、八、九、十章）、张原（第一、二、四章）。武汉城建学院丁烈云和华南建设学院潘蜀健为主审。本书在编写过程中，得到了建设部徐崇录、刘哲、江华及清华大学张红、王龙芝、纪晓一等同志的指导与帮助，在此谨表衷心感谢。本书编写除参考了所列参考书目的有关内容外，还参考了《中外房地产导报》、《房地产报》、《建筑经济》等所刊载的论文资料，在此向有关著作者表示衷心的感谢。

　　由于市场营销在建筑与房地产领域还是一个崭新的课程，加之作者水平有限，书中肯定有许多不妥之处，敬请读者批评指正。

目 录

第一篇 市场与市场营销

第一章 市场概述 1
  第一节 市场概念 1
  第二节 市场的功能、分类和体系 4
  第三节 市场运行机制 10
  第四节 政府对市场的干预 13

第二章 市场营销 18
  第一节 市场营销概述 18
  第二节 市场营销管理 23
  第三节 现代市场营销观念 27

第三章 市场调查与分析 34
  第一节 市场调查 34
  第二节 市场营销环境分析 40
  第三节 市场分析的手段与方法 46
  第四节 目标市场的细分与选择 53
  第五节 竞争者分析 61
  第六节 市场购买行为分析 64

第四章 市场营销战略 72
  第一节 市场营销策划 72
  第二节 市场发展战略 74
  第三节 市场竞争战略 76
  第四节 产品策略 81

第五章 市场营销方案的制定与实施 89
  第一节 市场营销方案的制定 89
  第二节 市场营销组织 97
  第三节 市场营销执行 109
  第四节 市场营销控制 114

第二篇 建筑市场

第六章 建筑市场概述 126
  第一节 建筑市场的概念 126
  第二节 建筑市场体系 131

  第三节 建筑市场的主体与客体 ……………………………………… 140
第七章 建筑市场的运行机制 …………………………………………… 148
  第一节 建筑市场价格机制 ………………………………………… 148
  第二节 建筑市场的竞争机制 ……………………………………… 153
  第三节 建筑市场的供求机制 ……………………………………… 163
第八章 建筑市场环境、信息与战略 …………………………………… 179
  第一节 建筑市场环境 ……………………………………………… 179
  第二节 建筑市场信息 ……………………………………………… 187
  第三节 建筑市场"营销"战略 …………………………………… 189
第九章 建筑市场的培育与发展 ………………………………………… 197
  第一节 概述 ………………………………………………………… 197
  第二节 培育和发展建筑市场的主要工作环节 ………………… 199
  第三节 建筑市场管理 ……………………………………………… 206
第十章 国际建筑市场 …………………………………………………… 218
  第一节 国际建筑市场的结构 ……………………………………… 218
  第二节 国际建筑市场基础知识 …………………………………… 226
  第三节 开拓国际建筑市场 ………………………………………… 237

第三篇 房地产市场营销

第十一章 房地产及房地产市场 ………………………………………… 247
  第一节 房地产及房地产市场的概念 …………………………… 247
  第二节 房地产市场的分类 ………………………………………… 254
  第三节 房地产市场的特性及功能 ……………………………… 256
  第四节 房地产市场的供求关系 ……………………………………… 259
第十二章 房地产项目策划 ……………………………………………… 270
  第一节 房地产市场分析与预测 …………………………………… 270
  第二节 房地产投资方向的选择 …………………………………… 274
  第三节 房地产投资场地的选择 …………………………………… 283
  第四节 房地产产品功能的定位 …………………………………… 288
  第五节 房地产投资项目融资策略 ………………………………… 290
第十三章 房地产定价策略 ……………………………………………… 305
  第一节 房地产价格构成及定价 …………………………………… 305
  第二节 房地产定价方法 ………………………………………… 310
  第三节 房地产定价技巧 ………………………………………… 314
  第四节 房地产价格调整与变动 …………………………………… 320
第十四章 房地产分销与促销策略 ……………………………………… 336
  第一节 房地产销售形式分析 ……………………………………… 336
  第二节 沟通与促销组合 ………………………………………… 340
  第三节 宣传与广告策略 ………………………………………… 343

第四节 人员推销……………………………………………………353
第五节 房地产市场促销策略………………………………………356
参考书目……………………………………………………………………372

第一篇　市场与市场营销

第一章　市　场　概　述

第一节　市　场　概　念

一、市场

市场是社会分工和商品经济的产物。由于社会分工，不同的生产者分别从事不同产品的生产，并为满足自身及他人的需要而交换各自的产品。在人类社会早期，生产力水平很低，能进入交换的产品极少，交换关系也十分简单，生产者的产品有剩余时，需要寻找一个适当的地点来进行交换，这样就逐渐形成了市场。因此，最初的市场，主要是指商品交换的场所。随着社会生产力的发展，社会分工越来越细，商品交换日益频繁，交换关系越来越复杂，交换的领域及范围也逐渐扩大。尽管原有的市场形式——商品交换的场所仍然存在，但市场的概念已打破了时间和空间的限制，它的内涵被扩展到不同生产者通过买卖方式实现产品相互转让的商品交换关系的总和。

在市场经济条件下，市场得到了空前的发展，它已成为社会资源的主要配置者和社会经济活动的主要调节者。市场的含义也有了更为深刻的变化。美国市场营销协会（AMA）给市场下的定义是"市场是指一种货物或劳务的潜在购买者的集合需求。"由于市场的概念随着商品经济的发展而发展，所以，我们可以从不同的角度来理解市场。

（一）市场是商品交换的场所

市场是商品交换的场所，是商品及其交易者汇集的地方。这是进行商品交换的必要条件。没有一定的场所，交换就无法进行。这里的场所，不仅是指一块场地，而且还包括设立在该场地上的各种从事和服务于商品流通的经济组织和经济机构。商品经济中的每个商品生产者都是彼此独立的，商品的消费者更是分散进行的，市场则为商品生产者和消费者提供了一个彼此相聚并且作为供求双方进行交易的物质上的和组织上的载体。这是把市场理解为商品交换这种经济现象在空间上的表现形式，也是最初的市场形态。任何商品，无论是有形商品，还是无形商品的交易行为都要在特定的交易场所进行。这种传统的市场概念涵义较窄，它适用于对市场进行表面分析。要了解市场更深层次的内涵，还需要对市场作进一步分析。

（二）市场是商品交换关系的总和

所谓交换关系的总和，是指参与某些商品和劳务的现实的或潜在的交易活动的所有买者和卖者之间的交换关系。它是生产与流通、供给与需求之间各种经济关系的总和，是价值实现、价值转移的枢纽。这一含义体现了市场的经济关系性质，所有商品生产者、经营者、消费者或其它各类经济主体，都必须通过市场从事交换活动，发生经济联系，实现各自利益。因此，市场成为以交换关系为主的各种经济关系的综合体。

（三）市场表现为对某种或某类商品的消费需求

市场的这一含义体现了现代市场的本质特征。企业的一切经营活动都是为了最终满足消费者和用户的需求。消费者和用户主导着市场，哪里有未被满足的需求，哪里就有市场。因此，了解市场，并设法满足消费者需求就成为企业市场营销活动的出发点和取得成功的基本条件。认识这重含义对企业营销活动能起到有效的指导作用。

二、市场的构成

市场是由各种基本要素组成的有机整体，这些要素之间相互联系和相互作用，推动着市场的运动。

（一）从市场总体来看，构成市场的基本要素有：市场主体、市场客体以及具备买卖双方都能接受的价格和交易条件。

1. 市场主体

市场主体是指从事市场交换活动的当事人。它一般包括三种人，即商品生产者、消费者和商业中介人。商品生产者是拥有商品的出卖者，属于供给一方。只有生产者生产了商品，才有可能进行商品交换。因此，他为市场活动提供了物质基础。消费者是持有货币的购买者，属于需求一方，只有消费者购买商品，才能使生产者的商品能够实现交换。因此，消费者是商品交换的实现条件。商业中介人既是购买者又是出卖者，其活动的特点是转手买卖，在市场中处于生产者和消费者之间的中介地位，起着商品交换的媒介作用，目的是解决生产者和消费者的时空差异，从而使商品交换能够顺利进行，使分布于各地的市场能够联系和统一。

2. 市场客体

市场客体是指一定量的可供交换的商品。这里的商品既包括有形的物质产品，也包括无形的服务，以及各种商品化了的资源要素，如资金、技术、信息和劳动力等。市场活动的基本内容是商品交换，如果没有交换的客体，市场也就不存在了。因此，具备一定量的可供交换的商品，是市场存在的物质基础。

3. 具备买卖双方都能接受的价格和交易条件

由于买卖双方是两个不同的商品、货币所有者，只有自愿互利，价格和交易的条件双方都能接受，商品交换才能完成，这就是通常所说的"自愿让渡"规律。此外还应具备场所、设备等物质条件和制度、规则等非物质条件。

（二）从需求方面看，构成市场的要素有人口、购买力和购买欲望

对于一切既定的商品来说，市场都包含三个要素，即人口、购买力和购买欲望。人口是指需求者，哪里有人，哪里就有需求。人口的状况影响着市场需求的内容和结构。购买力是指人们购买商品或劳务的实际货币支付能力。人们的消费需求是通过利用手中的货币购买商品实现的。购买欲望是指消费者购买商品的愿望、要求和动机，它是把消费者的潜在购买力变为现实购买力的重要条件。消费者的多少、购买力的大小、以及购买欲望的产生与否，是决定市场规模大小的基本因素。如果人口众多，但收入很低，购买力有限，则不能构成容量很大的市场。如果购买力很大，但人口很少，市场也不会很大。只有人口众多、购买力很强，又具有购买欲望三者并存时，市场容量才大。因此，市场容量的大小取

决于人口、购买力和购买欲望三者有机统一。

三、市场的特征

在市场活动过程中，交换或买卖双方之间存在着实物和价值的经济联系，这种经济联系体现着它们各自的经济利益，因而决定着市场具有平等性、自主性、完整性、开放性和竞争性等五个方面的特征。

（一）平等性

平等性是指参与市场活动的市场主体拥有平等的市场地位。表现为：（1）市场主体能机会均等地按照统一的市场价格取得生产要素。（2）市场主体能够机会均等地进入市场，并进行自主决策和经营。（3）市场主体能平等地承担税赋和其他方面的负担。（4）市场主体在法律和经济往来中处于平等地位。因此，在市场活动中，市场主体不因生产资料所有权的不同、企业生产经营范围的不同、企业本身规模大小的不同等而有所差异，商品所有者之间的交易是平等自由的交易，他们普遍遵守的是等价交换的原则，一方只有符合另一方的意志才能让渡自己的商品，占有他人的商品。当然，这种交易的平等和自由必须由政府通过法律加以保护，这样才能保证平等交换的契约关系，保证市场活动的正常运行。

（二）自主性

企业是市场交换的主体，作为独立的商品生产者和经营者，企业必须自主经营、自负盈亏，独立地对市场供求、竞争和价格变化作出灵活的反应。企业的自主性具体表现为拥有相对独立的生产经营自主权，主要包括生产经营决策权、企业投资决策权、资金支配使用权、产品物资购销权和劳动人事调动权等。正因为具备了这些权力，企业才能成为真正的市场经营主体，并由此决定了市场活动具有高度的自主性。

（三）完整性

市场要有效发挥配置资源的功能，就必须有一个比较完善的市场体系，这是供求、竞争和价格发挥调节作用的前提条件。完善的市场体系应包括：（1）齐全的商品市场和生产要素市场。商品交换是市场交换的基本内容，由资本、劳动力等组成的生产要素市场是实现资源充分流动的必然结果。因此，市场活动必须建立在完备齐全的市场体系基础之上。（2）众多的买者和卖者。如果缺乏足够的买者和卖者以及他们之间的充分竞争，就会产生垄断，导致市场秩序混乱，降低市场配置资源的效率，使市场不能正常运转。（3）各类市场在国内区域是一个整体，形成全国范围的统一市场，并与国际市场建立密切联系，打破对市场的分割和垄断。（4）在价格形式中，要减少人为管制和扭曲，使它能真实反映资源稀缺状况，这是市场有效运行的基本条件。

（四）开放性

市场经济体制下的市场是充分开放的，即向所有商品生产者、经营者和购买者开放，向各种产权形式的企业开放，向全部社会资源要素开放，向各个行业、地区和国家开放。任何性质、规模和形式的企业都可以自由参与市场活动。开放的市场是实现资源流动的必要条件，也是市场有效发挥作用的前提之一。

（五）竞争性

竞争是市场运行的突出特点。在市场活动中，竞争表现在许多方面，有买者之间的竞争、卖者之间的竞争和买卖双方之间的竞争。所有市场参与者平等进入市场，从事交易活动，并在此基础上各个企业凭借自身的经济实力全方位地开展竞争，通过公平竞争，实现优胜劣汰，因此，真正意义的市场是充满竞争的市场。

第二节 市场的功能、分类和体系

一、市场的功能

市场功能是市场机体所具有的客观职能，从市场活动的基本内容来看，市场具有交换功能、调节功能、信息导向功能、配置资源功能和经济联系功能。

（一）交换功能

市场的中心内容是进行商品交换和买卖活动。商品生产者为了实现其产品价值，必须在市场上出售自己的产品，消费者为了满足自己的生活和生产的需要，必须购买这些产品，以及经营者买进卖出商品的活动，都是通过市场进行的。市场的交换功能促成了商品所有权在各当事人之间的让渡和转移，实现了商品价值。同时，通过市场的流通渠道来实现商品在空间和时间上的移动，使商品能够源源不断地从生产领域经过流通领域进入消费领域，实现了商品的使用价值。这种促成和实现商品所有权交换和实体转移的活动，是市场最基本的功能。它引导着生产按照消费需要的方向发展。

（二）调节功能

调节功能是指市场在其内在机制的作用下，能够自动调节社会经济的运行过程和社会资源在国民经济各个部门、各个地区、各个企业之间的分配，也就是按照市场需求来组织生产和经营。市场的这种调节功能主要是通过价值规律、供求规律和竞争规律来体现的。市场供求和市场价格变化，不仅能调节市场商品供求总量和供求结构，而且能自发调节交换双方的经济利益。调节功能是市场最主要的功能。

（三）信息导向功能

信息导向功能是指市场向商品的生产者、经营者以及消费者发布各种信息，直接指挥他们的经济活动乃至支配日常生活的功能。在市场经济条件下，市场是最重要、最灵敏的经济信息源和各种经济信息的汇集点。市场发布的信息主要有供求信息、价格信息、信贷信息、利率信息等。从宏观角度看，它能灵敏地反映出国民经济各部门、各地区之间生产和消费之间是否协调，为经济活动提供信息。从微观角度看，市场能反映各个企业的生产与经营状况，使企业能根据不同商品和品种的畅销、滞销情况来调整产品结构和经营方向，使生产更能适应消费的需要。当然，市场信息对消费者也能起到调节、引导乃至支配的作用。消费也通过市场反作用于生产。随着社会信息化程度的提高，市场信息导向功能将日益加强。

（四）配置资源功能

配置资源功能是指市场成为社会资源的配置者，按照市场导向来调节社会资源在国民经济各部门之间分配的功能，也就是按照市场需求来组织生产和经营。这里的社会资源，实际上就是指各种各样的生产要素，包括人力、物力和财力。各种资源通过市场调节实现组合和再组合，表现为通过参与市场交换在全社会范围内自由流动，按照市场价格信号反映的供求比例流向最有利的部门和地区，企业作为资源配置的利益主体通过市场竞争实现各项资源要素的最佳组合等等。这些都是市场重新组合和配置社会资源的表现。不仅如此，由于现代社会生产和消费已具有世界性，任何一个国家都不可能拥有经济发展所需要的一切资源，都需要互通有无，调剂余缺。因此，市场已从国内交换扩展到国际交换，通过国际间的经济技术合作，在一定程度上实现世界范围内的社会资源的配置。

（五）经济联系功能

市场的经济联系功能，在一国范围内表现为打破条块分割的经济格局，将一国国民经济的不同部门、同一部门内不同行业和不同企业以及不同地区、不同属性的市场主体和客体吸引到市场中来，从而使市场成为国民经济的桥梁和纽带，推动全国范围内统一大市场的逐步形成和日趋完善，使国民经济联结成一个有机整体。在国际范围内表现为突破一国界限，使市场成为国际社会经济活动交往和汇集的场所，使生产资本、商品资本和货币资本走向国际化，从而推动全球经济的发展。

二、市场的分类

市场分类就是依据一定标准对市场进行划分，分类的标准和方法很多，主要有以下几种：

（一）按社会分工在不同历史时期的不同发展程度分类

按这种方法分类可以将市场分为古代市场、近代市场和现代市场。

1. 古代市场

古代市场就是原始市场，它是原始商品经济活动的场所。原始商品经济的特点是商品交换主要处于物物交换阶段，大部分产品未转化为商品，货币不起主要作用，只有一部分剩余产品用于交换。原始市场范围较窄，而且不太固定，往往是小区域性的集市，社会分工处于初级阶段，真正的商业尚未形成。

2. 近代市场

近代市场是社会分工取得较大发展的产物，是近代商品经济活动的舞台。近代商品经济是指以机器大工业为基础或起点，在资产阶级自由竞争政策下得到自由发展的商品经济。近代市场的特点表现为，社会分工由小区域分工发展为大区域分工并开始出现国际分工；真正的商业、金融业和科学技术得到发展；市场货币流通已较为发达。

3. 现代市场

现代市场是社会分工和国际分工最新发展的产物。它建立在社会生产力高度发达的基础之上，与现代商品经济的迅猛发展相适应。表现为社会分工向纵深发展，国内国际的横向经济联系加强；信用经济发展迅速，流通手段信用化；市场体系完善；市场机制健全，形成经济手段、法律手段和行政手段等多种调节手段统一的、综合的调节机制。

（二）按对市场有无宏观控制分类

按这种方法分类可以把市场分为自由市场和计划市场。

1. 自由市场

自由市场是指不存在宏观控制的市场，是完全让价值规律自发地起调节作用的市场，因而是商品生产和商品交换完全处于无政府状态的市场。自由市场是以作为交换主体的商品生产者拥有完全的经营决策权为前提的。

2. 计划市场

计划市场是指具有宏观控制的市场，这种宏观控制是由社会中心通过多种手段进行的，宏观控制的目的，是控制市场需求和市场供给，使需求与供给保持基本平衡。计划市场的实质是自觉运用价值规律的宏观调节作用的市场。计划市场的特征，表现为计划与市场的结合，也就是将市场纳入计划的轨道，使市场有计划、按比例地发展，市场实现有序化。

（三）按产品的用途分类

按这种方法分类可以将市场分为商品市场和生产要素市场。

1. 商品市场

商品市场通常是指有形的物质产品市场，主要以消费品和生产资料为交易对象。商品市场构成市场体系的物质内容和物质基础，在整个市场体系中占有极其重要的地位，属于主体市场。

2. 生产要素市场

生产要素市场主要包括资金市场、劳动力市场、技术市场、信息市场和房地产市场等。在市场体系建设中，培育和发展生产要素市场具有十分重要的意义。

（四）按商品的流通区域或范围分类

按这种方法分类可以将市场分为城市市场、农村市场、地方市场、全国市场和国际市场。

1. 城市市场

城市市场是指商品交换主要在城市范围内发生的市场。它以经济相对发达、交易活动相对集中，交通和通讯便利的城市为依托，在区域市场乃至国内市场内往往处于中心地位。城市市场的发展方向，在于市场主体的多元化、市场流通的多样性以及促进市场的开放性。

2. 农村市场

农村市场是指商品交换主要在农村范围内发生的市场。我国农业人口占总人口的比重较大，随着农民购买力水平的提高，农村市场的潜力将是巨大的，农村市场在国内市场中将占有极为重要的地位，因此必须大力开发农村市场。要疏通农村市场的流通渠道，增加适销对路的产品，以及做好各种市场服务等。

3. 地方市场

地方市场是指商品交换关系以地区为活动空间的市场。地方市场有两种类型，一种是经济性地方市场，即根据商品流通的内在要求所形成的地方市场，它有利于商品的实现，能够促进经济的发展。另一种是行政性地方市场，即行政封锁和地方割据所形成的市场，它对经济的发展会起到阻碍的作用。

4. 全国市场

全国市场是指商品流通以全国范围为活动空间的市场。全国市场以地方市场为基础，即在地方市场相互辐射和互相渗透的基础上，形成全国统一的市场。发展全国市场必须打破各种行政封锁，消除人为的封闭和分割；发展流通设施，形成广泛的信息流和交通流的结构网络，突破地理条件的自然障碍。

5. 国际市场

国际市场是指商品交换在全世界范围内发生的市场。形成国际市场的商品交易是国际贸易。相对于国内市场而言，国际市场容量更大，竞争更加激烈，在国际市场上进行交易，其制约因素也是多而复杂的。国际市场对于我国开展对外经济技术合作，加快市场经济体制的发展，提高企业经济效益和产品在国际市场上的竞争力具有越来越重要的作用。

（五）按商品流通的时序分类

按这种方法分类可将市场划分为现货市场、期货市场、以及批发市场和零售市场。

1. 现货市场

现货市场一般是指通过买卖双方达成口头或书面的商品买卖协议或合同，然后根据协议商定的付款方式和其他条款，在一定时期内进行实物交割，实现实物商品及其所有权同时转移的交易市场。现货交易通常又分为即期交易和远期交易。即期现货交易是指买卖双方立即进行的一手交钱、一手交货的交易。远期现货交易是指买卖双方事先签订商品买卖合同，约定在一定时期内按合同条款进行实物交割的交易。现货市场是市场交易的最古老形式和最基本形式，是市场运行主体和基础。完善现货市场对于建立和发展社会主义市场经济体制具有很重要的作用。

2. 期货市场

期货市场是指按一定的规章制度买卖期货合同的有组织的市场。期货市场是由期货交易所、场内经纪人与期货佣金商以及清算所等构成。期货交易就是在期货市场上进行的交易行为。与现货交易不同，期货交易必须在交易所内进行，只有交易所的会员才能在期货交易所内进行交易。期货交易者进行期货交易的目的有两类：一部分市场参与者是为了"套期保值"，即利用期货市场减少他们所承受的价格变动的风险；另一部分市场参与者就是为了"投机"，即从合同价格与交货时的市场实际价格的差额中取得收益。期货合同是由交易所制订的标准期货合同，只能按照交易所规定的商品标准和种类进行交易，并且必须在每个交易所设立的清算所进行登记及结算。期货市场是一种高层次的市场组织形式。发展期货市场一是要积极创造期货市场发育的条件；二是要完善期货市场规章制度。这对于国民经济的正常运行和市场供求关系的稳定有重要意义。

3. 批发市场

批发市场是连接生产者与零售商品的市场，是组织商品大批量交易和进一步转售的场所。在商品流通过程中起着承前启后的组织作用。发展我国批发市场的重点是使从事批发的企业具有独立的经济利益和承担经营风险，提高批发商业参与市场竞争的积极性，广开商品流通渠道，减少流通环节。

4. 零售市场

零售市场是指向消费者出售商品的市场，它是商品流通的终点。零售市场对于商品实现、提高经济效益和改善人民生活具有重要意义。因此，应充分发挥各种经济成分从事零售商业的积极性，力求做到布局合理，规模结构优化和门类齐全。

(六) 按竞争程度分类

按这种方法分类可将市场分为完全竞争市场、完全垄断市场和垄断竞争市场

1. 完全竞争市场

完全竞争市场是指竞争行为不受任何阻碍和干扰的市场形态。在完全竞争市场中，商品价格完全是在竞争过程中形成的。企业只能按照市场价格出售它所拥有的产品，或者说，企业是市场所给定的价格的接受者，价值规律通过价格变动自发地调节市场供求。在现实生活中，这一形态的市场除少数农产品外很少存在。

2. 完全垄断市场

完全垄断市场是指市场上只存在独一无二的买主或卖主，其他买者或卖者不可能参加竞争。在完全垄断市场中，垄断企业是价格的制定者，它会通过限制产量来控制价格，使价格保持在较高水平上。因此，价值规律的作用会受到很大限制。完全垄断市场仅集中于

一些公用事业，如水、电、邮政等。

3. 垄断竞争市场

垄断竞争市场是介于完全竞争和完全垄断之间的市场形态。在垄断竞争市场中，同时存在众多买者和卖者，竞争形式多样化，竞争程度加剧，各垄断体可以对部分市场作一定程度的垄断，这是现代市场经济中大量存在的市场类型。

(七) 按市场主体地位不同分类

按这种方法分类可以将市场分为卖方市场、买方市场和均衡市场

1. 卖方市场

卖方市场是指在市场上卖方处于支配地位，市场在具有压倒优势的卖方力量的控制下运行。卖方是市场上商品或劳务的供应者。卖方市场一般是在商品经济不发达、市场供应短缺、处于卖方垄断的情况下产生的。其表现形式是：市场上商品供不应求，价格趋于上升，交易条件有利于卖方，买方形成竞相购买的态势。

2. 买方市场

买方市场是指在市场上买方处于支配地位，市场在具有优势的买方力量的控制下运行。买方是市场上的商品或劳务的购买者。买方市场一般是在商品经济比较发达、市场商品供应比较充裕时出现的。其表现形式是：市场上商品供过于求，价格趋于下降，买方有更大的挑选商品的范围和机会，卖方竞争激烈，他们不仅注意生产，还要了解市场，并制定有效的市场策略。

3. 均衡市场

均衡市场是在买方和卖方双方力量互相制约下稳定而又均衡地运行的市场，这是一种市场一般结构的正常表现形式。

(八) 按一国的法律或政府对市场的管制分类

按这种方法分类可将市场分为"白市"交易、"黑市"交易和"灰色"交易。

1. "白市"交易

"白市"交易就是符合国家法律或为政府所允许的市场交易。

2. "黑市"交易

"黑市"交易就是不合法或被法律或政府所禁止的市场交易。

3. "灰市"交易

"灰市"交易就是介于"白市"交易和"黑市"交易两者之间的一种市场。是靠拉关系或"走后门"而进行的市场交易。这种交易存在的基本前提，是相对于政府确定的计划价格或牌价，亦即政府对价格的管制，某些商品供不应求。

三、市场体系

市场作为流通领域要充分发挥其功能，就必须有效地组织好各种市场活动。各种市场既是相对独立，相互制约，又是相互依赖、相互促进的关系，把这些市场有机地结合起来就形成市场体系。在市场体系中，商品市场在市场体系中处于基础的位置，其他市场在某种程度上是为商品市场服务的。对于市场体系的研究，应着重研究商品市场和生产要素市场，这里主要分析消费品市场、生产资料市场、金融市场、信息市场、技术市场、劳动力市场和房地产市场等。

1. 消费品市场

消费品市场是指为满足个人和集团需要而提供产品和劳务的市场。消费品市场在市场体系中占有非常重要的地位。在商品经济条件下，人们物质和文化生活需要主要是通过消费品市场来满足。消费品市场状况直接影响着人们的消费水平。消费品市场对于生产资料市场来说也是重要的，它直接或间接地影响和制约着生产资料市场的发展。如果消费品市场繁荣兴旺，就会直接带动生产资料的生产和流通的发展。不仅如此，消费品市场对于国民经济的发展、产业结构和产品结构的调整也都有着重要影响。

2. 生产资料市场

生产资料是人们在物质生产过程中使用的劳动工具和劳动对象的总和。生产资料市场是指按照等价交换原则进行生产资料的交换和经营，以满足人们生产需要的经济活动领域。生产资料市场能为生产和扩大再生产提供必要条件，因此，开拓生产资料市场对促进整个国民经济的发展，增强企业活力，培育和完善社会主义市场体系具有重要意义。

3. 金融市场

金融市场是指货币资金融通的场所或总称。广义的金融市场包括货币市场、资本市场、黄金市场、外汇市场等。狭义的金融市场则专指资金市场，即借贷资本运动的领域。随着商品经济的发展，市场竞争日趋激烈和投资规模的逐渐扩大，金融市场得到空前发展。金融市场对经济发展的重要作用表现为：能为资金盈余者提供多种投资选择；为资金需求者提供多种筹资选择；合理引导资金流向和流量；提高资金使用效益；有利于中央银行的宏观调控；促进国际间资本在全球范围内的合理流动。

4. 劳动力市场

劳动力市场是指劳动力进行交换的场所及劳动交换关系的总和。劳动力市场是生产要素市场中最重要的市场之一。在市场经济条件下，企业作为自主经营、自负盈亏的经济实体，必须具有挑选、聘用和解雇劳动者的权利，以实现企业的优化劳动组合，这就需要组织劳动力的合理流动，这是经济规律的客观要求。劳动力市场的发展完善，能较好地适应企业对劳动力的需求变化，并在一定程度上发挥劳动者工作的积极性和创造性；有助于劳动者素质和价值得到准确公正的评价；企业和劳动者在自愿基础上进行双向选择，促进了劳动力资源以及整个社会资源的优化配置。

5. 技术市场

技术市场是指技术商品交换的场所和交换关系的总和。其业务范围包括技术转让、技术咨询、技术服务、技术培训、技术承包、技术入股、技术开发、技术出口等。通过技术市场交易活动，能加速新技术的传播速度，缩短技术成果转化为生产力的进程；加强科研部门与生产部门的横向联系；增强科研单位的自我发展能力；推动企业技术进步；有助于调动科技人员的积极性、创造性。

6. 信息市场

信息市场是交流信息的场所，是信息生产者、经营者和信息用户之间的交换关系的总和。现代社会，信息已深入到社会经济生活的各个方面，信息市场的发展完善有利于促进信息商品化和信息工业的发展，为商品经济的运行提供了传导机制；有利于推动科学技术的进步和国际间的经济技术合作。信息市场的高度发育也是商品市场、技术市场、金融市场等高效率运转的重要条件。

7. 房地产市场

房地产市场是专门进行土地和房产交易经营活动的场所以及由此产生的各种经济关系的总和。房地产市场包括房产市场和地产市场。发展房地产市场对促进房地产资源的合理配置。调整产业结构，增加财政收入，发展第三产业和带动相关产业的发展，提高人民居住水平，尤其是居民住房的开发建设可以形成国民经济新的增长点等方面具有重要意义。

第三节 市场运行机制

市场运行机制是以价值规律为基础，通过价格机制、供求机制和竞争机制来实现的。这三种机制构成了市场运行机制的主体。

一、价格机制

价格机制是价格及其对生产、消费和供求关系等经济活动的自发调节过程和方式，它是市场机制的主体内容。

（一）价格机制调节生产

作为商品的生产者，在选择生产方向、决定生产规模和选定所使用资源时，必然考虑商品的比价。商品比价关系及其同价值的趋于一致，是供选择的重要条件，这样就引导社会劳动和社会资金的流向，调整产业结构和社会劳动在各生产部门之间的分配，最终实现生产要素的优化组合和产业结构的合理化，促使资源得到最佳配置和充分利用。

（二）价格机制调节消费

价格总水平的上升或下降，影响消费者的购买力，从而调节市场的消费需求的规模。商品比价体系的变动，促使消费者放弃价高商品或使用替代商品，从而调节市场的消费需求方向和需求结构的变化。

（三）价格机制调节供求关系

某种商品价格提高，会刺激这种商品的生产和增加供给，而抑制对它的需求和消费。反之，某种商品价格下降，就会刺激对它的需求和消费，而抑制这种商品的生产和减少供给。同时，价格对供求的调节和指示作用，不仅反映在供求总量上，而且也反映在供求结构上和供求时空上。总之，价格与供求的关系及其运动，是价格变化规律的最基本的内容。

（四）价格机制是宏观调控的重要手段

价格机制对宏观控制来说，以其价格总水平的变动，一方面给国家反馈宏观控制的信息，另一方面自动调节企业总体活动，推动总供给与总需求的平衡。

价格机制是现代市场运行的利益机制或动力机制。价格机制的调节功能在商品经济中的重要作用，是通过价格与价值的背离及其趋于一致的过程而实现的。如果价格背离价值的程度过大、方向固定化、时间过长，那么价格机制就无法发挥作用。因此，价格机制能够发挥作用的关键，是要放活价格，让其能依据供求的变化，围绕价值上下波动。

二、供求机制

（一）市场供求的形成

市场供求一方面表现商品和货币的关系，另一方面表现卖者和买者的关系。在商品市场上，供给是指商品的卖者或生产者提供销售的商品数量，即商品可供量。商品可供量的形成主要取决于供应者的状况，如供应者的类型、生产能力和产品结构等，供给是市场活动的基本条件。影响供给的因素很多，包括产品成本、相关商品价格、生产要素的价格、政府的租税或补贴政策及商品销售价格等因素的影响。需求是指商品的买者或消费者需要消费的商品数量，即商品购买力。市场商品的需求量形成主要取决于购买者、购买力和购买欲望三者的有机统一。影响需求的因素很多，包括商品功能、消费者的偏好、商品价格、消费者的收入状况，各种相关商品的价格变动以及广告宣传、消费信贷、利息率等。

在市场运行中，生产者需要根据不断变化的市场需求，选择生产要素的不同组合方式，生产和经营更多的受消费者青睐的商品，以追求利润最大化；消费者需要根据收入预算和市场价格变化选择一定的消费品组合，以追求效用最大化。供给和需求两者作为集合力量相互作用，成为推动市场经济运行的根本动力。

（二）市场供求矛盾

市场供求关系，即市场商品供给与需求之间的关系，是市场机制的重要因素。商品的供给与需求是商品交换的一对矛盾，供求矛盾主要表现在以下几个方面。

1. 供求总量上的矛盾

供求之间总量上的矛盾，是供求对立运动的最基本表现形式。由于受很多因素的影响，供求在数量上常常是不一致的，或是供过于求，或是供不应求。当供给大于需求时，就会出现需求不足，从而导致经济增长速度放慢，经济滑坡。因此，通过增加政府支出、减少税收等办法，可以使需求和供给达到一致。当需求大于供给时，就会出现过度需求，在这种情况下，国家可以采取限制货币发行，控制消费资金过快增长，鼓励生产等手段来使需求和供给保持一致。

2. 供求结构上的矛盾

供求结构上的矛盾，主要是指供给结构（如产业结构、产品结构等）与需求结构（如消费结构）之间的矛盾。供求结构上的矛盾不仅影响到国民收入的分配和再分配，以及企业自身的经济效益，而且还往往导致供求总量失衡。决定供求结构关系的重要原因有两条，一是社会分工形成的商品生产各部门之间存在的内在联系，这一联系在客观上决定了商品种类在市场供求中必须保持一定的数量比例关系，而且这一关系将随生产结构的调整而不断改变。二是人们的消费结构对商品种类提出的客观要求。这一需求将随着消费水平的提高而不断改变。总之，供给结构一定要适应消费结构，同时，消费结构的变动最终也导致供给结构的变动。

3. 供求在空间上的矛盾

供求在空间上的矛盾主要是指供求的变化在空间上不会保持严格同步关系，即在同一空间内不可能有一定量的供给就会出现一定量的需求，也不可能有一定量的需求就会出现一定量的供给。这是生产和消费在地区上的差异造成的矛盾。由于供给受自然资源的分布、地理、交通运输条件的制约，供求之间具有一定的空间跨度，因而供求之间的变动也就具有空间运动的性质。

4. 供求在时间上的矛盾

供求在时间上的矛盾主要是指供求的变化在时间上不会保持严格的同步。供给一定量的商品要受生产可供支配的时间的制约，在一定的时间里只能供给一定量的商品；需求也同样，由于消费一定量的商品也需要一个过程，任何消费者也不可能一下子把市场供给的商品全部消费掉，所以供求只能是一定时间内的供求。有些商品是季节性生产，常年消费；有些商品则常年生产，季节性消费。供求在时间上出现的矛盾，对于一般商品而言主要是靠合理商品储存来解决。

供求之间的矛盾，主要是通过以上四种形式表现出来的，并在价值规律以及市场机制的作用下，实现着商品的供求平衡。

（三）供求机制的内涵对于供求机制的作用

供求机制就是商品供给与商品需求之间所具有的内在联系和动态平衡的规律性。就供求机制的实质来说，供求机制反映价格与供求关系的内在联系。

供求机制调节商品的生产与消费。市场商品供过于求，会引起价格下跌，从而引起商品生产减少，消费增加；市场商品供不应求，会引起价格上涨，从而引起商品生产增加，消费减少。由此可见，供求关系的变化，导致市场价格的涨落，而市场价格的涨落，又刺激供给和需求的增减，从而引起商品的生产结构和消费结构的变化。

供求机制作用于价格与价值的相互关系之间。价格机制是通过价格与价值的背离及其趋于一致的过程来发挥作用的，而价格与价值的背离即价格与价值的差额以及价格与价值的趋于一致都是由供求来决定的。没有供求机制，价格机制就不能发挥它的作用。

供求关系在市场上总是处于不断变动之中。由于供给和需求受到很多因素的影响，这些因素又相互起作用，供给和需求以及两者的关系都在不断起变化，因而供给和需求在市场活动的全过程中从来不会一致。供给和需求之间的互相适应是暂时的、相对的，而不相适应、不平衡则是普遍的、绝对的。供求关系总是依照从不平衡到平衡，从平衡到不平衡的客观规律运动着。

供求机制是供求双方矛盾运动的平衡机制。在市场运作过程中，它以竞争机制作为催化剂，以价格机制作为动力的反馈信息，与其他机制共同调节着市场供求关系。

三、竞争机制

竞争机制是指各市场主体在市场经济条件下争夺自身经济利益的方式。在市场经济中，企业为实现利润最大化和自身的生存与发展，必然展开各种竞争。在市场主体中间展开的竞争有三种类型，即市场供应者之间的竞争、市场需求者之间的竞争、市场供应者和需求者之间的竞争。

（一）市场供应者之间的竞争

发生在市场供应者之间的竞争，其主要目标是实现商品的价值，或使价值得到不断增值。这其中又有两种情况：一种是发生在同一部门内的竞争，即同一生产部门内部的生产者为实现其自身价值而展开的竞争，这种竞争主要围绕争夺购买者进行，结果是优胜劣汰，其实质是通过竞争实现资源的最优配置和生产要素的优化组合，从而推动社会生产力的发展；另一种是发生在不同部门之间的竞争，目的是获取超额收益，并在竞争中不断推动着社会资金和社会劳动在不同生产部门之间进行流动，竞争的结果，使得不同生产部门之间的利润逐步平均化，实现生产结构和需求结构的平衡，推动产业结构向合理化方向发展。

（二）市场需求者之间的竞争

发生在市场需求者之间的竞争，其目标是取得使用价值。竞争的结果，往往使市场价格步步升高，这种现象也被称为需求拉上型价格上升。购买者之间的竞争能给生产以反作用力，从而推动生产向合理化方向发展。

（三）供应者和需求者之间的竞争

发生在供应者和需求者之间的竞争，其竞争的主要目标是为了盈利。供求双方之间的竞争对价格的影响取决于双方力量的对比。供求双方的竞争是市场竞争中最基本的竞争形式，也是供求对立运动的基本反映。只有通过供求双方的竞争，才能检验社会生产的最终效果。

竞争机制是市场机制的一个重要组成部分，它是价格机制、供求机制等市场机制充分展开并充分发挥市场功能的保证。通过市场机制，可以实现促进社会生产力的发展和调节社会生产比例，促使企业改善经营管理和提高劳动生产率，促使各企业的资金在社会生产各部门之间流动。然而，市场机制的上述作用能否充分发挥，关键是必须具备竞争机制在运行中所需要的条件，即企业真正成为自主经营、独立核算，自负盈亏的商品生产者和经营者，并能够在竞争中获得相应的经济利益，同时，为竞争创造良好的环境和条件，保护竞争、防止垄断。

第四节 政府对市场的干预

市场和政府共同对经济运行起作用是现代市场经济的一个基本事实，无论唯市场无政府，还是唯政府无市场的作法都不能保证国民经济快速发展和处于最优的经济境界。政府通过宏观调控干预市场运行，即政府通过各种宏观政策、经济杠杆、经济法规、计划指导和必要的行政管理对市场经济的运行从总量和结构上进行调节和控制的活动，目的在于弥补和纠正市场缺陷，实现宏观总量平衡和结构协调，保证国民经济的协调运行和健康发展。

一、政府干预的必要性

由于市场机制对社会资源配置的调节方式和调节过程存在着自身的弱点和不足，因而导致市场失灵，具体表现在以下几点。

1. 市场不能确保宏观经济的稳定性

市场机制在自发的运动过程中，会偏离社会总体目标，不能确保宏观经济的稳定性。虽然市场机制对有效地配置资源起着重要的作用，但是，单纯的市场力量也具有自发性、盲目性、滞后性和破坏性作用，使社会再生产所需要的比例关系，社会总产品实现所需要的条件不能自觉地实现，使社会资源的最佳配置难于实现，甚至会导致资源配置的浪费和无效率，以及消费者效用满足的损失，不合理的产业结构、高通货膨胀、高失业、国际收支失衡等。因此需要政府进入，并制定中长期发展战略、发展计划和产业政策及投资若干领域，保证社会经济的稳定发展。

2. 市场无法自发地消除垄断

在市场的运行中，自由竞争往往导致生产的集中，而生产集中发展到一定程度就会产生形形色色的垄断。此外，在国民经济的某些领域和产业部门中，还存在着天然垄断的现象。垄断会造成供求双方的不平等，反过来又会破坏市场机制，排斥竞争，从而阻碍资源配置的优化。因此，需要政府制定各种市场运作的规则，制止垄断，维护公平竞争。

3. 市场不能有效提供公共产品

市场在某些方面或领域无功能或功能不足，从而需要政府进入。如对公共物品的提供，市场就表现出无功能或功能不足。由于公共物品不具有竞争性和消费不具有排他性，使私人不愿意生产或无法生产，而这些公共物品是不适宜由市场来分配的。因此，公共物品一般只能在政府财政参与下来配置。

4. 市场不能确保收入分配公平

收入分配公平是社会主义市场经济的重要社会原则。然而，市场不可能自动地实现这一社会目标，保证收入分配的相对公平。市场机制的自发调节容易引起收入差距扩大，引发社会矛盾。因此，需要政府通过制定分配政策和社会保障制度，来维护分配的公平性。

市场的这些缺陷，是导致市场经济国家出现周期性经济衰退和其他社会经济矛盾的一个重要原因，因此，需要政府对市场进行干预、通过各种调控手段和政策来弥补和纠正市场缺陷，以保证社会总供给和总需求的基本平衡，促进整个国民经济的协调发展。

二、政府干预的目标

政府对市场进行干预的目标，就是保持社会总供给与总需求的基本平衡，包括供需总量平衡和供需结构平衡两个方面。

供给与需求的总量平衡，是市场的商品和劳务供给总量与对这些商品和劳务需求总量的平衡。供求总量的平衡，是经济稳定发展的基本前提，它综合反映了社会经济运行的全部过程和成果，即总生产、总分配、总流通和总消费的状况，并对形成市场运行的总态势起决定作用。

供给与需求的结构平衡，是指供给结构与需求结构之间的平衡关系。总供给的商品中有生产资料与消费资料所形成的供给结构，总需求的商品中有对生产资料与消费资料的需求所形成的需求结构，因而在生产资料的供给总量与生产资料的需求总量之间应保持基本平衡，并应在消费资料供给总量与消费资料的需求总量之间保持基本平衡。同时，供给与需求的结构平衡还应保持生产资料的供给品种结构与生产资料的需求品种结构之间的基本平衡，以及保持消费资料的供给品种结构与消费资料的需求品种结构之间的基本平衡。

三、宏观调控的政策干预

政府对市场进行政策干预的方式，主要包括财政政策、货币政策、产业政策和收入分配政策等方面。

（一）财政政策

财政政策是政府为了实现社会经济的持续稳定发展，综合运用各种财政性调节手段，如税收、财政预算、财政补贴等对一定的宏观经济变量进行调节的政策。财政政策是宏观调控政策体系的重要构成部分，它在调节社会商品供求总量方面有着特殊的重要作用。财政政策是由财政收入、财政支出、预算平衡、国家债务等方面的政策所构成的财政政策体系。

按照财政政策在调节总供给和总需求方面的各种功能，财政政策可具体分为平衡财政政策、紧缩财政政策和赤字财政政策三种类型。平衡财政政策是财政支出根据财政收入的多少来安排，既不要有大量结余，又不要有较大赤字，保持财政收支基本平衡，从而对总需求不产生扩张或紧缩的影响。紧缩财政政策是通过增加税收而增加财政收入，或通过压缩财政支出来减少或消灭财政赤字，以至出现或增加财政盈余，达到抑制或减少社会总需求，乃至消除需求膨胀的效应。赤字财政政策则是通过减税来减少财政收入，或通过扩大财政支出的规模来扩大社会需求。

由于政府对市场进行宏观干预的任务主要在于保持总供给与总需求的基本平衡，因而在实施过程中，应当根据总供给与总需求的对比状况，在不同条件下选择不同的财政政策，以求达到供需总量的基本平衡。

（二）货币政策

货币政策是中央银行代表政府，为实现宏观经济调控目标而制定的各种管理和调控货币供应总量和货币流通的措施的总称。货币政策由信贷政策、利率政策、汇率政策所构成。它以发展经济和稳定货币为目标来调节宏观经济活动。发展经济是指通过合理分配货币资金，充分发挥各种生产要素的作用，使社会总供给与总需求保持基本平衡，推动国民经济顺利发展。稳定货币是将货币供应量控制在流通中对货币客观需要量所容许的范围之内，以保持物价水平的基本稳定。发展经济与稳定货币应尽可能保持一致。

根据货币政策在调节总供给和总需求方面的各种功能，货币政策可分为均衡货币政策、扩张货币政策和紧缩货币政策。均衡货币政策是保持货币供应量与经济发展对货币的需求量的大体平衡，以实现总供给与总需求的基本平衡。扩张货币政策，即放松银根，扩大货币供应量，使其超过流通中对货币的客观需要量，以刺激有效需求的增长。中央银行通常在经济衰退、总需求不足、失业率上升时采用这种政策。紧缩货币政策，即紧缩银根、减少货币供应量，以抑制总需求的过度膨胀。中央银行通常在经济高涨、形成通货膨胀压力时采用这种政策。

运用货币政策手段进行宏观调控时，应根据社会总需求和总供给的实际对比情况，来选择具体的货币政策，以求达到总供给和总需求的基本平衡。

（三）产业政策

产业政策是国家根据国民经济发展的内在要求，提高产业素质，调整产业结构，从而提高供给总量的增长速度，并使供给结构能够有效地适应需求结构要求的政策措施及手段的总和。产业政策是一种结构调控政策，目的在于调整经济结构，通过促进产业发展和产业协调，使社会资源得到优化配置，以实现社会总供给和总需求的平衡。

产业政策主要包括产业结构政策和产业组织政策。产业结构政策就是政策规划产业结构演化发展目标及实施保障措施，从而推动经济发展的政策。它是按照产业结构的发展规律，选择和确定战略产业，引导产业结构的调整和实现产业结构的合理化。产业组织政策是国家根据规模经济效益规律的要求，组织适度的生产规模，保护竞争、防止垄断的各种方针和措施的总和。制定和实施正确的产业政策，对保持总供给和总需求的平衡，合理配置和利用资源，提高经济效益具有重要作用。

（四）收入分配政策

收入分配政策是政府根据既定目标而规定的个人收入总量及结构的变动方向，以及政府调节收入分配的基本方针和原则。收入分配政策的任务主要是通过收入总量的变化调节总需求，通过收入结构的调整避免社会成员收入差距过大和收入平均化，保持合理的分配差别。收入分配政策在具体实施过程中，需借助于财政政策、货币政策等的作用，综合配套地运用各种经济手段或非经济的调节手段。

四、政府干预市场的主要手段

政府干预市场的手段，主要包括计划手段、经济手段、行政手段和法律手段。

（一）计划手段

计划手段是通过国家所制定的长期、中期和短期经济计划，对国民经济的运行和发展进行调控。在计划管理中，有两种计划形式，即指令性计划和指导性计划。指令性计划是具有强制性的，它是有关部门、单位和企业必须执行的计划管理形式。指导性计划不具有强制性，它是国家通过经济杠杆和经济合同等方式引导企业能动地实现国家计划任务。政府对市场的计划调控方式应以指导性计划为主，通过计划调控实现国民经济和社会发展的目标、任务，以及需要配套实施的经济政策，搞好经济发展预测、总量调控、重大经济结构特别是产业结构与生产力布局规划，集中必要的财力物力进行重点建设，运用经济杠杆，促进经济更好更快的发展。总之，政府对市场的计划调控要突出宏观性、战略性、指导性和间接性，综合协调好各项经济政策，以保证宏观调控目标的实现。

政府运用计划手段对市场进行宏观调控，必须搞好综合平衡，综合平衡的具体内容集中表现为财政平衡、信贷平衡、物资平衡和外汇平衡。这些方面实现了平衡，就为保持社会总供给与总需求的平衡奠定了基础，从而为实现国民经济的快速发展创造了前提。

（二）经济手段

经济手段就是在自觉依据和运用价值规律的基础上，运用与价值形式相关的价格、税收、信贷、利率等各种经济杠杆来调控市场运行的方法。运用经济手段对市场进行调控，能有效发挥市场机制和价值规律的调节作用，推动市场经济的运转，实现宏观调控的预期效果和目标。政府干预市场的经济手段中所运用的经济杠杆主要有价格杠杆、税收杠杆、信贷杠杆和利息杠杆等。

1. 价格杠杆

在社会主义市场经济中，价格应主要通过市场供求自发形成，但在一定程度上也可以由国家作为经济杠杆加以运用，即通过价格波动调节市场。由于价格具有调节利益分配的职能，因此，它是最灵敏、最有效的调控手段。价格杠杆在宏观调控中具有调节杠杆与核算工具两种作用。价格作为调节杠杆，其作用主要是通过价格提高或降低的变动，来调节生产和投资的方向，调节商品流通和消费结构，调节国民收入的再分配，以及促使企业加强经济核算，增强适应市场供需变化的竞争能力。价格作为核算工具，其作用主要表现为，它是编制国民经济计划的工具，借助价格可以考核经济效益的高低，可以检验商品生产上的劳动耗费的多少，并可通过价格核算监督企业节约劳动时间。价格的变化可以改变市场供求关系，进而使企业的生产经营进行相应调整。

2. 税收杠杆

税收杠杆是通过税率和税种的变动调节市场的手段。它是具有强制性的经济调控手段。政府通过制订税种、规定税率和征收税金，以税收量的变化去调节宏观经济运行中的总量平衡和结构平衡。不同税率不同纳税对象有不同的纳税额度，直接影响各经济单位和居民可支配的货币收入的增加或减少，由此形成的市场需求结构会相应地调节商品供给结构。另一方面，在价格和成本既定的前提下，税收多少会引起生产者各自利润水平的变化，从而使生产者作出调整生产方向的选择，继而达到引导投资方向的目的，并影响市场的运行。

3. 信贷杠杆

信贷杠杆是通过资金运动调节市场的经济手段。信贷的调控作用主要表现为，（1）政府通过控制信贷规模来调节货币流通量，以保持社会总供给与总需求的平衡。（2）政府通过控制信贷资金的投向来影响资金的投放领域，调节生产和流通结构，以保证有限资源的有效配置，使市场运行从根本上实现均衡和稳定。

4. 利息杠杆

利息杠杆是通过利率变动调节市场的经济手段。政府采用差别的利率政策，引导市场微观主体的行为与决策，调控市场结构以及生产要素的流动方向，以鼓励和限制市场运行中的各种经济行为，使之达到调控目标。

（三）行政手段

政府干预市场的行政手段是指依靠行政机构，按行政系统行政层次采取带有强制性的命令、指示、规定和下达指令性任务等方式来约束和调控市场。它具有高度控制性、组织服从性和强制约束性。行政手段的运用具体表现为市场行政管理、市场运行秩序管理，必要的计划管理和非正常市场运行状态下的直接干预。

行政手段具有强制、快速、直接的特点，对政府调控市场有一定积极作用，但也有不利于企业按照市场供求的变化灵活地开展生产经营活动等弊端。因此，政府在运用行政手段时应充分重视企业的经营自主权和市场经济的规律，把行政手段保持在合理的限度内，并提高行政手段运用的科学性、合理性。

（四）法律手段

法律干预市场的手段是政府依靠法权力量，通过经济立法和经济司法，实现对市场宏观调控的重要手段。政府运用法律手段干预市场是以国家经济和社会发展的总体利益目标为基础，对市场运行实行强制的规范和管理。其特点是具有权威性、规范性、强制性和稳定性。

法律手段的实行主要体现在：（1）政府通过经济合同法、会计法、工业产权法、基本建设法等对于经济活动主体的内容、生产活动和外部经营活动的直接调节。（2）为市场机制的有序运行提供法律保证，使市场机制的运行要求法律化。（3）用法律手段维护其他调节手段的正常运行。政府运用法律手段，可以有效地维护各种经济关系，维护市场秩序和良好的市场环境，保护市场平等竞争，对破坏市场运行的各种因素进行法律干预和制裁。

总之，市场经济的发展需要一个有利的宏观环境。这种有利于经济发展的宏观经济环境不是自发形成的，要求政府起作用。政府要保证市场制度框架的存在，健全市场规则，促进市场体系的发展，控制通货膨胀，治理环境污染，以使市场运行能与国家利益保持一致，使市场运行中各种经济行为和各种经济活动纳入社会经济发展总体目标的轨道。

思 考 题

1. 在实现企业经营管理目标的过程中，如何充分发挥市场功能的作用？
2. 建筑与房地产市场与整体市场的关系是什么？
3. 为什么说市场运行机制的核心是价格机制？
4. 市场经济条件下是否需要政府对市场进行干预？
5. 政府对市场进行干预的主要手段有那些？
6. 结合建筑与房地产市场的实际，分析评价政府干预市场的必要性及其所使用主要手段的有效性。

第二章 市 场 营 销

第一节 市场营销概述

一、市场营销的含义

市场营销是一种企业在市场环境中从事的经营活动。随着商品经济的发展和人类认识的深化，市场营销的内涵和外延已经得到极大的丰富和扩展。当代著名的市场营销学家菲利普·科特勒给市场营销下的定义是："市场营销是个人和群体通过创造并同他人交换产品和价值以满足需求和欲望的一种社会和管理过程。"这一含义包含了下列一些核心概念：需要、欲望和需求；产品；价值和满足；交换和交易；市场；市场营销和市场营销者。

（一）需要、欲望和需求

人类的各种需要和欲望是市场营销活动的出发点。人类的需要是指没有得到某些基本满足的感受状态。人们为了生存，需要食品、衣服、住所、安全、归属、受人尊重以及其它一些东西，这些都不是社会或营销者所能创造的，需要早就存在于营销活动之前。营销者只是试图指出某一特定产品可以满足人们某一特定方面的需要。人类的需要并不多，但其欲望却很多。人的欲望是指想得到这些基本需要的具体满足物的愿望。营销者、各种社会力量和机构不断地影响和激发人类形成和再形成种种欲望。需求是指对有能力购买并且愿意购买的某个具体产品的欲望。当具有购买能力时，欲望便转化为需求。因此，企业不仅要估量有多少人想要本企业的产品，更重要的是，应该了解有多少人真正愿意而且有能力购买，并力图通过使产品具有吸引力，适应消费者的支付能力和使消费者容易得到来影响需求。

（二）产品

广义的产品是指任何能用以满足人类某种需要或欲望的东西。人们一般用产品和服务这两个词来区分实体产品和无形产品。实体产品的重要性在于拥有并使用它们来满足人们的欲望。实体产品实际上是向人们传送服务的工具，如果制造商关心产品甚于关心产品所提供的服务，就会陷入困境。制造商钟爱自己的产品往往就忘了顾客购买产品是为了满足某种需要。人们不是为了产品实体而购买产品，产品实体是服务的外壳。营销者的任务是推销产品实体中所包含的利益或服务，而不能仅限于描述产品的形貌。否则，制造商的目光就是短浅的，即把注意力集中在产品上，而不是有远见地把注意力集中在顾客需要上。

（三）价值和满足

价值是一个很复杂的概念，在经济思想中有着很长历史。马克思认为，价值是在商品中的人类一般劳动的凝结。商品的价值量只能决定于生产商品的社会必要劳动时间。"社会必要劳动时间是在现有的社会正常的生产条件下，在社会平均的劳动熟练程度和劳动强度下制造某种使用价值所需要的劳动时间。"而边际效用学派则认为，价值是指消费者对产品满足各种需要的能力的评估，也就是说，消费者根据不同产品满足他们需要的能力来决定这些产品的价值。消费者被认为拥有一种衡量效用的基本尺度，即消费者能够为每一个产品或每一组产品确定一个可供衡量的数目，然后消费者就会选择购买总效用为最大的一组产品，消费者的选择是营销者制订营销计划的基础。因此，价值和满足的概念在市场营销学中是十分重要的。

（四）交换和交易

交换就是通过提供某种东西作为回报，从某人那儿取得所要的东西的行为。交换的发生，必须符合五个条件：(1) 至少要有两方。(2) 每一方都有被对方认为有价值的东西。(3) 每一方都能沟通信息和传送货物。(4) 每一方都可以自由接受或拒绝对方的产品。(5) 每一方都认为与另一方进行交易是适当的或称心如意的。交换能否真正产生，取决于买卖双方能否找到交换的条件。

交换应被看作是一个过程而不是一个事件。如果双方正在进行谈判，并趋于达成协议，这就意味着他们正在进行交换。一旦达成协议，交易行为就发生了。交易是由双方之间的价值交换所构成的。一次交易包括至少两个有价值的事物、买卖双方所同意的条件、协议时间和协议地点。为了促使交换成功，营销者必须仔细分析另一方需要些什么和自己可以提供些什么，诱发目标顾客对某一商品产生预期反应，并采取种种行动，把潜在交易转化为现实交易。

（五）市场

市场营销学主要研究作为销售者的企业如何通过整体市场营销活动，适应并满足买方的需求，以实现经营目标。在这里，市场是指某种产品的现实购买者与潜在购买者需求的总和。在营销者看来，销售者构成行业，购买者构成市场。

现代经济充满了市场这个概念。从宏观角度来认识，每一个国家的经济和整个世界经济都是由各种市场组成的复杂体系，而这些市场之间则由交换过程彼此连接在一起。图2-1显示了各种市场以及它们之间的关系。基本流程是：制造商到资源市场（原材料市场、劳动力市场、金融市场、信息市场、技术市场等）购买所需资源，然后把它们转换为产品和服务，再将其销售给中间商，由中间商把产品转售给消费者，消费者则出售其劳动力以取得货币来购买商品和服务。政府是一个相对独立的较为特殊的市场。它从资源、中间商、制造商等市场购买商品，付钱给它们；政府也向这些市场征税，并转为公共所需的服务。

从微观角度来认识，市场与企业的营销活动密切相关。一般来说，一个企业所面临的市场主要有两个方面：(1) 购买市场，在购买市场上，企业是需求者，企业必须面对原材料市场、资本市场、劳动力市场、技术市场和信息市场等生产要素市场；(2) 销售市场，即出售自己的商品和服务。在这个市场上，企业是供给者。企业通过这个市场，把产品和服务销售给消费者，取得货币。由此可见，销售市场对企业的生存和发展起直接的影响作用。因此，企业从自身的利益出发，必须关注购买市场和销售市场及其供求变化，并设法使变化给企业带来的不利影响降低到最低限度。

（六）市场营销与市场营销者

市场营销是指与市场有关的人类活动，是以满足人类各种需要和欲望为目的，通过市场变潜在交换为现实交换的活动。在交换活动中，如果一方比另一方更主动、更积极地寻求交换，我们就把前者称为市场营销者，后者称为潜在顾客。市场营销者是指希望从他人那儿得到资源并愿意以某种有价之物作为交换的人。市场营销者可以是卖主，也可以是买

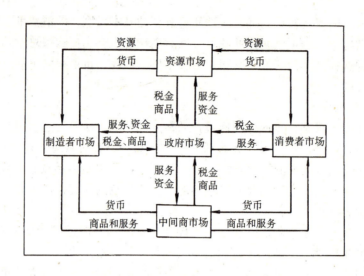

图 2-1 现代交换经济中的流程结构

主。如果买卖双方都在积极寻求交换，则把双方都称为市场营销者，并称这种情况为相互营销。

市场营销不同于销售。事实上，销售仅限于流通领域，它是市场营销活动的一部分。根据现代市场营销原理，企业市场营销活动包括：市场调查、识别和开发目前尚未满足的需要和欲望，预测需求、选择本企业能为之服务的目标市场，为谁生产、生产什么和生产多少的决策、定价、选择分销渠道、促销和售后服务等等。由此我们可以看出，许多更重要的市场营销活动是在产品投入之前就开始了。总之，市场营销是包括营销战略决策、生产和销售等阶段在内的总循环过程，是以消费者需求为基点和中心的企业经营行为，是以整体营销组合作为运行手段和方法的有机系统。

二、市场营销在企业中的地位

随着商品经济的发展和市场竞争的加剧，市场营销在企业中的地位日益重要。

（一）两个转变中的企业市场营销

我国经济体制由计划经济体制向市场经济体制的转变，要求商品和生产要素的流通都要通过市场，市场在资源配置中起着基础作用，大量的经济活动主要靠市场调节。因此，作为市场主体的企业，要实现其经营目的，就必须充分地注意发挥市场机制的作用。市场营销活动就是把市场机制的作用和企业的经营销售决策科学地结合起来的过程。只有企业的经营销售决策，没有市场机制作用的发挥，企业经营销售决策只能是纸上谈兵，是不可能实现的。

经济增长方式由粗放型向集约型转变，要求企业要提高经济效益，而提高经济效益的最大问题就是要生产有需求的产品，不生产积压或削价处理的产品。要生产有需求的产品就促使企业必须研究消费者的购买力、购买行为、购买心理以及消费者的消费习惯和特点，并进行市场细分和选择目标市场，根据这些来组织生产和销售活动，以适应多样化和多变的市场需求，这些都是重要的营销技术。

（二）市场营销处于企业管理的核心地位

在现代市场经济条件下，企业要想迅速成长，在激烈的市场竞争中取胜，就必须努力提高市场营销能力。因此，企业各个部门包括生产、财务、人事等各职能部门都以满足消费者需求为目标去安排自身的工作任务，并建立一个以市场营销部门为核心的整体系统（见图2-2）。市场营销部门担负各部门之间的协调工作，运用市场营销的观点制定企业的营销计划，实施整体营销。确立市场营销职能的核心地位，可以使企业各部门成为相互支持、相互配合、相互促进的有机整体。从企业实际情况看，在营销、生产、财务、人事等众多企业职能中，只有营销管理是在企业外部进行，其它的管理基本上属于内部管理。市场营销不仅影响并决定着企业的经济效益，而且社会公众也往往从一个企业市场营销工作的好坏来评论企业管理水平的高低。由此可见，"市场营销是企业的基础，从顾客的观点来看，市场营销就是整个企业。"

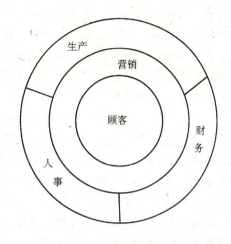

图2-2 营销职能组织图

（三）企业活力通过市场营销活动体现

构成国民经济基础的企业既然是商品经济的细胞，就应发挥其应有的作用。国民经济的发展，不仅取决于它所拥有企业的数量，更重要的还取决于每个企业活力的大小，而企业活力的增强和发挥则有赖于自身的市场营销活动。企业正是通过各种市场营销方法、手段，及时对外界整体市场的变化作出反应，调整自身，影响或改变外界因素，在动态环境下保持其不衰的活力的。此外，企业应担负的社会责任中的绝大部分也是通过企业的市场营销活动来完成的。

（四）企业通过市场营销活动与各方发生经济联系

商品经济的基本属性决定企业通过等价交换与其他企业、个人发生经济联系，其中包括：企业提供商品或劳务的对象——消费者；企业获取生产资料的供应单位；经营本企业提供的商品或服务的后续各类中间企业；市场上生产或经营与本企业产品或服务类似的竞争企业以及社会各方面环境因素。企业与上述各方面之间的联系是纷纭多变、千丝万缕的，而企业正是通过市场营销，每时每刻地处理这些极其复杂的关系。

（五）市场营销是连接市场需求与企业生产经营活动的桥梁和纽带

伴随着科技进步，产品更新换代加快和消费者需求的千变万化，生产企业很难了解消费者市场需求的现状与变化，更谈不上对这种变化能作出及时的反应，即生产出能满足消费者需求的产品。这种状况需要通过市场营销来解决。一方面生产企业可以按着市场营销活动的内在联系组织生产和经营。无论从事市场调研、产品开发，或是制订价格、广告宣传都强调以市场需求为出发点，不仅满足已有的现实需求，还要激发、转化各种潜在需求，进而引导和创造新的需求；不仅满足消费者的近期、个别需要，还要顾及消费者的长远需要，维护社会公众的整体利益。另一方面，不断变化的市场需求也引导企业的生产和经营。由于从事市场营销的企业是以盈利为基本目标，这一目标的实现，必须以满足市场需求为基础，获取利润的手段必须有利于消费者需求的满足。因此，它能给企业以内在动力，刺激企业重视技术进步，提高劳动生产率，调整产品结构，不断开发新产品，以适应不断发展变化的市场需求。

（六）世界范围的管理实践证明了市场营销在企业中的核心地位

在企业界，市场营销早已引起了不同企业的高度重视。认识到市场营销重要性较早的公司有：通用电器公司、通用汽车公司、宝洁公司，其次是包装消费品公司、耐用消费品公司和工业设备公司，较晚的行业有钢铁业、化工业和造纸业。进入20世纪80年代以来，服务行业特别是航空业、银行业已走向现代化市场营销，而且保险业和经纪业也已开始重视市场营销。此外还有如律师、会计师和建筑师等提供专业性服务的企、事业团体，也在逐渐重视市场营销工作。

在非盈利部门，市场营销正越来越引起非盈利部门（如大学、医院、博物馆和交响乐团等）的重视。许多机构都面临着消费者态度的改变和财务来源的减少。因此，他们已把市场营销作为解决上述问题的主要途径。

在国际上经济发达的国家和地区，市场营销理论得到迅速发展，市场营销的应用技巧得到广泛传播。企业都在寻求加强市场营销力量的方法，以增强自身的市场竞争地位。

我国改革开放的实践已证明，哪个地方市场营销搞得好，哪里的经济发展就快；什么时候重视搞好市场营销，什么时候经济发展就好，搞好市场营销是搞活经济的前提和基础。

三、市场营销与市场经济

（一）市场营销与市场经济的关系

市场营销有宏观和微观之分。宏观市场营销着重研究社会系统为了实现资源的有效运用和产品的合理分配所应完成的过程，它从社会的角度，从调节企业行为与社会利益的角度，从保证全社会商品交换过程的有秩序和高效率的角度来研究市场营销问题。市场经济是以市场机制为核心进行运转的一种经济运行方式，市场机制对由谁生产、生产什么、如何生产等问题起着基础性的决定作用，它按着一定规则支配着成千上万独立商品生产经营者的交易活动，其宗旨在于实现社会资源的有效配置，而市场营销正是强调依据消费者的需求和社会发展的需要来科学地组织生产经营，其核心观念是交换。因此，市场营销的前提条件是市场经济体制。要搞好市场营销，充分发挥市场营销在企业经营活动中的作用，就必须加快我国经济体制改革的步伐，不断完善社会主义市场体系，有效发挥市场机制的作用，真正实现社会公正和市场经济的健康发展。

（二）市场营销与社会扩大再生产

市场营销状况是与商品经济的发达程度相联系的。随着我国商品经济的发展，市场实现问题已成为商品生产的重要问题。商品经济的两头都是交换，离不开市场营销活动，市场营销是社会再生产的中介环节。一方面，企业在生产前必须从市场上取得必要的原料和设备，才能进行生产。另一方面，产品生产出来后，必须通过市场销售出去，实现商品资金到货币资金的转化，否则再生产就要停滞。市场营销的领域和效率制约着生产的领域和效率。在市场经济条件下，市场营销在社会经济发展中起着指导生产、引导消费和满足市场需要的重要作用。所以，搞好市场营销，是社会扩大再生产的客观要求。

（三）市场营销与消费者权益

维护消费者权益是发展社会主义市场经济的客观要求。市场经济的一个重要特点就是资源分配受消费者主权的指导。生产什么，取决于消费者的需求。由此可见，消费者是企业生存的根本，有了消费者，企业才能生产销售产品，才能不断发展壮大。因此，企业参加市场营销活动的目的，就是争取更多的消费者，争取更大的市场。为了推销产品，有些企业很可能采取不正当的手段欺骗消费者，如粗制滥造、以次充好，在商标、广告宣传上弄虚作假等等，这些都会不同程度地损害消费者的利益，从长远看也损害生产经营者的利益，影响市场经济的正常发展。

根据我国消费者协会的规定，每一位消费者都享有了解商品的权利；选择商品和享受服务的权利；使用商品安全、卫生的权利；监督商品价格、质量的权利；对商品提出意见的权利；受到损害时索取赔偿的权利。因此，要维护消费者权益，企业就应全方位为消费者服务，根据市场需求的变化及时调整生产结构，以适当的价格，适当的分销渠道、适时的为消费者提供高品质的产品和服务，树立企业的信誉，取得消费者的信任，使得企业生产经营得以顺利进行。事实证明，维护消费者权益，正确处理消费者与生产者、经营者之间的关系，保证生产、分配、交换和消费的顺利进行，是企业开展正当竞争，求得生存和发展的需要，也是促进社会主义市场经济不断发展的客观要求。

（四）市场营销在促进社会进步中的重要作用

随着我国社会主义市场经济体制的确立，市场营销对于开拓市场，增强企业活力，促进社会进步方面发挥着重要作用。首先，市场营销有利于企业按照市场需求来组织生产和经营，从而为市场提供更多更好的物质产品和服务，满足人们不断增长的物质和文化需要。其次，市场营销有利于搞活流通，促进市场经济的发展。在市场经济条件下，企业必须自觉依据和运用价值规律，才能促使其提高效率，更好地适应复杂多变的社会需求。最后，市场营销有利于社会主义精神文明建设，创造良好的社会风气，促进社会文明程度的提高。

第二节 市场营销管理

市场营销管理是企业的重要管理功能之一，因此，企业必须重视市场营销管理，并根据市场需求的现状与发展趋势，制定营销规划，合理配置资源，通过有效地满足不断变化的市场需求，来赢得竞争优势，求得生存与发展。

一、市场营销管理的含义与实质

市场营销管理是指为了实现企业目标，创造、建立和保持与目标市场之间的互利交换和关系，而对设计方案的分析、计划、执行和控制。市场营销管理的任务，就是为促进企业目标的实现而调节需求的水平、时机和性质。由于消费者需求以其多样性、灵敏性和动态性特点，折射出市场竞争的取向和企业发展的追求，因此，从根本上说，市场营销管理的实质就是需求管理。企业在开展市场营销活动的过程中，一般要设定一个在目标市场上预期要实现的交易水平，然而，因现代市场结构错综复杂，推拉需求的影响因素增多，随机性信息在短期内影响需求的能量增大，所以实际需求水平可能低于、等于或高于这个预期的需求水平。也就是说，在目标市场上，可能没有需求、需求很小或超量需求。市场营销管理就是要对付这些不同的需求情况。它要求企业不仅要适应已经暴露的需求状况，更要通过市场需求状态去发现消费者需求的潜在信息，能动地引导和创造需求。

二、市场营销管理的任务

根据需求水平、时间和性质的不同，可归纳出 8 种不同的需求状况。在不同的需求状况下，市场营销管理的任务有所不同。

（一）否定需求时的任务

如果绝大多数人都对某个产品感到厌恶甚至宁愿花钱去回避它，那么这个产品就是处于一种否定需求的状态。在否定需求的情况下，市场营销管理的任务是改变市场营销，分析市场为什么不喜欢这种产品，以及是否可以通过产品重新设计、降低价格和更积极推销的营销方案来改变市场的看法和态度。

（二）无需求时的任务

无需求是指目标市场对产品毫无兴趣或漠不关心的一种需求状况。在无需求情况下，市场营销管理的任务就是刺激市场营销，设法把产品的好处与人的自然需要和兴趣联系起来。

（三）潜在需求时的任务

潜在需求是指有相当一部分消费者可能对某物有一种强烈的渴求，而现有的产品或服务又无法满足这种需求。在潜在需求情况下，市场营销管理的任务是开发市场营销，衡量潜在市场的范围，开发有效的商品和服务来满足这些需求。

（四）下降需求时的任务

下降需求是指市场对一个或几个产品的需求呈下降趋势的一种需求状况。在下降需求情况下，市场营销管理的任务是重振市场营销，分析需求下降的原因，决定能否通过开辟新的目标市场，改变产品特色，或者采用更有效的沟通手段来刺激需求，通过产品的创造性再营销，把需求下降扭转过来。

（五）不规则需求时的任务

不规则需求是指某些物品或服务的市场需求在一年不同季节，或一周不同日子，甚至一天不同时间上下波动很大的一种需求状况。在不规则需求情况下，市场营销管理的任务是协调市场营销，通过灵活定价、促销和其他刺激手段来寻求改变需求时间模式的方法。

（六）充分需求时的任务

充分需求是指某种物品或服务的目前需求水平和时间等于预期的需求水平和时间的一种需求状况。在充分需求情况下，市场营销管理的任务就是维持现有的需求水平和市场营销。它要求企业必须保证产品质量，不断衡量消费者的满意程度，从而确保企业的工作效率。

（七）超饱和需求时的任务

超饱和需求是指某种物品或服务的市场需求超过了企业所能供给或所愿供给的水平的一种需求状况。在超饱和需求情况下，市场营销管理的任务就是降低市场营销，设法暂时地或永久地降低需求水平，提高价格，减少推销活动和服务，尽量降低来自盈利较少和服务需要不大的市场的需求量。

（八）不健康需求时的任务

不健康需求是指市场对某些有害物品或服务的需求。对于不健康需求，市场营销管理的任务是反市场营销，劝说喜欢这些产品的消费者放弃这种爱好，宣传不健康产品或服务的严重危害性，大幅度提价，减少供应。

三、市场营销管理过程

市场营销管理过程是市场营销管理的内容和程序的体现，是指企业为实现企业任务和目标辨别、分析、选择和利用市场营销机会，计划、执行和控制企业营销活动的全过程。通过这个过程使企业的活动与外界环境的发展变化相适应，在不断的调节过程中发展壮大自己。

市场营销管理过程包括如下步骤：分析市场机会，研究和选择目标市场，制定市场营销组合策略，执行和控制市场营销计划。

（一）分析市场机会

通过对市场结构、消费者、购买行为的分析和对市场营销环境的监测、研究来寻找、分析和评价市场机会，是市场营销管理人员的主要任务，也是市场营销管理过程的首要步骤。所谓寻找机会，是指企业在市场上寻找有利的发展机会，寻找尚未满足的市场需求。新开办企业需要寻找进入市场的机会，对于已处在某个行业的老企业需要考虑向什么方向发展，并不断寻求生存和发展的机会。在现代市场经济条件下，企业能否生存与发展依赖于企业制订的营销战略，而营销战略正确与否，关键在于它们能否适应市场营销环境和市场需求的变化，能否发现未被满足的市场需求，这就要求企业密切关注市场营销环境，并在变化中不断发现、寻找和预见这些需求。为此，企业需要建立和掌握一个可靠的市场营销信息系统，通过市场调查和市场预测，做到快速而又准确地了解有关顾客、竞争对手和经销商等微观方面的信息，掌握宏观环境的大趋势，即政治、经济、法律、技术和社会文化的发展以及消费者和组织机构市场的购买行为等。用先进的通讯手段和派员调查来指导市场研究，用先进的统计方法与模式分析所收集的数据，以此来获得市场营销因素影响销售的资料，并发现有吸引力的市场机会。

市场营销管理人员不仅要善于寻找和分析市场机会，还要善于对所发现的各种市场机会加以评价，看看这些市场机会与本企业的任务、目标、资源条件等是否相一致，企业的财务部门和制造部门还要估算成本，以便对各种机会作最后的评价，看看它们能否成为企业的赢利机会。总之，企业要选择那些比其潜在竞争者有更大的优势、能享有更大的差别利益的市场机会作为本企业的企业机会。

（二）研究和选择目标市场

研究和选择目标市场是市场营销管理过程的第二个步骤。市场细分、选择目标市场和市场定位，构成了目标市场营销的全过程。

市场营销管理人员经过分析和评价，选定了符合企业目标和资源条件的市场机会以后，还要对其市场总体规模、市场结构、市场潜量和未来的需求以及盈利性等方面作进一步分析，来决定企业把力量集中投放到哪个市场。一般情况下，一个市场是由多种类型的顾客群构成的，他们分布在不同地区，各有不同需求。任何一个企业都不可能很好地满足所有顾客群的不同需求。因此，根据现代市场营销实践的要求，企业必须进行市场细分，即按照消费需求的差异性把某一产品的整体市场划分为若干个子市场的过程。每个子市场都是由一群具有相同或相似的需要与欲望、购买行为或购买习惯的消费者所组成，属于不同子市场的消费者之间具有明显的差异。市场细分为企业展现了多种营销机会，它不仅有助于企业集中使用资源，避免分散力量，而且对提高企业的整体营销能力、实现企业的营销目标也具有重要作用。

市场细分的目的在于有效地选择并进入目标市场。经过市场细分，企业应根据自己的目标、资源和特长，权衡利弊，决定进入哪个或哪些子市场，企业决定要进入的这个或这些子市场，就是企业的目标市场。研究和选择目标市场，明确企业的服务对象，关系到企业任务、企业目标的落实，是企业制订市场营销战略的首要内容和基本出发点。

企业一旦选定了目标市场，就要在目标市场上进行产品的市场定位，即把自己的产品确定在目标市场的一定位置上,以便在顾客心目中树立一个明确的、与众不同的产品形象,并通过一系列营销努力把这种产品形象强有力地传达给顾客。市场定位的主要方法有:根据属性和利益定位,根据价格和质量定位,根据用途定位,根据使用者定位,根据产品档次定位,根据竞争局势定位,以及各种方法组合定位等。市场定位帮助企业确认竞争地位,寻找竞争策略,是企业营销机会选择过程的一个重要组成部分,也是制定营销组合策略的一个必要前提。产品的市场定位是否准确,直接关系到营销过程的成败。尤其是在激烈的市场竞争中,市场定位几乎成为产品能否为更多的顾客所接受、企业能否击败竞争对手的关键问题。

(三)制定市场营销策略

在市场营销管理过程中,制定市场营销策略是关键性的、大量的工作,市场营销策略的制定体现在市场营销组合上。

1. 市场营销组合

市场营销组合是指企业可以控制的各种市场营销手段的综合运用。一个企业要有效地进行市场营销活动,就必须针对不同的内外环境,把企业可以控制的各种市场营销手段,即产品(Product)、定价(Price)、销售渠道(Place)和促销(Promotion)进行最佳组合,使他们互相配合起来,综合地发挥作用。

市场营销组合中的产品是指企业向目标市场提供的商品或劳务。其中包括产品的实体、形状、形态、内在质量、款式、包装、规格、型号、商标、厂牌、售前、售中及售后服务、供、退货条件保证等具体方面。

市场营销组合中的价格是指出售给购买者的商品或服务的价格。其中包括商品价目表所列价格、各种折扣、支付期限、付款方式、信用条件等等。

市场营销组合中的渠道是指企业向目标市场提供商品时所经过的环节和活动及其向顾客提供商品的场所。其中包括销售渠道和方式,各种中间环节及供货的区域、方向、商品实体的转移路线和条件等等。

市场营销组合中的促销是指企业通过各种形式与媒介物宣传企业与商品,与目标市场进行有关商品信息沟通的所有活动。其中包括:人员销售方式、公共关系活动、广告和宣传推广等。

2. 市场营销组合的特点

(1)市场营销组合因素指的是企业可以控制的因素

一个企业生产和销售产品,除了消费者的需求以外,还要受到各种因素的影响,其中产品、定价、销售渠道和促销是企业本身可以控制的因素。这些因素或手段,总是综合地对企业的营销活动产生影响,而它们的不同组合又会产生不同的影响,并为企业提供了选择运用的余地。另外还有企业不可控制的因素,如社会、经济、政治、法律、文化和科学技术等,这些企业所不能控制的各种外部环境因素随时都影响着企业的营销活动。因此,企业在综合运用市场营销因素组合时,既要善于有效地利用各种可控制的因素,又要善于灵活地适应外部不可控制因素的变化。能否有效地运用可控制的营销手段,能否成功适应不可控制因素构成的外部环境,决定企业经营的成败。

(2)市场营销组合的多变性

市场营销组合是动态组合。市场营销组合因素中的每一个因素又包含着许多因素,只要其中某一个因素发生变化，就会出现一个新的组合。如不同产品，组合可以不同，同种产品，不同企业的组合可能不同，同种产品向不同的国家或地区销售，组合也可能不同，即产品的特点、质量、价格的高低、选用的渠道和中间商类型以及所用的促销方法，都可以进行改变，企业市场营销策略的生命力就在于这种变化和组合之中。

图2-3 市场营销组合因素层次图

(3) 市场营销组合的复合性或多层次性

市场营销组合是包括产品、定价、渠道和促销四个因素的大组合，每一个因素又包含若干个小的因素，形成每一个因素的次组合，在每一个次组合之下又有更小的组合（见图2-3）。企业确定市场营销组合时，应使所有的这些因素都达到灵活运用和有效组合。

(4) 市场营销组合的整体作用

市场营销组合的作用，不是其每一个构成因素所产生的作用简单相加的结果，而是各个因素之间的相互协调、统一规划、互相补充、互相支援所产生的整体作用，它超过了每一因素各自产生的效果总和，这就是系统的整体作用。

市场营销组合的制订和实施，不仅仅为企业在目标市场上全面充分发挥企业的优势和潜力，争取竞争中的有利位置，获得最佳的经营成果提供了手段，同时，还将企业内部各职能部门的动作协同到总目标上来，互相配合，最大限度地发挥部门的积极性和创造性，提高了企业营销水平。

在设计和实施市场营销组合时，要作出企业的市场营销预算决策。企业的最高决策层要考虑市场营销所需费用，并决定营销费用在营销组合诸方面的分配和使用。

（四）执行和控制市场营销计划

企业制定市场营销计划之后，就要努力去执行和控制市场营销计划，确保企业战略任务和目标的实现。因此，市场营销管理过程的最后一个步骤就是执行和控制市场营销计划，有关内容，详见本书第五章。

第三节 现代市场营销观念

一、现代市场营销观念的含义

现代市场营销观念是现代企业在从事生产和经营活动时所依据的指导思想和行为准则。它的基本特点是：企业的一切生产经营活动应从满足消费者需求出发，合理有效地运用产品、定价、分销、促销等方面的手段，努力实现满足消费者需求的目标，通过满足需求获得利润。现代市场营销观念作为一种管理哲学和经营理念，支配着企业市场营销活动的方方面面。营销观念是否符合市场的客观实际，关系到企业的经营成败。所以，企业树立正确的营销观念，是企业组织市场营销实践的核心和关键所在。

（一）市场营销观念的演变

市场营销观念是企业在特定时期内进行营销活动时所形成的。当社会政治、经济和市场环境等发生变化时，企业奉行的营销观念也会随之变化。纵观营销观念的发展，可以将其分为五个阶段，即生产观念阶段，产品观念阶段，推销观念阶段，市场营销观念阶段，社会市场营销观念阶段。

1. 生产观念阶段

生产观念就是以生产为导向的企业经营指导思想，它把生产作为企业经营活动的中心，是最古老的一种营销思想。这种营销观念始于产业革命完成之时。当时，生产发展缓慢，产品成本高，需求旺盛，产品供不应求，多数商品处于卖方市场。消费者的选择余地很小，甚至没有选择余地。消费者只关心得到产品，而不注意产品细小特征。销售也只是被动地适应生产，企业生产什么，市场就销售什么。在这种情况下，企业的中心任务就是提高劳动生产率、扩大产量、降低成本，通过大量生产获取利润，忽视产品的质量、品种与推销，不考虑消费者的需求，并且认为消费者会接受任何买得到而且买得起的产品。美国福特汽车公司就是当时持这一营销观念的典型代表。亨利·福特曾宣称："不管顾客需要什么颜色的汽车，我只有黑色。"福特公司由于发明了流水线生产技术，提高了生产效率，使汽车生产成本大幅度降低，使大多数消费者都能买得起汽车，从而扩大了市场。由此可见，这种生产观念指导企业的生产和销售必然是"以产定销，"这是曲型的卖方市场的营销状况。

2. 产品观念阶段

产品观念是以产品为导向，认为消费者喜欢购买高质量、性能好、价格合理的产品，生产和产品质量是企业生产经营活动的出发点。这种营销观念产生于卖方市场，在它的指导下，企业致力于提高产品质量和产量，其具体表现仍然是"生产什么，就卖什么。"从根本上说，产品观念只是生产观念的一种表现形式。这种观念只适用于商品经济不够发达，市场商品供不应求条件下的企业行为。只重视生产而忽视市场需求的变化，必然会导致营销近视，使企业陷入困境。美国爱尔琴钟表公司自1869年创立到本世纪50年代中，一直被认为是美国最好的钟表商之一，该公司强调生产优质产品，销售额连年上升，但后来销售额开始下降，其原因是公司没有注意到市场的变化，即消费者对手表的需求已由注重准确、名牌，转变为方便、经济和式样新颖，致使企业失去市场份额。这就是奉行产品观念的典型表现。

3. 推销观念阶段

推销观念就是以销售为导向的企业经营指导思想。它产生于资本主义国家由卖方市场向买方市场转变的过渡阶段。在本世纪20年代后期到40年代之间，科学技术有了很大发展，生产效率大为提高，产品供应量急剧增加，许多商品出现了供过于求的情况，卖主之间竞争日趋激烈。产品的销路问题成了企业生存和发展的关键，于是企业开始把经营活动的重点由生产转向销售，推销观念逐步代替了以生产和产品为导向的营销观念。推销观念认为，消费者对产品往往表现出一种惰性或抗衡心理，如果听其自然，消费者一般不会足量购买某一企业产品。因此，企业必须积极推销，并采取有效的促销手段，特别是那些消费者一般不会想到要去购买的产品或服务，即"非渴求商品，"企业更应大力施展推销技术，以刺激消费者购买该种产品。在推销观念指导下，企业坚持以销售为中心，通过建立专门推销机构、加强推销技巧的培训和广告宣传，增加推销人员的数量等办法来推销自己的产品，应该说企业已把产品的销售活动提到了较为重要的地位，这是一种进步。但是，由于企业忽视消费者的需求，把现有产品作为企业生产经营活动的中心和出发点，仍未脱离"以产定销"的范畴，因此，这一观念仍有其局限性。

4. 市场营销观念阶段

市场营销观念就是以消费者需求为中心，综合地、全面地组织整体营销活动，在满足消费者需要的基础上取得企业的利润。市场营销观念是一种全新的经营哲学，它产生于本世纪50年代至60年代买方市场形成时期。当时商品供过于求，市场竞争激烈，消费者需求变化越来越大。企业家们认识到，消费者的需要是推动企业活动的轴心，发现需要并设法满足它们是企业提高效率和保持长期盈利的关键。市场营销观念的出现被视为企业经营思想的大变革，它使企业的营销观念真正从"以产定销"转移到"按需生产"的轨道上，因而市场营销的过程和职能也就发生了根本性变化。企业的营销活动首先是要进行市场调查和分析，发现、判断消费者的需求和愿望，把得到的信息传递给生产部门，再进行产品设计。产品设计出来后，先进行小批量生产，经过市场检验，为消费者接受以后，再进行批量生产，然后运用各种适当的促销方式和分销渠道把产品送到消费者手中，力求提供令消费者满意的全方位的服务，争取消费者的信任，逐步树立商誉，使企业获得长远利益。实践证明，消费者需求被满足的程度越大，预示着企业在顾客心目中的信誉越高，企业盈利的可能性越大；反之，需求被满足的程度越低，企业盈利的可能性越小。从本质上说，市场营销观念是消费者主权论在企业市场营销管理中的体现。

5. 社会市场营销观念阶段

社会市场营销观念是现代市场营销观念的发展，它产生于20世纪70年代。当时，在西方发达的资本主义国家，市场环境发生了许多变化，如能源短缺、通货膨胀、失业增加、消费者保护运动盛行、环境污染、资源浪费等等，这一系列带有普遍性的社会问题往往与企业在执行市场营销工作时，只重视满足市场需要而忽视社会整体和长远利益有关。企业奉行的单纯的市场营销观念难于解决消费者需要与消费者及社会长远利益之间的矛盾，因此，西方学者提出，企业应当树立一种超越市场营销观念的新的经营哲学，即社会市场营销观念。

社会市场营销观念强调以社会利益为导向，认为企业的任务是确定各个目标市场的需要、欲望和利益，并以保护或提高消费者和社会福利的方式，比竞争者更有效、更有利地向目标市场提供能够满足其需要、欲望和利益的物品或服务。社会市场营销观念要求市场营销者制定营销策略时，应以维护和促进全社会的利益与发展为最高目标，正确处理消费者需要的满足、企业利润和社会长远利益之间的矛盾，统筹兼顾三方面的利益、求得三者利益的共同实现。

社会市场营销观念适应人类社会发展进步的要求，它在发展市场营销观念的基础上作了有益的修正和补充。在这一观念指导下，企业营销要用系统工程和生态学的方法，把消费者的欲望、消费者的利益，企业的利益和社会的利益统一起来，制定最佳营销计划。

（二）现代市场营销观念与传统营销观念的区别

企业的营销观念在其演变过程中相继出现了生产观念、产品观念、推销观念、市场营销观念和社会市场营销观念五种具有代表性的营销观念，这五种观念可分为两大类：一类是传统的营销观念，包括生产观念、产品观念和推销观念；另一类为新型营销观念，包括市场营销观念和社会市场营销观念。市场营销观念作为新旧营销观念的分水岭，不仅改变了传统的生产观念、产品观念和推销观念的逻辑思维方法，而且在经营策略和方法上也有很大突破。从本质上讲，传统的营销观念和新型营销观念是两种完全不同的营销观念，其区别有以下几方面。

1. 企业营销活动的出发点不同

传统营销观念下的企业以产品为出发点,根据自身能力决定生产产品的品种和数量,很少考虑消费者,甚至根本不研究消费者的需求;新型营销观念下的企业以消费者需求为出发点,以充分满足消费者需求为重点,根据消费需求生产适销对路的产品。

2. 企业营销活动的方式方法不同

传统营销观念下的企业主要用各种推销方式推销制成的产品,注重提高生产效率、降低成本和提高产品质量。新型营销观念下的企业是利用整体市场营销组合策略占领目标市场,全方位满足消费者的多种需求。

3. 企业营销活动的目标和途径不同

传统营销观念下的企业力求通过大批生产产品、大量推销产品获利,获取盈利是企业营销活动的唯一目标。新型营销观念下的企业除了考虑现实的消费者需求外,还考虑潜在的消费者需求,在满足消费者需求、符合社会长远利益的同时,求得企业的长期利润。

4. 企业营销观念的适用条件不同

传统营销观念主要适用于卖方市场,在这样的市场环境中,产品供不应求,卖方居于支配地位。新型营销观念主要适用于买方市场,在这样的市场环境中,产品供过于求,买方居于支配地位。

由此可见,传统的营销观念和新型营销观念有着本质的区别。随着商品经济的发展,营销观念经历了一个由不完善到逐渐完善的过程。企业家们应充分认识到,在生产经营活动中,只有树立并奉行正确的营销观念,才能实现企业的营销目标,取得良好的经济效益。

二、树立现代市场营销观念的重要性

现代市场营销观念是现代企业开展市场营销活动所必须具备的指导思想。它要求企业在开拓市场营销活动时,必须以消费者为中心,根据自身优势,努力开发消费者所需要的产品和劳务,提高企业盈利水平,维护社会公众利益。企业在经营活动中树立现代市场营销观念,不仅是市场经济发展的必然要求,也是企业参与市场竞争的客观需要。

(一)树立现代市场营销观念是市场经济发展的必然要求

市场经济是以市场为基础手段,与社会化大生产相联系的、开放的资源配置方式,整个资源的配置过程和生产什么、如何生产和为谁生产等问题的解决都以市场机制为基础。因此,只有充分发展市场经济,才能增强经济活力,促使商品生产者为获得较多经济利益,不断改进生产技术和生产方法,提高劳动生产率,从而推动社会生产力的不断发展。由于在市场经济条件下,生产的目的是为了商品交换,不同商品生产者之间通过市场交换商品,建立联系来满足复杂多变的市场需求,这样就必然存在着产品如何满足和适应整个社会和人们的需要问题;存在着如何取得市场信息,疏通流通渠道,用最少的费用和最快的速度把产品送到消费者和用户手中的问题;存在着如何搞好市场调查、市场研究和市场预测问题。现代市场营销观念正是以消费者为出发点,紧紧围绕了解、掌握和满足消费者需求,以市场为核心的一种新型的企业经营哲学。它为企业提供了明确的经营指导思想,也是市场经济发展的必然要求。

(二)树立现代市场营销观念是市场竞争的客观需要

竞争一般是指商品经济中的各社会集团或社会成员之间为取得更好的商品生产和流通条件,获得更多的经济利益而进行的较量,反映着为共同市场而劳作的独立生产者之间的关系。竞争是商品经济的客观规律，哪里有商品生产和商品交换，哪里就有竞争。通过市场竞争，可以使企业生产的产品在市场上直接接受消费者的评判和检验，优胜劣汰。这就要求企业在市场营销活动中，必须树立现代市场营销观念，一切从消费者利益出发，从商品的使用价值和价值两个方面来核算生产过程中或经营过程中活劳动和物化劳动的耗费，力争使自己的个别劳动时间低于社会必要劳动时间，也就是用最少的劳动耗费取得最大的经济效益，使自己的产品质量好、价格便宜，适合消费者的需求，只有这样，企业才能在激烈的市场竞争中立于不败之地。由于对物质利益的追求是市场竞争的最基本、最显著的特征，因此，为扩大市场份额并获得更多的利润，企业在营销过程中采用的市场竞争的手段主要有价格竞争和非价格竞争。价格竞争是企业以价格为手段参与市场竞争，通过产品价格的升降去占领和开拓市场，提高市场占有率，尽可能增加盈利，以便取得竞争优势。非价格竞争是企业除价格以外，在技术和产品开发及销售行为等方面的竞争。非价格竞争的基础在于消费者需求的多样化和动态化，这就要求企业要根据市场的需求和变动，不断地进行产品创新，提高质量，加强广告宣传和促销活动，使生产出来的产品为消费者接受，非价格竞争已日益成为现代市场营销中企业竞争的重要手段。众多企业营销活动的实践表明，谁能掌握市场的需求状况，适应市场需求的变化，谁就能在市场竞争中占据有利位置，这也符合以市场为导向，把消费者需要作为企业的最高经营目标的现代市场营销观念。

（三）树立现代市场营销观念对企业有积极作用

1. 现代市场营销观念将激发企业不断创新，不断地提供新产品和采取有效的营销手段，以满足市场和消费者的需求。

2. 现代市场营销观念将引导企业重视市场调查与预测，并以此作为营销活动的基础。只有在深入调查消费者需求的基础上确定产品及服务方式，并使之有效地传递给顾客，才能使消费者得到满足。

3. 由于企业创造预期利润的过程是基于满足消费者的需求和愿望之上，因此，在现代市场营销观念的指导下，企业要实现经营目标，就必须顾及消费者与社会的长远利益，这是企业发展的真正原动力。

4. 现代市场营销观念从满足消费者需求这个目标出发，把营销研究贯穿于企业经营活动的始终，并在此基础上建立了一套系统的管理程序，主要内容包括计划、执行和控制三部分（见图（2-4），按着这个管理程序，根据营销调研获得的反馈资料，可以使战略和计划及时得到调整。

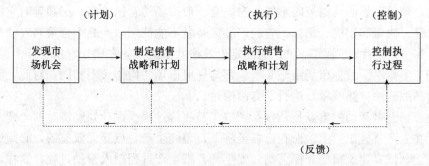

图 2-4　实行营销观念的管理程序图

三、建筑市场与房地产市场中的市场营销理念

（一）建筑市场的营销理念

建筑市场有其自身的特点，这就是：建筑市场交易对象的特殊性，生产与交易活动的统一性，主要交易对象的单件性，交易价格的特殊性，交易活动的长期性和阶段性，交易物的整体性和分部分项工程的相对独立性，交易活动的不可逆转性，与房地产市场的交融性等。因此，建筑市场营销不同于一般的消费品市场营销，也不同于产业市场的营销。建筑市场的营销有以下特点：

第一，建筑市场营销活动包括：环境分析、市场需求预测、招投标与签订合同、工程施工、竣工验收与交付使用、售后服务，与一般的营销活动是不完全相同的，它主要表现在营销过程中，没有产品推销、销售促进过程，是先成交，后生产，流通过程不明显。

第二，建筑市场营销的交换对象——工程，是固定在大地上不可移动的，这与一般市场的交换对象可移动、可集中、可分散是不相同的，因此，建筑市场的营销方式有其特殊性，即生产与交易活动是统一的，只能单件交易，交易时间长，结算方式也特殊（预付备料款、按月或按阶段结算工程进度款，最终结算付款时预留缺陷责任期保证金等）。

第三，建筑市场购销合同特殊。当工程经过招标、投标成交后，便由买（业主）卖（承包商）双方签订工程施工合同。施工合同实际上就是供销合同。这种合同的最大特点是内容复杂、涵盖面大。生产的过程就是履约过程、就是营销过程，就是双方共同履行各自权利义务的过程。在履约中存在着买卖双方的索赔活动，索赔既是一种正常的营销活动，又是一种涉及生产和交易价格的活动。

第四，建筑市场营销过程中，中介组织的作用十分突出，尤其是监理单位的作用突出。工程建设监理单位的作用被写进了《建筑法》，它受建设单位（业主）的委托，"依照法律、行政法规及有关技术标准、设计文件和建筑工程承包合同，对承包单位在施工质量、建设工期和建设资金使用等方面，代表建设单位实施监督。"监理单位的参与，对建筑市场营销活动的正常开展不仅仅是中介作用，更重要的是起着主动控制作用。

第五，建筑市场的营销活动秩序，对国家的政治、经济、生产、生活秩序影响非常大，这是其他营销活动不能比拟的。这是由建筑市场交易对象的社会性决定的，建筑市场的交易活动涉及到国家发展、经济投入、物资消耗、生活改善、文明状态。这是涉及3300多万产业工人的生产和每年20000多亿元投资的重大活动，没有哪一个产业市场的营销活动有如此巨大的影响力。

总之，建筑市场的营销策略不能生搬硬套一般市场的营销策略，必须针对它的特点进行策略研究、决策和实施。例如，它的产品策略就不能使用"产品组合策略"、"品牌与商标策略"和"产品生命周期策略"；它的定价策略就不能独立完成；它没有分销渠道策略。就是市场竞争策略、目标市场策略等，也都与一般市场的操作大不相同。对此，我们在建筑市场营销战略中（第八章）进行了专门探讨。

建筑市场营销活动的重点是从投标到竣工验收的过程。在计划经济时期，建筑企业的眼睛只盯在生产（施工）上。而在市场经济下，单纯生产观点是无效益的，必须站在经营者的立场上，依靠建筑市场，抓营销、促生产，把生产过程融入营销过程，这样，生产才有效率、出效益，建筑市场的营销活动才有生机，才能推动生产发展，促进建筑业发展。

（二）房地产市场的营销理念

随着我国市场经济的发展，房地产业发展迅速，特别是住房建设将要成为国民经济新的增长点，以及住宅商品化程度的提高，房地产作为生产要素和生活资料大量、迅速地进入市场和居民生活，房地产的市场营销也越来越为房地产开发商所重视。因此，它要求房地产开发商在理性层面上把握房地产市场运行规律，加强对房地产市场的调查和预测，有针对性地搞好房地产市场营销。

一个企业的产品能否销售出去，关键是要适销对路。工业企业如此，房地产开发企业也是如此，而且要求更高，这是由房地产的固定性、排他性、永久性、地域差价大、投资金额高、建设周期和投资回收期较长等特点决定的，只有适销对路才能提高商品房的产销率。因此，了解购屋者的需求、欲望和行为是房地产开发企业一切市场营销活动的中心，消费者导向是房地产营销主流。房地产的开发商和经营商应本着顾客需要的宗旨去开发和经营房地产，分析影响房地产市场营销的环境，即影响房地产市场和企业营销活动的不可控制的市场参与者与影响力。注重房地产市场调查，如房屋种类偏好调查，商品房销售的主要对象，市场商品房的供应量和销售价格等等，对市场各方面存在的因素进行分析和市场发展预测，努力开发新的市场营销机会，有效进行房地产企业的市场细分化，也就是按照房地产产品消费者对房地产产品的不同需求，将房地产企业的市场划分为不同的顾客群体，每一个顾客群体就是一个细分市场，并在此基础上选择投资方向和投资场地，进行产品定位和产品研究（如以何种形态设计，面积分配比例，外观形式和处理方法、格局与朝向，公共设施的安排等）和投资项目的融资。

对于适销对路、满足购房者需求的商品房，房地产开发商应配合地段的特性，给予合理的定价，使之易于被目标消费者接受，因为定价是否适中，对销售有直接影响。与此同时，房地产开发商还应致力于寻求有效的营销途径，努力拓宽营销渠道，采用灵活多样的促销方式，把物业管理作为营销手段，加强营销部门与物业管理部门的衔接，重视并搞好物业管理。

总之，房地产开发商既要考虑到影响企业开发和经营的外部环境因素，又要有计划地综合运用产品、定价、渠道和促销等市场营销手段，使营销策略适应市场的变化，以达到销售产品，并最终取得良好经济效益的目的。

思 考 题

1. 市场营销在实现"两个根本性转变"中有何重要作用？
2. 结合所在企业的实际，分析企业市场营销工作的现状和存在的问题。
3. 企业树立现代市场营销观念所面临的主要困难是什么？
4. 建筑业企业进行市场营销工作的内容和必要性是什么？
5. "我们向顾客提供我们的产品"和"我们提供我们的消费者需要的产品"说明企业在营销观念上有何差异？为什么？

第三章 市场调查与分析

在市场经济条件下，企业配置资源、制定发展战略、安排供应计划等必须根据市场的需要进行确定。因此，企业必须重视市场的调查与分析，包括确定市场调查的内容及范围、对市场营销环境进行分析、目标市场的细分与选择、竞争者分析、客户购买行为分析等几个方面。只有进行细致深入的市场调查与分析，企业才能在激烈的市场竞争中立于不败之地。

第一节 市场调查

市场调查是系统地设计、收集、分析并报告与公司面临的特定市场营销状况有关的数据和调查结果的过程，其目的在于为企业的决策者进行预测和决策、制订计划提供重要依据。市场调查是市场营销活动的出发点，是了解市场、认识市场的一种有效方法和手段。

一、市场调查的意义和内容

要管理好一个企业，就要安排好未来；要安排好企业的未来，必须充分掌握信息。企业的经营决策者只有收集掌握全面可靠的信息，准确地估计市场目前和未来发展变化的方向、趋势和程度，才能发现合适的市场机会、市场威胁和预见营销中可能产生的问题，从而调整企业的市场营销决策，以适应市场的变化，使企业能更好地生存和发展。所以市场调查是企业进行市场预测、正确制订市场营销战略和计划的前提。

（一）市场调查的重要性

由于科学技术的飞速发展，技术革新的速度大大加快，产品日新月异，国内外市场竞争激烈。各企业为了增强产品在市场上的竞争能力，都希望能随着变化万千的市场动态，及时做出相应的正确决策，并在采取行动之前，能获得有关的市场信息和情报资料，以避免做出错误的决策，减少决策的风险。尤其当企业由以往的地区性销售扩大为全国性销售，甚至发展到国际性营销时，企业的经营决策者或销售部门的主管人员实际上已不大可能亲自与市场广泛接触。而市场情况千变万化，消费者需求愈来愈多样化和挑剔，他们的爱好、动机、欲望对市场营销的影响很大。因此，企业要了解哪种产品是顾客所需要的，如何订出适宜的价格，怎样合理地选择分销渠道，选择适当的销售促进方式，适时满足顾客需求，了解潜在市场情况等，都需要做好市场调查工作，从多方面获取市场情报资料，敏感地捕捉这些信息，分析企业的生产与市场需求之间的内在联系，周密分析和研究市场需求变化的规律，用以指导企业的经营决策，有预见地安排市场营销活动，提高企业的经营管理水平，促进企业更好地生存和发展。

企业通过对市场环境和消费者行为的调查，取得市场营销方面的情报资料。企业领导者可根据这些调查资料和来自本企业其他职能部门的情报资料做下述工作：

1. 分析研究产品的生命周期，确定研制设计新产品、整顿或淘汰老产品，制订产品生命周期各阶段的市场营销策略，确定产品生产销售计划；

2. 根据消费者对产品价格变动的反应，在不违反国家政策的前提下，研究产品适宜的售价，制定企业产品的定价策略，确定新产品定价多少，老产品价格如何调整，确定产品的批发价和零售价；

3. 设计销售促进方案，加强推销活动、广告宣传和销售服务，开展公关活动，搞好公共关系，树立企业和产品形象，组织营业推广活动，扩大销售量；

4. 在考虑市场、产品等因素的基础上，合理选择分销渠道，尽量减少流通环节，缩短运输路线，降低运输成本和仓储费用，降低销售成本；

5. 企业综合运用各种营销手段，制订正确的市场营销综合策略，使企业在市场竞争中获取更多的利润，取得良好的经营效果；同时在市场营销策略实施过程中，继续对市场环境和消费者行为进行调查，掌握市场动向、发展趋势、竞争对手情况等，及时反馈信息、储存信息，为开发新产品、保持现有市场、开拓未来市场服务。

（二）市场调查内容

由于影响市场的因素很多，所以进行市场调查的内容很多，调查的范围也很广泛。凡是直接或间接影响市场营销的情报资料，都要广泛收集和研究，以便采取相应的策略。市场调查的内容包括国内外市场环境调查、技术发展调查、市场需求容量调查、消费者调查、竞争情况调查、市场营销因素调查等。

1. 国内外市场环境调查

（1）政治法律环境。包括政府的有关方针政策，如政府关于发展住宅产业、原材料工业、能源、交通运输业的政策，价格、关税、外汇、税收、财政、金融政策和对外贸易政策等；政府的有关法律法规，如环境保护法、建筑法、城市房地产管理法、破产法、反对不正当竞争法、保险法与城市拆迁条例等；政局的变化，如政府人事变动以及战争、罢工、暴乱的发生等情况。

（2）经济环境。包括国民生产总值、国民收入总值以及其发展速度；物价水平、通货膨胀率、进出口税率及股票市值稳定情况；城乡居民家庭收入、个人收入水平、城乡居民存款额；通讯及交通运输、能源与资源供应、技术协作条件等。一般来说，经济环境对企业的市场营销有直接影响。经济发展速度快，人民收入高，则购买力增强，市场需求增大；反之则小。一个国家或地区的基础设施完善，投资环境良好，便有利于吸引投资，发展经济。

（3）人口环境。人口是构成市场的三大要素之一。一般来说，人口越多，收入越高，市场需求量就越大。不同地理分布、不同民族、不同城市和不同年龄结构的人，其需求也各不相同。人口迁移流动也直接影响着市场需求。人口环境调查的内容包括人口规模、人口增长率、人口结构；地理分布、民族分布、人口密度、人口迁徙流动情况；出生率、结婚率；家庭规模等。

（4）社会文化环境。包括教育程度、职业构成、文化水平；价值观、审美观、风俗习惯；宗教信仰、社会阶层分布；妇女就业面大小等。企业营销人员综合分析研究社会文化环境对人们生活方式的影响，便于了解不同消费者行为，以正确细分市场和选择目标市场，制订企业的市场营销策略。

2. 技术发展调查。包括新技术、新工艺、新材料、新能源的发展趋势和速度；新产品的技术现状和发展趋势，应用新技术、新工艺、新材料的情况；新产品的国内外先进水平等。

3. 市场需求容量调查。包括国内外市场的需求动向；现有的和潜在的市场需求量；社会拥有量、库存量；同类产品在市场上的供应量或销售量，供求平衡状况；本企业和竞争企业的同类产品市场份额；本行业或有关的其它行业的投资动向；企业市场营销策略的变化对本企业和竞争者销售量的影响等。市场需求容量调查便于企业掌握分析国内外市场需求动向和需求供应情况，结合本企业的市场份额，预测本企业的销售量，研究如何保持或提高本企业市场份额等，制订市场营销策略或进一步开拓新的市场。

4. 消费者和消费者行为调查。包括消费者类别（个人或企业、社会团体、民族、性别、年龄、职业、爱好、所在地区等）、购买能力（如收入水平、消费水平、消费结构、资金来源、用户的财务状况等）、消费者的购买欲望和购买动机（什么因素影响购买者的购买决策，消费者不愿购买本企业产品的原因及其对其他企业生产的同类产品的态度）、主要购买者、最忠实的购买者、使用者、新产品的首用者、购买的决策者、消费者的购买习惯（如购买地点、时间、数量、品牌、挑选方式、支付方式等）。调查了解消费者的情况及其购买行为，主要目的在于使企业掌握消费者的爱好、心理、购买动机、习惯等，以便正确细分市场和选择目标市场，从而针对不同的消费者和市场，采取不同的市场营销策略。

5. 竞争情况调查。包括竞争者的调查分析（如竞争者数量和名称、生产能力、生产方式、技术水平、产品的市场份额、销售量及销售地区，竞争者的价格政策、销售渠道、促销策略以及其它竞争策略和手段，竞争者所处地理位置和交通运输条件、新产品开发和企业的特长等）、竞争产品的调查分析（如竞争产品的品质、性能、用途、规格、式样、设计、包装、价格、交货期等）。"知己知彼，百战不殆"，只有清楚了解竞争情况，才能扬长避短，采取有针对性的竞争策略，使企业在激烈的竞争中处于不败之地。

6. 市场营销因素调查

（1）产品调查

1）调查顾客对本企业新、老产品的评价、意见和要求，了解顾客对本企业产品的使用方法是否正确；

2）调查现有产品的新用途及其在新的部门或行业中使用的可能性。研究如何扩大产品的应用领域，延长产品生命周期；

3）分析研究产品处于生命周期的哪一阶段，何时投放新产品，何时淘汰老产品；

4）产品包装的美观程度，是否轻便、安全和方便运输，是否吸引消费者；

5）产品的品牌、商标是否易于记忆、富于联想；

6）调查分析合适的产品服务方式；

7）调查协作者的产量、质量、成本、技术水平、交货期限、经济能力和今后发展趋势。

（2）价格调查

1）顾客对产品价格变动的反应；

2）产品最适宜的售价；

3）与新产品相关或相类似的产品价格、新产品如何定价、老产品价格如何调整；

4）产品批发价、零售价、赊销价以及优惠价、数量折扣等如何确定。

（3）分销渠道调查

1）中间商销售状况的调查分析，包括销售额、利润、资金使用程度、经营能力，中间商所在地区的市场份额，消费者或用户对中间商的印象和反映如何等；

2）调查各销售网点（包括自销点）的销售状况，分析其经济效益，以便扩大或减少销售网点；

3）调查研究商品的运输包装、企业和中间商的储存、地区储存设施，运输工具、运输成本、仓储成本等；

4）调查国外市场流通机构，为企业开展对外贸易服务。

（4）促销策略调查

1）调查采用人员推销或非人员推销的方法和效果；

2）广告是否引人注目，有何特点，效果如何，应采用哪种广告媒体；

3）调查顾客对销售服务的意见和要求；

4）调查顾客对企业的公关活动和营业推广方面的反应。

前述1～5项调查内容均属于不可控制因素的调查，其目的不仅为了分析市场环境，适应市场环境变化，提高企业的应变能力，还在于寻找和发掘市场机会，开拓新市场。而通过第6项调查，企业可针对不同的市场环境，结合顾客需求，综合运用企业可以控制的营销手段，制订有效的市场营销组合策略，促进消费者购买和新市场开发，以达到企业预期的营销目标。

二、市场调查步骤

市场调查的内容十分繁多，范围极其广泛。但一般都需要包括如图3-1所示的几个步骤。

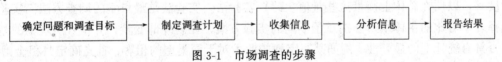

图3-1 市场调查的步骤

（一）问题和调查目标的确定

调查项目可以分成三类。一类是试探性调查，即通过收集初步的数据揭示问题的真正性质，从而提出一些推测和新想法，如在中国实行福利性分房的政策下，愿意自己购买商品房的家庭有多少；另一类是描述性调查，即明确一些特定的量值，例如有多少人愿意花费30万元在郊区买一套两居室的住房；第三类是因果性调查，即检验因果关系。如假设上述的两居室每套价格下降10万元，能够增加多少购买者。

（二）制定调查计划

市场调查的第二个阶段是制定出最为有效地收集所需信息的计划。制定的调查计划一般要包括资料来源、调查方法、调查手段、抽样方案和联系方法几个方面，如表3-1所示。

1. 资料来源。确定调查计划中资料的来源是收集二手资料、一手资料，或是两者都要收集。二手资料就是为其他目的已经收集到的资料，而一手资料则指为了当前特定目的而收集的原始信息。(1) 二手资料。市场调查人员开始是总是先收集二手资料，以判断问题是否部分或全部解决了，不再需要去收集成本很高的一手资料。二手资料是调查的起点，其优点是成本低及可以立即使用。然而，市场调查人员所需要的资料可能不存在，或者由于种种原因，资料不够准确、不可靠、不完整或者已经过时。这时，市场调查人员就需要时间和金钱去收集更切题和准确的一手资料。(2) 一手资料。大多数市场调查项目都需要收集一手资料。通常是先与某些人单独或成组交谈，以了解人们对产品及其服务的大致想法。接着确定正式的调查方法，进行实地调查。

市场调查计划的构成 表3-1

资料来源	二手资料、一手资料
调查方法	观察、专题讨论、问卷调查、实验
调查手段	问卷、仪器
抽样方案	抽样单位、样本规模、抽样程序
联系方法	电话、邮寄、面访

2. 调查方法。收集一手资料的方法有观察、专题讨论、问卷调查和实验四种方法。(1) 观察法。通过观察调查的对象与背景可以收集到最新资料。如通过观察居民之间的讨论，了解商品住宅涨价带来的反应等。(2) 专题讨论法。专题讨论是邀请6～10个人，在一个有经验的主持人的引导下，花几个小时讨论一种产品、一项服务、一个组织或其他市场营销话题。专题讨论是设计大规模问卷调查前的一个有用的试探性的步骤，它可以了解到消费者的感受、态度和满意程度，这对于下一步进行更为详细的调查非常有帮助。但是，调查人员应该避免将专题讨论参加者的感觉推广到整个市场，因为它的样本规模太小，而且不是随机抽样的。(3) 问卷调查法。问卷调查法是介于观察法、专题讨论法和实验法之间的一种方法。观察法和专题讨论法适用于试探性调查，问卷调查法适用于描述性调查，而实验法适用于因果性调查。企业采取问卷调查法是为了了解人们的认识、看法、喜好和满意度等，以便在总体上衡量这些量值。(4) 实验法。实验法是最科学的调查方法。实验法选择多个可比的主体组，分别赋予不同的实验方案，控制外部变量，并检查所观察的差异是否具有统计上的显著性。例如某写字楼的业主对于同类型的租客，首先确定月租金为30美元/m^2，看租客愿意租用多大的面积，如果月租金降为20美元/m^2，租客愿意租用的面积又是多少，假定在其它条件的相同的情况下，那么租客愿意租用的面积的变化就与租金具有很大的相关性。

3. 调查手段。在收集一手资料时所采用的两种主要的调查手段是问卷和仪器。(1) 问卷。由于问卷对于问题的设计可以非常灵活多变，因此，问卷是收集一手资料时最普遍采用的手段。由于问题的形式会影响到问卷的调查效果，因此答卷一般包括闭合式和开放式两种。闭合式问题事先确定了所有可能的答案，答卷人可以从中选择一个答案。开放式问题允许答卷人用自己的语言无任何限制地回答问题。因此一般情况下，开放式问题在需要了解人们是如何想的而不是衡量持某种想法的有多少的试探性调查阶段特别有用。而闭合式问题事先规定所有答案，很容易进行解释和列表工作。(2) 仪器。例如可以采用将听度计安装在接受调查者的家庭电视机上，用于记录收看的时间和所看的频道；电流计可以用于测量主体看到特定广告和图象时所表现出的兴趣或感情的强度。但仪器在市场调查手段中不是经常使用。

4. 抽样方案。在设计抽样方案时，必须确定的问题是：(1) 抽样单位。解决向什么人调查的问题。调查者必须定义抽样的总体目标，一旦确定了抽样的单位，必须确定出抽样范围，以便目标总体中所有样本被抽中的机会是均等的或已知的。(2) 样本规模。主要确定调查多少人的问题。大规模样本比小规模样本的结果更可靠，但是没有必要为了得到完全可靠的结果而调查整个或部分目标总体。如果抽样程序正确的话，不到1%的样本就能提供比较准确的结果。(3) 抽样程序。解决如何选择答卷人的问题。为了得到有代表性的样本，应该采用概率抽样的方法。概率抽样可以计算抽样误差的置信度。但由于概率抽样的成本过高、时间过长，调查者也可以采用非概率抽样。表3-2是概率抽样与非概率抽样的类型。

概率抽样与非概率抽样的类型　　　　　　　　　　　　表3-2

概率抽样	简单随机抽样	总体的每个成员都有已知的或均等的被抽中的机会
	分层随机抽样	将总体分成不重叠的组（如年龄组），在每组内随机抽样
	整群抽样	将总体分成不重叠的组（如街区组），随机抽取若干组进行普查
非概率抽样	随意抽样	调查者选择总体中最易接触的成员来获取信息
	估计抽样	调查者按自己的估计选择总体中可能提供准确信息的成员
	定额抽样	调查者按若干分类标准确定每类规模，然后按比例在每类中选择特定数量的成员进行调查

5. 联系方法。一般有邮寄、电话和面访三种联系方法。(1) 邮寄问卷是在被访者不愿面访或担心调查者会曲解其回答时可采用的最好方法，但邮寄方法回收率低、回收速度慢；(2) 电话访问是快速收集信息的最好方法，其优点是被访者不理解问题时能得到解释，而且回收率比邮寄问卷通常要高，主要缺点是只能访问有电话的人，而且时间不能太长，也不能过多涉及隐私问题；(3) 面访是三种方法中最常用的方法，调查者能够提出较多的问题并能了解被访者的情况，但面访的成本最高，而且需要更多的管理计划和监督工作，也容易受到被访问者偏见或曲解的影响。

（三）收集信息

收集信息是市场调查中成本最高，也最容易出错的阶段。在采用问卷调查时，可能会出现某些被调查者不在家必须重访或更换、某些被调查者拒绝合作、某些人的回答或在有些问题上有偏见或不诚实等情况。在采用实验法进行调查时，调查人员必须注意，要使实验组与控制组匹配，并尽可能消除参与者的参与误差，实验方案要统一形式并且要能够控制外部因素的影响等。现代计算机和通信技术使得资料收集的方法迅速发展，且减少了人员和时间的投入。

（四）分析信息

该阶段的主要任务是从收集的信息和数据中提炼出与调查目标相关的信息，对主要变量可以分析其离散性并计算平均值。同时还可以采用统计技术和决策模型来进行分析。

（五）报告结果

市场调查人员不能把大量的调查资料和分析方法直接提供给有关决策者，必须对信息进行分析和提炼，总结归纳出主要的调查结果并报告给决策人员，减少决策者在决策时的不确定因素，只有这样的调查报告才是有价值的。

三、对市场调查的分析与评估

对市场调查的分析与评估主要是考察市场调查的有效性。一般来讲，有效的市场调查必须具备以下特点：

1. 方法科学。在进行市场调查时，第一个原则是要采用科学的法，首先要仔细观察，形成假设、预测并进行检验。

2. 调查具有创造性。市场调查最好能提出解决问题的建设性方法。

3. 调查方法多样。一般来讲，市场调查不能过分依赖某一种方法，强调方法要适应问题，而不是问题适应方法，只有通过多种来源收集信息并进行分析才能具有较大的可信度。

4. 模型和数据相互依赖。对于市场调查拟采用的模型要仔细考虑，并在选定的模型下，确定要收集的信息类型。

5. 合理的信息价值和成本比率。市场调查时对于收集信息的价值与成本之比要进行分析。价值——成本分析能够帮助市场调查部门确定应该调查哪些项目、应该采用什么样的调查设计以及初步结果出来之后是否不需要收集更多的信息。调查的成本很容易计算，而价值则依赖于调查结果的可靠性和有效性，以及管理者是否愿意承认该调查结果并加以使用。

6. 正常的怀疑态度。调查人员对管理者做出的关于市场运转方式的假设应该持正常的怀疑态度。

7. 市场调查过程遵守职业道德。由于市场调查能使企业更为了解消费者的需要，为消费者提供更为满意的产品和服务，因此，通常大多数的市场调查都会给企业和消费者带来好处。但如果滥用市场调查也可能会引起消费者的不满甚至危害消费者。

第二节 市场营销环境分析

对于企业，必须从不同角度全面审视自己的业务，经常监视和预测其周围市场营销环境的发展变化，并善于分析和鉴别由于市场环境变化带来的的主要机会和威胁。企业营销的主要任务就是认清环境的变化趋势，跟踪发展趋势和寻找机会。因此，市场营销学认为，企业必须建立适当的系统，指定专业人员，通过市场信息的收集和系统的环境监测研究，修正和调整市场营销战略，来迎接新的市场挑战并抓住新的市场机会，及时采取适当的对策，使其经营管理与其市场营销环境的发展变化相适应。

一、宏观市场营销环境

宏观市场营销环境是指那些给公司造成市场机会和环境威胁的主要社会力量，包括人口环境、经济环境、自然环境、技术环境、政治和法律环境以及社会和文化环境。这些主要社会力量代表企业不可控制的因素。

但是对于企业来讲，如果能够确定宏观环境中尚未满足的需要与趋势，并能设法给尚未满足的需要创造出新的解决方案，企业就能够从中获利。但是对于市场营销人员来讲，也要求能够区分流行与趋势的差别，流行是不可预见的、短期的，没有社会、经济和政治意义，企业可以从流行中获利，但这只是靠运气；而趋势是更能预见的并且持续时间较长。

（一）人口环境

市场是由那些想买东西并且有购买力的人（即潜在购买者）构成的，而且这种人越多，市场的规模就越大，因此公司的最高管理层必须密切注意人口环境的变化。市场营销人员必须关注各个城市、地区和国家的人口规模与增长率，人口的年龄结构与民族构成、教育程度、地区的特征与人口迁移情况等。目前人口环境的主要变化趋势及其对市场营销战略的影响分析如下：

1. 世界人口迅速增长。目前世界人口呈现出爆炸性的增长，除部分发达国家出生率下降外，世界上不发达地区的人口不仅占世界人口的比例较高，而且增长速度快。人口增长意味着人类需要的增长，但只有在购买力有保证的前提下，人口的增长才意味着市场的扩大。倘若人口的增长对粮食和各种资源的供应形成很大的压力，就会造成成本的提高和利润的降低。

2. 人口的年龄结构决定需要。虽然各国人口的年龄结构有差异，但一般可以将人口划分成六个年龄段：学龄前儿童、学龄儿童、青少年、25岁至40岁的青年人、40岁至65岁的中年人和65岁以上的老年人。人口年龄结构的差异，导致对产品的需求也是不同的。在人口年轻的地区，重要的产品包括学校用品、儿童用品和玩具；而在人口老龄化严重的地区，对医疗服务、易消化的食品和大号字印刷的报纸等需求量较大。市场营销人员要确定年龄段中可能成为目标市场的人群，根据他们对产品和服务的偏好改进企业的产品。

3. 民族构成。各地区的民族与种族的构成不同，对产品与服务的偏好也会有差异。

4. 受教育程度。任何社会人口的教育水平都可以分为文盲、高中以下、高中、大学和大学以上五类。人口受教育程度的高低，影响企业的发展战略。

5. 家庭结构。传统家庭的组成是丈夫、妻子和孩子（有时还有祖父母），但随着社会的发展变化，单身、单亲家庭、无子女家庭和无家可归者的比例也会增大，使得对于居室的数量、电器家具等的需要也会发生变化。

6. 人口流动性。人口的流动既包括国家之间也包括国家内的各地区之间的流动。目前中国城镇人口迅速增加，居住可能面临着从城市中心向郊区的迁移。这种变化带来对商品住宅、空调等需求的变化。

7. 大市场转变成许多小市场。以上这些变化使得一个大市场转变成由年龄、性别、民族、教育、地理、生活方式等特征的差异而区分开的许多小市场。每个群体都有自己的喜好和消费特点，因此，企业必须放弃面向实际上并不存在的"无差别"消费者的"无差异"市场营销，根据特定的小市场来设计产品和市场营销方案。

（二）经济环境

市场是由那些想购买商品并且有购买力的人构成的，而且这种人越多，市场的规模就越大。这就是说，购买力是构成市场和影响市场规模大小的一个重要因素。而社会购买力又直接或间接受消费者收入、价格水平、储蓄、信贷等经济因素的影响。社会购买力是一些经济因素的函数。正因为这样，企业的市场营销不仅受人口环境影响，而且受经济环境影响。所以，公司最高管理层必须密切注意经济环境方面的动向。公司进行经济环境分析时，要着重分析以下主要经济因素：

1. 消费者收入的状况。收入的分配与国家的产业结构有关，但也受国家的政治制度的影响。市场营销人员应将本地区的公众划分为以下五类：都是很低的收入、大多数是低收入、很高收入与很低收入并存、高中低收入都有、大多数是中等收入。这种收入的分布状况，对于企业提供的不同价值的产品或服务，占有市场的份额有很大影响。

2. 消费者支出模式的状况。主要考虑消费者各种消费占其消费总额的比例关系。

3. 消费者储蓄和信贷的变化。消费支出受到消费者现有的储蓄与借贷情况的影响，因此市场营销人员必须十分注意收入、生活费用、利率、储蓄及借债方式等方面的变化，它们会对企业产生很大的影响，尤其是那些产品销售对收入与价格都很敏感的企业。

(三) 自然环境

企业的自然环境（或物质环境）的发展变化也会给企业造成一些环境威胁和市场机会，所以，企业的最高管理层还要分析研究自然环境方面的动向。目前自然环境的主要动向是：某些自然资源短缺或即将短缺、环境污染程度日益严重、许多国家政府对自然资源管理的干预日益加强等。

1992年6月，由100多位国家政府首脑出席的联合国环境与发展大会在巴西里约热内卢召开。大会通过了包括《21世纪议程》在内的一系列重要文件。《21世纪议程》提出，下一世纪人类社会应该走可持续发展（Sustainable Development）的道路。同年7月，中国政府决定由国家计委和国家科委牵头制定《中国21世纪议程》。该文件经1994年3月25日国务院常务会议讨论通过，作为中国21世纪推行可持续发展战略的国家政策和行动方案，其核心是以经济、科技、社会、人口、资源、环境的协调发展为目的，在保证经济高速增长的前提下，实现资源的综合和持续利用，不断改善环境质量。

所谓可持续发展是进入90年代以来国际学术界出现的一种新理论。该理论认为，人类应当跳出单纯追求经济增长，忽视生态环境保护的传统发展模式，通过产业结构调整与合理布局，发展高新技术，实行清洁生产和文明消费，协调环境与发展的关系，使社会的发展既能满足当代人的需求，又不对后人需求的满足构成危害，最终达成社会、经济、资源与环境的协调。随着可持续发展理论逐渐为世界各国所采纳，绿色产业、绿色消费、绿色市场营销也在蓬勃兴起。

从世界范围看，环境保护意识与市场营销观念相结合所形成的绿色市场营销观念（Green Marketing Concept），正成为本世纪90年代和21世纪市场营销的新主流。绿色市场营销观念要求企业在开展市场营销活动的同时，努力消除和减少生产经营对生态环境的破坏和影响。具体来讲，企业在选择生产技术、生产原料、制造程序时，应符合环境保护标准；在产品设计和包装装潢设计时，应尽量降低产品包装或产品使用的剩余物，以降低对环境的不利影响；在分销和促销过程中，应积极引导消费者在产品消费使用、废弃物处置等方面尽量减少环境污染；在产品售前、售中、售后服务中，应注意节省资源、减少污染。可见，绿色市场营销观念的实质，就是强调企业在进行市场营销活动时，要努力把经济效益与环境效益结合起来，尽量保持人与环境的和谐，不断改善人类的生存环境。

(四) 技术环境

人类生活中最戏剧性的因素是技术。技术创造了许多奇迹，技术也造成了恐怖。对技术的态度取决于人们是被技术的奇迹吸引还是被技术的恐怖所吸引。公司的最高管理层还要密切注意技术环境的发展变化，了解技术环境的发展变化对企业市场营销的影响，以便及时采取适当的对策。

1. 新技术是一种"创造性的破坏因素"。每一种新技术都会给某些企业造成新的市场机会，因而会产生新的行业，但同时还会给某个行业的企业造成环境威胁，使这个旧行业受到冲击甚至被淘汰。如复印机危害了复写纸行业，汽车、飞机危害了铁路等。如果老行业不采用新技术，而是压制或轻视它，那么老行业的生意很快就会衰退。

2. 新技术革命有利于企业改善经营管理。目前发达国家的许多企业在经营管理中都使用电脑、传真机等设备，这对于改善企业经营管理，提高经营效益起了很大作用。

3. 新技术革命会影响零售商业结构和消费者购物习惯。例如，在许多国家，由于电子、信息技术的迅速发展，纷纷出现了"电视购物"、"电脑购物"、"网络购物"等在家购物方式。

（五）政治和法律环境

企业的市场营销决策还要受政治和法律环境的制约和影响。政治和法律环境是那些强制和影响社会上各种组织和个人的法律、政府机构和压力集团的集合。下面针对主要的政治趋势及其对市场营销管理的影响进行分析。

1. 约束企业的立法纷纷出台。商业立法的目的有多种，首先是保护各公司的利益相互不受到侵害，其次是保护消费者免受不正当商业行为的侵害，第三个目的是保护社会利益不受没有约束的商业行为的侵害。近年来立法对企业的影响不断增加。例如在新加坡和泰国，禁止传播烟草广告，也不允许烟草公司赞助电视节目和体育比赛。

2. 公众利益组织的发展。近年来公众利益组织的数量和能量都有所提高。各种政治活动委员会对政府和企业施加影响，要求它们重视消费者权利、妇女权利和少数民族权利等。企业必须对这些影响给予足够的重视。

（六）社会和文化环境

人类在某种社会和环境下生活，久而久之，必然会形成某种特定的文化，包括一定的态度和看法、价值观念、道德规范以及世代相传的风俗习惯等世界观。市场营销人员所关心的文化特征和趋势主要有以下几点。

1. 核心文化价值观有高度持续性，而从属文化价值观会随时间变化。在特定社会里生活的人持有很多持久的核心信仰与价值观念，这种核心信仰与价值观是子女从父母那里继承来的，并由主要的社会机构——学校、宗教组织、工作单位和政府予以强化。一般来讲，核心信仰不易改变，而人们的从属信仰与价值观比较容易改变，市场营销有改变人们从属信仰的机会，但不大可能改变人们的核心价值观。

2. 每种文化都由亚文化构成。人们因共同的生活经历或生活环境而持有的共同价值观就是亚文化。持有相同的亚文化群体所表现出来的需要与消费行为各不相同，市场营销人员就可以将这些亚文化群体作为目标市场。

二、微观市场营销环境

微观市场营销环境包括企业本身及其市场营销中介、市场、竞争者和各种公众，这些都会影响公司为其目标市场服务的能力。

（一）企业本身

企业本身是企业微观环境的第一个层次，它处于企业市场营销环境的核心位置。企业目标的实现，要靠企业内部各方面力量的相互配合，包括市场营销部门、其他职能部门和最高管理层。企业的市场营销部门和其他职能部门是相互关联的，营销部门的决策要考虑到其他职能部门的业务活动，企业营销部门和其他职能部门一起又受到最高管理层的领导，营销部门必须根据最高管理层制订的企业任务、目标、战略和策略来进行市场营销计划与决策，并经最高管理层批准后执行。企业内部各个部门、各个管理层之间的分工是否科学，协作是否和谐，影响到企业营销管理决策和营销方案的实施。

（二）市场营销中介

市场营销中介主要包括：供应商，即向企业供应原材料、部件、能源、劳动力和资金等资源的企业和组织；商人中间商，即从事商品购销活动，并对所经营的商品拥有所有权的中间商,如批发商、零售商等;代理中间商,即协助买卖成交,推销产品,但对所经营的产品没有所有权的中间商,如经纪人、制造商代表等;辅助商,即辅助执行中间商的某些职能,为商品交换和物流提供便利,但不直接经营商业的企业或机构。

(三) 市场

现代市场营销学通常按照买方特点和不同购买目的将市场分为消费者市场、生产者市场、中间商市场、政府市场和国际市场。

1. 消费者市场是指所有为了个人消费而购买物品或服务的个人和家庭所构成的市场。消费者市场是现代市场营销理论研究的主要对象。

2. 生产者市场,又叫产业市场或企业市场。它是指一切购买产品和服务并将之用于生产其他产品或劳务,以供销售、出租或供应给他人的个人和组织。通常由以下产业所组成:农业、林业、水产业、制造业、建筑业、通讯业、公用事业、银行业、金融和保险业、服务业等。

3. 中间商市场是指那些通过购买商品和劳务以转售或出租给他人获取利润为目的的个人和组织。转卖者不提供形式效用,而是提供时间效用、地点效用和占有效用。中间商市场由各种批发商和零售商组成。

4. 政府市场是指那些为执行政府的主要职能而采购或租用商品的各级政府单位,也就是说,一个国家政府市场上的购买者是该国各级政府的采购机构。由于各国政府通过税收、财政预算等,掌握了相当大一部分国民收入,所以形成了一个很大的政府市场。

5. 国际市场是由国外的消费者、生产者、中间商、政府机构等所构成的市场。

(四) 竞争者

在现代市场经济条件下,存在着四个层次的竞争者:(1) 愿望竞争者,即满足消费者的各种目前愿望,与本企业争夺同一顾客购买力的所有其他企业。如通用汽车公司可将房地产、耐用消费品、旅游等公司都看作竞争者,因为顾客若买了房子或其他耐用品,就可能无力购买汽车。(2) 一般竞争者,即提供不同种类的产品,满足购买者某种愿望的企业。如通用汽车公司不仅以所有轿车制造商为竞争者,而且将摩托车、自行车、卡车制造商都看作竞争者。(3) 产品形式竞争者,即提供同种但不同型号的产品,满足购买者某种愿望的企业。如通用汽车公司的竞争者就包括了所有生产轿车的公司。(4) 品牌竞争者,即提供同种产品的各种品牌,满足购买者某种愿望的企业。例如,通用汽车公司以福特、丰田、本田及其他提供同等档次的轿车制造商为主要竞争者,而并不把生产其他类型轿车的公司看作是自己的竞争者。

(五) 公众

公众主要包括:金融公众,即影响企业取得资金能力的任何集团,如银行、投资公司等;媒介公众,即报纸、杂志、广播、电视等具有广泛影响的大众媒介;政府公众,即负责管理企业业务经营活动的有关政府机构;市民行动公众,即各种保护消费者权益组织、环境保护组织、少数民族组织等;地方公众,即企业附近的居民群众、地方官员等;一般群众;企业内部公众,如董事会、经理、职工等。

微观市场营销环境中所有的分子都要受宏观市场营销环境中各种力量的影响。

三、环境分析与企业对策

每个企业都和总体环境的某个部分相互影响、相互作用,这部分环境被称为相关环境。

企业的相关环境总是处于不断变化的状态之中。在一定时期内，经营最成功的企业，一般是能够适应其相关环境的企业。企业得以生存的关键，在于它在环境变化需要新的经营行为时所拥有的自我调节能力。适应性强的企业总是随时关注环境的发展变化，通过事先制定的计划来控制变化，以保证现行战略对环境变化的适应。

（一）环境威胁与市场机会

环境发展趋势基本上分为两大类：一类是环境威胁，另一类是市场营销机会。所谓环境威胁，是指环境中一种不利的发展趋势所形成的挑战，如果不采取果断的市场营销行动，这种不利趋势将伤害到企业的市场地位。企业市场营销主管人员应善于识别所面临的威胁，并按其严重性和出现的可能性进行分类，并为那些严重性大且可能性也大的威胁制定应变计划。

所谓市场营销机会，是指对企业市场营销管理富有吸引力、企业拥有竞争优势的领域。这些机会可以按其吸引力以及每一个机会可能获得成功的概率来加以分类。企业在每一特定机会中成功的概率，取决于其业务实力是否与该行业所需要的成功条件相符合。

（二）威胁与机会的分析、评价

如上所述，任何企业都面临着若干环境威胁和市场机会。然而，并不是所有的环境威胁都一样大，也不是所有的市场机会都有同样的吸引力。企业的最高管理层可以用"环境威胁矩阵图"和"市场机会矩阵图"来进行威胁与机会的分析、评价（如图3-2所示）。

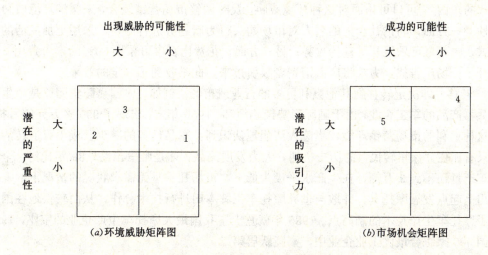

图3-2 威胁与机会的分析、评价

环境威胁矩阵图的纵向代表"出现威胁的可能性"，横向代表"潜在严重性"，表示赢利减少程度。市场机会矩阵图的纵向代表"成功的可能性"，横向代表"潜在的吸引力"，表示潜在赢利能力。

用上述方法来分析和评价企业所经营的业务，可能会出现四种不同的结果：（1）理想业务，即高机会和低威胁的业务；（2）冒险业务，即高机会和高威胁的业务；（3）成熟业务，即低机会和低威胁的业务；（4）困难业务，即低机会和高威胁的业务。

（三）企业对策

对企业所面临的主要威胁和最好的机会，企业最高管理层应当作出什么反应或可采取何种对策呢？

最高管理层对企业所面临的市场机会，必须慎重地评价其质量。美国著名市场营销学者西奥多·莱维特（Theoldore Levitt）曾警告企业家们，要小心地评价市场机会。他说："这里可能是一种需要，但是没市场；或者这里可能是一个市场，但是没有消费者；或者这里可能是一消费者，但目前实在不是一个市场，又如，这里对新技术培训是一个市场，但是没有那么多的顾客购买这种产品。那些不懂得这种道理的市场预测者对于这些领域（如闲暇产品、住房等）表面上的机会曾作出惊人错误的估计。"

企业对所面临的主要威胁有对抗、化解和转移三种可能选择的对策：

1. 对抗。即试图限制或扭转不利因素的发展。例如，长期以来，日本的汽车、家用电器等工业品源源不断地流入美国市场；而美国的农产品却遭到日本贸易保护政策的威胁。美国政府为了对付这一严重的环境威胁，一方面，在舆论上提出美国的消费者愿意购买日本优质的汽车、电视、电子产品，为何不让日本的消费者购买便宜的美国产品；另一方面，美国向有关国际组织提出了起诉，要求仲裁。同时提出，如果日本政府不改变农产品贸易保护政策，美国对日本工业品的进口也要采取相应的措施。结果，扭转了不利的环境因素。

2. 缓解。即通过调整市场营销组合等来改善环境适应，以缓解环境威胁的严重性。例如，当可口可乐的年销售量达300亿瓶时，在美国的饮料市场上突然杀出了百事可乐。它不仅在广告费用的增长速度上紧跟可口可乐，而且在广告方式上也针锋相对："百事可乐是年轻人的恩赐，青年人无不喝百事可乐。"其潜台词很清楚，即："可口可乐是老年人的，是旧时代的东西。"可口可乐面对这种环境威胁，及时调整市场营销组合，来缓解环境威胁的严重性：一方面，聘请社会上的名人对市场购买行为新趋势进行分析，采用更加灵活的宣传方式，向百事可乐展开了宣传攻势；另一方面，花费比百事可乐多50%的广告费用，与之展开了一场广告战，力求将广大消费者吸引过来，此举收到了一定的效果。

3. 转移。即决定转移到其他赢利更多的行业或市场。例如，中国嘉陵集团原是个生产单一兵器产品的军工企业，由于国际形势渐趋缓和，1980年末，出现了990多万元的亏损。面对这种不利的市场营销环境，嘉陵人清醒地认识到：军品任务的减少已成不可逆转的趋势，只有抓住"保军转民"的历史机遇，大力发展民品，才是唯一出路。80年代初，全国摩托车产量还不到3万辆，在生产水平极为低下，市场几乎呈无需求状况的情况下，嘉陵就提出高起点发展摩托车，并敢与世界摩托车王牌本田进行技术合作，从而较快地在国内占领了摩托车生产技术的制高点。1985年就登上了我国最大摩托车生产企业的宝座，1995年全国500家综合最优工业企业中，嘉陵跃居第二。

第三节 市场分析的手段与方法

对于企业来讲，在进行了市场调查与营销环境分析之后，可能面临着许多的市场机会，企业在选择目标市场之前必须对各种市场机会的规模、增长率与潜在的盈利能力进行分析。

一、市场规模的估计

对市场规模的估计，实际上就是预测市场的需求。这种市场需求的预测一般需要从六类产品层次、五类空间层次与三类时间层次上进行分析，如图3-3所示。

（一）市场需求分析的基本概念

市场就是某种产品的实际购买者和潜在的购买者的集合，而市场规模就是特定商品的购

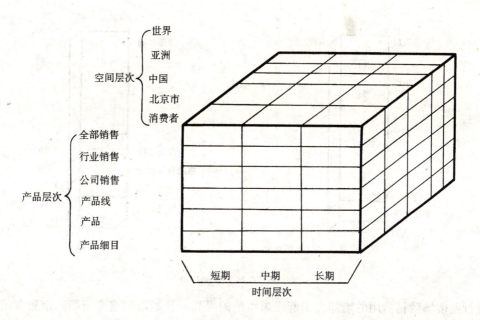

图 3-3 需求预测的 90 种类型 (6×5×3)

买者数量。

潜在购买者一般具有三个特点：兴趣、收入与途径。因此，在估计某种产品的消费者市场时，首先需要判断对该产品有潜在兴趣的人数。如"你想自己拥有一套住宅吗？"假如 10 个被调查者中有 2 个持肯定的回答，那么就可以估计消费者总数的 20% 是住宅的潜在市场，潜在市场是对某种特定商品有某种程度兴趣的消费者。

消费者只有兴趣还不足以确定市场，潜在消费者必须有足够的收入购买这种商品。有兴趣的消费者必须对"你能买得起住宅吗？"作出肯定的回答。价格越高，能作出肯定回答的人数就越少，也说明，市场规模是兴趣与收入的函数。

市场规模还会因为途径的限制而缩小。如果住宅没能在某个地区销售，那么这个地区的潜在消费者就不是有效市场，有效市场是对某种特定商品有兴趣、收入与途径的消费者的集合。但如果政府或团体对特定消费群体消费某种商品进行了限制，如某国家规定 65 岁以上的人士不得购买汽车，那么其他人就构成了合格的有效市场。

企业现在可以追求全部的合格的有效市场或集中在其中的细分市场上。服务市场（也称为目标市场）是公司决定追求的那部分合格的有效市场。企业及其竞争者总会在目标市场上售出一定数量的某种商品。渗透市场是指已经购买了该产品的消费者的集合。图 3-4 表明了这几种概念之间的关系。

在评价市场营销集合时，第一步是判断市场总需求。市场总需求是指在特定地理范围内、特定时期、特定市场营销环境、特定市场营销计划的情况下，特定的消费者群体可能购买的总量。

市场总需求是给定条件下的函数，称之为市场需求函数。市场总需求对基本条件的依赖关系如图 3-5（a）所示。横轴表示特定时期内行业市场营销费用的可能水平，纵轴表示由此产生的需求水平。曲线则表示市场需求与行业市场营销费用之间的关系，并不反映时间对市场需求的影响。不需任何刺激需求的费用就会有其基本的销售量，称为市场最低量，

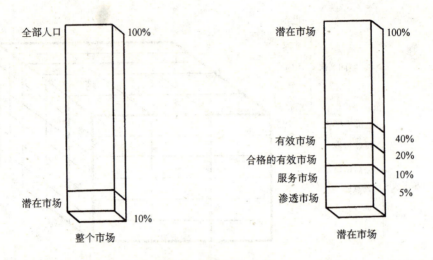

图 3-4 市场定义的层次

随着行业市场营销费用的增加会引起需求水平的提高,开始以加速度增高。市场营销费用超过一定水平之后,就不会刺激需求了,因此市场需求有一个上限,称为市场潜量。

市场最低量与市场潜量间的距离表示出需求的市场营销敏感性。可以设想有两个极端的市场——可扩展市场与非扩展市场。象啤酒之类的可扩展市场,其总规模受行业市场营销费用水平的影响较大,图中所示 Q_2 与 Q_1 之间的距离较大;但如歌剧之类的非扩展市场,受营销费用的影响较小,图中所示 Q_2 与 Q_1 之间的距离较小。

实际上由于市场营销费用只能在一定范围之内,市场预测是在相对条件下预期的市场需求,但这个需求并不是最大的市场需求。要达到最大的市场需求,可以设想必须有很"高"的市场营销费用才能达到,而且随着营销费用的增加,对需求的刺激越来越小。市场潜量是在特定的环境下,随着行业营销费用的无限增长,市场需求所能达到的极限。

市场潜量对环境的依赖关系如图 3-5(b)所示。

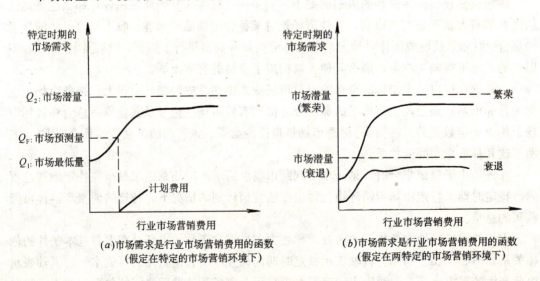

图 3-5 市场需求

（二）市场需求预测

对于企业的营销主管人员来讲，首先需要对总市场潜量、地区市场潜量和实际销售额进行分析。

1. 总市场潜量

总市场潜量是在特定时期内，在既定行业市场营销努力水平与既定环境条件下，行业的所有企业所能获得的最大销售量。常用的判断方法是

$$Q = nqp$$

式中　Q——总市场潜量；

　　　n——特定产品或市场的购买者数量；

　　　q——购买者的平均购买数量；

　　　p——平均单价。

将上式稍加变动，便形成了连比法。它是指将基数乘以若干修正率。假定某啤酒厂想判断一种干啤的市场潜量，可由以下计算获得估计值：

新干啤的需求＝　　潜在购买人口
　　　　　　× 人均可支配收入
　　　　　　× 可支配收入中用于食品的平均百分比
　　　　　　× 食品支出中用于饮料的平均百分比
　　　　　　× 饮料支出中用于酒精饮料的平均百分比
　　　　　　× 酒精饮料支出中用于啤酒的平均百分比
　　　　　　× 啤酒支出中用于干啤的预计百分比

2. 地区市场潜量

对企业来讲，都面临着选择最佳区域并在他们之间适当地分配市场营销预算，因此需要判断各个城市、省份与国家之间的市场潜量。对地区市场潜量的预测主要使用两种方法，一种是市场累积法，主要为工业品市场营销人员采用；另一种是多因素指数法，主要为消费品市场营销人员采用。

（1）市场累积法。市场累积法要求能识别出每个市场上所有的潜在购买者，并判断出他们的潜在购买量，就可以直接应用这种方法。但这种方法一般很难定量判断以上因素。

（2）多因素指数法。这种方法适用于消费者非常多的市场，由于无法罗列每个消费者，所以用多因素指数法。美国《销售与市场营销管理》杂志所公布的"购买力年度调查"是最有影响的指数，该指数可以反映不同地区、不同省份与不同城市的消费者相对购买力。销售与市场营销管理关于某个地区的相对购买力指数可以由下式求得

$$B_i = 0.5y_i + 0.3r_i + 0.2p_i$$

式中　B_i——地区 i 的购买力占全国总购买力的百分比；

　　　y_i——地区 i 的个人可支配收入占全国的百分比；

　　　r_i——地区 i 的零售额占全国百分比；

　　　p_i——地区 i 的人口占全国的百分比。

二、市场份额的细分

企业的营销人员在判断了市场总潜量和地区潜量之后，还需要通过了解市场的实际行业销售额，来分析竞争对手的情况。

企业需求是企业所占市场份额与市场总需求的乘积,用公式表示为:
$$Q_i = S_i Q$$
式中　Q_i——企业 i 的需求;

　　　S_i——企业 i 的市场份额;

　　　Q——市场总需求。

同市场需求一样,企业需求也是个多变量的函数,称之为企业需求函数或销售反应函数。它除受决定市场需求的因素的影响外,还受决定企业市场份额的因素的影响。

一般认为,决定市场份额的主要因素就是企业所作的营销努力或费用,用公式表示为:
$$S_i = M_i / \Sigma M_i$$
式中　S_i——企业 i 的市场份额;

　　　M_i——企业 i 的营销努力或费用支出。

实际上,企业所占的市场份额还取决于其它因素,实际情形比上式复杂得多,所以,确定企业的市场份额必须同时考虑多种因素的综合影响。

企业需求与其营销费用的关系类似于图3.5所示,此时纵坐标为企业销售额,横坐标为企业的营销费用。同样,企业预测可以表示为在一定的企业营销费用和假设的营销环境下所预期的企业销售水平,而把企业需求所能达到的极限称为企业潜量。在绝大多数情况下,企业的销售潜量低于市场潜量,只有在独家经营时,两者才相等。

除了判断总潜量、地区潜量和企业的需求之外,企业还要了解市场的实际行业销售额。也就是说,要确认它的竞争对手及其销售额。

通常行业协会或国家的有关经济部门会公布整个行业的销售额,但由于不会具体公布各个企业的销售额。所以企业可以根据整个行业的情况来评价自己企业的经营状况。假如企业销售的年增长率低于整个行业的年度增长率,说明企业正在丧失自己在行业中的相对地位。

判断销售额的另一种方法是向监测总销售量与品牌销售量的市场调查公司购买调查报告,这样,企业可以得到所有产品种类的销售额与品牌销售额,并将本企业的经营情况与整个行业或某个竞争者进行比较,以了解本企业的市场份额的变化情况。

三、市场趋势分析

对于企业来讲,仅仅对目前的需求进行分析和预测是远远不够的。一成不变的市场营销计划不能适应丰富多变的市场,因此必须未雨绸缪,对未来的市场趋势进行分析和判断。

企业分析市场趋势,通常包括三个步骤。首先是宏观环境预测;然后是行业预测;最后是企业的销售预测。宏观环境预测要求说明通货膨胀、失业、利率、消费开支、投资、净出口额等,最终是对国民生产总值的预测,再应用它并结合其它环境指标来预测行业销售情况。最后,通过假定本企业的市场份额,从而得到企业的销售预测。分析市场趋势的方法主要有:

(一)购买者意图调查法

购买者意图调查法就是通过直接询问消费者在某一时期需要哪些商品及其数量来进行分析的方法。例如就有关居民家庭最近是否有购买住宅的意图所作的调查如表3-3所示。

另外,调查还应询问消费者目前与未来的个人经济状况以及对经济形势的展望。在西方发达国家,专业市场调查公司定期测量与消费者相关的指标,并发表有关的报告。

总之，在购买者人数较少、访问购买者的成本不高、购买者具有明确的意图、会按其意图购买并且愿意配合意图调查时，进行购买者意图调查具有很大的价值。

消费者购买意图调查表　　　　　　　　　表3-3

你是否有意在六个月内购买一套住宅					
0.00	0.20	0.40	0.60	0.80	1.00
不可能	有些可能	可能	很可能	非常可能	肯定

（二）销售人员意见综合法

当企业不能直接调查购买者或费用太高时，可通过询问销售人员来判断市场需求和企业需求。由于销售人员接近消费者，对情况比较熟悉，因此综合若干销售人员的估计往往能得到很有价值的结果。

销售人员意见法的具体做法是：请几位销售人员分别估计某一产品在不同条件下未来的销售额及发生的概率，然后求出它们的期望值，最后将几位销售人员的平均期望值作为销售额的预测值。

销售人员意见法的精确性受若干因素的影响，如销售人员是否受过专门训练，对整个企业和市场情况是否了解，是否会有意隐瞒消费者的需求，以便企业制定低定额等。为此，可将销售人员和管理人员的意见进行综合，以便做出比较可靠的预测。

（三）专家意见法

又称为德尔菲（Delphi）法，是美国兰德公司于40年代末提出的。其实施步骤如下：首先组成由经销商、分销商、市场影响顾问或其他权威人士组成专家小组，人数不宜过多，一般在20人左右，各专家只与调查员发生联系，然后按下列程序进行：

1. 提出所要预测的问题及有关要求，必要时附上有关这个问题的背景材料，然后一并寄给各专家；

2. 各专家根据所掌握的资料和经验提出自己的预测意见，并说明自己主要使用哪些资料提出预测值的，这些意见要以书面形式返回调查人员；

3. 将各专家的第一次预测值说明列成表，并再次分发给各位专家，以便他们比较自己和他人的不同意见，修改自己的意见和判断；

4. 将所有专家的修改意见置于一个修正表内，分发给各位专家作第二次或多次修改。最后综合各位专家的意见便可获得比较可靠的预测值。

专家意见法是一种使用比较广泛的方法，它有如下优点：能发挥各位专家的作用，集思广益，准确度高；采取单线联系，有利于避免偏见，尤其可避免权威人士的意见对其他人士的影响；有利于各专家根据别人的意见修正自己的意见和判断，不致碍于情面而固执己见。

（四）试销法

如果购买者还没有认真考虑过购买计划，也没有专家或者对专家的意见持有怀疑态度时，可以进行试销。这种方法对于预测新产品的销售情况或者为原产品开辟新渠道或新市场时特别有价值。

（五）时间序列分析法

时间序列分析法利用过去的数据或资料来预测未来的状态,即根据过去数据中的因果关系来预测未来的值,过去和未来的状态仅是时间的函数。时间序列分析法可进一步分为如下几类:

(1) 简单平均法

简单平均法也称为算术平均法,即把资料中各期实际销售量的平均值作为下一期销售量的预测值。简单平均法在时间序列比较平稳,即随时间变化各期实际销售量增减变化不大时可以采用,但它既看不出数据的离散程度,也不能反映近、远期数据变化的趋势,因此一般在要求不太高的情况下适用。

(2) 移动平均法

移动平均法是指引用愈来愈近期的销售量来不断修改平均值,使之更能反映销售量的增减趋势和接近实际。显然,它是一种比简单平均法更有效的预测方法。移动平均法是把简单平均法改为分段平均,即按各期销售量的时间顺序逐点推移,然后根据最后的移动平均值来预测未来某一期的销售量。利用这种方法可以看出数据变化的发展过程和演变趋势,其实质是取各段内各点求平均值,且令其权数相等,而将以前的权数视为零。

(3) 加权移动平均法

移动平均法虽然考虑了销售量增减的趋势,但却没有考虑到各期资料的重要性的不同。加权移动平均法就是在计算平均数时,再考虑每期资料的重要性。具体说,就是把每期资料的重要性用一个权数来代表,然后求出每期资料与对应的权数乘积之和。权数的选择可按需要加以判断,一般情况下,越近期的资料权数越大。因为其实际销售额正是最近发生的状态。加权移动平均法就是把加权平均法与移动平均法结合起来加以运用,既考虑了变量的非线性趋势,又保留了移动平均法预测的优点,但是,如果所用各期的销售量比较平均,则不采用加权平均法效果更好。

(4) 指数平滑法

指数平滑法也是加权平均法的一种。它不仅考虑了近期数据的重要性,同时大大减少了数据计算时的存储量。其计算公式为

$$Q_t = \alpha S_{t-1} + (1-\alpha) Q_{t-1}$$

式中 Q_t——本期预测值;

S_{t-1}——前期实际销售量;

Q_{t-1}——前期预测值;

α——平滑指数;$1 \geqslant \alpha \geqslant 0$。

平滑指数 α 是新、旧数据在平滑过程中的分配比率,其数值大小反映了不同时期数据在预测中的作用高低,α 愈小,则新数据在平滑值中所占的比重越低,预测值愈趋向平滑,反之则新数据所起的作用越大。

(5) 季节波动分析法

当产品的市场需求呈明显的季节性波动时,用各种平均法进行销售预测显然不能真实反映销售量的变化,最好用计算季节指数的办法来进行预测,计算方法为:

$$某年各季平均实验销售量 = \frac{当年市场实际总销售量}{4}$$

$$某季市场需要量的季节指数 = \frac{某季的市场销售量}{当年各季平均销售量} \times 100\%$$

(六) 相关分析法

时间序列分析法是仅对时间为变量的函数的定量预测方法,它没有考虑其他众多影响市场需求的实际因素,因此在许多情况下是不适用的。此时可运用相关分析的理论判断销售量与其它因素相关的性质和强度,从而做出预测。这种方法尤其适用于中、长期预测。

1. 回归分析法

回归分析法是借助回归分析这一数理统计工具进行定量预测的方法,即利用预测对象和影响因素之间的因果关系,通过建立回归方程式来进行预测。

回归分析法实际上是根据现有的一组数据来确定变量之间的定量关系,并且可以对所建立的关系式的可信程度进行统计检验,同时可以判断哪些变量对预测值的影响最为显著。由于这种方法定量地揭示了事物之间因果关系的规律性,所以具有比较高的可信度。

根据自变量的多少,回归分析法分为一元回归和多元回归;根据自变量与因变量之间函数关系类型的不同,可分为线性回归和非线性回归。

2. 市场因子推演法

所谓市场因子,就是能够明显引起某种产品市场需求变化的实际因素。市场因子推演法实际上也是通过分析市场因子与销售量的相关关系来预测未来的销售量。对连带产品和配套性产品,利用这种方法就比较简单。

如假设新婚家庭100个,住宅的销售量为16套。即新婚家庭数量就是住宅销售量的市场因子。如果某年新婚家庭数量为5万个,则住宅的需求量为$50000 \times 16/100 = 8000$(套)。

上述市场趋势分析方法的具体测算公式,在有关的书籍中都有详细的介绍,本书不再赘述。但值得注意的是这些方法各有自己的特点和适用范围,因此,只有正确地加以选择,才能获得可靠和具有实用价值的预测结果,为企业决策提供科学依据。

第四节 目标市场的细分与选择

由于市场的广阔,在通常情况下,任何企业都无法为该市场内所有的消费者提供最佳的服务。分布广泛的众多消费者的需求差异很大,同时竞争者也会服务于特定的细分市场,因此,企业要识别自己能够有效服务的最具吸引力的细分市场,而不是到处参与竞争。

现代营销战略的核心可以称为STP营销,即细分市场(Segmenting)、选择目标市场(Targeting)和产品定位(Positioning)。但这一营销战略并不是一开始就有,它经历了三个发展阶段:

(1) 大量营销。在该阶段中,卖方对于所有的买主均大量生产、大量分销、大量促销单一产品。大量营销的传统观点认为:这种战略可以导致成本最少,价格最低,并能创造出最大的潜在市场。

(2) 产品差异性营销。这时卖方生产出两种或两种以上的产品,产品具有不同的特点、式样、质量和尺寸,为买方提供多种选择,而不是为了吸引不同的细分市场。产品差异性营销的传统观点是:顾客具有不同的品味,并且这种品味会随时间推移而发生变化。顾客会追求产品之间的差异化。

(3) 目标市场营销。这时卖方首先要辨别出主要的细分市场,然后从中确定一个或几个作为目标市场,最后根据每一目标市场的特点来制定产品计划和营销计划。

在当前的市场条件下,大型的市场正在向小型化发展,表现出来的一个显著特点是不同的买方通过不同的分销渠道,采取不同的交流方式,来追求不同的产品。目标市场营销能帮助卖方更好地识别市场营销机会,从而为每个目标市场提供适销对路的产品。卖方通过调整产品价格、销售渠道和广告宣传,有效地进入目标市场。

目标市场营销分为如图3-6所示的三个步骤。首先是细分市场,即根据购买者对产品或营销组合的不同需要,将市场划分为不同的顾客群体,并勾勒出细分市场轮廓的行为;其次是选择目标市场,即选择要进入的一个或多个细分市场的行为;最后是产品定位,即为产品和具体的营销组合确定一个富有竞争力的、与众不同的位置的行为。

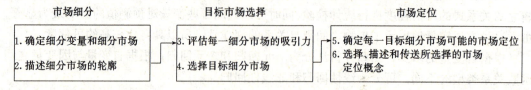

图3-6　目标市场营销的步骤

一、市场细分

买方市场是由若干购买者组成的,而他们在产品需求、购买能力、地理位置、购买态度等方面都会有差异,这些差异便形成了市场细分的依据。

(一)市场细分的一般方法

如图3-7所示,假设某市场上有六位购买者,由于每位购买者都有自己独特的需求,因此每位购买者都会成为一个潜在的独立市场。卖方可以针对每位购买者来设计不同的产品,制定相应的营销计划。这种市场细分的极限程度称为定制营销,如图3-7(b)所示。

但是对卖方来说,如果为每个购买者定制产品几乎是无利可图。因此实际上,卖方会根据买主对产品的不同需求或营销反映将购买者分为若干类型。

上述例子中,购买者可能会由于收入水平不同而具有不同的消费需求,用数字1、2、3来表示每位购买者的收入水平,并将购买者按照不同的收入水平进行分组,这样,按收入水平可将市场分为三个部分,其中最大的细分市场就是收入水平1,如图3-7(c)所示;同时,购买者也可能由于年龄差异引起不同的购买行为,如果用字母A、B来表示购买者的年龄大小,这时可按年龄差别将市场细分为两个部分,每部分包含三位购买者,如图3-7(d)所示;如果假设收入和年龄同时影响购买者对产品的购买行为,这时市场就可以分为五个细分市场:1A、1B、2B、3A和3B,如图3-7(e)所示,说明1A这个细分市场内有两位购买者,而其他细分市场各包含一个购买者。

(二)市场、细分市场和弥隙市场

细分市场是市场上规模较大的、易于识别的顾客群体。随着卖方不断使用更为精确的特征来划分市场,为了追求一组更为狭窄的特定消费群体的利益,"市场影响管理"中引入了"弥隙市场"的概念。

细分市场通常能够吸引好几位竞争对手,而弥隙市场只能吸引一个或少数几个竞争者。弥隙市场内的营销人员对顾客的需求了解得非常透彻,以至于消费者情愿支付较高的价格。如虽然奔驰公司汽车的价格相对较高,但消费者仍然对其产品情有独钟,因为消费者认为其他汽车公司无法提供与之相媲美的产品和服务。

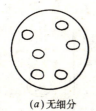

(a) 无细分　　　　　　　　　　　　(b) 完全细分

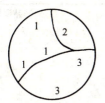
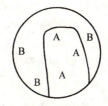
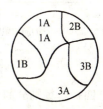

(c) 依据收入层次(1,2,3)　　(d) 依据年龄层次(A、B)　　(e) 依据收入——年龄
的市场细分　　　　　　　的市场细分　　　　　　　　层次的市场细分

图 3-7　市场的不同细分

因此，弥隙市场应该具备如下特点：市场内的消费者有自己独特的相对复杂的需求；消费者对于最有能力满足自己需要的企业，愿意支付较高的价格；市场内的营销人员要取得成功，必须使自己的经营具有独到之处；市场内处于领导地位的企业，其地位不会被其他竞争对手轻易动摇。目前，一些优秀的企业已经越来越多的将市场营销的重点置于弥隙市场。

（三）市场细分的模式

如果按照消费者对产品两种属性的重视程度进行划分，就会形成不同偏好的细分市场，这时会出现三种不同的模式。

1. 同质偏好。图 3-8（a）所示的市场中，所有消费者具有大致相同的偏好。它不存在自然形成的细分市场，至少消费者对这两种属性的重视程度基本一致。可以预见现有品牌基本相似，且集中在偏好的中央。

2. 分散偏好。另外一种极端情况是消费者的偏好分散在整个空间，如图 3-8（b）所示，这时消费者的偏好差别很大。进入该市场的第一家品牌很可能定位于偏好的中央，以尽可能迎合较多的消费者。定位于中央的品牌可将消费者的不满降低到最低限度。第二个进入该市场的竞争者应定位于第一个品牌的附近，以争取市场份额。或者将品牌定位于某个角落，来吸引对中央品牌不满的消费群体。如果市场上同时存在几个品牌，那么他们很可能定位于市场上各个空间，分别突出自己的差异性，来满足消费者的不同偏好。

3. 集群偏好。市场上可能会出现具有不同偏好的消费群体，称为自然细分市场，如图 3-6（c）所示。进入该市场的第一家企业将面临三种选择：一是定位于偏好中心，来迎合所有的消费者，即无差异性营销；二是定位于最大的细分市场，即集中性营销；三是同时开发几种产品，分别定位于不同的细分市场，即差异性营销。显然，如果第一家企业只推出一种品牌，那么随后进入该市场的其他竞争者，将会抢占其它的细分市场，在那里突出自己的品牌。

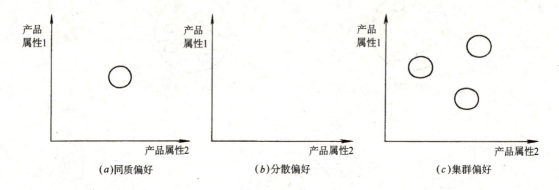

图 3-8 基本市场偏好

（四）市场细分的程序

市场营销进行市场细分的程序，一般来讲，有以下几个步骤：

1. 调查阶段。在该阶段中，市场营销人员要进行探讨性面访，主要是集中力量掌握消费者的消费动机、态度和行为。根据调查结果，市场营销人员应该着重收集产品的属性及其中央程度、品牌知名度及其受欢迎程度、产品使用方式、调查对象对产品类别的态度、调查对象的人口统计、心理统计和媒体接触统计等资料。

2. 分析阶段。在该阶段中，对收集的资料经过分析找出差异性最大的细分市场。

3. 归纳总结阶段。在该阶段中，市场营销人员根据消费者的不同态度、行为、人口变量、心理变量和消费习惯，可以归纳总结出各个细分市场的特征，并且可以用每个细分市场最显著的差异特征为每个细分市场命名。如，Anderson 和 Belk 将休闲市场分为六个细分市场：消极的以家庭活动为中心的人；积极的体育爱好者；内向型自我满足者；经常参加文化活动的人；积极的以家庭为活动中心的人；社交活跃的人。

值得注意的是，由于细分市场总是处于不断的变化中，所以要周期性地运用这种市场细分程序。同时通过调查消费者在选择某一品牌时所考虑的产品属性的先后顺序，可以划分现有的消费者细分市场和识别出新的细分市场。如在购买住宅时，首先确定价格条件的购买者属于价格支配型；首先确定户型的购买者属于户型支配型；进一步还可以将消费者划分为户型——价格——品牌支配型，并以此顺序形成一细分市场；按质量——服务——户型这一属性支配顺序形成另一细分市场等。每一细分市场可以拥有其独特的人口变量、心理变量和媒体变量。这种推理过程称为市场细分理论。

4. 市场细分的依据

一个整体市场之所以能够细分为若干子市场，主要是由于顾客需求存在着差异性，人们可以运用影响顾客需求和欲望的某些因素作为细分依据（也称为细分变量、细分标准）对市场进行细分。影响顾客需求的因素很多，且消费者市场和生产者市场的顾客需求及其影响因素不同（见表 3-4，表 3-5）。

二、目标市场的选择

市场细分揭示了企业所能够面临的细分市场的各种机会。企业还要对各个细分市场进行评价，并确定具体的细分市场作为本企业的服务对象。

(一)评价细分市场

企业对于细分市场的评价要注意考虑三方面的因素:细分市场的规模和发展前景、细分市场结构的吸引力、企业的目标和资源。

消费者市场细分的一般标准　　　　　表3-4

细分标准	具 体 因 素			
地理因素	国界 人口密度 其他	区域 交通条件	地形 城乡	气候 城市规模
人口标准	国籍 职业 收入	种族 教育 家庭规模	民族 性别 家族生命周期	宗教 年龄 其它
心理标准	社会阶层 其它	生活方式	性格	购买动机
购买行力	追求利益 品牌商标忠诚度	使用者地位 对渠道的信赖度	购买频率 对价格、广告、服务的敏感程度	使用频率 其它

生产者市场细分的一般标准　　　　　表3-5

细分标准	具 体 因 素			
地理因素	国界 资源 交通条件	区域 自然环境 生产力布局	地形 城乡 其它	气候 城市规模
用户行业	冶金 机械 航空	煤炭 服装 船舶	军工 纺织 化工	食品 森林 其它
用户规模	大型企业 小用户	中型企业 其它	小型企业	大用户
购买行为	使用者地位 购买批量 价格、服务的敏感程度	追求利益 购买周期 其它	使用率 购买目的	购买频率 品牌商标、渠道忠诚度

1. 细分市场的规模和发展前景。企业首先要考虑的是潜在的细分市场是否具备适度规模和发展特征。"适度"规模是个相对的概念。大企业一般重视销售量大的细分市场,通常要避免或者忽略进入销售量小的细分市场;而小企业则避免进入规模较大的细分市场,因为对小企业来讲,要与大企业竞争销售量大的细分市场需要太多的资源投入。细分市场的发展前景实际上是营销人员对未来的一种期望,希望销售额和利润能够不断增长,但通常由于竞争对手会迅速抢占正在发展的细分市场,从而影响本企业的盈利水平。

2. 细分市场的结构吸引力。某些细分市场虽然具备了企业所期望的规模和发展前景,但可能缺乏长期的潜在盈利能力。企业还需要考虑以下五种因素对长期盈利的影响。

(1)同行竞争者。如果细分市场内已经存在众多的、实力雄厚的或侵略性的竞争对手,那么该市场是不具有吸引力的。当出现下列情形时,企业面临的挑战将更为严峻:细分市场十分稳定或正在萎缩;市场内产量大幅度上升;固定成本过高;退出市场的障碍过多;竞争对手在细分市场上投入大量的资本等等。这些情况将导致频繁的价格战、广告战以及新产品的出现,从而使公司的竞争成本上升。

(2) 潜在竞争者加入的威胁。如果新的竞争对手加入后能够提高市场的生产能力,增加大量的生产资源,并能迅速扩大自己的市场份额,那么该细分市场就会失去吸引力。问题的关键是新竞争者能否轻易进入这个细分市场。如果在新竞争者进入这个市场时受到严重的阻挠以及市场内现有企业的强烈抵触甚至报复,那么新竞争者将会很难进入。一般来讲,如果进入细分市场的壁垒越低,受到现有企业的报复力量越弱,该细分市场的吸引力就越小。细分市场的吸引力大小随着进退壁垒的高低而变化。最具有吸引力的细分市场的进入壁垒很高,退出壁垒很低。这时市场外的企业很难进入该市场,而市场内经营不佳的企业却很容易退出;如果细分市场的进入和退出的壁垒都很高,这时潜在利润率一般很高,但通常风险也很大,因为经营状况不佳的企业很难退出该细分市场,中国目前许多城市的房地产市场基本属于这种类型。如果细分市场的进入和退出都很自如,这时的收益率一般比较稳定但相对偏低;最糟糕的情形是进入壁垒低而退出壁垒高,这时企业在市场景气时蜂拥而入,但当市场萧条时却难以退出,结果造成所有企业的生产能力长期过剩,收入下降,如图3-9所示。

图3-9 壁垒与利润率

(3) 替代品的威胁。当细分市场存在现实或潜在的替代产品时,就会失去吸引力。因为替代产品将制约该细分市场价格和利润的上升。企业必须密切关注替代产品的价格趋势,如果替代产品行业的技术发展很快或者竞争加剧,那么该细分市场的价格和利润就很可能下降。

(4) 购买者议价能力提高形成的威胁。在细分市场上,当购买者能够集中起来或形成一定的组织、产品之间的差别不明显、购买者改变供应渠道的成本很低、购买者因为产品的利润低而对价格很敏感等情况出现时,购买者的议价能力会较强而且会不断提高,由于消费者会尽力压价,要求提供更高的产品质量或服务水平,促使竞争者的竞争更为激烈,结果会使销售商的利润受到损失。销售商通常为了保护自己的利益,会选择谈判能力较低或忠于自己的消费者,但最好还是争取提供购买者无法拒绝的优质产品和服务。

(5) 供应商议价能力提高形成的威胁。在细分市场上,如果供应商能够集中起来形成一定的组织、替代产品少、供应商提供的产品是企业的重要生产要素等情况出现时,供应商的议价能力会得到提高。企业最好是能与供应商建立"双方都有利"的良好关系,或者选择多条供应渠道,减少对供应商的依赖程度。

(6) 企业的目标和资源。即使某个细分市场具有较大的规模、良好地发展前景和富有吸引力的结构,企业仍然需要结合自己的目标和资源进行综合考虑。企业有时会由于该细分市场不符合企业的长期发展目标而自动放弃一些有吸引力的细分市场。当细分市场符合企业的目标时，企业还必须考虑是否拥有足够的技能和资源，能保证在该细分市场上取得成功。任何细分市场都有一定的成功条件，如果企业缺少这些必要条件或者不能创造这些条件，就应该放弃这个细分市场。企业即使具备了必要的能力，还需要发展自己的独特优势，只有当企业能够提供具有高价值的产品和服务时，它才可以进入这个细分市场。

（二）目标市场选择

在对完全不同的细分市场进行评价后，企业须决定应该进入哪几个细分市场，一般来讲，企业有以下几种模式可供选择。

1. 单一市场集中化。最简单的模式是企业只选择一个细分市场。通过集中营销，企业能更清楚地了解细分市场的需求，从而树立良好的信誉，在细分市场上建立巩固的市场地位。同时企业通过生产、销售和促销的专业化分工，能提高经济效益。一旦企业在细分市场上处于领导地位，它将获得很高的投资效益。但对某些特定的细分市场，一旦消费者在该细分市场上的消费意愿下降或其他竞争对手进入该细分市场，那么企业将面临很大的风险。

2. 选择专业化。在这种情况下，企业有选择地进入几个不同的细分市场。从客观上讲，每个细分市场都具有吸引力，且符合企业的目标和资源水平。这些细分市场之间很少或根本不发生联系，但在每个细分市场上都可盈利。这种多细分市场覆盖策略能分散企业的风险，因为即使其中一个细分市场丧失了吸引力，企业还可以在其他细分市场上继续盈利。

3. 产品专业化。指企业同时向几个细分市场销售一种产品。在这种情况下，一旦有新的替代品出现，那么企业将面临经营滑坡的危险。

4. 市场专业化。这时企业集中满足某一特定消费群体的各种需求。企业专门为某个消费群体服务并争取树立良好的信誉。企业还可以向这类消费群推出新产品，成为有效的新产品销售渠道。但如果由于种种原因，使得这种消费群体的支付能力下降的话，企业就会出现效益下滑的危险。

5. 全面覆盖。这时企业力图为所有消费群体提供他们所需的所有产品。一般来讲，只有实力较强的大企业才可能采取这种营销战略。当采用这种营销战略时，企业通常通过无差异性营销和差异性营销两种途径全面进入整个市场。

6. 大量定制。大量定制是指企业按照每个消费者的要求大量生产，产品之间的差异可以具体到每个最基本的组成部件。采用这种营销方式，由于成本的增加，一般要求消费者愿意支付较高的价格。

三、市场定位

目标市场确定后，企业为了能与竞争产品有所区别，开拓和进占目标市场，取得产品在目标市场上的竞争地位和优势，更好地为目标市场服务，还要在目标市场上给本企业产品作出具体的市场定位决策。

如果该目标市场内只有一家企业，该企业就可以制定利润合理的价格。如果产品的定价过高，而且这个细分市场的进入壁垒较低，那么进入该目标市场的竞争对手将会很快增多，导致产品价格下跌。如果该目标市场有多家企业，并且各企业的产品之间又没有差别，那么消费者可能会选择价格最低的企业的产品，其它企业将被迫降价。因此，对于选择了目标市场的企业，唯一的方法就是实现自己企业的产品和竞争对手之间的差别化。

(一) 差别化分析

差别化是指设计一系列产品差别,来区分企业与竞争对手之间的产品的行为。对企业来讲,主要是通过差别化分析找出本企业与其他企业之间的竞争优势。根据市场上可获得竞争优势的数目和规模,可将行业分为四种类型。

1. 批量行业。该行业内的公司只能取得少数的竞争优势,但其优势是规模大。在批量行业中,企业的盈利水平与企业的规模、市场份额有关。

2. 僵滞行业。是指竞争优势数目少而且规模小的行业,在该行业中,企业可以采取聘请更优秀的人员、更大方地款待消费者等措施,但优势还是很小,企业的盈利水平与企业的市场份额无关。

3. 分块行业。该行业内的企业有许多实施差别化的机会,但每个机会规模都很小。如饭店的盈利水平与其规模无关,大饭店和小饭店都可能盈利或亏损。

4. 专业化行业。该行业内的企业面临许多差别化的机会,而且每种差别都会有很高的盈利水平。在专业化行业中,大企业和小企业都有相同的盈利机会。

可见,并不是每个企业都有机会降低成本或提供一定的特殊利益来取得竞争优势。有些企业会发现许多微小优势,但由于这种竞争优势易于为竞争对手所模仿,因而不会维持太久。企业的对策是是不断发现新的潜在优势,并逐个加以运用,使竞争对手难以超越。

企业要突出自己的产品和竞争对手之间的差异性,主要有产品、服务、人事和形象四种基本途径(见表3-6)。

差 别 化 的 变 量　　　　　　　　　　　　　　　　表 3-6

产　品	服　　务	人　事	形　象
特征	送货	能力	标志
性能	安装	言行、举止	传播媒体
结构	客户培训	可信度	环境
耐用性	咨询服务	可靠性	项目、事件
可靠性	修理	敏感度	
易修复性	其他服务	可交流性	
式样			
设计			

(二) 市场定位

定位是指企业设计出自己的产品和形象,从而在目标顾客心中确定与众不同的有价值的地位。定位要求企业能确定向目标顾客推销的差别数目及具体差别。

所谓产品的市场定位策略,就是使本企业产品具有一定的特色,适应目标市场一定的需求和爱好,塑造产品在目标消费者心目中的良好形象。

只有在市场定位后,企业才能进一步研究和制定与之相应的价格、渠道、促销等策略。所以产品市场定位是确定市场营销组合策略的基础,而价格、渠道、促销策略的制订也应有助于形成和树立选定的产品形象。

确定产品的市场定位,首先需要了解目标顾客的需求和爱好,研究目标顾客对于产品的实物属性和心理方面的要求和重视程度;其次,研究竞争者产品的属性和特色,以及市场满足程度。在此分析研究基础上,企业可根据产品的属性、用途、质量、顾客心理满足程度、产品在市场上的满足程度做出产品的市场定位决策,对本企业产品进行市场定位。

对于企业来讲,最重要的是将"无差异的产品"转变为"差异化的产品",产品差别化的途径在前面我们已经进行了分析,正因为购买者具有不同的需求,才会被不同的产品吸引。

但并不是所有的品牌差别都有价值,有些差别不能作为细分的依据。因为每种差别都有可能增加企业的成本,损害顾客的利益。因此对企业来讲,要精心选择每种区分自己和竞争对手的途径。一种产品差别值得开发的前提条件是满足下列标准:

(1) 重要性,该差别能为众多的购买者提供具有高度价值的利益;
(2) 独特性,本企业提供的差别与众不同,或者说其它企业无法提供相似的差别;
(3) 优越性,要取得同等利益,该差别比其它方法都要优越;
(4) 沟通性,购买者要能够了解到、看到这种差别;
(5) 先发制人,该差别不会被竞争对手轻易模仿;
(6) 可支付性,购买者有能力支付这种差别;
(7) 盈利性,企业推出这种差别是有利可图的。

第五节 竞争者分析

70年代以来,世界范围内大公司之间的竞争日趋激烈。尤其是当市场差不多已经被瓜分完毕,企业的发展在很大程度上要依靠从竞争对手那里夺取地盘时,企业要制定自身的发展战略,不仅仅要了解顾客,还必须了解竞争者。只有知彼知己,才能取得竞争优势,在市场商战中获胜。

一、识别竞争者

竞争者一般是指那些与本企业提供的产品或服务相类似,并且有相似目标顾客和相似价格的企业。例如,美国可口可乐公司把百事可乐公司作为主要竞争者;通用汽车公司把福特汽车公司作为主要竞争者,而不是其他小公司。

识别竞争者看来似乎是简而易行的事,其实并不尽然。企业现实的和潜在的竞争者范围是很广的,一个企业很可能被潜在竞争者吃掉,而不是当前的主要竞争者。通常可从产业和市场两个方面来识别企业的竞争者。

(一) 产业竞争观念

从产业方面来看,提供同一类产品或可相互替代产品的企业,构成一种产业,如住宅产业、汽车产业、信息产业等等。如果一种产品价格上涨,就会引起另一种替代产品的需求增加。企业要想在整个产业中处于有利地位,就必须全面了解本产业的竞争模式,以确定自己的竞争者的范围。从本质上讲,分析起始于对供给和需求基本条件的了解,供求情况影响产业结构,产业结构影响产业行为(包括产品开发、定价策略和广告策略等),而产业行为又影响产业绩效(例如产业效率、技术进步、盈利能力、就业状况等)。

(二) 市场竞争观念

从市场方面来看,竞争者是那些满足相同市场需要或服务于同一目标市场的企业。例如,从产业观点来看,普通商品住宅开发商以其他同行业的公司为竞争者;但从市场观点来看,顾客需要的是"居住空间",安居住宅、联建住宅、自建住宅也可以满足这种需要,因而开发这些居住空间的公司均可成为普通商品住宅开发商的竞争者。以市场观点分析竞争者，可使企业拓宽眼界，更广泛地看清自己的现实竞争者和潜在竞争者，从而有利于企业制定长期的发展规划。

识别竞争者的关键，是从产业和市场两方面将产品细分和市场细分结合起来，综合考虑。如果某品牌试图进入其他细分市场，就需要估计各个细分市场的规模、现有竞争者的市场份额，以及他们当前的实力、目标和战略，掌握每个细分市场提出的不同竞争问题和市场营销机会。

二、确定竞争者的目标

确定了企业的竞争者之后，还要进一步搞清每个竞争者在市场上的追求目标是什么？每个竞争者行为的动力是什么？可以假设，所有竞争者努力追求的都是利润的极大化，并据此采取行动。但是，各个企业对短期利润或长期利润的侧重不同。有些企业追求的是"满意"的利润而不是"最大"的利润，只要达到既定的利润目标就满意了，即使其他策略能赢得更多的利润他们也不予考虑。

每个竞争者都有侧重点不同的目标组合，如获利能力、市场份额、现金流量、技术领先和服务领先等等。企业要了解每个竞争者的重点目标是什么，才能正确估计他们对不同的竞争行为将如何反应。例如，一个以"低成本领先"为主要目标的竞争者，看到其他企业在降低成本方面技术突破的反应，要比对增加广告预算的反应强烈得多。企业还必须注意监视和分析竞争者的行为，如果发现竞争者开拓了一个新的细分市场，那么，这可能是一个市场营销机会；或者发觉竞争者正试图打入属于自己的细分市场，那么，就应抢先下手，予以回击。

竞争者目标的差异会影响到其经营模式。美国企业一般以追求短期利润最大化模式来经营，因为其当期业绩是由股东评价的。如果短期利润下降，股东就可能失去信心，抛售股票，以致企业资金成本上升。日本企业一般按市场份额最大化模式经营。它们需要在一个资源贫乏的国家为1亿多人提供就业，因而对利润的要求较低，大部分资金来源于寻求平稳的利息而不是高额风险收益的银行。日本企业的资金成本要远远低于美国企业，所以，能够把价格定得较低，并在市场渗透方面显示出更大的耐性。

三、确定竞争者的战略

各企业采取的战略越相似，它们之间的竞争就越激烈。在多数行业中，根据所采取的主要战略的不同，可将竞争者划分为不同的战略群体。例如，在美国的主要电器行业中，通用电器公司、惠普公司和施乐公司都提供中等价格的各种电器，因此可将它们划分同一战略群体。

根据战略群体的划分，可以归纳出两点：一是进入各个战略群体的难易程度不同。一般小型企业适于进入投资和声誉都较低的群体，因为这类群体较易打入；而实力雄厚的大型企业则可考虑进入竞争性强的群体。二是当企业决定进入某一战略群体时，首先要明确谁是主要的竞争对手，然后决定自己的竞争战略。

除了在同一战略群体内存在激烈竞争外，在不同战略群体之间也存在竞争。因为：第一，某些战略群体可能具有相同的目标顾客；第二，顾客可能分不清不同战略群体的产品的区别，如分不清高档货与中档货的区别；第三，属于某个战略群体的企业可能改变战略，进入另一个战略群体，如提供高档住宅的企业可能转而开发普通住宅。

企业需要估计竞争者的优势及劣势，了解竞争者执行各种既定战略是否达到了预期目标。如果发现竞争者的主要经营思想有某种不符合实际的错误观念，企业就可利用对手这一劣势，出其不意，攻其不备。

四、判断竞争者的反应模式

竞争者的目标、战略、优势和劣势决定了它对降价、促销、推出新产品等市场竞争战略的反应，此外，每个竞争者都有一定的经营哲学和指导思想，因此，为了估计竞争者的反应及可能采取的行动，企业的市场营销管理人员要深入了解竞争者的思想和信念。当企业采取某些措施和行动之后，竞争者会有不同的反应。

1. 从容不迫型竞争者。一些竞争者反应不强烈，行动迟缓，其原因可能是认为顾客忠实于自己的产品；也可能重视不够，没有发现对手的新措施；还可能是因缺乏资金无法作出恰当的反应。

2. 选择型竞争者。一些竞争者可能会在某些方面反应强烈，如对降价竞销总是强烈反击，但对其它方面（如增加广告预算、加强促销活动等）却不予理会，因为他们认为这对自己威胁不大。

3. 凶猛型竞争者。一些竞争者对任何方面的进攻都迅速强烈地作出反应，一旦受到挑战就会立即发起猛烈的全面反击，对这样的企业，同行都避免与它直接交锋。

4. 随机型竞争者。有些企业的反应模式难以捉摸，它们在特定场合可能采取也可能不采取行动，并且无法预料它们将会采取什么行动。

五、企业应采取的对策

企业明确了主要竞争者并分析了竞争者的优势、劣势和反应模式之后，就要决定自己的对策：进攻谁、回避谁，可根据以下几种情况作出决定：

（1）竞争者的强弱。多数企业认为应以较弱的竞争者为进攻目标，因为这可以节省时间和资源，事半功倍，但是获利较少，反之，有些企业认为应以较强的竞争者为进攻目标，因为这可以提高自己的竞争能力并且获利较大，而且即使强者也总会有劣势。

（2）竞争者与本企业的相似程度。多数企业主张与相近似的竞争者展开竞争，但同时要注意避免摧毁相近似的竞争者，因为其结果可能对自己反而更为不利。如美国A建筑公司在70年代末和与其同样规模的B建筑公司竞争中大获全胜，导致竞争者完全失败而将公司全部卖给竞争力更强大的C建筑公司，结果使A建筑公司面对更为强大的竞争者，处境更为艰难。

（3）竞争者表现的好坏。有时竞争者的存在对企业是必要的和有益的。竞争者可能有助于增加市场总需求，可分担市场开发和产品开发的成本，并有助于使新技术合法化；竞争者为吸引力较小的细分市场提供产品，可导致产品差异性的增加；最后，竞争者还加强企业同政府管理者或同职工的谈判力量。但是，企业并不是把所有的竞争者都看成是有益的，因为每个行业中的竞争通常都有表现良好和具破坏性的两种类型。表现良好的竞争者按行业规则行动，按合理的成本定价；他们致力于行业的稳定和健康发展；他们将自己限定在行业的某一部分或细分市场中，他们激励其它企业降低成本或增加产品差异性；他们接受合理的市场份额与利润水平。而具有破坏性的竞争者则不遵守行业规则，他们常常不顾一切地冒险，或用不正当手段扩大市场份额等，从而扰乱了行业的均衡。

企业为了及时准确地掌握竞争者情报，除按以上六个步骤分析竞争者外，还需要建立竞争情报系统。具体步骤是：

(1) 建立系统。明确市场营销管理者所需要的主要情报及其最佳来源是什么。

(2) 收集数据。推销人员、经销商和代理商、市场咨询机构和有关的协会，以及有关的报刊杂志等，都可成为情报来源。

(3) 评价分析。对所收集到的资料进行分析评估，做出必要的解释、整理和分类。

(4) 传播反应。通过电话、报告、通讯、备忘录等形式，将情报资料及时送达企业有关管理部门。

第六节 市场购买行为分析

根据谁在市场上购买，市场营销学将市场分为两大类型：个人消费者市场和组织市场。不同的市场由于购买者构成及购买目的不同，其需求和购买行为也不同。从企业市场营销的角度出发研究市场，其核心是研究购买者的行为，本节重点分析个人消费者市场和生产者市场各自的需求和购买行为特点。

消费者市场由那些为满足自身或家庭成员的消费需要而购买的个人组成；组织市场则由采购商品是为了维持经营活动，对产品进行再加工或转售，或为向社会提供服务的工商企业、政府机构或团体组成。

一、消费者市场购买行为

消费者市场是整个社会经济活动为之服务的最终市场。因此，一般将消费者市场作为营销学研究的重点。中国有世界上最庞大的消费者市场——12亿人口，中国的消费者市场还是当前世界上成长速度最快的市场之一，因此，中国有世界上最具吸引力的消费者市场。消费者市场上的购买是一种个人购买，它最显著的特点是购买分散、批量小，具有多样性、变化快、易受舆论和广告宣传的影响，有较多感情型、冲动性的购买。

（一）消费者市场的购买对象

消费者市场购买的商品品种、规格成千上万，一家现代大型零售商店经营的商品品种、规格可达10万以上。显然，消费者在购买不同商品时，并不遵循同一个购买模式，如买一台大屏幕彩电和买一张报纸，购买行为方面肯定有相当大的差异。市场营销学根据消费者购买行为的差异，将他们所购的商品（包括服务）分为三类：便利品、选购品和特殊品。

1. 便利品。多为消耗快、需频繁购买、价格低廉的商品。不同品种或品牌之间差别甚微，消费者购买时不需做太多的选择，而以方便地买到为宗旨。如我们称之为日用品的肥皂、牙膏、火柴及报刊、糖果、冷饮等。

2. 选购品。为单价较高，一次购买后使用时间较长，不同品种、规格、款式、品牌之间差异较大的商品，消费者购买时往往要花较多时间进行比较之后才做出购买决策。如服装、鞋帽、家具、及多数耐用家电产品。

3. 特殊品。单价昂贵，能满足消费者某方面特殊偏好的商品，如立体音响、钢琴、高级相机、名牌服装等。消费者在购买这类商品时，往往不大考虑代价，以获取为主要目的。

对经营这些商品的企业来说，了解消费者购买行为的上述区别，显然十分重要。它提醒企业：针对消费者购买行为的不同，企业应采取不同的营销战略并有所侧重。如经营便利品，最重要的是分销渠道要宽，货源供应要充足，以保证消费者能随时随地方便地买到。经营选购品，最重要的是备齐花色品种，让消费者有充分的选择余地，并帮助他们了解各种商品的质量、性能和特色,他们才会放心地做出决策。

(二) 影响消费者购买的因素

消费者市场上不同购买者的需求和购买行为存在着很大的差异。经济学家曾把在市场上进行购买的消费者都看作是"经济人",在购买过程中总能进行理智而聪明的判断,作出最经济的选择。但经济学家们的理论很难解释现实中人们的购买选择为什么会那么千差万别。显然,除了经济因素以外,还有其他因素;除了理性的思考以外,还有其他非理性的情绪在影响人们的购买决策。

为研究这些影响因素,市场营销专家建立了一个"刺激—反应模式"来说明外界刺激与消费者反应之间的关系(如图 3-10 所示)。

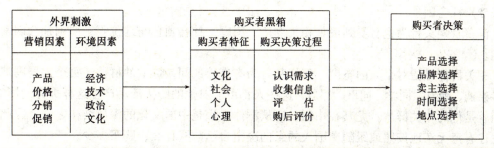

图 3-10 刺激—反应模式

图 3-10 所示的模式说明,同样的外界刺激,作用于具有不同特征的消费者,加上购买决策过程中所遇情况的影响,将得出不同的选择。我们需要了解的是,当外界刺激被接受时,购买者黑箱内到底发生了什么?购买者在各方面的特征怎样影响他们的购买行为?也就是说,消费者购买行为取决于他们的需求和欲望,而人们的要求、欲望、消费习惯、以至购买行为又是在许多因素的影响下形成的。图 3-11 所示的模型说明了这些影响因素。

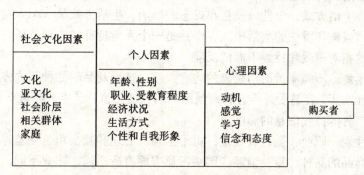

图 3-11 影响消费者购买行为的因素

1. 社会文化因素

(1) 文化因素

文化、亚文化和社会阶层等文化因素,对消费者的行为具有最广泛和最深远的影响。文化是人类欲望和行为最基本的决定因素,低级动物的行为主要受其本能的控制,而人类行为大部分是学习而来的,在社会中成长的儿童是通过其家庭和其他机构的社会化过程学到了一系列基本的价值、知觉、偏好和行为的整体观念,这也影响了他们的购买行为。

每一文化都包含着能为其成员提供更为具体的认同感和社会化的较小的亚文化群体,如民族群体、宗教群体、种族群体、地理区域群体等。如地区亚文化群,由于地理位置、气候、历史、经济、文化发展的影响,我国可明显分出南方、北方、或东部沿海、中部、西部内陆区等亚文化群。不同地区的人们,由于生活习惯、经济、文化的差异,导致消费就有差别。

每个社会客观上都会存在社会阶层的差异,即某些人在社会中的地位较高,受到社会更多的尊敬,另一些人在社会中的地位较低,他们及他们的子女总想改变自己的地位,进入较高的阶层。不过,在不同社会形态下,划分社会阶层的依据不同。在现代社会,一般认为所从事职业的威望、受教育水准和收入水平或财产数量综合决定一个人所处的社会阶层。显然,位于不同社会阶层的人,因经济状况、价值观取向、生活背景和受教育水平不同,其生活习惯、消费内容的不同对传播媒体、商品品牌、甚至商店的选择都可能不同。

(2) 社会因素

消费者购买行为也会受到诸如相关群体、家庭、社会角色与地位等一系列社会因素的影响。

相关群体是指对个人的态度、偏好和行为有直接或间接影响的群体。每个人周围都有许多亲戚、朋友、同学、同事、邻居,这些人都可能对他的购买活动产生这样那样的影响,他们就是他的相关群体。尤其在中国,顺从群体意识是中国文化的深层结构之一,因此人们往往有意无意地按照或跟随周围人的意向决定自己购买什么、购买多少。

家庭是最重要的相关群体。一个人从出生就生活在家庭中,家庭在个人消费习惯方面给人以种种倾向性的影响,这种影响可能终其一生。而且,家庭还是一个消费和购买决策单位,家庭各成员的态度和参与决策的程度,都会影响到以家庭为消费、购买单位的商品的购买。

2. 个人因素

消费者购买决策也受其个人特性的影响,特别是受其年龄所处的生命周期阶段、职业、经济状况、生活方式、个性以及自我观念的影响。生活方式是一个人在世界上所表现的有关其活动、兴趣和看法的生活模式。个性是一个人所特有的心理特征,它导致一个人对其所处环境的相对一致和持续不断的反应。

(1) 年龄。不同年龄层消费者的购物兴趣,选购商品的品种和式样也不同。如青年人多为冲动性购买,容易受外界各种刺激的影响改变主意;老年人经验丰富,多习惯型购买,不容易受广告等商业信息的影响。

(2) 性别、职业、受教育程度。由于生理、心理和社会角色的差异,不同性别的消费者在购买商品的品种、审美情趣、购买习惯方面有所不同。职业不同、受教育程度不同也影响到人们需求和兴趣的差异。

(3) 经济状况。主要取决于一个人可支配收入的水平,也要考虑他是否有其他资金来源、借贷的可能及储蓄倾向。在一个经济社会,经济状况对个人的购买能力起决定性作用。消费者一般要在可支配收入的范围内考虑其开支。

(4) 生活方式。所谓生活方式是人们根据自己的价值观念安排生活的模式。有些人虽然处于同一社会阶层,有相同的职业和相近的收入,但由于生活方式不同,其日常活动内容、兴趣、见解也大相径庭。因此,了解顾客的生活方式及产品与生活方式之间的关系,显然也是营销人员的任务之一。

(5) 个性和自我形象。个性是个人的性格特征,如自信或自卑、内向或外向、活泼与沉稳、急性或慢性、倔强或顺从等。显然，自信或急躁的人，购买时很快就能拿定主意；缺乏自信或慢性子的人购买决策过程就较长，或是反复比较，拿不定主意。外向型的人容易受周围人的意见影响，也容易影响他人，内向型的人则相反。有学者认为，根据个性不同可将购买者分为 6 种类型：习惯型、理智型、冲动型、经济型、感情型和不定型。

（6）自我形象，即人们怎样看待自己。现实中呈现一个十分复杂的现象：有实际的自我形象、理想的自我形象和社会自我形象（别人怎样看自己）之分。人们希望保持或增强自我形象，购买有助于改善或加强自我形象的商品和服务就是一条途径。

3. 心理因素

消费者购买行为要受动机、知觉、学习以及信念和态度等主要心理因素的影响。

（1）动机。动机是一种升华到足够强度的需要，它能够及时引导人们去探求满足需要的目标。人是有欲望的动物，需要什么取决于已经有了什么，尚未被满足的需要才影响人的行为，亦即已满足的需要不再是一种动因；人的需要是以层次的形式出现的，按其重要程度的大小，由低级需要逐级向上发展到高级需要，依次为生理需要、安全需要、社会需要、自我尊重需要和自我实现需要；只有低层次需要被满足后，较高层次的需要才会出现并要求得到满足。一个被激励的人随时准备行动。然而，他如何行动则受其对情况的感觉程度的影响。

（2）感觉。感觉是人们通过各种感官对外界刺激形成的反应。现代社会，人们每天面对大量的刺激，但对同样的刺激不同人有不同的反应或感觉。原因在于感觉是一个有选择性的心理过程。由于每个人的感知能力、知识、态度和此时此地关心的问题不同，同样的刺激作用于不同人身上产生不同的反应，导致了一部分消费者购买行为的差异。

（3）学习。人们的行为有些是与生俱来的，但多数行为，包括购买行为是通过后天的学习得来的。人们在市场上会遇到许多从未见过的新产品，他们怎样建立起对这些产品的态度或信念呢？除了宣传广告以外，正如一句俗话所说：要想知道梨子的滋味，就得亲口尝一尝。尝过、用过之后，对这种产品有了亲身体验，就会形成某种观念或态度，学习过程即告结束。具体讲，学习是驱动力、刺激物、提示物、反应和强化诸因素相互影响和作用的结果，其中每一要素都是完成整个学习过程必不可少的，营销者显然需帮助创造这些条件。

（4）信念和态度。是人们通过学习或亲身体验形成的对某种事物比较固定的观点或看法。这些信念和态度影响着人们未来的购买行为。信念和态度一旦形成就很难改变，它们引导消费者习惯地购买某些商品。

每位消费者在以上各方面的特性都会或多或少地影响到他的购买行为，营销人员为很好地开拓市场，有必要从上述诸方面对消费者进行认真的研究。

（三）消费者购买决策过程

市场营销人员在分析了影响购买者行为的主要因素之后，还需了解消费者如何真正做出购买决策，即了解谁做出购买决策，购买决策的类型以及购买过程的具体步骤。

1. 参与购买的角色

人们在购买决策过程中可能扮演不同的角色，包括：发起者，即首先提出或有意想购买某一产品或服务的人；影响者，即其看法或建议对最终决策具有一定影响的人；决策者，即对是否买、为何买、如何买、何处买等方面的购买决策做出完全或部分最后决定的人；购买者，即实际采购人；使用者，即实际消费或使用产品或服务的人。

2. 购买行为类型

消费者购买决策随其购买决策类型的不同而变化。较为复杂和花钱多的决策往往凝结着购买者的反复权衡和众多人的参与决策。根据参与者的介入程度和品牌间的差异程度，可将消费者购买行为分为四种：

(1) 习惯性购买行为。一般多是指对便利品的购买，消费者不需要花时间进行选择，也不需要经过搜集信息、评价产品特点等复杂过程，因而，其购买行为最简单。消费者只是被动地接收信息，出于熟悉而购买，也不一定进行购后评价。这类产品的市场营销者可以用价格优惠、电视广告、独特包装、销售促进等方式鼓励消费者试用、购买和续购其产品。

(2) 寻求多样化购买行为。有些产品品牌差异明显，但消费者并不愿花长时间来选择和估价，而是不断变换所购产品的品牌。这样做并不是因为对产品不满意，而是为了寻求多样化。针对这种购买行为类型，市场营销者可采用销售促进和占据有利货架位置等办法，保障供应，鼓励消费者购买。

(3) 化解不协调购买行为。有些产品品牌差异不大，消费者不经常购买，而购买时又有一定的风险，所以，消费者一般要比较、看货，只要价格公道、购买方便、机会合适，消费者就会决定购买。购买以后，消费者也许会感到有些不协调或不够满意，在使用过程中，会了解更多情况，并寻求种种理由来减轻、化解这种不协调，以证明自己的购买决定是正确的。经过由不协调到协调的过程，消费者会有一系列的心理变化。针对这种购买行为类型，市场营销者应注意运用价格策略和人员促销策略，选择最佳销售地点，向消费者提供有关产品评价的信息，使其在购买后相信自己做了正确的决定。

(4) 复杂购买行为。当消费者购买一件贵重的、不常买的、有风险的而且又非常有意义的产品时，由于产品品质差异大，消费者对产品缺乏了解，因而需要有个学习过程，广泛了解产品性能、特点，从而对产品产生某种看法，最后决定购买。对于这种复杂购买行为，市场营销者应采取有效措施帮助消费者了解产品性能及其相对重要性，并介绍产品优势及其给购买者带来的利益，从而影响购买者的最终选择。居民购买住宅的行为就属于复杂购买行为。

3. 购买决策过程

在复杂购买行为中，购买者的购买决策过程由引起需要、收集信息、评价方案、决定购买和买后行为五个阶段构成。

(1) 购买者的需要往往由两种刺激引起，即内部刺激和外部刺激。市场营销人员应注意识别引起消费者某种需要和兴趣的环境，并充分注意到两方面的问题：一是注意了解那些与本企业的产品实际上或潜在的有关联的驱使力；二是消费者对某种产品的需求强度，会随着时间的推移而变动，并且被一些诱因所触发。在此基础上，企业还要善于安排诱因，促使消费者对企业产品产生强烈的需求，并立即采取购买行动。

(2) 一般来讲，引起的需要不是马上就能满足，消费者需要寻找某些信息。消费者信息来源主要有个人来源（家庭、朋友、邻居、熟人）、商业来源（广告、推销员、经销商、包装、展览）、公共来源（大众传播媒体、消费者评审组织等）、经验来源（处理、检查和使用产品）等。市场营销人员应对消费者使用的信息来源认真加以识别，并评价其各自的重要程度，以及询问消费者最初接到品牌信息时有何感觉等。

（3）消费者对产品的判断大都是建立在自觉和理性基础之上的。消费者的评价行为一般要涉及产品属性（即产品能够满足消费者需要的特性）、属性权重（即消费者对产品有关属性所赋予的不同的重要性权数）、品牌信念（即消费者对某品牌优劣程度的总的看法）、效用函数（即描述消费者所期望的产品满足感随产品属性的不同而有所变化的函数关系）和评价模型（即消费者对不同品进行评价和选择的程序和方法）等问题。

（4）评价行为会使消费者对可供选择的品牌形成某种偏好，从而形成购买意图，进而购买所偏好的品牌。但是，在购买意图和决定购买之间，有两种因素会起作用，一是别人的态度，二是意外情况。也就是说，偏好和购买意图并不总是导致实际购买，尽管二者对购买行为有直接影响。消费者修正、推迟或者回避作出某一购买决定，往往是受到了可觉察风险的影响。可觉察风险的大小随着冒这一风险所支付的货币数量、不确定属性的比例以及消费者的自信程度而变化。市场营消人员必须了解引起消资者有风险感的那些因素，进而采取措施来减少消费者的可觉察风险。

（5）消费者在购买产品后会产生某种程度的满意感和不满意感，进而采取一些使市场营销人员感兴趣的买后行为。所以，产品在被购买之后，就进入了买后阶段，此时，市场营销人员的工作并没有结束，购买者对其购买活动的满意感（S）是其产品期望（E）和该产品可觉察性能（P）的函数，即 $S=f(E,P)$。若 $E=P$，则消费者会满意；若 $E>P$，则消费者不满意，若 $E<P$ 则消费者会非常满意。消费者根据自己从卖主、朋友以及其他来源所获得的信息来形成产品期望。如果卖主夸大其产品的优点，消费者将会感受到不能证实的期望。这种不能证实的期望会导致消费者的不满意感。E 与 P 之间的差距越大，消费者的不满意感也就越强烈。所以，卖主应使其产品真正体现出其可觉察性能，以便使购买者感到满意。事实上，那些有保留地宣传其产品优点的企业，反倒使消费者产生了高于期望的满意感，并树立起良好的产品形象和企业形象。

消费者对其购买的产品是否满意，将影响到以后的购买行为。如果对产品满意，则在下一次购买中可能继续采购该产品，并向其他人宣传该产品的优点。如果对产品不满意，则会尽量减少不和谐感，因为人的机制存在着一种在自己的意见、知识和价值观之间建立协调性、一致性或和谐性的驱使力。具有不和谐感的消费者可以通过放弃或退货来减少不和谐，也可以通过寻求证实产品价值比其价格高的有关信息来减少不和谐感。市场营销人员应采取有效措施尽量减少购买者买后不满意的程度。

二、组织市场购买行为

企业的市场营销对象不仅包括广大消费者，也包括各类组织机构，这些组织机构构成了原材料、零部件、机器设备、供给品和企业服务的庞大市场。为此，企业必须了解组织市场尤其是产业市场及其购买行为。

（一）组织市场的构成

组织市场是由各种组织机构形成的对企业产品和服务需求的总和。它可分为三种类型，即产业市场、中间商市场和政府市场，各类型市场的特征可参见本章第二节有关内容。

（二）产业市场购买行为

在组织市场中，产业市场的购买行为与购买决策具有典型的代表意义，所以，在此仅对产业市场购买行为进行阐述。

1. 产业市场的特点

在某些方面，产业市场与消费者市场具有相似性，二者都有人为满足某种需要而担当购买者角色，制定购买决策等。然而，产业市场在市场结构与需求，购买单位性质，决策类型与决策过程及其他各方面，又与消费者市场有着明显差异。

(1) 与消费者市场比较，产业市场上购买者的数量较少，但购买规模较大。在消费者市场上，购买者是消费者个人或家庭，购买者为数众多，但规模很小。在产业市场上，购买者绝大多数都是企事业单位，购买者的数目比消费者市场少得多，但购买的规模却大得多。而且，由于资本和生产集中，许多行业的产业市场都由少数几家或一家大公司的大买主所垄断。

(2) 产业市场上的购买者往往集中在少数地区。

(3) 产业市场的需求是引伸需求。这就是说，产业购买者对产业用品的需求，归根结底是从消费者对消费品的需求引伸出来的。

(4) 产业市场的需求缺乏弹性。在产业市场上，产业购买者对产业用品和劳务的需求受价格变动的影响不大。

(5) 产业市场的需求是波动的需求。产业购买者对于产业用品和劳务的需求比消费者的需求更容易发生变化，在现代市场经济条件下，工厂设备等的行情波动会加速原料的行情波动。由于产业市场的需求是"引伸需求"，消费者需求的少量增加能导致产业购买者需求的大大增加，这种必然性，西方经济学者称之为加速理论。因为产业市场的需求变化很大，所以生产产业用品的企业往往实行多元化经营，尽可能增加产品品种，扩大企业经营范围，以减少风险。

(6) 专业人员购买。由于产业用品特别是主要设备的技术性强，企业通常都雇用经过训练的、内行的专业人员负责采购工作。企业采购参与决策的人员比消费者市场也多，决策过程也更为规范。

(7) 直接购买。产业购买者往往向生产者直接采购所需产业用品，而较少通过中间商采购。

(8) 互惠。产业购买者往往这样选择供应商："你买我的产品，我就买你的产品。"互惠有时表现为三角形或多角形。

(9) 产业购买者常通过租赁方式取得产业用品。机器设备、车辆、飞机等产业用品单价高，通常用户需要融资才能购买，而且技术设备更新快，因此企业所需要的机器设备等有越来越大的部分不采取完全购买方式，而是通过租赁方式取得。

2. 产业购买的决策参与者

产业用品供货企业不仅要了解产业市场的特点，而且要了解参与产业购买者的购买决策过程。在任何一个企业中，除了专职的采购人员之外，还有一些其他人员也参与购买决策过程。所有参与购买决策过程的人员构成采购组织的决策单位，市场营销学称之为采购中心。企业采购中心通常包括使用者、影响者、采购者、决定者、信息控制者等五种成员。

当然，并不是任何企业采购任何产品都必须有上述五种人员参加购买决策过程。企业采购中心的规模大小和成员多少会随着欲采购产品的不同有所不同。一个企业如果采购办公用的文具，可能只有采购者和使用者参与购买决策过程，而且采购者往往就是决策者。在这种情况下，采购中心的成员较少，规模较小。如果采购技术性较强、单价高、购买情况复杂的用品，参与购买决策过程的人员就较多，采购中心的规模也就较大。

如果一个企业的采购中心的成员较多，供货企业的市场营销人员就不可能接触所有的成员，而只能接触其中少数几位成员。在这情况下，供货企业的市场营销人员必须了解谁是主要的决策参与者，以便影响最有影响力的重要人物。

3. 产业购买者的购买情况

产业购买者的购买情况大体有三种类型。其中，一种极端情况是直接重购，基本上属惯例化决策；另一种极端情况是新购，需要做大量的调查研究；二者之间是修正重购，也需要做一定的调查研究。在直接重购情况下，产业购买者要作出的购买决策最少；而在新购情况下，产业购买者要作出的购买决策最多，通常要作出以下主要决策，即决定：产品规格、价格幅度、交货条件和时间、服务条件、支付条件、订购数量、可接受的供应商和挑选出来的供应商等。

4. 影响产业购买者购买决策的主要因素

产业购买者作购买决策时受一系列因素的影响，这些因素包括：（1）环境因素，即一个企业外部周围环境的因素。诸如一个国家的经济前景、市场需求、技术发展变化、市场竞争、政治法律等情况。（2）组织因素，即企业本身的因素，诸如企业的目标、政策、决策、步骤、组织结构、系统等。（3）人际因素，参与企业购买的五种成员都参与决策过程，这些参与者在企业中的地位、职权、说服力以及他们之间的关系，会影响产业购买者的购买决策、购买行为。（4）个人因素，即各参与者的年龄、受教育程度、个性等。这些个人的因素会影响各个参与者对要采购的产业用品和供应商的感觉、看法，从而影响购买决策和购买行为。

5. 产业购买者购买过程的主要阶段

供货企业的最高管理层和市场营销人员还要了解其顾客购买过程的各个阶段的情况，并采取适当措施，以适应顾客在各个阶段的需要。产业购买者购买过程的阶段多少，也取决于产业购买者购买情况的复杂程度。在直接重购这种最简单的购买情况下，产业购买者的购买过程的阶段最少；在修正重购情况下，购买过程的阶段多一些；而在新购这种最复杂的情况下，购买过程的阶段最多，要经过认识需要、确定需要、说明需要、物色供应商、征求建议、选择供应商、选择订货程序和检查合同履行情况等八个阶段。

思 考 题

1. 市场调查工作的重要性及工作步骤是什么？
2. 结合所在企业实际，分析所处市场环境正在发生哪些变化？
3. 我国建筑市场和房地产市场的发展趋势是什么？能否估算出所在企业的市场份额？
4. 如何确定企业的目标市场？您所在企业对当前的目标市场是什么？把握是否准确？
5. 与竞争对手相比，本企业的市场定位有哪些成功的经验和失败的教训？
6. 现代企业应如何处理与竞争者的关系？
7. 我国城市居民价值观念变化对其住房消费行为有哪些影响？
8. 在建筑与房地产市场上，影响组织市场购买行为的主要因素是什么？

第四章 市场营销战略

第一节 市场营销策划

一、市场营销策划的基本概念

在现代市场经济条件下,企业作为市场营销者,必须设法创造性地建立和保持与市场的联系,发展和扩大与顾客之间的交换关系。因此,企业既要科学地分析市场、顾客及各种影响因素,又要合理安排、有效设计和实施、控制自己的经营行为。为实现营销目的,市场营销人员所作的分析、判断、推理、预测、构思、设计、部署等工作便是市场营销策划。市场营销策划具有以下特点:

1. 超前性。市场营销策划是对未来环境的判断和对未来行为的安排,因此,它是一种超前行为。由于未来环境变化有很多不确定性,故营销策划前必须做大量的调查和预测工作,对未来可能出现的变化作充分估计,以尽量降低未来的不确定性。

2. 主观性。市场营销策划是建立在预测的基础上的,预测本身含有较大的人的主观判断成分,即与策划者本人的知识、阅历、性格等条件是密切相关的,营销策划在此基础上通过策划者的主观思维,会进一步打上策划者的主观烙印。

3. 可操作性。市场营销策划所设计的营销方案必须具有很强的可操作性,是经过预定的努力可以实现的设计。不能操作的方案,创意再好也无任何价值;不易操作的方案,必然耗费大量的人力、物力和财力,而且也使管理复杂化,成效也不高。

4. 复杂性。市场营销策划不仅需要灵活运用经济学、管理学、市场学、商品学、心理学、社会学等多种学科的知识,同时还需要营销策划人员有大量的直接营销经验。另外,营销策划还必须对有关政治、经济、法律、社会文化等信息有充分的了解。由此可见,营销策划是一项很复杂的工作过程。

二、市场营销策划的工作程序

(一) 现状分析

市场营销策划的起点在于了解和分析现状。所以市场营销人员要设法把握与市场、产品、竞争、分销以及现实环境有关的背景资料,并在此基础上进行分析。

1. 宏观环境分析。查明影响企业产品市场营销的宏观环境因素,分析它们的现状及未来的发展趋势。

2. 市场形势分析。即分析市场的基本情况,包括市场规模与销售情况,消费者在需求、观念及购买行为方面的动态和趋势。

3. 产品分析。分析本企业产品的特征、优势及不利因素,了解本企业产品在消费者心目中的地位和在竞争产品中的地位。

4. 竞争形势分析。查明主要竞争者,并分析它们的规模、目标市场占有率、产品质量、市场营销战略与主要战术,以及任何有助于了解其意图、行为的其他资料。

5. 企业形象分析。它包括广告接触度分析、企业知名度和美誉度分析。此外，还可通过对企业技术形象、市场形象、未来形象、企业风气形象、企业外观形象、经营者形象、社会责任形象等方面分析来了解企业在公众心目中的评价和印象。企业形象是企业潜在的销售额，是企业的无形资产。

在了解和分析市场营销现状的基础上，市场营销人员通过对机会与威胁的分析，阐述外部可以左右企业未来的因素，以便考虑可以采取的行动，通过优势与劣势的分析，说明企业内部条件，为营销方案的顺利出台进行铺垫，这是市场营销策划的关键。

（二）确立市场营销策划的目的

市场营销策划的目的，就是对本次市场营销策划所要实现的目标进行全面的描述。即就企业整体而言，拟达到的财务目标和市场营销职能目标，以及企业在营销活动中需要依次解决的问题。

（三）市场调研

明确目标以后，市场营销人员就可以为正式的策划确定所需的资料和调查项目，并进行资料的收集、整理和分析工作，它是全面策划工作的基础。

（四）策划方案的设计

策划方案的设计就是针对企业营销中存在的问题和所发现的市场机会，找出具体解决问题的方案。它包括发展战略和行动方案。

1. 发展战略。即企业为了实现预定目标所作的全盘考虑和统筹安排。它主要由以下三方面内容组成。

（1）企业的营销定位。即根据细分市场的特征和本企业的实际，综合考虑选择企业产品可以进入的细分市场，然后根据目标市场的特点来设计营销方案。

（2）市场营销组合策略。即拟用什么样的产品、价格、分销和促销策略进入所选定的目标市场。

（3）市场营销预算。提出执行各种市场营销战略、策略所需要的最适量的预算，以及在各个市场营销环节、各种市场营销手段之间的预算分配。

2. 行动方案。即根据市场营销战略所规定的要求和各项内容，构思有关行动的蓝图，决定由何人、在何时、以何种方法、通过何种步骤将战略付诸实现。

通常，针对某一个目标，可以拟出多个策划方案。市场营销人员对多个策划方案可以权衡比较，扬长避短，选择最合理、最科学的一种。

（五）预测效益

即对策划方案实施以后的经济效益进行预测。主要包括两部分：一是预测直接的经济效果，即预测方案实施后可能产生的直接经济效益。二是预测间接经济效果，即预测方案实施后企业可能因此而提高的知名度、信誉等。这些指标是企业未来经济效益的重要保证。

（六）设计控制和应急措施

对经过效益预测感到满意的战略和行动方案构思有关的控制和应急措施，便于操作时对策划方案的执行过程进行管理，事先充分考虑到可能出现的种种困难，防患于未然。

（七）拟定策划书

将市场营销策划的最终成果整理出书面材料，作为将来策划操作的依据。

三、市场营销策划方案的实施

即将制定好的策划书按照实施日程表变成具体的营销行动。市场营销策划方案实施阶段的时间长短由营销方案的性质来定。营销方案有两种：一是企业的营销战略方案，它涉及企业的全局营销，其实施阶段的长短要根据预测的未来市场和产品状况来决定。另一种是企业的营销策略方案，它涉及某一次或某一段时间或某一方面的营销活动，其实施阶段的长短由活动的目的和性质而定，企业在实施过程中应注意以下几方面的问题：

1. 稳定性与灵活性相结合。营销方案一旦确定，就应该有相对稳定性，但是在实施中，由于客观情况的变化或主观认识上的原因，必然会出现营销方案与现实脱节的情形。因此，策划者需要根据实际情况及时调整方案，变换对策，以适应市场变化，实现预期效果。

2. 程序性和机遇性相结合。营销方案是按既定程序严格执行的，但这并不意味着可以把机会排斥在外，对良好机会的把握是对营销方案最好的补充和修正。

3. 加强对实施效果的测评。策划实施是按既定方案一步步实行的过程，必须对实施效果进行跟踪测评。测评形式主要有两种：一是进行性测评。即在方案实施过程中进行的阶段性测评，了解前一阶段方案实施的效果，并为下一阶段更好地实施方案提供一些建议和指导。二是终结性测评。即在方案实施完结后进行的总结性测评，以了解整个方案的实施效果，为以后制定营销方案提供依据。

第二节　市场发展战略

企业的业务经营计划在执行过程中通常会有部分业务被淘汰，需要发展新业务，如何填补这一战略计划的缺口，这就需要企业制定市场发展战略。企业可供选择的市场发展战略有以下三种：密集发展、一体化发展和多元化发展。

一、密集发展战略

密集发展战略是指在现有产品或现有市场的基础上进行扩张，尽力提高市场占有率的策略。它包括市场渗透战略、市场开发策略和产品开发战略。

（一）市场渗透战略

市场渗透战略是企业设法在现有市场上增加现有产品的市场份额。企业可以从以下几方面努力：一是在维持现有消费者的基础上，通过各种营销手段如价格策略、促销方式、渠道变更等，使原有的顾客更多地购买本企业的产品；二是用各种竞争手段把竞争企业的顾客争取过来，转而购买本企业的产品；三是努力发掘潜在顾客，设法刺激和促使未曾购买过本企业产品的顾客的购买行动。

（二）市场开发战略

市场开发战略是用企业现有的产品去开发新的市场，满足新的市场需求，从而增加销售。企业可以设法增加新的、大规模的分销渠道，扩大销售区域，从地区性销售扩大到全国，进而扩大到国际市场。也可以通过增加目标市场，进入新的细分市场来提高市场覆盖面。

（三）产品开发战略

产品开发战略是指向现有市场提供新产品或改进型产品，满足现有顾客的潜在需求，增加销售。企业可以通过改进产品的性能、发展产品的新规格、加快产品的更新换代等方面来实现产品开发。

二、一体化发展战略

一体化发展战略是指生产企业、供应商和销售商实行一定程度的联合，融供应、生产、销售于一体。这种策略有利于企业形成产品技术和市场上的综合优势，充分利用企业的资源，提高产品附加值，增强企业的发展与应变能力，使企业获得更大的经济效益。一体化发展战略有三种形式：后向一体化发展战略、前向一体化发展战略和水平一体化发展战略。

（一）后向一体化发展战略

后向一体化发展战略是指企业通过收买或兼并若干原材料供应企业，拥有和控制原材料的生产和供应，实行供产联合，以增加利润。这种战略可以确保企业生产正常进行，提高产品质量，降低生产成本，提高产品竞争力。

（二）前向一体化发展战略

前向一体化发展战略是指企业通过收购或兼并若干商业企业，拥有和控制自己的分销系统，实行产销一体化，以确保企业产品的销售市场。

（三）水平一体化发展战略

水平一体化发展战略是指企业通过收购或兼并若干个竞争者，把几个生产同类产品的企业合并起来，组成联合企业或专业化公司，或者在国内外与其它同类企业合资生产经营，扩大生产规模，来满足市场发展需求。

三、多元化发展战略

多元化发展战略是指企业在具有充分潜力的情况下，在经营现有业务范围外，尽量增加产品种类，跨行业生产经营多种产品和业务，扩大企业的生产和市场范围，充分发挥企业的特长，使企业的人力、物力和财力等资源得到充分利用，从而提高经营效益。企业实现多元化发展策略的主要方式有：同心多元化战略、水平多元化战略和跨行业多元化战略。

（一）同心多元化战略

同心多元化战略是指企业开发与本企业现有产品线的技术或营销有协同关系的新产品，使这些产品尽可能吸引一群新顾客，从同一圆心向外扩大业务经营范围。这种策略有利于发挥企业原有的技术优势，风险小，容易成功。

（二）水平多元化战略

水平多元化战略是指企业研究某种能满足现有顾客需要的新产品，这种新产品与企业现有产品在技术上关系不大，新产品同原有产品的基本用途也不相同，但存在较强的市场关联性。企业可以利用现有的销售渠道和销售市场来开展多种经营。

（三）跨行业多元化战略

跨行业多元化战略是指企业通过收购、兼并其他行业的企业，或者在其他行业投资等方式，把业务扩展到其他行业中去。企业开发的新业务、新产品与企业现有技术、产品或市场毫无关联。企业实行这种战略要发挥自身的优势，减少因某行业不景气而给企业带来的威胁。

运用多元化发展战略，需要企业具备相当的规模和实力，包括资金与技术的支持，相关专业人才的保证，关系密切的分销渠道和企业的管理水平等。企业采取多元化发展战略必须慎重从事，作为一种战略，应当与企业的长期经营战略衔接起来。脱离企业的实际能力和长远目标来选择多元化发展战略是不恰当的。

综上所述，企业寻找新的业务机会，一般应先在现有产品和市场上寻找扩大业务的途径，然后考虑与目前业务有关的一体化战略，最后再到目前业务之外的领域中去寻找适当的市场机会。

第三节 市场竞争战略

市场竞争战略取决于企业的规模和它在行业中的地位，根据企业在行业中的行为，可把它们分成市场领先者、市场挑战者、市场追随者和市场补缺者。

一、市场领先者战略

市场领先者是指企业在相关的产品市场中占有最大的市场份额，它在新产品开发、价格变化、分销渠道和促销等方面处于统治地位，是行业中其他企业模仿、追随、躲避和挑战的对象。市场领先者为维护自身的竞争优势，保持领先地位，通常采取扩大总市场、保持市场份额和扩大市场份额三种战略。

（一）扩大总市场

市场领先者一般通过寻找新用户、新用途和促使他们更多地使用它的产品来扩大总市场。

1. 寻找新用户

每种产品对购买者都具有一定吸引力，消费者没有购买某种产品，可能是因为他们不知道有这种产品，或产品定价不合理，或产品缺少某些性能，企业可从这部分消费者中寻找新用户。

2. 发现新用途

企业可以通过发现和推广产品的新用途来扩大市场份额。每一种产品新用途的发现都会使该产品进入新的生命周期。事实上更多情况是用户对某种产品提出了许多新用途。因此，企业应重视并监测用户对产品的使用。研究表明，绝大多数产品的最初构思都是来自用户的建议。

3. 增加产品使用量

增加产品的使用量，实际上就是说服人们更多地使用某种产品，增加他们的使用频率，这样产品的总销量就会增加，从而扩大市场份额。

（二）保持市场份额

市场领先者在扩大总市场的同时，必须注意保护现有的市场份额，提防来自竞争对手的挑战。近年来，全球范围内竞争愈演愈烈，市场领先者的防御策略借鉴了许多军事上的战略战术，以减少受攻击的可能性。通常市场领先者采用六种军事防御策略。

1. 阵地防御

阵地防御策略的基本思想是在企业的四周建立防线，以保护自己的阵地不受侵犯。这是一种被动式防御策略。如果简单地防守现有市场地位或产品，会导致营销近视。因此，企业应拓宽经营领域，分散经营风险，变被动防御为主动防御。

2. 侧翼防御

侧翼防御是指市场领先者在保护好自己阵地的同时，还应建立一些侧翼或辅助性基地，以保护自己较弱的侧翼，或必要时作为反攻基地。

3. 先发制人的防御

先发制人的防御是市场领先者在竞争对手向企业发动进攻前,先向竞争对手发动进攻,挫伤它,从而进入进攻式防御的交织状况。它是一种比较积极的防御策略。当竞争对手的市场份额快速增加并接近本企业的市场份额时,企业可以发动进攻,或确定一个宏大的市场范围,展开游击战,或采取连续不断的正面进攻使自己保持主动,使竞争对手处在防守地位。如果企业在技术和品牌等方面具有优势,并相信自己有能力承受对手的攻击,也可以不发动进攻。

4. 反击式防御

市场领先者要想保持其领先地位,就必须对任何进攻都进行坚决反击,不应该在面临竞争对手的削价、促销闪电战、产品改进或市场扩展时保持被动,而应凭借雄厚的实力和强大的竞争优势从正面回击进攻者,或者向进攻者侧翼包抄,不直接反击,或开展钳形运动,以切断进攻者后路。当市场领先者的领域受到攻击时,有效的反攻是进攻攻击者的主要地区,迫使其退出部分力量以守卫其领地。企业在实施反击式防御时,应审时度势,把握时机。

5. 运动防御

运动防御就是使市场领先者把它的业务范围向新的领域扩展,这些领域将来可成为防守和进攻的中心。业务扩展主要是通过市场拓宽和市场多样化的不断创新来进行的,它使企业能够经受连续不断的进攻和发起报复性的反击。

(1) 市场拓宽。即企业将其注意焦点从现行产品转移到主要的基本需求以及对该需求相关联的整套技术进行研究和开发。企业在实施市场拓宽时,应注意目标明确,集中力量在竞争对手的弱点上。相关业务的合理扩展要认识到顾客的需要,并使这些业务在成长和防御中得到平衡,切不可盲目分散企业力量。

(2) 市场多样化。即进入不相关的行业,实行多元化经营。

6. 收缩防御

由于竞争对手正逐渐侵入不同市场,分散力量会使企业竞争力受到削弱,企业已不能防守所有领域。此时,最好是实施有计划收缩,即战略撤退。有计划收缩不是放弃市场,而是放弃较弱的领域,把力量重新分配到较强的领域,巩固企业在市场上的竞争实力,集中优势兵力,保卫重要阵地,增加企业盈利的机会。

(三) 扩大市场份额

通常企业盈利率是随着市场份额的增加而提高。因此,许多企业都通过扩大市场份额来增加更多的利润,从而保持市场领先者地位。但市场份额和利润之间并不总是存在正比例关系,追求高市场份额而投入的费用大大超过收入价值而导致低盈利率的企业不胜枚举。企业是否真的能通过增加市场份额来提高盈利水平,取决于它们的经营战略,同时,企业还必须考虑以下三个因素:

1. 企业追求扩大市场份额时引起反托拉斯行动的可能性。如果市场领先者占有更多的市场份额,竞争对手可能会指控企业在市场活动中已构成垄断,导致国家对企业实施反垄断法,从而削弱企业追求市场份额获利的动力。

2. 由于不断扩大市场份额导致营销费用增加,盈利水平降低。对于市场领先者而言,如果顾客不购买其产品,可能是因为他们不喜欢本企业产品,或忠诚于竞争对手,或有特殊需要，或愿意和小企业打交道。也可能竞争对手为保持其市场份额正采取种种经营策略。总之，盲目追求市场份额会得不偿失。

3. 扩大市场份额时所采用的市场营销组合策略未必会使企业增加利润。一般在下面两种情况下扩大市场份额，才会导致利润增加。

（1）单位成本随着市场份额的增加而减少。市场领先者凭借企业规模大，能获得规模效益的优势，尽量降低单位成本，以较低的价格出售，把成本节约的好处转让给顾客，从而扩大市场份额，增加利润。

（2）市场领先者能提供优质产品，并能定出较高的价格。价格提高的部分在扣除因提高质量而增加的开支后，仍然有所剩余。由于提高产品质量，也可能减少产品报废和售后服务方面的开支，所以它不会增加企业太多的费用，这样消费者购买高价格产品就可以使企业获得更多利润。

二、市场挑战者战略

在一个行业中处于第二、第三和更低地位的企业可称为市场挑战者或市场追随者。他们在市场竞争中采取两种战略：一种是为占领更多市场份额，攻击市场领先者和其他竞争对手，这是市场挑战者采用的战略。另一种是参与竞争，但不扰乱市场竞争局面，这是市场追随者采用的战略。一般情况下，企业要根据自身实力和经营环境来决定市场竞争战略。

市场挑战者要增加市场份额，提高企业在行业中的地位，就必须向市场领先者挑战，确定自己的战略目标和竞争对手，选择适当的进攻战略。

（一）确定战略目标和竞争对手

多数市场挑战者的战略目标都是增加他们的市场份额，提高盈利率。对于不同的竞争对手，市场挑战者有不同的战略目标和策略。通常可在下列三种情况中进行选择。

1. 攻击市场领先者

尽管进攻市场领先者风险很大，但如果成功，将会给企业带来很高收益。市场领先者的薄弱区域如消费者的需求未得到满足，或无服务，或服务不好等都是市场挑战者进攻的战略目标。

2. 攻击与自己同规模同地位的企业

市场挑战者应设法了解消费者的需求。当与自己实力相当的企业发生财务问题时，企业可以考虑开展正面进攻，以夺取他们的市场阵地。

3. 攻击弱小的地方性企业

攻击实力不足的小企业，其进攻目标是夺取其部分市场份额，甚至可以吞并这些小企业。事实上，有很多企业就是靠夺取一些小企业的顾客而成长壮大的。

（二）选择进攻战略

根据确定的战略目标和选择的竞争对手来制定进攻战略有以下五种可供选择。

1. 正面进攻

正面进攻就是进攻者集中兵力正面向竞争对手的实力发起攻击，而不是向它的弱点。为使正面进攻有效，进攻者需要在产品、广告、价格等方面有超过对手的实力和持久力，否则正面进攻等于自杀和毫无意义。正面进攻是一种硬碰硬的较量。常用的作法是通过降价来同对手竞争。这种进攻可以采用两种形式：一是产品相同但价格低于竞争对手产品的价格，双方展开价格战。如果企业能在产品价格上保持优势，就可夺取一定的市场份额。二是挑战者大量投资研制低成本产品,尽快降低价格水平,在此基础上发动正面进攻。

2. 侧翼进攻

侧翼进攻就是集中优势兵力打击对方的弱点。尽管竞争对手有很强的实力,但在其侧翼和后方也难免有薄弱地带,其薄弱地带就成为进攻的目标。进攻者佯装正面进攻,以牵制住对方的兵力,然后在侧翼或后方发动真正进攻。这种避实击虚的战术对于资源少于对手的攻击者有较大吸引力。侧翼进攻可以沿着两个战略角度进行:一是地理上的进攻,即进攻者在本国或世界上选择有弱点的对手,进入其忽视的中小城市或偏远地区的市场,在这些区域发动进攻。二是细分性侧翼进攻,即寻找未被市场领先者占领的市场或领先者尚未为之服务的市场,在这些小市场填补空缺,使其需求得到更高程度的满足。侧翼进攻是一种最有效和最经济的竞争战略。相对于正面进攻而言,侧翼进攻的成功率更高一些。

3. 包围进攻

包围进攻就是在几条战线上同时发动大规模的进攻,使对手必须同时保卫它的前方、侧翼和后方。当进攻者比对手具有资源优势,并深信可以击败对手时,这种战略才有意义。

4. 绕道进攻

绕道进攻是最间接的进攻战略,即避开任何直接的交战行动,绕过竞争对手的现有领地,迂回进攻容易进入的市场。实行这种战略的方法有三种:一是实行产品多元化,生产或经营与竞争产品无关联的产品。二是将现有产品打入新市场,实行市场多元化。三是引进新技术,开发新产品以取代现有产品。

5. 游击进攻

游击进攻就是向竞争对手的不同领域发动小型的间断性的进攻,干扰对方使其士气衰落,最终获得永久的立足点。这种战略特别适用于实力较弱的小企业。因为小企业无力发动正面或有效的侧翼进攻,常采用有选择的降价、密集的促销等方法攻击领先者,以逐渐削弱对手的市场力量。

市场挑战者的进攻战略是多种多样的。如果他们向各自行业的领先者发动进攻,就必须把几个特定战略组成一个总体战略,以改善自己的市场地位。

三、市场追随者战略

在一个行业中居次要地位的企业并不都是挑战者。如果挑战者仅以较低的价格、改进的服务或增加产品特点向领先者发动进攻,风险很大。领先者会凭借自身强大的实力发动反攻,结果很可能导致两败俱伤。除非挑战者以产品创新或独特的分销渠道来发动一场先发制人的攻击,否则他最好是追随在领先者之后维持共处局面,而不是向领先者发动进攻,从而使市场份额保持高度稳定性。但是这并不等于说市场追随者没有战略,市场追随者必须懂得如何保持其现有顾客,并争取一定数量的新顾客,为他们提供良好的服务、方便的地点和商业信贷等特有的利益,保持它的低制造成本和高质量产品及服务。当有新市场出现时,它也必须进入,否则有可能保不住市场份额。可见,市场追随者战略不是被动的,追随者必须确定一条不会引起竞争性报复的发展道路。可供追随者选择的战略有三种,即紧紧追随,保持距离的追随和有选择追随。

(一)紧紧追随

紧紧追随就是追随者在尽可能多的细分市场和营销组合方面模仿领先者。这种追随者看起来像是挑战者,但是,如果他不妨碍领先者,就不会发生直接冲突。由于追随者很少刺激市场需求，只希望靠领先者开拓市场，并从中获得利益，因此，也把追随者称为市场寄生者。

（二）保持距离的追随

保持距离追随就是追随者同领先者保持一段距离，但又在目标市场、产品创新、价格水平和分销渠道等方面追随领先者。由于追随者很少干预领先者的市场计划，所以领先者愿意让这种追随者占有一定市场份额，以免遭受独占市场的指责。有时追随者可能通过兼并小企业而使自己发展壮大。

（三）有选择追随

有选择追随就是追随者在某些方面紧跟领先者，但有时又走自己的路。他们有创新性，但又努力避免直接竞争，择优追随领先者战略，有些追随者可能会发展成为挑战者。

虽然追随者占有的市场份额低于领先者，但其收益并不少。原因在于他们能主动细分市场，有效研究和开发新产品，开辟新市场，注重盈利，而不仅仅是市场份额。

四、市场补缺者战略

几乎每一行业都有很多小企业，它们为那些可能被大企业忽略或放弃的市场提供专门服务，占据着市场的小角落，这样可以避免同大企业发生冲突。这些小企业被称为市场补缺者。市场补缺者应设法寻找一个或几个既安全又有利的补缺基点，即在大企业夹缝中求得生存和发展的有利市场位置。

（一）理想的市场补缺基点的特征

1. 有足够的市场规模和购买力。
2. 利润有增长的潜力。
3. 对大企业不具有吸引力。
4. 企业有必要资源和能力为补缺基点服务。
5. 企业能靠顾客信誉保卫自身地位，以对抗竞争者。

（二）市场补缺者战略

市场补缺者战略就是专业化策略，企业必须在市场、顾客、产品或营销组合线上实行专业化。可供市场补缺者选择的专业化策略有10种。

1. 最终用户专业化。即企业专门为某类最终使用顾客服务，如一个法律事务所可以专为刑事、民事或商事法市场服务。
2. 纵向专业化。即专门致力于分销渠道中的某些层面，如一个铜公司可能集中于生产原铜、铜制零件或铜制成品。
3. 顾客规模专业化。即企业集中力量服务于大型、中型或小型客户。许多企业为常被大企业所忽视的小客户服务。
4. 特定顾客专业化。即企业主要为一个或几个主要客户服务。许多企业把其全部产品都出售给一个企业。
5. 地理区域专业化。即企业只把销售集中在国内外某一地区或地点，并为之提供服务。
6. 产品或产品线专业化。即企业只生产一种产品或一类产品。
7. 产品特色专业化。即企业专门生产和供应具有某种特色的产品。
8. 定制专业化。即企业按客户订单定制产品。
9. 质量和价格专业化。即企业专门生产和经营某种质量和价格的产品。

10. 服务专业化。即企业提供一种或几种其它企业所没有的服务项目。

由于补缺者战略具有一定风险，所以采用多种补缺更利于企业增强实力，增加企业生存和发展机会，最重要一点是补缺者战略能使低市场份额的企业盈利。

第四节 产 品 策 略

产品策略是企业市场营销策略中的基础策略，即解决企业应当提供什么样的产品来满足市场需要的问题。它是企业营销策略的出发点和核心。企业要达到经营目标，就必须在经营过程中充分运用产品策略，以适应消费者需求及其发展趋势。

一、产品组合

一个企业应当生产多少种产品，如何使各种产品之间有一个最优化的组合结构，有效分配企业有限资源。为此，有必要对产品组合问题进行研究。

（一）产品整体概念

从现代市场营销的观点看，产品是指向市场提供的能满足消费者某种需求的物质产品和非物质形态的服务。产品的整体概念可以分为三个层次：即产品核心层、产品有形层和产品延伸层。产品核心层代表消费者使用产品所获得的消费利益，即产品的功能和效用。产品有形层是指向市场提供的实体和劳务的外观，即品质、包装、式样、商标、价格、特色等。产品延伸层是产品各种附加利益的总和，包括供应产品时可以伴随提供的各种服务，如送货、维修、保证、安装、培训、指导以及资金融通等，还包括企业的声望和信誉。产品的整体概念把产品由一种物质实体扩展为多层次的组合体，体现了以顾客为中心的现代市场营销观念。

（二）产品组合

产品组合就是企业生产经营的全部产品的有机结合方式。产品组合一般包括若干个产品线，即一组相似或相近的产品项目。产品线的组成方式很多，可以把能满足同一种消费需求的，或必须放在一起使用的，或经由同一分销渠道出售的，或同时属于某价格范围的一组相关产品称为一条产品线。每一条产品线又包括若干个产品项目，即能与企业生产经营的其他产品相区分，列入生产和销售目录中的任何产品，它与别的产品相区别的特征可能是性能、规格或式样的不同。

产品组合有一定的宽度、长度、深度和相互关联性。产品组合的宽度是指产品组合中的产品线数目，产品线越多，产品组合就越宽。产品组合长度是指企业产品组合中所包含的产品项目总数。产品组合深度是指企业产品线中每种产品有多少花色、品种和规格。产品组合关联性是指企业产品组合中在最终用途、生产工艺、分销渠道或目标市场等方面的密切相关程度。产品组合的宽度、长度、深度和关联性对于充分发挥企业的特长，满足消费者的不同需求，提高企业声誉等方面具有重要意义。

（三）产品组合策略

企业根据市场情况和经营实力对产品组合的宽度、长度、深度和关联性实行不同的有机组合，称为产品组合策略。产品组合策略是市场营销策略的重要组成部分。常见的产品组合策略有以下几种：

1. 扩大产品组合策略

扩大产品组合策略就是拓展产品组合的宽度和加强产品组合的深度。拓展产品组合的宽度是增加一条或几条产品线，扩展产品经营范围。加强产品组合的深度是指在原有的产品线内增加新的产品项目。扩大产品组合的方式有：(1) 在维持产品原有的质量和价格的前提下，增加同一产品的款式和规格。(2) 增加不同质量与不同价格的同类产品。(3) 增加相互关联的产品。(4) 增加与现有产品使用同一原材料或相同生产技术的其他产品。(5) 增加与原产品毫不相关的产品。

2. 缩减产品组合策略

缩减产品组合策略就是缩小产品组合的宽度和深度，即削减产品线或产品项目，特别是取消那些低利产品，实行集中经营，从经营较少的产品中获得更多的利润。

3. 产品线延伸策略

产品线延伸策略是指部分地或全部地改变企业原有产品线的市场地位。产品线延伸策略可以分为三种形态：即向下延伸、向上延伸和双向延伸。

(1) 向下延伸。即生产经营高档产品的企业，在原有的产品线中增加低档次、低价格的产品项目。实行这种策略，企业可以利用高档名牌产品的声誉，吸引购买力水平较低的消费者购买此产品线中的低档廉价产品，增加销售额，扩大市场占有率。企业还可以利用现有生产能力，补充产品线空白，防止新的竞争者进入。

采取向下延伸策略也会使企业面临一些风险，如推出较低档次的产品可能会使高档产品的销售增长速度下降，如果处理不当，还会影响企业原有产品的市场声誉和名牌产品的市场形象。经销商可能不愿意经销低档产品，竞争者也可能转向开发高档产品。此外，这一策略的实施需要有一套相应的营销系统和促销手段与之配合，这些必然会加大企业营销费用的支出。

(2) 向上延伸。即生产经营低档产品的企业，在原有的产品线内增加高档次、高价格的产品项目。实行这种策略可以提高企业现有产品的声望，提高企业产品的市场地位，促进产品销售，为企业带来更丰厚的利润。

采取向上延伸的策略也有一定风险，如企业惯以生产廉价产品的形象在消费者心目中难以立即转变。生产高档产品的企业如果也采取向上延伸策略，会增加企业竞争压力。此外，企业原有的代理商和经销商也可能缺乏经营高档产品的经验和技能。

(3) 双向延伸。即生产经营中档产品的企业掌握了市场优势以后，决定向高档和低档产品两个方向延伸。这种策略利于企业扩大市场份额。

4. 产品定位策略

产品定位就是企业根据消费者对某种产品属性的重视程度给本企业的产品规划一定的市场地位。即企业为自己的产品树立特定的形象，使之与竞争者的产品显示出不同的特点，以满足消费者的某种需求和偏好。因此，产品定位需要通过与竞争对手的同类产品或本企业其他产品的对比来确定。

产品定位有潜在产品定位和现有产品定位之分。潜在产品定位是企业在尚未进入目标市场之前，预先使产品特点符合某一特定消费群的需要，找到恰当的市场位置。同时，对价格、渠道和促销等方面的营销策略综合考虑，使产品特色为目标市场接受。

现有产品定位又分为心理定位和再定位。心理定位是在产品定位中针对消费者不同的心理状态，满足消费者某一方面的心理要求。再定位也叫重新定位，当市场需求发生了变化,或竞争对手推出了新产品等情况出现时,企业就需要及时调整自己的产品定位,使企业产品比竞争对手的产品更具特色,与竞争对手的产品拉开距离。

产品定位策略不存在固有的原理和统一的模式,它可以在市场营销的实践中灵活运用。

二、服务策略

现代市场营销越来越重视服务,服务已成为市场竞争新的焦点。在营销策略中加强服务策略的实施,无疑将成为企业获得长期生存和发展的重要一环。

(一) 服务的定义及特征

服务就是一方能够提供给另一方的、基本上是无形的任何功效或利益,并且不导致任何所有权的产生。它的生产可能与某种有形产品密切联系在一起,也可能毫无联系。与有形的物质产品相比,服务具有五个主要特征:即无形性、不可分离性、差异性、不可贮存性和缺乏所有权。

1. 无形性。即服务本身是看不见、摸不着的。服务没有独立存在的实物形式,既不能在顾客购买之前向其展示某种样品,也不能在顾客购买之后使其保留某种实物。对购买者而言,服务是抽象的,无法预知购买效用的,因此,服务的购买过程带有很强的不确定性。由于多数服务产品都是与有形实物的提供共同完成服务程序,所以很难把服务从有形产品中分离出来。

2. 不可分离性。即指服务产品的生产过程与消费过程同时进行不可分割的特征。由于服务本身不是一个具体的物品,而是一系列的活动或者说是过程,所以在服务过程中消费者和生产者必须直接发生联系,从而生产过程也就是消费的过程。服务的这种特性表明,顾客只有而且必须加入到服务的生产过程中才能最终消费到服务。

3. 差异性。由于服务产品难以象一般工业产品那样实行机械化或标准化生产,因此,服务产品的质量水平也是经常变化的,很难统一界定。一般而言,服务的质量取决于由谁提供服务,在何时、何地提供服务。不同的服务人员所提供的同一种服务,会由于服务人员素质及个性方面的差异而在质量上有所不同。即使是同一服务人员,因心理状态变化等因素的影响,在不同时间和地点所提供的服务也会有不同的质量水平。

4. 不可贮存性。一般工农业实物产品在生产出来之后如果不能很快销售出去,可以储存起来,而服务产品本身却不能储存,一旦投入生产,就必须同时被销售或消费,否则,会给企业带来经济上的损失。因此,服务的不可贮存性特征要求服务企业必须解决由缺乏库存所引致的产品供求不平衡问题,提高服务企业有效地弹性处理服务需求的能力。

5. 缺乏所有权。即服务在生产和消费过程中不存在所有权转移的问题。服务在完成交易后便不复存在,消费者并没有"实质性"地拥有服务。缺乏所有权会使消费者在购买服务时感受到较大的风险,如何克服这种心理,促进服务销售,是市场营销管理人员所要面对的问题。

(二) 服务市场营销组合

服务市场营销组合包括七项要素,即产品(Product)、定价(Price)、渠道(Place)、促销(Promotion)、人员(People)、有形展示(Physical evidence)、过程(Progress)。忽略了其中的任何一项要素都会关系到整体方案的成败。

1. 产品。服务产品所必须考虑的是提供服务的范围、服务质量、服务水平、品牌、保证以及售后服务等。

2. 定价。价格方面要考虑的包括：价格水平、折扣和佣金、付款方式和信用。顾客可从一项服务的价格感受到其价值的高低。而价格与质量间的相互关系，也是服务定价的重要考虑因素。

3. 渠道。提供服务者的所在地以及其地域的可达性都是服务市场营销效益的重要因素。地域的可达性不仅是指实物上的，还包括传导和接触的其他方式。所以分销渠道的形式以及其涵盖的地区范围都与服务可达性密切相关。

4. 促销。促销包括广告、人员推销、销售促进、宣传和公关等各种沟通方式。

5. 人口。在顾客看来，在服务企业担任生产或操作性角色的人员其实就是服务产品的一部分，其贡献也和其他销售人员相同。大多数服务企业的特点是操作人员可能担任服务表现和服务销售的双重任务。所以市场营销管理者必须重视和作业管理者的合作；重视雇佣人员的甄选、训练、情绪和控制；重视顾客与顾客之间的关系。

6. 有形展示。有形展示包括的要素有：实体环境（装潢、陈设）以及服务提供时所需用的装备实物（比如房屋租赁公司所需要的房屋），还有其他的实体性线索（如干洗店将洗好的衣物加上"包装"）。有形展示的部分会影响消费者和客户对于服务营销企业的评价。

7. 过程。即服务的递送过程。市场营销管理者必须重视服务表现和递送的过程顺序，尤其是整个体系的运作政策和程序方法的采用，服务供应中器械化程度，员工决断权的适用范围，顾客参与服务操作过程的程度，咨询与服务的流动等事情。

（三）服务企业的营销策略

由于服务产品营销有着区别于有形产品营销的特征，因此，服务企业需要使用一些特定的营销策略和方法。

1. 内部营销与交互作用营销

内部营销是指服务企业内部全面贯彻市场营销观念，使每一个与顾客接触的部门和个人均从事营销活动，而不是仅仅由营销部门承担营销任务，目的在于提高服务质量，使每一个顾客都感到其需求得到了较好的满足。

交互作用营销是指通过改善服务提供者与顾客之间相互关系的方式，提高顾客所感知的服务质量。在服务的营销中，顾客对服务质量的评价，不仅依据其技术质量（如市场分析人员的分析手段是否先进），而且依据其职能质量（如市场分析人员是否公正、客观）。事实上，在很多情况下，即使顾客已经接受了服务，也可能不会公正地评价服务的质量。因此，要求服务企业要重视运用交互作用营销技巧。

2. 差别化管理

差别化管理主要包括两方面的内容：即服务内容差别化和企业形象差别化。服务内容差别化是指对主要服务内容或次要服务内容进行革新或改进，使本企业所提供的服务区别于其他企业。企业形象差别化是指树立"品牌"形象。由于服务内容的革新或改进极易为竞争企业模仿，因此，服务企业必须实施连续性的差别化管理，始终坚持创新经营，才能在竞争中处于优势地位。

3. 服务质量管理

服务质量管理的基本目标是努力使服务质量达到或超过目标顾客的期望和要求。目标顾客的期望和要求一般包括：能够在方便的时间和地点获得服务；能够在事前被告知服务的内容，服务提供人员应该具有良好的服务技能和服务态度；服务设备优良；服务质量具有稳定性；服务内容具有安全性等等。

企业为加强服务质量管理，通常采取五种措施。(1) 建立标准化的服务程序和规范。(2) 重视服务人员的选拔和培训。(3) 建立企业与顾客之间的沟通渠道。(4) 尽可能以机器代替人。(5) 努力减少顾客的风险顾虑。

4. 平衡供求的策略

当服务的需求出现上下波动时，服务企业就会面临供给不足或供给过剩的问题。如何平衡服务供求，使企业获得良好的经济效益，通常采用两种策略：即加强需求管理和加强供给管理。

对服务需求的管理主要有：(1) 实行差别订价，使某些高峰期需求转移到非高峰期。(2) 发展非高峰期的服务以刺激非高峰期的需求。(3) 在最高峰期提供补充性服务。(4) 实行预订制度。

对服务供给的管理主要有：(1) 在需求高峰期，使用临时性的服务人员。(2) 在需求高峰期采用更有效的工作程序。(3) 鼓励顾客参与服务过程，如餐馆增设自助餐。(4) 加强对服务人员的交叉训练，使服务人员做到一专多能。

三、商誉策略

在现代市场经济条件下，商誉已经渗透到国民经济的各个领域，商誉在商品生产、商品流通中的地位和作用，已日益引起了生产者和经营者的重视。

（一）商誉的基本概念

商誉就是企业和个人在商业经营活动中表现出来的信誉。它反映了消费者对企业或产品在物质利益和思想上的联系，消费者对企业或产品的评价，能对消费者的行为产生潜移默化的影响。商誉是无形资产的一种，其核心部分是企业的信誉。

（二）商誉策略

市场经济是一种契约经济，是一种信誉经济，企业要想在市场中增强自身的竞争能力，就必须重视商誉。

1. 树立信誉第一的经营观念

信誉第一表现在经济生活、市场秩序、市场行为、市场竞争、企业形象等各个方面。在市场经济活动中，信誉是最重要的经济准则，必须讲信誉，这既是企业维护自身利益的需要，也是市场经济发展中社会整体利益的要求。同时，企业讲信誉也是维护社会公共利益的本义之所在。信誉是确立市场正常交易关系的基石，是企业的生命，企业信誉好可以走遍天下，企业信誉不好寸步难行。所以，就企业而言，当务之急是提高企业对信誉必要性和重要性的认识，树立信誉第一的观念。

2. 重合同、守信用

在市场经济条件下，企业之间的经济联系都是经过双方协商后以合同的形式把它确定下来的，合同体现着双方的权利和义务，合同一旦生效，对双方都有约束作用。法律要保护这种契约关系，保证合同的履行，对违背合同者一定要严肃处理，对于信誉好的企业要大力宣传、树立榜样。因此，企业要重视合同、遵守信誉，这是市场经济发展的客观要求。

3. 维护企业信誉

企业重视信誉、遵守信誉固然重要，但更重要的是如何维护企业信誉。对企业而言，一方面必须履行诚实信用的义务，另一方面，如果遇到有侵犯企业商誉权行为并给企业造成损失者,可根据《反不正当竞争法》第 2 条及第 14 条的"经营者在市场交易中应当遵循自愿、平等、诚实、信用原则,遵守公认的商业道德"和"经营者不得捏造、散布虚伪事实、损害竞争对手的商业信誉、商品信誉"等规定与其进行斗争,并索赔损失。

4. 企业需要提供优质的产品和良好的服务来确保企业在消费者心目中的信誉

产品质量和提供服务的信誉程度如何,直接关系到消费者的购物趋向,消费者购买了优质产品或得到良好的服务,会对企业念念不忘。这些都是企业形象的外化。因此,企业必须为消费者提供能充分满足其相关需求的高质量产品,并为消费者提供形态各异的服务,以服务为媒介沟通和融洽与消费者的关系。当企业效益与用户需要发生矛盾时,应服从后者,树立和维护企业的良好形象,保证企业信誉。

随着社会经济的发展,越来越多的企业认识到,良好的信誉是企业最宝贵的资产,也是企业唯一持久的竞争优势。

四、新产品开发

科技的进步使产品生命周期迅速缩短,企业为求得生存和发展,就必须重视开发新产品,并把它作为企业生存兴亡的战略重点。

(一) 新产品的概念及其开发的重要性

1. 新产品的概念

市场营销学中新产品的概念有着极为广泛的含义,只要是"产品整体"中任何一个层次的更新和变革,使产品有了新的结构、新的功能、新的品种或增加了新的服务,从而给消费者带来了新的利益,与原产品产生了差异,即可视为新产品。新产品可分为四类:(1) 全新新产品,即应用新原理、新结构、新技术、新材料制造的前所未有的产品。(2) 换代新产品,即在原有产品的制造原理基础上,部分采用新技术、新材料或新元件,使产品性能有显著提高的产品。(3) 改进新产品,即对企业现有产品在品质、结构、花色品种、材料等方面作出改进的产品。(4) 仿制新产品,即企业模仿市场上正在销售的产品而生产的产品。

2. 开发新产品的意义

开发新产品,无论对于社会还是对于企业本身,都具有重要意义。

(1) 开发新产品,有利于企业适应市场不断变化和日益增长的需求。随着社会经济的发展,消费者的购买水平不断提高,消费需求变化越来越大,而且变化周期也越来越短。因此,企业只有不断创新产品,才能适应这种需求变动的趋势。

(2) 开发新产品,有利于企业及时采用新材料、新技术,不断推陈出新,增加产品品种和数量,繁荣市场。

(3) 开发新产品,有利于开拓新市场,保持或增加盈利,减少风险。在现代市场上,产品生命周期越来越短,一旦企业的主要获利产品进入衰退期后,企业的利润就会大受影响。因此,企业只有不断开发新产品,才能减少由此而带来的风险。

(4) 开发新产品,能使企业的技术水平和管理水平不断提高,能提高企业产品的市场占有率,增强竞争能力。

(二) 新产品开发过程

新产品开发过程由八个阶段构成,即新产品构思、构思筛选、形成产品概念、制定市场营销战略、商业分析、产品开发、市场试销和批量上市。

1. 新产品构思

研制新产品,首先要有创造性构思,即开发新产品的设想。新产品构思来源于以下几个方面:(1) 顾客。顾客需求是新产品构思的出发点和重要来源。(2) 科技人员。他们的新发现、新发明对企业开发新产品很有益处。(3) 竞争对手。通过跟踪竞争者的产品,了解竞争产品的销售情况,以及消费者对它们的评价,并分析竞争产品的成功和失败之处来发现新的构思。(4) 企业推销人员和经销商。他们掌握着顾客需求和意见的第一手资料,这些往往是新产品构思较好来源。(5) 企业高层管理人员。他们是站在整个企业的角度来观察市场和考察新产品开发的,可以从高层管理人员制定的战略中发现新产品构思。(6) 市场研究公司和广告代理商。他们了解消费者偏好的发展趋势,因此,他们提供的信息也是新产品构思的重要来源。此外,企业还可以从大学、咨询公司、同行业的团体协会及有关报刊媒介那里寻求有用的新产品构思。

2. 构思筛选

构思筛选就是对所有的构思"选优"。对每一种构思都要根据企业的营销能力及发展目标作一个初步的筛选和可行性分析,否定那些与上述两点差距较大的设想,保留那些符合企业生产经营能力和目标的设想,将目标集中在有开发前途的产品上。在筛选过程中,应特别注意避免两类失误:一是"误舍",即对好的构思方案在没有认清之前,轻率放弃,失去市场机会。二是"误取",即错误评估某一不良构思方案而付诸开发。这两种情况都会给企业造成重大损失。因此,企业在构思筛选中,应制订新产品构思评价表,就质量目标、技术水平、市场规模、竞争状况、技术能力和资源状况等项目逐一进行评价,以提高筛选的准确程度。

3. 形成产品概念

经过筛选,企业要把选定的新产品构思变成产品概念。在市场营销学中"产品构思"只是可能性产品,而"产品概念"是指已经成型的产品设想,即企业从消费者的角度为这种产品构思所作的详尽的描述。如产品的名称、功效、特征、适用范围、包装、式样和定价等内容。产品概念形成以后,还要进行概念的分析和评价,根据对顾客的吸引力、销售量、收益率和生产能力等评价标准,从中选择最好的产品概念,分析它能同哪些产品竞争;并据此进行产品和品牌定位。随后企业还可以将产品概念放入特定的消费者中进行测试,搜集消费者对这一产品的评价和预期兴趣,以便推测出这一产品概念是否能够成功,使企业可以更好地完善产品概念。

4. 制定营销策略

产品概念经过测试并最终加以确认后,企业就可以拟定一个将新产品投放市场的初步市场营销战略报告书,以便为日后产品投放市场作准备。营销战略报告书由三部分组成:(1) 描述目标市场的规模、结构和购买行为,新产品在目标市场上的定位,期望在开始几年内商品所应具备的销售额、市场占有率和利润目标等。(2) 制定新产品在第一年的预定价格、分销战略和市场营销预算。(3) 描述新产品预计可能出现的长期销售额、利润目标和市场营销组合策略。

5. 商业分析

企业在完成了产品概念和相应的市场营销策略后,就应对该产品在需求量、投资收益,预计成本和盈利水平等方面进行重点分析,看它是否符合企业的整体目标和利益,进行综合权衡后才能正式作出开发新产品的决策。

6. 产品开发

产品概念通过了商业分析被正式确认后,就进入了产品开发,即产品实体研制阶段。产品的研制包括(1)制作产品的实体模型或样品,产品具备了产品概念中所列举的各种重要指标。(2)在正常使用情况下,可以安全发挥功能。(3)能在已定的生产成本预算范围内生产出成品。这个过程是在实践中判断产品概念在技术上和商业上的可行性。样品制成以后,还必须进行严格的功能试验和消费者试验,以求发现在研制过程中未曾发现的问题,以备采取适当对策加以改进。

7. 市场试销

新产品样品经过部分消费者试用基本满意后,企业通常要制造少量正式产品,小范围地投入市场试销。试销的目的在于了解消费者和经销商的反应以及市场潜力,而且还为选择有利的市场营销策略提供依据。试销的规模取决于两个方面:(1)投资费用和风险的大小。投资费用和风险越高的新产品,试销规模应越大一些;投资费用和风险较低的产品,试销规模就可小一些。(2)市场试销费用和时间。市场试销费用越多,时间越长的新产品,市场规模应越小一些,反之,则可大一些。不过,总的来说,市场试销费用不宜在新产品开发投资中占太大比例。如果市场试销的试用率和重复购买率出现双高趋势,该产品的成功概率大,可以继续发展下去,反之,则应重新设计或干脆舍弃。

进行市场试销还应注意:(1)并不是所有新产品都必须经过试销。通常是选择性大的新产品需要市场试销,选择性小的新产品不一定试销。(2)试销地点、范围要根据产品特点和地区差别而定。(3)重视信息回收。

8. 批量上市

新产品经过市场试销取得成功以后,企业就可以决定进行大批量正式投产,新产品至此就进入了一个商业化阶段。在这个阶段,企业一方面要在制造能力上投资,组织产品的批量生产以满足市场需要。另一方面要增加市场营销费用,努力推销新产品。同时,企业还应当决定新产品投放时间、投放地区范围和目标市场,并有效运用市场营销策略,安排各种营销活动,加快新产品的市场扩散。

思 考 题

1. 市场发展战略对企业的重要性有哪些?您所在企业是否制定有明确的市场发展战略?
2. 试分析所在企业的市场竞争地位及应采取的战略。
3. 在与竞争对手的抗衡中,企业应注意哪些法律、道德问题?
4. 建筑业企业及房地产企业名牌策略的含义是什么?
5. 树立整体产品观念对加强企业市场营销管理有何重要意义?
6. 什么是商誉?企业为何要重视商誉?

第五章 市场营销方案的制定与实施

市场营销方案的制定与实施是市场营销管理过程的重要步骤。科学地制定营销方案是保证市场营销工作达到预期效果的前提，而营销方案要真正得以实现，还需借助一定的组织系统来实施，需要执行部门将企业资源投入到市场营销活动中去，需要控制方案的执行过程，及时发现执行过程中存在的问题或偏差，进而采取恰当的措施，解决存在的问题或纠正执行过程中存在的偏差，在必要时还需对方案本身进行调整以便使其更切合实际。

第一节 市场营销方案的制定

营销方案是否合理、方案决策是否准确、及时，不仅影响到企业营销活动成果的大小，有时还关系到企业的兴衰存亡。所以每个企业都很重视营销方案的制定与决策工作，并将其放在营销工作的首位。

一、营销方案的内容

营销方案应包括下列部分：执行纲领、市场营销现状、风险和机会、目标与问题、营销策略、行动方案、营销预算和营销控制（见图5-1）。

图5-1 营销方案的要素

（一）执行纲领

为了帮助企业高层决策人员方便快捷地把握营销方案的重点，营销方案中应首先以简洁的语言，介绍方案的主要目标和为实现这些目标的有关建议。如某房地产开发企业在1998年的营销方案中，就有关执行纲领进行了如下描述：

国家将于1998年下半年出台新的住房政策和住房制度改革方案，拟停止福利分房，全面实现住房分配的货币化，同时加大经济适用住宅开发建设的力度，使住宅建设作为带动国民经济发展的新的经济增长点。预计新政策的实施，将改变目前市场上购买主体的结构，居民个人购房将逐渐成为购房的主体。面对国家进一步启动住宅市场的新形势，考虑到我公司的实际情况，我们认为1998年的住宅销售额目标可以达到2.4亿元，目标营业利润为3800万元，分别比去年增长20%和25%。为了实现这些目标，须进一步加强我公司的面向居民个人的市场营销工作，改善分销渠道，加强媒体广告宣传。因此促销预算将为120万元，即预定销售额的0.5%；广告预算为180万元，为预计销售额的0.75%，……[以下略]。

（二）市场营销现状

方案的第一个主要部分描述目标市场以及公司在此市场中的地位。在目前营销状况部分中,营销规划人员要提供有关市场、产品功能、竞争力、分销等方面的资料。内容包括:对过去几年整个市场和各细分市场的市场描述,要求列出其市场规模,消费者的需求特征,以及影响消费者购买的营销环境因素,对目标市场要进行较为详细的描述;对相关主要进行产品考察,列出主要产品的销售额、价格和利润水平;主要竞争对手分析,要求明确主要竞争对手及其产品质量、价格、分销、促销等方面的策略,列出本公司及其各竞争者的市场份额或市场占有率;最后为分销,要求描述主要分销渠道最近的销售状况和发展趋势。

(三)风险和机会

此部分需要管理者预先注意其产品可能面临的风险和机会。目的在于使管理者关注影响公司发展的重要因素。例如,国家启动住宅市场,使住宅建设成为国民经济新的增长点和消费热点,这对房地产开发企业和建筑企业来说都是很好的发展机会,但政府加大对普通商品住宅市场干预的力度,甚至直接组织以微利和低价格为主要特征的经济适用住宅项目的开发建设,则对许多房地产开发企业构成了潜在的风险。

当然,并非所有的风险都需要相同的注意或关心,应当详细评估每一种风险产生实质影响的可能性,以及每一种风险可能带来的潜在损失的程度,然后集中于最有可能发生、最具伤害性的风险,以便预先采取相应的对策措施。

营销机会对营销活动来说最具吸引力,是发挥公司竞争优势重要时机。营销人员应当根据每一个机会的潜在吸引力和公司成功利用这些机会的可能性,对每一个机会作出评估。公司应当只追求符合其发展目标和资源条件的机会,各公司发展目标和资源投入能力的差异,决定了其对机会的认识也不一致。此外,利用机会就意味着要去冒风险,因此在选择机会时,还要在预期回报与可能的风险损失之间进行权衡。

(四)目标和问题

对公司产品所面对的威胁和机会进行详细分析之后,就可以着手拟定营销决策的目标以及影响目标实现的主要问题。

1. 确定决策目标

确定决策目标是进行决策的前提。所谓决策目标,就是指决策活动所要达到的成果,是企业在一定时期内努力奋斗的方向和拟达到的具体指标。确定决策目标一般分搜集信息资料、明确决策目标和确定决策目标三个阶段。

搜集信息资料是制订决策目标必不可少的前期工作。企业制订营销决策目标决不能只凭主观愿望,而必须考虑到客观条件的允许以及其他方面的要求。因此,必须首先搜集有关这方面的信息资料。掌握的信息资料越多,据此制订的目标就越现实、越可靠、越合理。搜集信息资料的主要内容有:

(1)国家社会经济发展战略和计划;
(2)市场动态与政府政策;
(3)同行业的发展现状和趋势;
(4)能源和原材料的供应情况;
(5)企业本身情况的有关资料,等等。

通过对这种信息资料的比较、分析,从中寻找出包含着各种成功机会的因素,从而为科学合理地制订决策目标提供依据。

决策目标必须具体明确，不允许抽象空洞、含糊不清。例如，有的企业提出的目标为"增加利润"，这就不是具体明确的目标，因为究竟是什么利润、多少利润，以及在什么时间、什么地方增加利润等，都没有具体明确。所以在明确目标时必须注意下列几个问题：

（1）决策目标必须是单义的，只能有一种理解。

（2）决策目标必须在时间、地点和数量上有明确的规定。

（3）应该把决策目标的重要性加以区分。一般把决策目标分为两种，即"必须达到的"和"希望达到的"。

（4）尽量减少决策目标的数量。在满足决策需要的前提下，剔除那些无法实现或难以达到的目标，把类似的几个目标合并成一个决策目标，等等。

确定决策目标是一个反复酝酿讨论的过程。先由决策管理层提出若干目标方案的设想，听取各方面的意见，并把各方面的设想和改进意见综合起来，作为拟定决策目标的参考；决策层根据各方面的反馈选定基本目标方案；然后再根据各种约束条件进行讨论和修改，直到最后确定。决策目标一经确定，在企业内就具有"法"的严肃性，不得随意变更。

2．分析影响目标实现的主要问题

当决策目标确定后，还需详细分析影响实现目标的主要问题。例如，企业可能想要达到2％的市场占有率，20％的成本利润率，35％的投资收益率。假设目前该企业的市场占有率只有1.5％，就表明企业决策目标的实现面临着一个关键问题，即如何提高市场占有率？增加市场占有率的主要约束条件是什么？

（五）营销策略

营销人员在这部分中要概述整体营销策略，或用来实现决策目标的"游戏计划"。营销策略指业务单位希望达到营销目标的营销逻辑，它包括目标市场、营销组合、营销支出等各个策略。营销策略还须详述公司将重点面对的细分市场，这些细分市场在其需求、欲望以及对营销的反应和获利能力等方面都存在各自的特点。公司应将其主要力量和精力放在它最擅长的细分市场。此外，还须为每个目标细分市场制定营销策略。

营销人员还要概述如产品定位、人员促销、广告促销、销售推进、价格、分销等营销组合内容的特定策略，阐明每一个策略对威胁、机会和关键问题的应对措施。

营销人员还须提供能够充分有效地实施拟定策略的特别营销预算。过高的营销预算虽然能提高企业的销售业绩，但并不一定能使营业利润成正比地增长，对房地产开发商所提供的房地产产品来说更是如此，因此要寻求能实现最大利润的营销预算。

（六）行动方案

营销策略应当细化为具体的行动方案，以回答下面的问题：要完成什么？何时完成？由谁负责？其成本是多少？例如，某公司为提高市场占有率，可能会采取加强销售促进的策略，在这种情况下，就应事先拟定好销售促进计划，明确拟采取的促销活动的具体方式，说明活动何时开始、如何检验和何时完成。

（七）营销预算

行动方案确定后，就可编制出可支持行动的营销预算，该预算实际上是一份预估的损益表。该预算的收入部分，可以显示预计可能卖出去的产品的数量，以及平均销售价格；支出部分则可以显示生产、分销、营销等过程所发生的成本费用；收入与成本费用的差额就是预计利润。公司的高层管理人员将审核预算，以便批准或修正该预算，并以此作为购买原材料、安排生产、规划人力投入、市场营销作业等工作的基础。

（八）营销控制

营销方案的最后一部分要提出用于过程控制的监督保障措施。营销决策中的目标和预算通常按月或按季来分，高层管理人员通常每隔一段时间就审核方案执行的情况，并且指出未达到目标的业务部或产品。这些业务部或产品的管理者须解释问题产生的原因，以及他们将采取何种修正措施。

二、营销决策的程序

决策程序是一个系统的逻辑分析和综合判断过程。决策既要选定合理的方案，还要选定合理的决策程序。一般来说，决策程序通常分为确定决策目标、拟定可行性方案、方案的评价和选择、方案的实施和反馈等四个步骤。这四个步骤的逻辑关系和动态过程可以用图 5-2 来表示。

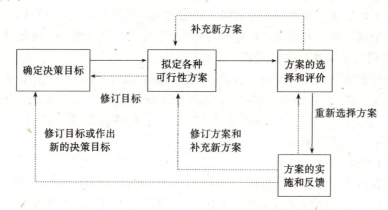

图 5-2　决策程序的逻辑关系和动态过程

确定决策目标的问题已在前面有详细分析，下面我们来继续考虑其它三个步骤。

（一）拟定可行性方案

确定决策目标以后，接下来就要拟定出可供选择的可行性行动实施方案，或称备选方案，以供决策者选择、决定。拟定备选方案的过程，是发现、探索的过程，是淘汰、补充、修改和选取方案的反复进行的过程。每个决策目标的实施都要制定两个以上的备选方案，每个行动方案都必须根据可靠的数据进行定量分析。此外，为保证每个方案都是切实可行的，拟定方案时必须充分考虑到下列一些因素：

(1) 环境因素。拟定方案时要充分考虑环境因素，如政府的政策法令、竞争对手情况、社会经济文化因素等，使得行动方案与环境允许相一致。

(2) 人的因素。可行性方案要充分考虑市场因素，而人对市场的影响是相当大的。很多情况下，市场形势的变化往往并不是由于客观环境条件的变化，而是由于人的心理变动引起了市场形势的变化。

(3) 时间因素。市场营销活动常常要经历一段较长的时间，如许多新产品的开发常常需要几年的时间才能完成。拟定可行性方案必须考虑到若干年后的市场形势变化。

(4) 资源因素。制订可行性方案还要考虑到企业的人、财、物的约束，使得方案的实施与企业的实际能力相一致。

除了考虑上述一些因素外，拟定可行性方案还要注意以下几点：

(1) 叙述条理化。每个可行方案都有其独特的优点和不利之处，因此，对方案的利弊陈述要有逻辑性和系统性，言简意赅，数据可靠。

(2) 形象直观化。每个可行方案应尽量采用比较形象直观的图表来说明。

(3) 整体完备性。在拟定备选方案时，应尽量包括所有的可行方案，使得决策者在择优时对方案有较大的选择性，从而能保证选定方案的合理性和最优性。当然，拟定方案的工作会受到时间、成本和资料的限制，不可能拟出所有的可行方案。

(4) 互相排斥性。各种不同方案之间应是互相排斥和独立的，非此即彼，不能互相代替，也不能一个方案被另一个方案包容。

(二) 方案的评价和选择

拟定备选方案的工作完成后，就要对这些方案加以比较和评价，从中选出一个较好的或令人满意的方案。一般来说，做好这一步需要满足两个条件：一是确定合理的选择标准，二是选择合理的选择方法。

1. 合理的选择标准

合理的选择标准要解决三个问题：第一，怎样算"好"？好的标准是什么？这是价值标准问题；第二，好到什么样的程度才符合要求？是要达到"最好"还是达到"满意"就行了呢？这是最优标准和满意标准的选择问题；第三，如果一个方案执行起来会出现几种可能的结果，此时应当如何确定选择标准？这就是不确定型情况下的选择标准问题。下面就来分述这三个问题。

(1) 价值标准问题

这里说的价值并不是指以货币表示的价值，而是指效用的大小，也就是我们通常所说的"值得不值得"，"哪个更值得"。如果决策目标只有一个，那么这个目标就是选择标准，也就不需要再有什么价值标准。而当决策目标有多个，若对各个目标的价值标准不同，那么各个目标在决策中的地位和作用也就不同。这时我们首先要确定价值标准，否则就无法进行抉择。例如，某建筑企业在解决施工中所需要的某大型施工设备时，可以自己购买，也可以向建筑设备租赁公司租用，在这两个可供选择的方案选择中，至少要考虑成本、及时性与稳定供应三个条件，也就是说有三个目标。如果企业的施工任务并不十分饱满，自行购买设备就会导致设备的长期闲置，从而提高设备使用的成本；但如果任务饱满，对设备的需求量大，则设备租赁公司能否保证及时提供也是一个问题；从设备的质量和工作稳定性来说，租赁设备由于由租赁公司提供了较好的维修保养服务而使设备的可靠性提高，自购设备如增加专门的维修保养人员又会进一步加大设备使用的成本。此外，自行购买设备所需的时间周期较长，尤其是进口设备，如果工程施工马上就要用，可能方便快捷的租赁方案就是可供选择的唯一方案。因此，如果其他条件允许仅考虑成本问题，就要结合施工任务饱满的程度进行购买或租用的选择，如果时间、稳定性是重要的，则须重要考虑租赁方案。

(2) 最优标准和满意标准问题

选择方案的标准是方案实施的结果越接近原定目标越好。问题是好到什么程度才符合决策的要求呢？传统决策理论认为，应以最小的代价获得最大的收益作为决策标准，也就是要求最优决策。但事实上往往做不到这一点，因为要达到最优至少要满足以下三个前提条件：

1) 决策者要列出达到目标的所有方案，即要穷尽所有的方案；

2) 决策者对每个方案的执行结果必须全部预先知道；

3) 决策者具有无限估算能力，包括局部利益和整体利益，对不同目标的效用、目标利益和将来利益等等，决策者都能完全无误地把握。

由于决策者的能力以及时间、经费、信息资料来源等方面的限制，决策者一般达不到上述前提条件，因而也就不可能做到最优决策。所以人们决策时，常常只能以"足够好的"或"适当满足的"要求作为决策准则。现代决策理论一般用足够好准则来代替最优准则，即以"令人满意"作为选择方案的标准。

(3) 不确定情况下的选择标准

不确定情况下的决策包括风险型决策和非确定型决策，是指一个方案可以产生几种可能结果的决策。在这种情况下确定选择标准时，除了价值标准和满意标准外，还要有一个如何对待不确定结果的标准。比如，在市场营销中常碰到要生产多少产品的决策。生产多少产品是根据可能的销量来决策的，但产品销售会有畅销、平销和滞销三种不同的可能，而宏观市场的供求关系又是企业所不可控制的，其结果无法准确预测。对这种不确定情况所采用的标准并没有一致的认识，但其中用得最多的是期望值标准。本节后面第三部分中将作介绍。

2. 合理的选择方法

在拟定了备选方案和确定了选择标准后，接下来的问题是用什么方法来评价和选择方案。一般有三种方法：经验判断法、数学分析法和试验法。

(1) 经验判断法

经验在评价和选择方案中总是起着相当大的作用的，所以尽管这是一个古老的方法，但至今仍很常用。这种方法主要依赖于决策者的实践经验、知识、水平和判断能力。如果决策问题并不复杂，根据经验判断，马上就可确定哪个方案最好，而当问题比较复杂，决策者很难直接看出哪个方案最好时，可采用下述几个方法来选择方案。

1) 淘汰法。即先根据约束条件和标准，对全部备选方案筛选一遍，把达不到要求的方案淘汰一些，目的是缩小选择范围。这一步骤在拟定方案时即可进行，如果拟定方案时对此考虑不周，则在选好方案时可再使用此方法。

2) 排队法。在对一个复杂问题进行决策时，各种方案的优劣顺序很难排定，往往会出现类似球赛中那种循环形式。如 A 优于 B，B 优于 C，C 优于 D，D 又优于 E，D 又优于 B，E 又优于 A，对这种复杂的情况，直接认定哪个方案最合理是困难的。所以一般采取两两对比，优者得 1 分，劣者为 0 分的方法，最后计算出各自的总分来决定方案。如表 5-1 所示。

排队法进行方案选择　　　　　　　　　表 5-1

备选方案	A	B	C	D	E	总　分
A	—	1	1	1	0	3
B	0	—	1	0	1	2
C	0	0	—	1	1	2
D	0	1	0	—	1	2
E	1	0	1	0	—	

排队结果，A 方案得分最高，可以认定 A 方案较好。

3) 归类法。这个方法有点类似于球赛中的分组赛，即先把类似的方案归为一类，从而把全部备选方案分为几个大类，然后从每类各选出一至二个最好方案，再比较这些最好的方案，最后再选出最合适的方案。

（2）数学分析法

就是先将所有约束条件和标准定量化，然后运用数学方法计算出所有备选方案的结果，从而确定最优方案的方法。采用这类方法是与计算机的发展和广泛应用密切联系的，许多计算不借助于计算机，人工计算是很难完成的。然而数学分析法并不能解决很多复杂的问题，尤其当分析牵涉到比较多的社会、心理等非数量化因素时，数学分析法的局限性就显而易见了。

（3）试验法

在营销决策过程中，通过试验的方法来吸取经验作为决策的依据，也是一个行之有效的方法。有些复杂问题的方案，虽经反复的计算、讨论、比较和推敲，仍然感到没有较大把握，此时试验法便成为最后的手段。但试验法的运用要花费大量的人力、财力、物力和时间，故不能事事都用试验法，须经权衡后再作定夺。

3. 选择方案时应注意的问题

（1）评价与选择方案时应把注意力集中在差异上，只有比较差异才能看出优劣。

（2）对作为决策依据的资料质量要有一个清醒的估计。决策的质量很大程度上取决于所收集到的资料的质量，决策要求所依据的资料全面丰富、精确可靠。但在实际工作中，所收集到资料的全面、精确、可靠一般都是相对的，因此在决策中应做到：1) 要明确认识该项决策对资料全面性、精确性的要求；2) 对决策中使用的资料的局限性有一个清醒的估计；3) 使决策保持一定的伸缩性、灵活性。

（3）在选定方案之后，有必要对该方案再做一次检查。

（三）方案的实施和反馈

方案选定以后，决策过程并未结束，还需把方案的内容具体化，制定出实施计划，然后再贯彻下去，根据实施的结果，才能判断决策的正确与否。营销决策反馈是指在方案实施执行过程中，建立信息反馈渠道，将方案实施后的各种情况结果反馈给决策者，决策者再将其与预期目标对照。若存在差异，则分析其原因。若是方案问题，可对方案做进一步修订或补充新方案；若方案已不可能做进一步的修改或补充，则要修订目标或制订新目标。凡是补充新方案或制定新目标，都要进行新一轮的决策。

三、营销决策的方法

营销决策的方法可分两类：计量决策法和主观决策法。前者指决策者运用计量分析来比较备选方案的优劣，从而做出抉择的方法；后者指通过专家的主观判断来确定方案。

（一）计量决策法

计量决策的方法可用于确定型、风险型和非确定型决策，现分别介绍如下：

1. 确定型决策

确定型情况下决策问题通常具备三个条件，即：存在着决策者希望达到的明确目标；只有一个确定的自然状态；每个被选方案在确定状态下的损益值是可以计算出来的。

确定型情况下的决策相对比较简单. 只要计算出每一种方法的损益值，便可直接做出决定。例如，某企业有三种运输方式，按其损失大小构成三个可行性方案，方案 A、B、C 的预计收益数量分别为 100 元、70 元和 50 元。显然，如果其他条件不变的话，应选择 A 方案比较理想。

2. 风险型决策

风险型决策要具备四个条件，即：存在着决策人希望达到的目标，如要求收益期望值最大或损失最小；存在着两个或两个以上不以决策者意志为转移的自然状态，如产品畅销、平销或滞销；各行动方案在不同自然状态下的相应损益值是可以计算出来的；决策者不能肯定出现哪种自然状态，但决策者可以事先确定每种状态出现的可能性（即概率）。风险型条件下的决策方法较多，常用的方法是期望值法和决策树法。

3. 非确定型决策

非确定型决策条件与风险型决策条件的主要不同在于，非确定型条件下的各种自然状态的概率是不知道的，于是就无法求期望值。在这种情况下，只能采用其他的方法。常用的方法一般有乐观估计法、悲观估计法、后悔值法等。

（1）乐观估计法（也称好中求好法）。乐观估计法是采取最大收效准则。这种方法的思想基础是对客观情况总是抱着乐观态度，从最好的自然状态出发，从中找出预期效果最好的方案。乐观估计法的步骤如下：(1) 把每个方案在各种销路状态下的最大效益值求出来；(2) 求出各最大效差值的最大值。对应最大值的行动方案就是选择方案。如果决策矩阵内容是损失值或费用额，则应采取小中求小原则。这种决策方法是把选择方案建立在最乐观的估计上。但是，自然状态是不以人们的主观愿望为转移的。所以，这是一种比较冒险的方法，决策者一般不敢轻易采用，只有富有冒险精神的决策者才采用它。

（2）悲观估计法（也称坏中求好法）。这种决策法的思想基础是对客观情况总是抱悲观态度，万事总觉得不会如意，所以为了保险起见，总是把事情结果估计得不很顺利，因而也称保守估计法。这种方法是从最坏的情况下找出好一点的方案。悲观估计法的步骤为：1) 把每个方案在各个自然状态下的最小效益值求出来；2) 求出各最小效益值中的最大值。最大值对应的行动方案即为选择方案。同样，如果决策内容是损失值或费用额，则应采取大中求小原则。按照悲观估计法选择方案，虽然在最坏状态下也不至于有很大的损失，但在较好状态下收益也不会太大。所以是一种偏于保守的决策方法。应当指出的是，如果按这种准则很容易选中无所作为的方案，假如在几种生产方案的选择中若有一个为不生产方案，则必然会被选中，因为"不生产"不会有任何亏损。

（3）后悔值法。决策者往往都有因情况变化而产生后悔的经验，因此如何使选定方案后可能出现的后悔最小便可以作为一种决策的准则。后悔值法的出发点是将每种自然状态的最高值（若是损失或费用则应取最低值）定为该状态的理想目标，并将该状态中的其他值与最高值之差作为后悔值。这种决策方法在对未来把握较小的长期项目进行决策时，比较乐于为人们所接受。它实际上是从损失最小的角度出发，因此比较稳重，同时又没有悲观法那么保守。不过，对于富有冒险精神的人来说，总感到这种方法有点束缚手脚。

对于非确定型决策问题，采用不同的决策方法所得到的结果并不完全一致，选中的可行方案也就不同，但是显然很难判别哪个方法好，哪个方法差，因为它们之间没有一个统一规定的评价标准。每一种方案都有它存在的理由，也都缺乏客观标准作依据，因而都有片面性，它是依据决策者对自然状态的看法而定的。

（二）主观决策法

这里主要介绍专家估计法。在决策中，除了运用数学方法以外，近年来还运用社会学、心理学以及行为科学等成果，通过采用有效的组织行为，充分发挥专家的集体智慧与力量来搞决策。这种运用组织行为发挥专家的集体智慧和创造力进行决策的方法称专家估计法。国外把这类根据专家意见决策的方法称为决策软技术，而将前面所述的各种数学计量决策方法称为决策硬技术。把硬技术和软技术结合起来运用，可以弥补计量决策方法中不能反映人的心理因素、社会政治因素等对决策影响的缺陷，使决策方法更完善。专家估计法的组织工作要解决专家的选择和组织形式两个问题。

专家选得是否合适，将决定估计结果的可靠性和全面性。选择的专家应是对所要解决的问题具有专门的知识并有丰富的经验和有解决问题能力的人，他们能在不确定的条件下对问题进行估计和预测，提出建议和看法。确定专家数目也很重要。专家多一些，可以使问题讨论得更深入一些，意见也反映得更全面一些，但参加的人数太多，会增加组织工作的困难，而且归纳意见也较费事。因此专家数目要适当。

专家估计法组织工作的关键是如何让专家把意见充分发表出来。为了让专家们能够不受干扰，自由地发表个人看法，专家估计法的组织者应当很好地考虑合适的组织形式。以便减少专家彼此之间不必要的影响，创造一种使专家能充分发表意见的环境。常用的组织形式包括例名小组法、德尔斐法和头脑风暴法等。

用专家估计法进行决策的优点是：方法灵活、简便，不需要高深的数学知识，易被管理人员或市场营销人员接受；不需要采用诸如电子计算机等先进昂贵的设备；特别适合于非规范化的综合性问题；有利于调动专家的积极性，发掘他们的集体智慧和潜在能力。但采用专家估计法进行决策也有缺点，这些缺点包括：建立在专家直观基础上，缺乏严格的论证；专家的知识类型对意见的倾向性往往关系很大，从事哪方面研究的专家一般倾向于他自己这一方面；传统的观念往往会占优势，因为新思想一开始总是由少数人提出而不为大多数人所接受。

因此．我们可以看到，决策的硬技术和软技术都有其长处和短处。我们应当针对决策问题的性质和决策过程中各个阶段的特点，灵活地应用各种方法，扬长避短，配合应用，才能真正发挥多种决策方法最大功效，从而可以作出正确合理的营销方案决策。

第二节 市场营销组织

市场营销方案的实施，首先依赖于一个良好的营销组织形式。企业的市场营销部门是执行市场营销方案、服务市场购买者的职能部门。市场营销部门的组织形式主要受宏观市场营销环境、企业市场营销管理哲学以及企业自身所处的发展阶段、经营范围、业务特点等因素的影响。

一、市场营销部门的演变

企业的市场营销部门是随着市场营销管理哲学的不断发展演变而来的，大致经历了单纯的销售部门、带有营销职能的销售部门、独立的市场营销部门、现代市场营销部门、现代市场营销公司五个阶段。

1. 单纯的销售部门

一切公司在开始创办时都有五个简单的职能：筹集并管理资金（财务）、雇佣人员（人事）、生产产品或服务（经营）、推销产品（销售）和记帐（会计）。销售部门通常由一位销售经理领导，他管理一批销售人员，也做一些销售工作，当公司需要时也兼管若干市场营销调研和广告宣传工作（见图 5-3 (a)）。在这个阶段，销售部门的职能仅仅是推销生产部门生产出来的产品：生产什么，销售什么；生产多少，销售多少。产品生产、库存管理等完全由生产部门决定，销售部门对产品种类、规格、数量等问题几乎没有任何发言权。

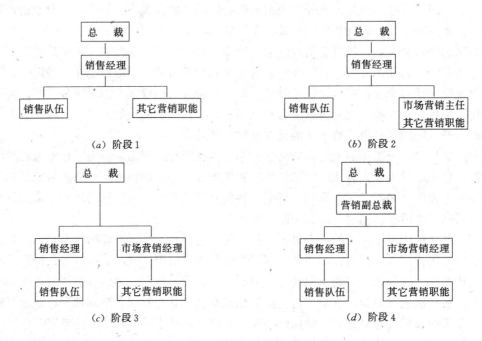

图 5-3 市场营销部门演进的阶段

2. 带有营销职能的销售部门

当公司业务拓展至新的地区或增添了新的客户类型时，公司就需要增加某些新的营销职能。市场竞争日趋激烈，也要求企业进行经常性的市场营销调研、广告宣传以及其它促销活动。这就使得营销工作逐渐变为公司专门的职能，当工作量达到一定程度时，公司便会设立一名市场营销主任负责这方面的工作（见图 5-3 (b)）。

3. 独立的市场营销部门

公司的持续发展增加了它在营销职能上的投入，如市场调研、新产品开发、广告和促销、售后服务等，这些都和营销人员的活动有关。而销售经理一般只分配给营销人员与他们的活动不相称的时间和资源，营销主任得到更多资源的要求常常不能被满足。于是，公司业务的发展使得营销部门成为一个相对独立的职能部门，作为市场营销部门负责人的市场营销经理也同销售经理一样直接受总经理的领导，销售和市场营销遂成为平行的职能部门（见图 5-3 (c)）。但在具体工作上，这两个部门是要密切配合的。

这种安排在许多公司中使用，它为公司的总裁提供了一个全面的从各角度分析公司面临的机遇与挑战的机会。例如，销售失败后，总经理问销售经理如何解决，销售经理常常会推荐雇佣更多业务员，提高销售费用，开展销售竞赛或降低销售成本以利于产品销售。而总经理从市场营销部经理那里得到的答案则可能与销售经理大相径庭。市场营销经理常常从消费者角度而不是仅从当前产品的价格和销售人员的角度入手寻找解决办法：企业的市场定位是否正确？和竞争者相比较目标市场消费者是怎样看本企业及其产品的？在产品的特点、风格、包装、服务、配送及促销手段等方面是不是有变化？这些变化是否合理？显然这种分析问题的角度比仅从促销的角度分析对解决问题更为有效。

4. 现代市场营销部门

尽管销售经理和市场营销经理应协调工作，但是他们之间实际形成的关系往往是一种彼此敌对、相互猜疑的关系。销售经理趋向于短期行为，侧重于取得眼前的销售量；而市场营销经理则多着眼于长期效果，侧重于制定适当的产品计划和市场营销战略，以满足市场的长期需要。销售经理常常对在营销组织中仅占次要地位而愤愤不平，而营销经理却对销售部门较大的编制和预算而不满。销售部门和市场营销部门之间矛盾冲突的解决过程，形成了现代市场营销部门的基础，即由市场营销副总裁全面负责，下辖所有市场营销职能部门和销售部门（见图5-3（d））。

需要注意的是，市场营销人员和销售人员是两种截然不同的群体。尽管营销人员很多来自销售人员，但还是不应将他们搞混，并不是所有销售人员都能成为营销人员。事实上，这两种职业之间有着根本的不同。从专业性而言，营销经理的任务是确定市场机会，制订准备营销策略并规划组织新产品导入，确保销售活动达到预定目的；而销售人员则是负责实施新产品进入和销售活动。在这一过程中常出现两种问题：如果营销人员没有征求销售人员对于市场机会和整个计划的看法与见解，那么在实施过程中可能会事与愿违；如果在实施后营销人员没有收集销售人员对此次行动计划实施的反馈信息，那么他就很难对整个计划进行有效控制。市场营销人员和销售人员的主要区别如表5-2所示。

营销人员和销售人员的区别　　　　　表5-2

营 销 人 员	销 售 人 员
依赖于市场研究	依赖经验
试图从目标市场进行正确的市场细分	了解不同个性的买主
主要时间用于计划工作上	时间用在面对面的促销上
从长远的角度考虑问题	从短期考虑问题
目的在于获得市场份额并赚取利润	目的在于促进销售

营销人员常常认为销售人员有如下优点：随和，易与人交往，工作努力；缺点是短期行为多，无整体战略性和缺乏整体分析的能力。而销售人员则认为营销人员受过良好教育，大多是数据导向型（依据数据作出结论）；但缺点是缺乏销售经验，缺乏市场销售直觉和不承担风险。很多公司忽略了这两类群体的差别而提升一个很出色的销售经理为高级营销经理，但很多销售经理对于每天面对市场调研计划等工作感到枯燥，宁愿去走访客户。这种公司显然不理解二者差别而导致了人员安排的错误。对这两类群体而言最主要的是让他们能达到最大限度的理解和尊重。事实表明，营销人员和销售人员之间缺乏理解和尊重的公司肯定是一团糟，如果营销人员和销售人员相互欣赏对方的才能的话，则常常会给公司带来意想不到的收益。

由于销售部门与营销部门之间存在的矛盾太多,公司总经理可能将营销活动交给销售副总经理领导;或命令常务副总经理处理出现的矛盾;或派营销副总经理主管一切工作,包括销售人员。实践表明,后一种解决办法是行之有效的,并逐渐形成了现代营销部门的基础,即由营销副总经理领导,每个营销职能人员(包括销售部门)都向营销副总经理报告工作。

5. 现代市场营销公司

一个公司可能设有现代化的营销部门,但能否说它是完全意义上的现代市场营销公司,还取决于公司中的其他主管人员怎样看待营销功能。如果只把营销看成是销售功能或把销售部门认为是市场运作部门,那么他们都没有抓住要害,只有当所有的管理人员都认识到企业一切的工作都是"为顾客服务",市场营销不只是一个部门的名称,而是贯穿于公司运营始终的公司哲学,这时公司才能称得上是完全意义上的现代市场营销公司。

二、市场营销部门的组织形式

现代营销部门具有多种形式,但所有的市场营销组织都必须与营销活动的职能、地域、产品和消费者市场相适应。为了实现企业目标,市场营销经理必须选择合适的市场营销组织。大体上,市场营销组织的类型有以下5种:

1. 职能型组织

营销组织最普遍的形式是营销部门中的各类专家直接向营销经理报告,后者则主要协调他们之间的活动。这种组织形式强调市场营销各种职能如销售、广告和研究等的重要性。如图5-4所示的五种专业人员分别是:营销管理经理、广告宣传和促销经理、销售经理、市场调研经理和新产品经理,其他一些职能性专业人员是:顾客服务经理、营销计划经理和物流经理。

职能型营销组织的主要优点是管理简单容易,当企业只有一种或很少几种产品,或企业产品的市场营销方式大体相同时,按照市场营销职能设置组织结构比较有效。但这种形式在公司产品及其市场成熟后,就暴露出发展不平衡和难以协调的问题。(1) 制定的规划与具体的产品及市场不相适应,因为没有人对某种产品或某个市场负完全责任,不受职能型专业人员欢迎的产品常被漏掉;(2) 每个职能群体都争取能获得更多的预算和更高的地位,营销经理不得不经常仔细地审查职能性专业人员的有竞争力的主张,并解决难于协调的问题。

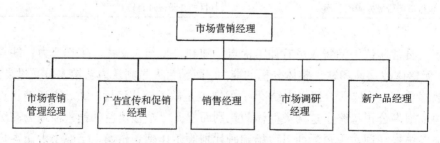

图 5-4 职能型营销组织

2. 产品和品牌管理组织

生产不同产品或品牌的公司往往要设立产品或品牌管理组织,该组织主要作为一个管理层次存在，用来协调职能型组织中的部门冲突。并非所有的企业都需要产品型组织，在企业所生产的各产品差异很大，或产品太多以致职能型营销组织没有足够的能力来管理时，才有建立产品和品牌管理组织的必要。设产品管理的常用做法是：产品管理由产品营销经理领导，他主要管若干个产品大类经理，产品大类经理主管几个产品经理，每个产品经理负责几个具体产品。

产品营销经理的任务在于制定产品计划并设法付诸实施，管理检查其执行结果，必要时采取纠正措施。该职责可具体细分为六个方面：

（1）制定产品长期竞争策略；
（2）制定年度销售计划并进行销售预测；
（3）与广告代理商和经销代理商共同策划广告活动；
（4）激励销售人员和经销商经营该产品的兴趣；
（5）收集有关产品性能、顾客与经销商的态度、新的问题与机会等信息，并进行统计分析；
（6）提出产品改进意见，以适应不断变化的市场需要。

产品管理组织形式有以下几个优点：（1）产品经理可以为某一产品设计具有成本效益的营销组合；（2）产品经理对于市场上出现的情况反应比专家委员会更快；（3）由于每种产品都有专门的产品经理负责，所以那些名气较小的品牌或产品能够受到足够的重视；（4）产品管理组织是培训年轻主管人员的最佳场所，因为产品管理组织能够使其接触公司运作的全部领域（图5-5）。

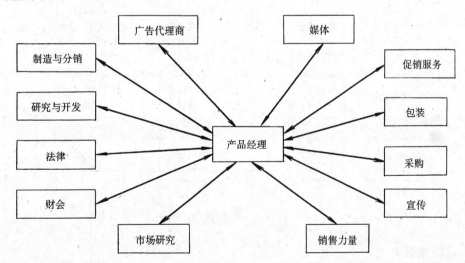

图5-5 产品经理的相互作用

不过，这种组织形式也存在缺陷，这些缺陷包括：（1）缺乏整体观念。在产品管理组织中，各个产品经理相互独立，他们会为保持各自产品的利益而产生摩擦。（2）部门冲突。产品经理未必能获得足够的权力以保证其有效地履行职责，于是不得不通过说服来取得广告、推销、制造和其他部门的合作，想要干成什么事都要找遍其他部门的领导才行。（3）多头领导。由于权责划分不清楚，下级可能会得到多方面的指令。（4）难以避免短期行为。产品经理往往只管一个短期的产品品牌，由于接触的时间短，制定的营销规划也是短期的，严重影响产品的长期竞争力等。

3. 市场型组织

许多公司将产品出售给不同类型的市场,如房地产商将商品住宅卖给居民家庭、政府机关或工商企业;钢铁公司将钢材出售给铁路、建筑和公用事业单位。当许多客户分别归入不同购买偏好、习惯的用户集团后,就需要一个市场管理组织了。一般说来,当企业拥有单一的产品线、面临的市场各种各样(不同偏好和消费群体)或拥有不同的分销渠道时,就需考虑建立市场型组织。

许多企业都在按照市场系统安排其市场营销机构,使市场成为企业各部门为之服务的中心。市场型组织的基本形态如图5-6所示。一名市场主管经理管理几名市场经理,市场经理开展工作所需要的职能性服务由其他职能性组织提供并保证。市场经理实质上是参谋人员,而不是专职工作人员,他的职责和产品经理相类似,市场经理要制定其所管产品的长期计划和年度计划,因此必须分析研究市场的发展状况和公司应供应市场的新产品,衡量其工作业绩的标准是其对公司市场份额的增长所作贡献的大小,而不是根据在市场上获得的现时盈利来判断。市场型组织的优点在于:企业的市场营销活动是按照满足各类不同顾客的需求来组织和安排的,这有利于企业加强销售和开拓市场。其缺点是存在责权不清和多头领导的矛盾,这和产品管理组织形式类似。

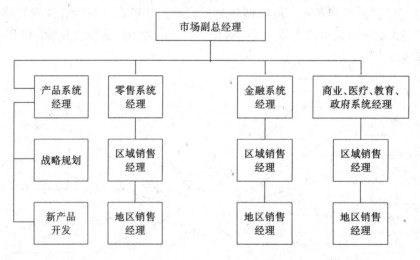

图 5-6 市场型组织

4. 地理型组织

从事全国性销售业务的公司常常将其销售人员按地域划分。该组织形式的机构设置包括:一名负责全国销售业务的销售经理,若干名区域销售经理、地区销售经理和地方销售经理。为了使整个市场营销活动更为有效,地区型组织通常都是与其他类型的组织结合起来使用。

5. 矩阵型组织

矩阵型组织是职能型组织与产品型组织相结合的产物,它是在原有的职能部门组成的垂直领导系统的基础上,又建立一种横向的领导系统。两者结合起来就组成了一个矩阵,见图5-7。在市场营销管理实践中,矩阵型组织的产生大体分两种情形:(1)企业为完成某个跨部门的一次性任务（如产品开发），就从各部门抽调人员组成由总经理领导的工作组来执行该项任务。参加小组的有关人员一般受本部门和小组负责人的共同领导。任务完成后，小组撤销，其成员回到各自的岗位。这种临时性的矩阵型组织又叫小组制。(2) 企业要求个人对于维持某个产品或品牌利润负责,把产品经理的位置从职能部门中分离出来并固定化，同时由于经济和技术的影响，产品经理还要借助于各职能部门执行管理，这就构成了矩阵。矩阵型组织能加强企业内部门间的协作,能集中各种专业人员的知识技能又不增加编制,组建方便，适应性强，有利于提高工作效率。但是，双重领导过于分权化、稳定性差和管理成本高的缺陷又多少抵销了一部分效率。当然，矩阵型组织还可以是由市场与产品的交叉而形成。

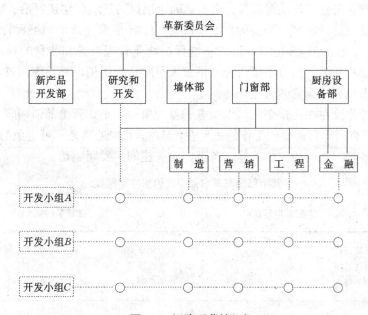

图 5-7 矩阵型营销组织

究竟哪些公司适合用哪种组织形式，没有绝对的标准可循。有的公司从开始就在公司一级设立强大的营销部门；而有的公司则致力于发展各事业部的营销部门；有的则减小公司级营销部门的规模和权限；有的干脆就不设公司级营销部门。

在公司演变的不同阶段，公司营销部门的贡献也是不同的。一般在公司创建初期由于各事业部自身营销能力不强，大多数公司都设有强大的公司级营销部门，对各事业部提供各种服务和人员培训，而一些公司一些人员则会被聘到事业部担任营销部门经理。随着各事业部营销能力的不断增强，公司营销部门对它们所能提供的帮助也越来越小，以至于发展到最后有的公司干脆取消了公司营销部门。

公司营销人员有三大作用：(1) 可以充当全公司营销活动的骨干力量；(2) 可以为各部门提供集中的专业化服务，这些活动比单纯由各部门来开展更为经济；(3) 负责各事业部营销经理的培训及公司营销新观念的推广和实施。

三、市场营销部门与其他部门的关系

处理营销部门和其他部门关系的原则是：企业内部各职能部门应密切协调配合以实现企业的整体目标。但实际上，各部门间的关系表现为强烈的竞争和不信任，其中有些冲突

是由对公司最佳利益的不同看法引起的，有些是由于不适当的部门之间的偏见造成的，而有些则是由于部门利益与公司利益相冲突所造成的。

在典型的组织结构中，所有职能部门应该说都对顾客的满意程度有或多或少的影响。在市场营销观念下，所有部门都应以"满足消费者"这一原则为中心，致力于消费者需求的满足，而市场营销部门则更应在日常活动中向其他职能部门灌输这一原则。市场营销经理有两大任务：一是协调企业内部市场营销活动，二是在顾客利益方面协调市场营销与企业其他职能部门的关系。然而，很难确定应给予营销部门多少权限来与其他部门进行协调合作，但通常市场营销部经理应主要依靠说服而不是权力来进行工作。

假设有一房地产开发企业的营销经理受命拓展该公司在住宅市场的份额，但他没有具体的权力去影响未来住户的满意程度：他不能确定项目的选址和建造标准（策划部）、不能选择建筑师以保证设计出客户需要的户型（总经理）、不能雇用或培训工程管理人员（人事部）、不能决定工程的质量（工程部）、不能保证物业管理服务和收费的标准（物业管理部）等。他所能控制的，只有市场研究、销售人员和广告促销，并只能通过与其他部门的协调，来努力形成客户满意的居住环境。

其他部门经常反对在工作中一切以顾客利益为第一，正如营销部强调顾客满意这一点一样，其他部门也同样强调他们工作的重要性，显然，其间冲突是不可避免的。表 5-3 总结了营销部门与各部门之间的主要差异。各部门所关注的主要问题是：

营销部门与其它部门的组织冲突概要　　　　　　　　　　表 5-3

部门	其它部门侧重点	营销部门侧重点
研究开发部	基础研究 内在品质 功能特点	应用研究 直观质量 销售特点
工程设计部	设计的前置时间长 较少型号 标准部件	设计的前置时间短 较多型号 任意部件
采购部门	产品线宽度窄 标准零件 原材料价格 经济采购量 间隔性采购	产品线宽度宽 非标准零件 原材料质量 以防止缺货的大批采购量 配合顾客需要随时采购
制造部门	生产的前置时间长 型号较少长期经营 型号不变 标准订货量 易于制造 中度质量控制	前置时间短 型号较多短期经营 型号常变 随意订货量 外型美观 高度质量控制

续表

部门	其它部门侧重点	营销部门侧重点
财务部门	支出严格合理化 刚性预算 定价能抵偿成本	直觉性支出 弹性预算 定价能进一步开发市场
会计部门	标准交易方式 报告较少	特殊交易条件与折扣 报告较多
信用部门	要客户全面公开财务状况 长期信用风险 严格信用风险 严格的信用条件 严格的托收程序	对客户最低限度的信用调查 中期信用风险 放松信用风险 放松信用条件 放松托收程序

1. 研究开发部

企业希望开发新产品，但常因研究开发部门和市场部门关系不好而告失败。从许多方面，这两个部门在企业中代表着两种截然不同的文化观念。研究开发部门由科学技术人员构成，他们为生产技术的奇特性和超前性而骄傲，擅长解决技术问题，而不关心眼前的销售利润，喜欢在较少人监督或较少考虑研究成本的情况下工作。而市场营销与销售部门则由具有商业头脑的人员组成，他们精于对市场领域的了解，喜欢那些对顾客有促销作用的新产品，有一种注重成本的紧迫感。市场营销人员把研究开发人员看作是不切实际的，知识分子味十足的，甚至不懂业务的科学狂人；相反，研究开发人员把市场营销人员看作是倾向于行骗、唯利是图的卑鄙小人，他们对产品的销售特色比对技术性能更感兴趣。

结果，企业不是技术导向型的，就是市场导向型的，或二者并重的。在技术导向型的企业中，研究人员常研究基本原理问题，寻求重大突破，力求产品尽善尽美。虽然他们有时会发现一种重要的新产品，但其研究与开发的费用很高，新产品成功率较低。在市场导向型的企业里，研究开发人员为专业市场的需要而设计新产品，绝大多数是对产品的改进和现有技术的应用，新产品的成功率较高，但主要是改进寿命周期较短产品的性能。

在技术、市场二者并重的企业中，市场营销部与研究开发部已形成有效的组织关系，它们共同负责发明，也负责有希望成功的创新，销售人员不只是注意新的销售特色，也协调研究人员寻找能满足市场需求的新途径。

研究表明，创新成功需要研究开发与市场营销一体化紧密联系。研究开发与市场营销部门的合作，可采用以下几种简便易行的方式：

（1）联合主办工作研讨会，以便加强对对方工作目标、作风和问题的理解和尊重。

（2）每个新项目要同时派给研究开发人员和市场营销人员，他们将在整个项目执行过程中合作，同时研究开发部与市场营销部应共同确定市场营销计划与目标。

（3）研究开发部门的合作要一直持续到销售阶段，包括编写技术手册，合办贸易展览，售后调查，甚至参与一些销售工作。

（4）产生的矛盾应由高层领导部门解决，在同一个企业中研究开发部门与市场营销部门应同时向一个副总裁报告。

2. 工程部门

工程部门负责运用切实可行的方法，来设计新产品和新的生产程序。工程师们更关心产品的技术质量，成本费用的节约，以及制造工艺的简化。如果市场营销人员希望产品多样化，而不是标准配件以突出产品特色，工程师们便会与之发生冲突。他们认为市场营销人员只要求外型美观，而不注重产品内在性能，是一群极易改变工作重心且夸夸其谈之辈，不值得加以信任。但在市场营销人员具有工程基础知识并能有效地与工程师沟通的企业里，就会减少出现上述问题的可能性。

3. 采购部门

采购主管人员负责以最低的成本买进质量数量都合适的原材料与零配件。通常，他们的购买量大且种类较少，但市场营销经理通常会争取在一条生产线上推出几种型号的产品，这就需采购数量小而品种多的原材料及配件，而不需要数量大而种类少的配件，他们认为市场营销部门对原料及其零配件的质量要求过高，尤其当市场营销部门的预测发生错误时更为突出，这迫使他们不得不以较高的价格条件购进原材料，有时还会造成库存过多而积压的现象。

4. 制造部门

制造部门与市场营销部门之间存在几种潜在矛盾。生产人员负责企业的正常运转，以达到用合适的成本、在合适的时间内生产合适数量的产品的目的。他们成天忙于处理机器故障、原材料缺乏及劳资纠纷等问题。他们认为，营销人员在不了解企业的经济情况及策略的前提下，却埋怨企业生产能力不足、生产拖延、质量控制不严、售后服务不佳等，而且，还经常作出不正确的销售预测，推荐难于制造的产品，答应给顾客过多不合理的服务项目。

营销人员确实看不到企业的困难，而只注意顾客提出的问题，如购房者希望很快入住的要求、因买了质量不合格的住房或得不到开发商许诺的服务而引发的抱怨等。营销人员很少注意多为一位顾客服务会加大企业的成本的问题。这不是两个部门间沟通不好的问题，而是实际利益冲突的问题。

企业可采用不同的方法来解决这些问题。在生产导向型的企业里，人们做的任何一件事情都是为了保证生产顺利进行并降低成本，这种企业倾向于生产简单的产品，而生产批量大一些。需要加速生产来配合促销活动的情况几乎没有，顾客在遇到延期交货时不得不耐心等待。

另外一些企业是市场导向型的。这种企业想尽一切办法来满足顾客需要。例如在一个大型房地产开发企业里，市场营销人员提出了受市场欢迎的新的住宅户型设计模式，设计施工队伍就马上开始更改设计图纸，变更施工方案，并加班加点地工作以便能尽快为市场提供新的住宅产品，结果造成建造成本较大幅度地提高，住宅产品的质量也难以保证稳定。

企业应逐渐向生产导向型与市场导向型并重的方向发展。在这种并重的企业里，制造部门与市场营销部门可以共同确定企业追求的最佳利益。解决办法包括召开联合工作研讨会以沟通双方的观点，设置联合委员会和联络人员，制订人员交流计划，以及采用分析方法以确定最有利的行动方案等。

企业的盈利能力在很大程度上取决于市场营销部门与制造部门之间的良好协调关系。市场营销人员必须具备较好地了解制造部门的能力，如了解诸如工程进度计划、施工工艺、横道图等生产领域新概念的市场营销含义。如果企业想通过降低生产成本来取胜，那就需要一种新的生产策略；如果企业想依靠质量优良、品种多样或优质服务取胜，就需要制定三种不同的生产策略。所以，生产设计和生产能力是由已规划好的产量、成本、质量、品种和服务组成的市场营销战略目标来决定的。在产品尚未确定买主之前，当潜在的购买者去企业了解生产管理质量状况时，生产人员和生产管理部门无疑成了重要的市场营销工具。

5. 财务部门

财务主管人员擅长于评估不同业务活动的盈利能力，但每当涉及到市场营销经费时就不得不喊"头痛"。市场营销主管人员在要求将大量预算用于宣传、促销活动和推销人员开支的同时，却不能具体说明这些费用能带来多少销售利润。财务主管人员怀疑，市场营销人员所作的预测是自己随意编制的，并没有真正考虑经费与销售利润的关系以便能把预算投向获利更多的领域。他们认为，市场营销人员急于大幅度削价是为了获得订单而不是真正为了盈利。

同时，市场营销主管人员则认为，财务人员控制资金太紧，拒绝把资金投入长期的潜在市场开发中去；他们把所有的市场营销经费看作是一种浪费，而不是投资；财务人员过于保守，不愿冒风险，从而使许多好的机遇失之交臂。解决这个问题的办法是加强对市场营销人员的财务训练，同时加强对财务人员的营销训练。财务主管人员要运用财务工具和理论，支持对全局有影响的市场营销工作。

6. 会计部门

会计人员认为市场营销人员不能准时制作销售报表，尤其不喜欢销售人员与顾客达成的特殊交易，因为这些交易需要特殊的会计手续。反之，营销人员则不喜欢会计人员把固定成本分摊到不同品牌上去。品牌经理认为，他们主管的品牌比预期的更能盈利，但问题在于分摊给产品的间接费用太多，会使得品牌利润降低，他们还希望会计部门能按渠道、区域、订货规模等计算和编制各不相同的利润销售额报表。

7. 信用部门

信用部门的主管人员要评估潜在顾客的商业信用等级，拒绝或限制向商业信用不佳的顾客提供信贷。他们认为，营销人员愿把商品出售给任何人，即使是那些连付款都有问题的人。相反，营销人员则常常感到信用标准定得太高。他们认为："无坏帐"的要求意味着公司失去一大笔买卖和利润；并且觉得他们好容易找到了客户之后，听到的却是因这些顾客的信用不佳而不能与之成交的消息。

四、树立全面市场营销导向型策略

只有为数不多的亚洲公司如香港的佐丹奴、印度的利华、日本的索尼、菲律宾的生力、新加坡航空公司、韩国三星、中国台湾的宏基和泰国的东方大酒店等可称得上是市场导向和消费者导向型企业。在这些企业里，人们已达成如下共识：市场营销不仅是市场营销部门的职能，而且是所有部门都应有的职能；即使是最好的市场营销部门，也不能弥补因其它部门缺乏对消费者的重视所带来的损失。消费者导向型的企业各部门应具有如下意识：

（1）研究开发部门：请消费者开座谈会并倾听意见；在每一个新项目的研究开发期间，欢迎市场营销部门、制造部门和其它部门提出中肯的意见；视竞争老产品为"基准点"，寻求更好的产品；在项目进行中倾听吸收消费者的反馈意见；在市场反馈的基础上，不断完善和改进产品。

（2）采购部门：主动地寻找最好的供货商而不仅仅只是"守株待购"；与少数值得信赖

的高品质产品供货商建立长期合作关系；在价格优惠和高质量之间他们首选高的质量。

（3）生产部门：邀请消费者对工厂进行参观；注意消费者如何使用企业产品；为满足已承诺的订单，宁愿超时工作；不断寻找提高生产速度和降低生产成本的方法；不断提高产品质量并致力于无质量缺陷。

（4）市场营销部门：研究每一细分市场的消费者需求；致力于长期努力以获得长期潜在的市场利润；为每个目标市场提供更为友善的服务；不断收集、评估关于新产品、产品改进和服务的信息，以更好地满足消费者需要；积极影响企业所有部门的雇员，使他们在思想上和实践中都以消费者为中心。

（5）销售部门：具备有关消费者的专业知识；致力于给消费者提供"最好的答案"；只许下自己确实能做到的承诺；将消费者需要和意见反馈给负责产品改进的部门；为相同的消费者服务很长时间。

（6）后勤部门：建立提供服务的高标准并长期不懈地坚持这一标准；运作着一个富有知识且友善的消费者服务部门，负责回答消费者问题，处理抱怨，并用一种令人满意的态度及时解决问题。

（7）会计部门：定期提供与产品细分市场、地理区域、大小定单和单独的消费者相关的盈利能力报告；随时备有不同发票，以满足消费者需要，礼貌而迅速地回答消费者所提出的各种咨询问题。

（8）财务部门：理解并支持市场营销费用支出，以支持市场营销部门的长期市场营销计划；根据消费者的财务状况制订不同的财务标准；在消费者信用程度上很快作出决定。

（9）公关部门：宣传有利于企业的消息，控制损害企业形象的消息的传播；充当企业内部的消费者和公众，并不断倡导更佳的企业市场营销战略与实践。

（10）其他与消费者接触的个人：极富能力，谦虚，精神愉快，值得信赖并很负责任。

然而在现实中，大多数公司为销售导向、产品导向和技术导向，这些公司迟早会受到市场的冲击，他们会失去主要市场，出现增长缓慢和利润下降，甚至发现它们面对的是极难对付的竞争对手。

例如，通用汽车公司市场占有率的大幅度下降，主要起因于其长期的销售导向。在过去，它成功地生产各种型号的汽车并销售，主要归功于其销售人员和服务人员的数量远远超过了其竞争对手，但它并未注意到市场正在出现的小型汽车，高品质的外国汽车，以及提供更多服务的汽车厂商等。企业管理的重心向内，而不是面向整个市场，于是在1991年，通用汽车经历了有史以来美国企业最大的亏损，达235亿美元。

许多企业现在都不断采取步骤希望成为市场导向型，但大多失败了。这是为什么呢？在一些公司中，他们的总裁并未真正明白市场营销和促销的内在区别，只希望企业能大规模地销售和开展广告攻势，并未明白如果他们的产品和价格不能真正为目标顾客提供价值，则其所进行的一切促销活动等于浪费。一些董事会成员认为，举办几次关于"为消费者工作"的演讲，召开一些座谈会，开展一些市场营销培训，就会得到他们所需要的结果，从而低估了企业内部人员对这种转变的抵制力。特别是在缺乏新激励因素的情况下，倘若企业文化活动没有明显的进展的话，这些老总们便开始表现出不耐烦并转向处理其它的问题，如开展提高企业生产率的活动等。建设企业的市场营销文化需做好如下工作：

（1）需要使其他经理确信消费者导向型是必要的。在这里，总裁的领导和承诺是关键要素，总裁必须确认企业的高级经理们都将他们的工作以消费者为中心并越来越重视市场营销观念，总裁应不断地向雇员、供应商、分销商强调向消费者提供质量和价值的重要性，总裁应身体力行对消费者进行承诺并实现承诺，同时奖励那些也同样做的雇员们。

（2）建立强有力的市场营销队伍。企业应雇用高级市场营销人员，组建项目小组，以便在市场营销活动中将市场营销思想和实践带入企业，项目负责小组应包括总裁、营销副总裁、开发部、采购部、生产部、财务部、人事部及其它部门的关键人员。

（3）获取各界指导和帮助。在建立企业市场营销文化过程中，市场营销项目小组可通过咨询专家获得帮助，咨询公司在帮助公司转变为市场导向型方面相当多的经验。

（4）改变企业奖励制度。如果期望企业部门的行为改变的话，那就应该改变企业的奖励制度。显然，如果采购部门和生产部门因降低生产成本而获得奖励，那么就很难让他们为了更好地服务消费者而多增加一分钱的成本。如果财务部注重短期的利润，那么很难相信他们会支持市场营销过程中为提高消费者的满意度和忠诚度的长期投资。

（5）雇用市场营销专家。企业应考虑雇用市场营销专家，尤其是在一流的市场营销企业里工作的专家。花旗银行面对市场营销工作出现的严重问题，从通用食品公司聘请了一位高级市场营销经理。现在，亚洲银行都聘请花旗银行的管理人员来帮助创建银行的市场营销文化。

（6）加强企业内部培训计划。企业为了把市场营销观念、技能灌输给经理和雇员，需要对高层管理人员、部门经理、市场营销人员、销售人员、生产人员、研究开发人员进行全面、系统的培训。

（7）建立现代化的市场营销计划制度。训练经理们用市场营销思维进行工作，一个卓有成效的方法就是建立一种现代化的市场导向型的计划制度，计划形式迫使经理们考虑市场营销环境、机会、竞争形势和其它各种因素。这些经理将为某些具体产品和细分市场制定市场营销战略，预测销售利润并对这些活动负责。

（8）建立年度市场营销评奖制度。企业应鼓励各业务单位提交年度最佳市场营销活动报告，通过对这些报告的评审，企业可评出最佳市场营销人员，并对其予以奖励。这些获奖者的事迹将作为"优秀市场营销案例"在企业内广泛传播。

（9）将以产品为中心的公司改组为以市场为中心的公司。有些公司通过建立一个专门关注特定市场的机构，或建立一个协调各子市场的产品供应计划的机构，而将企业逐渐发展成为以市场为中心的公司。

第三节 市场营销执行

一个优秀的能影响全局的战略性营销方案如果得不到恰当的执行，那就没有多大价值了。市场营销执行是将营销方案转化为行动任务，保证这种任务的完成，以实现方案的既定目标的过程。

营销执行包括动员公司整体的人力和资源，来进行每日或每月的例行营销活动，通过这些活动来有效地实现营销方案（计划）。分析市场营销环境、制定市场营销战略和市场营销计划是解决企业市场营销活动应该"做什么"（what）和"为何要做"（why）；而市场营销执行则是要解决"由谁去做"（who）、"在哪里做"（where）、"何时做"（when）和"如何做"（how）的问题。

市场营销执行是一个艰巨而复杂的过程。美国的一项研究表明，90%被调查的方案制定或计划人员认为，他们制定的战略和战术之所以没有成功，是因为没有得到有效的执行，并且认为想出一个好的营销策略往往比实现这个策略容易得多。管理人员常常难以诊断市场营销执行上的问题，营销执行失败的原因可能是由于战略战术本身有问题，也可能是由于正确的战略战术没有得到有效的执行。

一、执行中的问题与原因

公司在实施市场营销战略和市场营销计划过程中为什么会出现问题？为何有许多公司无法有效地执行营销计划？原因有以下几个方面：

1. 计划脱离实际

公司的市场营销战略和市场营销计划通常是由上层的专业计划人员制定的，而执行则要依靠市场营销管理人员，由于这两类人员之间往往缺少必要的沟通和协调，导致下列问题的出现：

（1）公司的专业计划人员只考虑总体战略而忽视执行中的细节，结果使计划过于笼统和流于形式。

（2）专业计划人员往往不了解计划执行过程中的具体问题，所定计划脱离实际。

（3）专业计划人员和市场营销管理人员之间没有充分的交流与沟通，致使市场营销管理人员在执行过程中经常遇到困难，因为他们并不完全理解需要他们去执行的战略。

（4）脱离实际的战略导致计划人员和市场营销管理人员相互对立和不信任。

现在，许多西方公司已经认识到，不能光靠专业计划人员为市场营销人员制定计划，正确的做法应该是让计划人员协助市场营销人员制定计划。因为市场营销人员比计划人员更了解实际，让他们参与公司的计划管理过程，会更有利于市场营销执行。因此，许多西方国家的公司削减了庞大的集中计划部门的人员。

2. 长期目标和短期目标的取舍

企业所设计的营销战略常常针对的是未来三到五年的长期活动，但执行这些策略的营销经理通常都是根据短期的销售、增长或利润来论功行赏的。当他们必须就长期策略和短期成绩作一取舍时，通常会偏爱短期成绩。一项研究表明，许多企业都有此种有害的取舍情况。例如，某家公司设立的营销策略原本强调产品的易购性和顾客服务，但在追求短期成绩的压力下，负责经营的管理者却以减少存货和技术服务人员的方式来压低其成本。这些管理者因完成短期成绩目标而受到好评，但此种做法却危害企业的长期策略。有些公司已采取一些步骤来鼓励短期和长期目标的较佳均衡，例如让经理们更了解战略性目标，同时根据长期和短期的成绩来评估经理人员，对完成长期战略性目标的经理给予特别的酬劳等。

3. 因循守旧的惰性

公司当前的经营活动往往是为了实现既定的战略目标，新的战略如果不符合公司的传统和习惯就会遭到抵制。新旧战略的差异越大，执行新战略可能遇到的阻力也就越大。要想执行与旧战略截然不同的新战略，常常需要跨越公司内部的传统组织路线。譬如，为了执行给老产品开辟新销路的市场拓展战略，就必须创建一个新的推销机构。

4. 缺乏具体明确的执行方案

有些战略性计划执行不力,是因为计划人员没有制定出详细的执行方案。计划人员常把细节计划都留给每一位营销经理,结果造成了执行不力,甚至根本无法执行。公司的高层决策、管理人员不应认为战略制定好就可以自动执行,不能有丝毫"想当然"的心理,恰恰相反,必须准备详尽的执行计划方案,确认和协调实现策略所需的特定活动。管理者必须订出达到特定目标的时间表,并且指派重要的执行任务给每位营销经理。只有这样,公司市场营销执行才有保障。

二、市场营销执行过程

营销系统中的各阶层人员都应该共同合作以执行营销计划和策略。营销部门、其他部门或公司的其他人员都必须参与支持营销计划的执行工作。公司应寻找出有效的方法,将所有这些活动协调成一致的有效行动。

营销策略和营销成绩是由执行系统来连接的。执行系统包括五个相关联的方面:(1)制定行动计划;(2)建立组织结构;(3)设计决策和酬劳制度;(4)开发人力资源;(5)培养管理风格和公司文化。

1. 制定行动计划

为了执行营销策略,公司中各阶层的人必须作出许多特定决策,完成许多特定的任务。例如某公司的高级主管决定推出一系列高质量的新产品后,就需要公司内外许多人一起来执行这项策略。在公司的营销组织内,营销研究者必须测试新产品概念,找出适合此新产品概念的市场位置,营销经理必须完成市场细分、品牌、包装、定价、促销及分销等决策,也必须雇用、训练、指导和激励销售人员。

营销经理通常必须和公司内其他部门的经理共同合作,才能得到发展某项产品所需要的资源及支持。他们与工程部门讨论有关产品的问题,和制造部门讨论有关生产和存货水平等问题,和财务部门讨论资金运用和现金流动的问题,和法律人员讨论有关权利及产品安全等问题,和人事部门则讨论有关用人及训练的问题。营销经理同时也必须和公司外部的人员合作。他们通常会找广告代理商,商讨广告活动的计划及推出;找大众传播媒体以得到宣传报道上的支持。而推销人员则尽力游说零售商,在地区广告上支持该公司的新产品,提供足够的展示空间以宣传公司的产品。

为了成功地执行策略,公司必须制定出详细的行动计划。计划中要指出执行营销策略所需的关键决策与任务。行动计划也必须明确公司内各个单位或个人的决策和工作责任。最后,行动计划中应包括一个时间表,指出决策的时间、行动的时间。行动计划还包括做什么,谁来做,及如何协调决策与行动以达到公司的战略性目标。

2. 建立组织结构

企业的正式组织在市场营销执行过程中有决定性的作用,组织将战略实施的任务分配给具体的部门和人员,规定明确的职权界限和信息沟通渠道,协调公司内部的各项决策和行动。具有不同战略的公司,需要建立不同的组织结构。也就是说组织结构必须同公司战略相一致,必须同公司本身的特点和环境相适应。在变化迅速的产业里发展新产品的小公司需要较有弹性的组织,以鼓励有创造性的活动,因而可能采取分权式的组织结构,非正式沟通的程度较高。相反,在稳定市场里的一些老牌公司则需要一体化程度较高的结构,因而采取中央集权式的组织结构,每个人的角色都规定得很清楚,而沟通大多"经过正式的渠道"。组织结构具有两大职能:首先提供明确的分工,将全部工作分解成管理的几个部分,再将它们分配给各有关部门和人员；其次是发挥协调作用，通过组织联系沟通网络，协调各部门和人员的行动。

3. 设立评价和酬劳制度

为实施市场营销战略，还必须设立相应的评价和酬劳制度。评价和酬劳制度包括正式和非正式的作业程序。其作用在使规划、信息收集和分配、预算、招收和训练、成绩衡量和控制以及人员评价及酬劳等活动都能有明确的方针和标准。设计不良的制度会妨碍策略的执行；反之，设计良好的制度则可推动有效方案执行工作。就公司对管理人员工作的评价和酬劳制度而言，如果公司的制度是根据短期的营运和利润成果来酬劳管理者，则管理人员的行为必定趋向于短期化，他们就不会有为实现长期战略目标而努力的积极性。许多公司有鉴于此，在拟订报酬制度时，都尽量鼓励经理人员在短期营运及长期策略间取得较佳的均衡。以下即为一例：

某家公司的年度奖金制度使得经理们忽略了长期战略，而将重心全放在年度成果目标上。为了纠正这种情形，该公司将其红利制度改为同时以年度成果及战略性目标的完成为依据。在新计划下，每一位经理和战略规划人员共同设定经理每年要被评估的两三个战略性目标。在每年结束时，公司就以各经理人员年度成绩及战略目标的完成程度作为奖励的依据。如此一来，该奖金制度促使经理们能兼顾到公司长期及短期目标的均衡。

4. 开发人力资源

市场营销战略最终是由公司内部的工作人员来执行的，所以人力资源的开发至关重要。这涉及到人员的考核、选拔、安置、培训和激励等问题。在每个层次上，公司都应在其结构和制度上投入具备执行战略所需的技术、动机和个性的员工，注意将适当的工作分配给适当的人，做到人尽其才。为了激励员工的积极性，必须建立完善的工资、福利和奖惩制度。此外，企业还必须决定行政管理人员、技术人员和一线工作人员之间的比例。

公司对高级主管的甄选和培养对战略的执行来说是相当重要的一件事，不同的战略需要由不同个性和技能的经理去完成；"拓展型"战略要求具有创业和冒险精神的、有魄力的人员去完成；"维持型"战略要求管理人员具备组织和管理方面的才能；而"紧缩型"战略则需要寻找精打细算的管理者来执行。近年来，认识到良好的人员规划之重要性的公司日益增加。系统化的长期人力资源规划能够给公司带来坚实的竞争优势。

5. 培养管理风格和公司文化

管理风格和公司文化对战略的成败有决定性所作用。管理风格是指管理者在公司内为人处事的方法。有些管理者的管理风格属于"专权型"，他们发号施令，独揽大权，严格控制，坚持采用正式的信息沟通，不容忍非正式的组织和活动。另一种管理风格称为"参与型"，他们主张授权给部下，协调各部门的工作，鼓励下属的主动精神和非正式的交流与沟通。没有一种风格可以适用于所有的环境，不同的战略要求不同的管理风格，具体需要什么样的管理风格取决于企业的战略任务、组织结构、人员和环境。

企业文化是指一个企业内部全体人员共同持有和遵循的价值标准、基本信念和行为准则，它对企业经营思想和领导风格、对员工的工作态度和作风均起着决定性的作用。企业文化包括企业环境、价值观念、模范人物、仪式和文化网五个要素。企业环境是形成企业文化的外界条件，它包括一个国家、民族的传统文化，也包括政府的经济政策以及资源、运输、竞争等环境因素。价值观念是指企业员工共同的行为准则和基本信念,是企业文化的核心和灵魂。仪式是指为树立和强化共同价值观,有计划进行的各种例行活动,如各种纪念、庆祝活动等。文化网是传播共同价值观和宣传介绍模范人物形象的各种非正式的渠道。

总之,企业文化主要是指企业在其所处的一定环境中,逐渐形成的共同价值标准和基本信念。这些标准和信念是通过模范人物来塑造和体现的,通过正式和非正式组织加以树立、强化和传播的。由于企业文化体现了集体责任感和集体荣誉感,它甚至能够关系到员工的人生观和他们所追求的最高目标,它能够起到把全体员工团结在一起的"粘合剂"作用。因此,塑造和强化企业文化是执行企业战略的不容忽视的一环。

管理风格和企业文化一旦形成,就具有相对稳定性和连续性,不易改变。因此,企业战略通常是适应企业文化和管理风格的要求来制定的,而不宜轻易改变企业原有的文化和风格。表5-4列出了公司对执行系统的组成要素应提出的一些问题。执行的成功依赖于公司如何将这五种活动组合成一套支持其策略的有效方案。

关于营销执行系统的问题　　　　　　　　　　　　　　表 5-4

结构	组织的结构是什么？ 职权线及沟通线是什么？ 任务小组、委员会或其它相似机构所扮演所角色是什么？
制度	公司重要的制度是什么？ 关键控制变量是什么？ 产品及信息如何沟通？
任务	该执行的任务有哪些？什么最为重要？ 它们如何被完成？运用哪些技术？ 组织本身有什么力量？
人员	他们的技术、知识、经验如何？ 他们的期望是什么？ 他们对公司及其本身工作的态度如何？
文化	有无可接受的共同价值？ 共同的价值是什么？它们如何被沟通？ 公司的管理风格是什么？ 公司如何解决矛盾和冲突？
配合	每个系统中的要素是否支持了营销策略？ 各个要素间是否配合良好,从而形成一个紧密的框架来执行策略？

三、市场营销执行技能

市场营销执行问题可能出现于公司的三个层次：(1) 基本的营销功能能否顺利实施,如公司怎样才能从某广告代理商处获得更有创意的广告；(2) 执行营销方案,即把所有的营销功能协调地组合在一起,构成整体行动,这一层次出现的问题常常发生在一项新产品引入另一个新兴市场时；(3) 实施公司营销战略层次,例如企业需要所有员工对待所有的顾客都用最好的态度和最好的服务。

为了有效地执行营销方案,企业的每个层次,即功能、方案和战略等都必须运用一整套技能。主要包括四种技能——分配技能、调控技能、组织技能和相互影响的技能。

1. 分配技能。是指市场营销经理在职能、政策和方案三个层次上配置时间、资金和人员的能力。例如确定究竟花多少钱用于展销会(职能层次),或对"边际"产品做好哪些保证工作(政策层次),这些都是需要分配技能的问题。

2. 调控技能。包括建立和管理一个对营销活动效果进行追踪的控制系统。控制有四种类型:年度计划控制、盈利能力控制、效率控制和战略控制(见本章第四节)。

3. 组织技能。常用于发展有效工作的组织中,理解正式和非正式的市场营销组织对于开展有效的营销执行活动非常重要。

4. 相互影响的技能。是指经理影响他人把事情办好的能力。营销人员不仅必须有能力推动本组织的人员有效地执行理想的战略,还必须推动组织外的人或企业如营销调研企业、广告代理商、经销商、批发商、代理商来执行理想的战略,哪怕他们的目标与本公司的目标不尽相同。

第四节 市场营销控制

市场营销部门的工作就是规划和控制市场营销活动,由于在市场营销计划执行中会出现许多意外情况,所以必须连续不断地监督和控制市场营销活动。所谓市场营销控制,是指市场营销经理经常检查市场营销计划的执行情况,看看计划与实绩是否一致,如果不一致或没有完成计划,就要找出原因所在,并采取适当纠偏措施,以保证市场营销计划的完成。市场营销控制有四种主要类型,即年度计划控制、盈利能力控制、效率控制和战略控制如表 5-5 所示。

市场营销控制类型　　　　　表 5-5

控制类型	主要职责部门	控制目的	研究方法
年度计划控制	高层管理部门 中层管理部门	检查规定的计划效益是否达到	销售分析 市场份额分析 销售收入与费用支出分析
盈利能力控制	市场营销控制主管	检查公司的盈亏状况	盈利分析 产品地区顾客群体 贸易渠道 订货规模
效率控制	市场营销控制主管	评估提高市场营销费用的效果及效率	效率分析 销售人员 促销与分销
战略控制	高层管理部门 市场营销审计人员	检查公司是否正在寻求市场、产品、渠道的最佳机会	市场营销效果 市场营销审计

一、年度计划控制

年度计划控制是指企业在本年度内采取控制步骤,检查实际成果与计划之间是否有偏差,并采取改进措施,以确保公司在年度计划内建立的销售利润目标和其他目标能够实现。许多企业每年都制定有相当周密的年度计划,但执行的结果不仅取决于计划制定得是否正确,还有赖于计划执行与控制的效率如何。可见,年度计划制定并付诸执行之后,搞好控制工作也是一项极其重要的任务。

年度计划控制的主要目的在于(1)促使年度计划产生连续不断的推动力;(2)控制的结果可以作为年终成果评估的依据;(3)发现公司潜在问题并及时予以妥善解决;(4)高层管理人员可借此有效地监督各部门的工作。年度计划控制的核心是目标管理。包括四个主要步骤(图5-8),即:(1)管理部门制定标准,即确定本年度各个季度、月度的目标,如销售目标、利润目标等;(2)管理部门对市场上的绩效进行监控,即将实际结果与预期结果相比较;(3)因果分析,即管理部门找出造成严重绩效偏差的原因;(4)采取正确行动来缩小目标和实绩之间的差距,努力使计划与结果相一致。

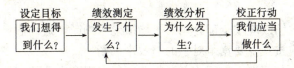

图 5-8 年度计划控制过程

这种控制模式适用于组织中的各级管理部门。最高管理部门确立本年度销售和利润目标,这些目标又被精心地融入各个低层管理部门的具体目标中。这样,每个产品经理就要负责实现额定的销售和费用水平,每个地区和行政区的销售经理及每个销售代表也要负责完成某些具体目标。每个时期,最高管理层要重新检查,说明效果,并弄清楚是否需要采取某些正确的行动。

经理们用五种指标检查计划的执行情况,即销售分析、市场份额分析、市场营销费用与销售额对比分析、财务分析和顾客满意度追踪。

1. 销售分析

销售分析主要用于衡量和评估经理人员所制定的计划销售额与实际销售额之间的关系。在这方面有两种具体方法。

(1)销售差额分析。销售差额分析用于决定各个不同的因素对销售绩效的不同作用。假定年度计划要求在第一季度售出同类型的商品房100套,每套50万元,即销售额为5000万元,到了季末,只以每套45万元卖出80套,即3600万元,实际销售差额为1400万元,占预期销售额的28%。问题是这个差额中有多少是因降价造成的?下列计算将作出回答:

因降价而引起的差额=(50-45)×80=400万元(占28.6%)

因销量下降而引起的差额=50×(100-80)=1000万元(占71.4%)

可见,约有70%的销售差额归因于未能实现预期的销售数量,企业应该仔细检查为什么不能达到预期的销售量。

(2)微观销售分析。微观销售分析分别从产品销售及其有关方面来考虑未能达到预期销售额的原因。假定公司在三个地区销售,其预期销售额分别为1000万元、2500万元和1500万元,总额为5000万元。实际销售额分别为980万元、2600万元和1300万元。就预期销售额而言,第一个地区有2%的未完成额;第二个地区有4%的超出额;第三个地区有13.3%的未完成额。主要问题显然在第三个地区,销售经理可检查第三个地区造成不良绩效的原因。检查结果有如下可能:该地区的销售代表工作不努力或遇到了私人问题;或一个强劲的竞争对手进入了该地区;或该地区居民收入下降。

2. 市场份额分析

公司销售额并不能表明公司比竞争对手做得好。如果公司销售额增加了,可能是由于公司所处的整个经济环境的发展,或可能是因为其市场营销工作较之其竞争者有相对改善。市场占有率正是剔除了一般的环境影响来考察公司本身的经营工作状况。为此,管理部门需要追踪其市场份额。如果公司的市场份额增加了,可能是因为战胜竞争者而获利;如果下降了,相对竞争者而言,公司就损失了一部分市场份额。不过,通过市场份额分析得出的结论必须满足一定的条件。

(1) 外在力量以同样方式影响所有公司的假设常常是不真实的。例如,关于吸烟有害健康的科学证据影响着香烟的销售量,但并非所有公司都如此,一些经营名牌过滤嘴香烟的公司受损较少。

(2) 一个公司的绩效应按全部公司的平均绩效来判断,这种假设并不总是正确的。一个公司的工作绩效应按其主要竞争对手的绩效来判断。

(3) 如果一个新公司进入本行业,该行业中每个现有企业的市场份额就可能下降。但公司的市场份额下降并不意味着公司的工作比别的公司差。一个公司市场份额的损失取决于进入市场的新企业对该公司具体市场的冲击程度。

(4) 有时市场份额降低是公司为了提高利润而精心策划的。例如,管理部门为了提高利润可能会放弃某些无利可图的顾客或产品。

(5) 市场份额可能因许多偶然的因素而上下波动。例如公司市场份额可能受本期最后一天或下期第一天是否会有一笔大买卖的影响。并不是所有的市场份额的波动都具有市场营销意义。

衡量市场占有率的第一个步骤是清楚地定义所使用的度量方法。一般说来,有四种不同的度量方法:

(1) 总体市场份额。公司的总体市场份额是指其销售额占全行业销售额的百分比。使用这种测量方法必须作两项决策:第一是以销售数量还是以销售额来表示市场份额。第二是正确认定行业的范围,即明确本行业所应包括的产品、市场等。

(2) 服务市场份额。公司的服务市场份额是指其销售额占公司所服务市场的百分比。所谓公司所服务的市场是指企业产品最适合的市场和企业市场营销努力所及的市场。公司的服务市场份额往往要大于其总体市场份额,一个公司能够获得100%的服务市场份额,但在总体市场中却只占有有相对较小的份额。一个公司的首要任务就是赢得它所服务的市场的最大市场份额。当公司日益接近这个目标时,就应该增加新的产品和地区,从而扩大它所服务的市场。

(3) 相对市场份额。以公司销售额占最大的三个竞争者的综合销售额的百分比来表示。如某公司有30%的市场份额,依次的两家最大的竞争对手为20%和10%,则该公司的相对市场份额是50%(30/60)。如果三个竞争者的市场份额均为33.33%,则任何一家公司的相对市场份额均为33.33%。若是相对市场份额高于33.33%,就可认为是市场中的强者。

(4) 相对市场占有率。以公司销售额相对市场领先竞争者的销售额的百分比来考虑市场份额。若相对市场份额超过100%,表明该公司是市场的领先者;相对市场份额等于

100%，则意味着公司与市场领先者不相上下了；相对市场份额的上升表明公司在赢得市场领先竞争者的市场。

在选定测量市场份额的尺度后，公司必须收集必要的资料。全部市场份额一般是最易获得的测量尺度，因为它只需要总的行业销售额，而这些资料经常可以在政府或贸易机构、出版部门得到。估测服务市场份额颇为困难，因为它常受公司产品大类和地区市场分布及其他因素变化的影响。预测相对市场份额更为困难，因为公司将不得不去预测具体竞争对手的销售额、或工作人员的作业轮班次数等。在消费品领域，单个品牌的市场份额可通过联营商店及顾客专门小组来获得。

经理们必须用产品大类、顾客类型、地区及其他分类来认真说明市场份额的变动。一种有效方法是通过四个成分来分析市场份额的变动，即：

$$\text{总体市场份额} = \text{顾客渗透率} \times \text{顾客忠诚度} \times \text{顾客选择性} \times \text{价格选择性} \quad (5-1)$$

式中　顾客渗透率——向本公司购买产品的顾客与总顾客的百分比；

　　　顾客忠诚度——顾客从本公司购买的产品数量与他们从其他提供同类产品的供应商处购买数量的百分比；

　　　顾客选择性——本公司顾客的平均购买量与一般公司的顾客的平均购买量的百分比；

　　　价格选择性——公司的平均价格与所有公司的平均价格的百分比。

现在假定公司在此期间内以金额表示的市场份额下降了。公式 (5-1) 提供了四种可能的解释：公司失去了一些顾客（较低的顾客渗透率）；现有顾客向该公司购买的商品在全部购买量中比例减少了（较低的顾客忠诚度）；公司保留的顾客规模较小（较低的顾客选择性）；公司价格竞争力减弱了（较低的价格选择性）。

3. 市场营销费用与销售额的比率分析

年度控制计划要求确保公司为达到销售目标的费用不要超支。市场营销费用与销售额比率是一种主要的检查方法。如在某一家公司中，这一比率为30%，它包括五种费用对销售额的比率：销售人员费用与销售额之比（15%），广告费用与销售额之比（4%），促销费用与销售额之比（6%），市场调查费用与销售额之比（2%），销售管理费用与销售额之比（3%）。

管理部门必须监控这些费用比率，它们可能出现一些容易被忽视的小波动，但是超过正常波动幅度时就需加以注意。例如该公司广告销售费用与销售额的比率一般在3%～5%之间波动，然而在一段时期内，比率超过了控制上限。有两种假设可以分别解释这一现象：

假设 A：公司仍然有良好的费用控制，这种情况只是偶然出现的意外事件。

假设 B：公司失去了对这种费用的控制，应当找出其原因。

如果假设 A 成立，则无需再经过调查来判断环境是否发生了变化。但不调查也有风险，因为当真的发生了某种变化时，公司将会落伍。如果假设 B 成立，则应对环境进行调查，即使要冒没有发现任何结果却浪费了时间与精力的风险也应这样做。

连续观察的结果即使在控制限度内也应给予注意。如果注意到费用与销售额的比率水平从某一时期开始稳定地上升，一般说来，独立的事件中连续六次上升的概率只有1/64，这种不正常的状态有时会促使公司在比率超出控制上限之前就进行调查。

4. 财务分析

费用与销售额的比率应在一个总的财务框架结构中分析，市场营销管理人员应就不同的费用与销售额的比率和其他的比率进行全面的财务分析，以决定公司如何以及在何处开展活动获得盈利。市场营销人员正在更多地运用财务分析的方法来寻找盈利性策略，而不仅仅是加强销售策略。

管理部门运用财务分析来判别影响企业资本净值收益率的各种因素。图5-9显示了一家大型连锁零售商店的一些主要因素及一些说明性数字。这家零售商的净资产收益率为12.5%，净资产收益率主要是两种比率的结果，即公司资产收益率和财务杠杆利率。为了提高净资产收益率，公司必须或者增加净利润与资产的比率，或者增加资产与资产净值的比率，公司应当分析其资产的构成（即现金、应收帐款、存货和设备），并且设法提高资产管理水平。

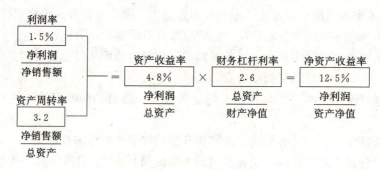

图5-9 资产净值收益的财务模型

资产收益率是利润率和资产周转率的乘积。对零售来说，利润率似乎偏低而资产周转率较正常，这时可用两种方式改进工作：通过增加销售或减少成本来提高利润率；通过增加销售或减少承担一定销售水平的资产（如存货、帐款等）来提高资产周转率。

5. 顾客满意追踪

上述控制措施大多是以财务分析和数量分析为特征的，即它们基本上是定量分析。定量分析虽然重要但并不充分，还需要一些定性标准，以便向管理部门提供市场份额即将发生变化的早期预警。为此，公司需要建立一套系统来追踪顾客、经销商以及其他市场营销系统参与者的态度。如果发现顾客对本公司和产品的满意度发生了变化，公司管理者就能较早地采取行动，争取主动。公司一般主要利用以下系统来追踪顾客的满意度。

(1) 抱怨和建议系统。公司对顾客的书面或口头抱怨应该进行记录、分析，并作出适当的反应。对不同的抱怨应该分析归类做成卡片。较严重的和经常发生的抱怨应及早予以注意，公司应该鼓励顾客提出批评和建议，使顾客经常有机会发表意见，才有可能收集到顾客对其产品和服务反映的完整资料。

(2) 固定顾客样本。有些公司建立由一定代表性的顾客组成的固定顾客样本，定期地由公司通过电话访问或邮寄问卷了解其态度。这种做法有时比抱怨和建议系统更能代表顾客态度的变化及其分布范围。

(3) 顾客调查。公司定期让一组随机顾客回答一组标准化的调查问卷，其中问题包括职员态度、服务质量等。通过对这些问卷的分析，企业可及时发现问题，并及时予以纠正。

6. 校正行动

通过以上分析，当公司绩效偏离计划目标过远时，管理部门就需要采取校正行动。通常公司采取一些小的校正行动，无效时则采取更严厉的措施。例如当一家大型的房地产开发企业的销售业绩持续下降时，公司采取了一套逐步加强的补救措施：企业下令减少新开发的项目；有选择性的降价；对销售人员施以更大的压力以完成定额；削减人员雇用与培训、广告、公共关系、研究开发的预算；通过解聘和提前退休开始解雇人员，又将某些业务出售给其他公司；开始寻找欲购买本公司的买主。

二、盈利能力控制

除了年度计划控制以外，企业还需要运用盈利能力控制来测定不同产品、不同销售区域、不同顾客群体、不同渠道以及不同订货规模的盈利能力。由盈利能力控制所获取的信息，有助于管理人员决定各种产品或市场营销活动是扩展、减少还是取消。

1. 市场盈利能力的分析方法

（1）市场营销成本

市场营销成本直接影响企业利润，它由如下因素构成：直接推销费用，包括直销人员的工资、奖金、差旅费、培训费、交际费等；促销费用，包括广告媒体成本、产品说明书印刷费用、赠奖费用、展览会费用、促销人员工资等；仓储费用，包括租金、维护费、折旧、保险、包装费、存货成本等；运输费用，包括托运费用等，如果是自有运输工具，则要计算折旧、维护费、燃料费、牌照税、保险费、司机工资等；其他市场营销费用，包括市场营销管理人员工资、办公费用等。

上述成本连同企业的生产成本构成了企业的总成本，直接影响到企业的经济效益。其中，有些与销售额直接相关，称直接费用；有些与销售额并无直接关系，称为间接费用。有时，二者也很难划分。

（2）盈利能力的考察指标

取得利润是任何企业的最重要的目标之一。企业盈利能力历来为市场营销管理人员高度重视，因而盈利能力控制在市场营销管理中占有十分重要的地位。以下是考察盈利能力的主要指标。

1）销售利润率

一般说来，企业将销售利润率作为评估企业获利能力的主要指标之一。销售利润率是指利润与销售额之间的比率，其公式是：

销售利润率＝本期利润/销售额×100％

但是，在同一行业各个企业间的负债比率往往大不相同，而对销售利润率的评价又常需通过与同行业平均水平来进行对比。所以，在评估企业获利能力时最好能将利息支出加上税后利润，这样能大体消除由于举债经营而支付的利息对利润水平产生的不同影响，因此，销售利润率的计算公式应该是：销售利润率＝税后息前利润/产品销售收入净额×100％。这样的计算方法，在同行业间衡量经营水平时才有可比性，才能比较正确地评价市场营销效率。

2）资产收益率

指企业所创造的总利润与企业全部资产的比率。其公式是：资产收益率＝本期利润/资产平均总额×100％

与销售利润率的理由一样，为了在同行业间有可比性，资产收益率可以用如下公式计算：资产收益率＝税后息前利润/资产平均总额×100％。式中分母之所以用资产平均总额，是因为年初和年末余额相差很大，如果仅用年末余额作为总额显然不合理。

3）净资产收益率

指税后利润与净资产的比率，净资产是指总资产减去负债总额后的净值。这是衡量企业偿债后的剩余资产的收益率。其计算公式是：净资产收益率＝税后利润/净资产平均余额×100％。式中分子所以不包含利息支出，是因为净资产已不包括负债在内。

4）资产管理效率

可通过以下比率来分析：

资产周转率。该指标是指一个企业以资产平均总额去除产品销售收入净额而得出的全部资产周转率。其计算公式为：资产周转率＝产品销售收入净额/资产平均占用额。该指标可以衡量企业全部投资的利用效率，资产周转率高说明投资的利用效率高。

存货周转率。该指标是指产品销售成本与存货（指产品）平均余额之比。其计算公式为：存货周转率＝产品销售成本/存货平均余额。这项指标说明某一时期内存货周转的次数，从而考核存货的流动性。存货平均余额一般取年初和年末余额的平均数。一般来说，存货周转率次数越高，说明存货水准较低，周转快，资金使用效率高。

资产管理效率与获利能力密切相关。资产管理效率高获利能力相应也较高。这可以从资产收益率与资产周转率及销售利润率的关系表现出来。资产收益率实际上是资产周转率和销售利润率的乘积，即：资产收益率＝产品销售收入净额/资产平均占用额×税后息前利润/产品销售收入净额＝资产周转率×销售利润率。

2. 直接成本与完全成本

正如所有的信息工具一样，市场营销能力分析既可能正确引导，也可能误导市场营销主管，这取决于他们对这些方法及其局限性的理解程度。例如，在选择向市场营销实体分配功能性费用的依据上存在着一些随意性，如利用"销售访问次数"来作为分配推销费用的依据，从原则上讲不如用"销售人员工作小时数"来反映成本更精确些。之所以采用前者作依据是因它涉及较少的记录和计算工作。这些近似值可能不会有太大误差，但市场营销主管人员在确定市场营销成本时应注意到这一主观判断因素。

另一个影响盈利能力分析的判断因素更为重要，即在评价销售实体的绩效时，是按完全成本还是仅按直接成本或可追溯成本来分摊费用。实际中应区分三种不同的成本。

（1）直接成本。这类成本可直接分派给相应的市场营销实体。例如，市场营销佣金在对销售地区、销售代表或顾客的盈利能力分析中属于直接成本；广告费用，在一个广告只促销一种产品时，在盈利能力的分析中属于直接成本；其他用于具体目的的直接成本是销售人员工资、营业用品、差旅费等。

（2）可追溯的共同成本。这些成本只能间接地但又在似乎合理的基础上分配给市场营销实体。

（3）不可追溯的共同成本。这类成本分摊给市场营销实体具有很强的随意性，让我们考虑一下"公司形象"的经费。把它们均摊给所有产品是很主观的，因为并非所有的产品都从"公司形象"中获益。把这些费用按比例分摊给各类产品的销售部门也是武断的，因为有关产品的销售除形成公司形象外还反映许多因素。其他典型的很难分摊的共同成本项目还包括管理部门的工资、税收、利息和其他开销。

在市场营销成本分析中考虑直接成本，这一点是无可争议的。略有争议的是是否应考虑可追溯的共同成本。可追溯的共同成本包括随市场营销活动规模一起变化的成本和不会改变的成本。主要的争论在于不可追溯成本是否应被分配给市场营销主体。"完全成本法"的支持者们认为，为了确定真正的盈利能力，所有的成本都必须被完全考虑进去，但是这种论点混淆了会计在财务报告和管理决策中的作用。完全成本有三个主要缺点：

（1）当一种分摊不可追溯共同成本的主观方法被另一种方法替代时，不同市场营销实体的相对盈利能力会发生根本性变化，这就弱化了对这种工具的信心。

（2）主观方法使经理们的士气低落，他们觉得自己的工作成绩受到了完全相反的评价。

（3）这种方法包括不可追溯共同成本的分摊，会削弱对实际成本的控制。业务管理部门在控制直接成本和可追溯成本的共同成本方面是非常有效的。对不可追溯共同成本的任意摊派，只能导致他们花费时间去反对这种主观分摊成本，而不是更好地管理可控成本。

三、效率控制

假设盈利能力分析显示出公司关于某一产品、地区或市场所得的盈利甚微，问题就在于是否有更有效的途径，来对这些经营不善的市场营销实体中的销售队伍、广告销售促进和分销等活动进行管理。

有的公司建立了一个"市场营销控制员"的职位来帮助市场营销人员提高市场营销效率。市场营销控制员不在控制员的办公室工作，而是在具体的业务市场营销部门。一些公司还通过检查盈利计划的遵守情况，来帮助品牌经理进行预算、测定促销效率、分析中间产品成本、评价顾客和地区的盈利能力，培训市场营销人员分析市场营销决策中暗含的财务意义。

1. 销售人员效率

公司在各地区的销售经理要记录反映本地区内销售人员效率的几项主要指标，这些指标包括：每个销售人员每天平均的销售访问次数、每次会晤的平均访问时间、每次销售访问的平均收益、每次销售访问的平均成本、每次销售访问的招待成本、每百次销售访问而定购的百分比、每期的新顾客数和销售成本对总销售额的百分比。

公司可以从以上分析中，发现一些非常重要的问题，例如，销售代表每天的访问次数是否太少，每次访问所花时间是否太多，是否在招待上花费太多，每百次访问中是否签订了足够的订单，是否增加了足够的新顾客并且保留住原有的顾客。当公司开始正视改善销售人员的效率后，通常会取得很多实质性的改进。

2. 广告效率

许多经理认为，测定广告费用效果几乎是不可能的。但公司至少应做好如下统计：每一媒体类型、每一媒体工具接触每千名购买者所花费的广告成本；顾客对每一媒体工具注意、联想和阅读的百分比；顾客对广告内容和效果的意见；广告前后对产品态度的衡量；受广告刺激而引起的询问次数。公司管理部门可采取多种措施来提高广告效率，包括进行更加有效的产品定位、确定广告目标、预先检测信息、利用计算机来指导广告媒体的选择、购买更好的媒体、进行广告后效果测定等。【案例5】为北京伟业投资顾问公司对媒体支持情况的分析。

3. 促销效率

为了改善销售促进的效率，公司管理层应该对每一销售促进的成本和对销售的影响作记录，统计诸如由于优惠而销售的百分比、单位销售额的陈列成本、赠券回收的百分比、因示范而引起询问的次数等指标。公司还应观察不同销售促进手段的效果，并及时采用最有效果的促销手段。

4. 分销效率

分销效率主要是对企业存货水准、仓库位置及运输方式进行分析和改进，以达到最佳配置并寻找最佳运输方式和途径。不过，人们通常要等到竞争压力增强到非改不可的时候才开始行动。

效率控制的目的在于提高人员推销、广告、销售促进和分销等市场营销活动的效率，市场营销经理必须注视若干关键比率，这些比率表明上述市场营销组合因素的有效性以及应该如何引进某些资讯以改善执行情况。

四、策略控制

公司必须经常对其整体市场营销目标和效果进行严格的审查。在市场营销领域中，可能常常出现目标、政策、策略、计划的迅速过时，每个公司应定期对其策略方法作出重新评价。可用市场营销效果等级评价和市场营销审计两种方法进行此项工作。

1. 市场营销效果等级评价

市场营销效果并不一定能从目前的销售和利润绩效上反映出来，好的市场营销效果可能是由于该营销部门具有"天时"、"地利"的条件，而不是因为有效的市场营销管理。改善该营销部门的市场营销工作可能导致绩效由良好变得极好。而另一个营销部门尽管具有极好的市场营销计划，却还是效果较差，如果更换现任的市场营销经理可能会把事情弄得更糟。

一个公司或营销部门的市场营销效果可以从市场营销导向的五个主要属性的不同程度反映出来：顾客宗旨、整体市场营销组织、充分的市场营销信息、策略导向和市场营销效率。每种属性都可以通过市场营销效果等级表格内有关项目的打分来评价，各属性得分汇总后就可以得到市场营销效果的总体评价分数。

2. 市场营销审计

市场营销审计是对一个公司或一个经营单位的市场营销环境、目标、策略和活动进行一种全面的、系统的、独立的和定期的检查，目的在于确定问题所在，发现机会，并提出行动计划，以便提高公司的市场营销绩效。市场营销审计实际上是在一定时期对企业全部市场营销业务进行总的效果评价，它不限于评价某一些问题，而是对全部活动进行评价。

第二次世界大战以后，发达国家经济得到快速增长，产品更新速度加快，需求趋向个性化、多样化，市场竞争日益激烈，企业市场营销呈现危机。工业企业为了提高经济效益，对市场营销活动加强核查、分析和控制，逐步开展市场营销审计。进入70年代，美国许多工商企业，尤其是一些跨国公司，日益从单纯关注利润和效率发展到全面核查经营战略、年度计划和市场营销组织，高瞻远瞩地改善企业经营管理和更有效地扩大经济效果。他们对市场营销活动的核查范围逐步扩大，包括用户导向、市场营销组织、市场营销信息、策略控制以及作业效率等，同时制定了核查的具体要求，确立了检查标准并采用计分办法加以评估。从那时起，市场营销审计开始成熟，并逐步发展。工商企业把它当作加强市场营销管理的一个有效工具。

(1) 市场营销审计的特性

1) 全面性。市场营销审计覆盖一个公司所有重大的市场营销活动，不单单是少数有问题的活动。如果市场营销审计只包括销售人员、定价或其他一些市场营销活动，则可称之为功能审计。尽管功能审计很有用，但它们有时会误导管理部门，而找不到问题的真正原因。例如销售人员过多的调换，可能不是销售人员培训不当或报酬微薄的症状，而是公司产品差和促销不力的表现。一个全面的市场营销审计通常在确定公司市场营销问题的真正原因所在时十分有效。

2) 系统性。市场营销审计包括一系列有次序的诊断步骤，覆盖了组织的宏观和微观市场营销环境、市场营销目标和策略、市场营销制度及具体的市场营销活动。诊断结果显示了公司最需要改进的环节，然后把这些最需要改进的环节合并统一到校正活动计划中去，包括短期和长期措施，从而提高组织的整体市场营销效果。

3) 独立性。市场营销审计可通过六种途径来执行：自我审计、交叉审计、上级部门审计、企业审计办公室审计、企业项目小组审计、外部审计。自我审计是经理们使用一种检查表格来评定自己的营业情况。自我审计可能是有用的，但大多数专家认为审计缺乏客观性和独立性。总的说来，最好的审计可能是来自公司外部的顾问，他们具有必要的客观性，在许多行业有广泛丰富的经验，并对这一行业颇为熟悉，同时能集中时间和精力进行审计工作。

4) 定期性。一般说，市场营销审计只是在销售衰退，销售人员士气低落，且公司发现了一些其他问题后才进行的。具有讽刺意味的是公司陷入困境的部分原因是由于公司在经济景气的时候，没有检查他们的市场营销工作的执行情况。定期市场营销审计不仅可使遇到麻烦的公司受益，同时也有利于那些正常运行的公司。市场营销工作的改进是没有止境的，即使是最好的市场营销工作仍可以做得更好。事实上，即使是最好的也必须做得更好。因为市场营销工作很少能够连续几年保持成功的领先地位。

(2) 市场营销审计程序

市场营销审计是通过公司高级职员和市场营销审计员之间的会议开始的。双方共同拟定审计的目标、覆盖领域、深度、资料来源、报告形式和审计期限等，制定出一个关于会见谁、要询问什么问题、会晤的时间和地点等内容的详细计划。市场营销审计的最重要的规则是：不要单方面依赖于公司经理人员的资料数据及意见观点，应该会见顾客、经销商及公司外部的其他一些群体。许多公司没有真正意识到它们的顾客及经销商是如何看待它们的，也不完全了解顾客的需要和价值判断。

当资料收集阶段结束时，市场营销审计员要提交发现的主要问题及给予的建议。市场营销审计的一个有价值的方面是，经理们通过这样一个过程来吸收、思考、树立开展市场营销工作的新观念。

(3) 市场营销审计的基本内容

1) 市场营销环境审计。市场营销必须审时度势，必须对市场营销环境进行分析，并在分析人口、经济、生态、技术、政治、文化等环境因素的基础上，制定企业的市场营销策略。这种分析是否正确，需要经过市场营销审计的检验。由于市场营销环境的不断变化，原来制定的市场营销策略可能不再适用，需要经过市场营销审计来进行修订。目前，我国许多企业重复投资、重复建设、盲目上马，不能适应市场需要，不利于形成适度的市场规模，因而难以取得理想的经济效益，原因就在于缺乏充分的市场营销环境的调查与分析。即使有些企业在这方面做了一些工作，但是绝大多数企业还远没有进行市场营销环境审计。审计内容包括市场规模，市场增长率，顾客与潜在顾客对企业的评价，竞争者的目标、战略、优势、劣势、规模、市场份额，供应商的推销方式，经销商的贸易渠道等。

2) 市场营销策略审计。企业是否能按照市场导向确定自己的任务、目标并确定企业形象，是否能选择与企业任务、目标相一致的竞争地位，是否能制定与产品寿命周期、竞争者战略相适应的市场营销策略，是否能进行科学的市场细分并选择最佳的目标市场，是否能合理地配置市场营销资源并确定合适的市场营销组合，公司在市场定位、企业形象、公共关系等方面的战略是否卓有成效，所有这些都需要经过市场营销战略审计的检验。

3) 市场营销组织审计。市场营销组织审计，主要是评价企业的市场营销组织在执行市场营销战略方面的组织保证程度和对市场营销环境的应变能力，包括：企业是否有坚强有力的市场营销主管人员及其明确的职责与权力，是否能按产品、用户、地区等有效地组织各项市场营销活动，是否有一支训练有素的销售队伍，对销售人员是否有健全的激励、监督机制和评价体系，市场营销部门与采购部门、生产部门、研究开发部门、财务部门以及其他部门的沟通情况和是否有密切的合作关系等。

4) 市场营销系统审计。企业市场营销系统包括市场营销信息系统、市场营销计划系统、市场营销控制系统和新产品开发系统。对市场营销信息系统的审计，主要是审计企业是否有足够的有关市场发展变化的信息来源，是否有畅通的信息渠道，是否进行了充分的市场营销研究，是否恰当地运用市场营销信息进行科学的市场预测等。对市场营销计划系统的审计，主要是审计企业是否有周密的市场营销计划，计划的可行性、有效性以及执行情况如何，是否进行了销售潜量的科学预测，是否有长期的市场占有率增长计划，是否有适当的销售定额及其完成情况如何等。对市场营销控制系统的审计，主要是审计企业对年度计划目标、盈利能力、市场营销成本等是否有正确的考核和有效的控制。对新产品开发系统的审计，主要是审计企业开发新产品的系统是否健全，是否组织了新产品创意的收集与筛选，新产品开发的成功率如何，新产品开发的程序是否健全，包括开发前的充分的调查研究、开发过程中的测试以及投放市场的准备及效果等。

5) 市场营销盈利能力审计。市场营销盈利能力审计是在企业盈利能力分析和成本效益分析的基础上，审核企业的不同产品、不同市场、不同地区以及不同分销渠道的盈利能力，审核进入或退出、扩大或缩小某一具体业务对盈利能力的影响，审核市场营销费用支出情况及其效益，进行市场营销费用——销售分析，包括销售队伍与销售额之比、广告费用与销售额之比、促销费用与销售额之比、市场营销研究费用与销售额之比、销售管理费用与销售额之比，以及进行净资产收益率分析和资产收益率分析等。

6) 市场营销职能审计。市场营销职能审计是对企业的市场营销组合因素（即产品、价格、地点、促销）效率的审计。主要是审计企业的产品质量、特色、式样、品牌的顾客欢迎程度，企业定价目标和质量的有效性，市场覆盖率，企业分销商、经销商、代理商、供应商等渠道成员的效率，广告预算、媒体选择及广告效果，销售队伍的规模、素质以及能动性等。

3. 公司的道德及社会责任审计

最后企业还需要对自己的市场营销活动进行评价，看其是否符合道德规范和对社会负责。我们相信企业的成功在于不断的使顾客获得满意，同时在采取高标准的经营与市场营销过程中创造社会利益。世界上最受人推崇的公司是遵守"为全社会利益服务"准则的公司，而不是"为了自己的利益"。

【案例5】

望京新城媒体支持分析

望京新城作为北京市重点支持的项目，在媒体宣传方面具有较大的优势，电视、报刊广告都进行了一定的报道，但广告、特别是报刊广告，仍是促销的最直接手段。望京新城的报纸广告最早始于1996年6月，至1997年5月共刊载了40次，其中38次在北京晚报上，在北京日报和精品购物指南上各刊登了一次。望京A5区的热销，持续的广告起了重要的作用，我们将广告频度与销售量作一简单比较（见图5-10），可看出广告对销售的明显促进表现在三个方面：

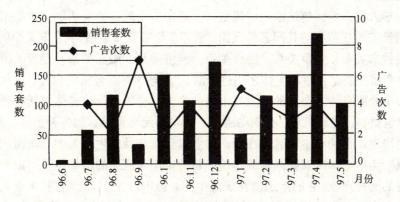

图 5-10 不同时期广告次数与销售量

（资料来源：北京伟业投资顾问公司）

（1）以一个月为广告滞后期，则广告次数与销售量有明显的正比关系，广告次数上升，下月销量也增加，广告次数减少，下月销量也减少。

（2）这种促进关系有明显的放大效应，即销售量增加幅度大于广告次数增幅，销售量减少幅度大于广告次数减幅。

（3）这种促进关系在销售前期表现最为明显，到销售后期逐渐减弱直至很少起作用。例如在1997年2～4月份，虽然广告量在减少，但销量在持续增加，5～6月份虽然仍在打广告，但由于所剩户数越来越有限，销售量逐渐减少。

思 考 题

1. 市场营销方案一般包括哪些内容？您所在企业有否市场营销方案？其内容是什么？
2. 为更有效地执行营销方案，您所在企业的组织结构是否需要进行必要的调整？
3. 执行市场营销计划的过程中经常遇到的问题有哪些？

第二篇 建 筑 市 场

第六章 建筑市场概述

第一节 建筑市场的概念

一、建筑市场

建筑市场是建筑活动中各种交易关系的总和。这是一种广义市场的概念,即既包括有形市场,如建设工程交易中心,又包括无形市场,如在交易中心之外的各种交易活动及各种关系的处理。建筑市场是一种产出市场,它是国民经济市场体系中的一个子体系。

按《中华人民共和国建筑法》的规定,上述定义中的"建筑活动","是指各类房屋建筑及其附属设施的建造和与其配套的线路、管道、设备的安装活动"。定义中的"各种交易关系"包括供求关系、竞争关系、协作关系、经济关系、服务关系、监督关系、法律关系等等。各种交易关系是在市场主体之间进行的。"市场主体"包括发包方、承包方和为建筑活动服务的中介服务方。交易的对象是市场的客体。建筑市场的客体包括有形商品,如建筑工程、建筑材料、建筑机械、建筑劳务等;也包括无形商品,如各种服务、建筑技术等。建筑市场与房地产市场的主要区别在于,前者以建筑产品的生产为中心,而后者以建筑产品的"流通"为中心,两者共同构成建筑产品的生产和流通的市场体系。由于建筑业是国家重点扶持的支柱产业,它的增加值在国内生产总值中占5%以上,它的从业人员在全社会劳动力总量中占5%以上,故建筑市场体系在国民经济市场体系中非常重要。建立社会主义市场经济体制,应对建筑市场的培育和发展给予充分地重视。

二、建筑市场的特点

对建筑市场的概念定义,不同于"卖主构成行业,买主则构成市场"的概念。其最主要原因是建筑市场的主要客体——建筑工程是一种特殊的商品。这种商品具有固定性、多样性和庞大性的特点;它的生产具有流动性、单件性(一次性)和露天性的特点。这些特点与一般产业市场的交易对象及其生产的特点是相对立的。因此建筑市场便具有与其他产业市场不同的许多特点。

1. 建筑市场交易对象的社会性

建筑市场的交易对象主要是建筑产品,所有的建筑产品都具有社会性,涉及到公众利益。例如,建筑产品的位置、施工和使用,影响到城市的规划、环境、人身安全。政府作为公众利益的代表,必须加强对建筑产品的规划、设计、施工、交易和竣工验收管理。

2. 生产与交易活动的统一性

建筑市场的生产活动和交易活动交织在一起,从工程建设的咨询、设计、施工发包与承包,到工程竣工、交付使用和保修,发包方与承包方进行的各种交易(包括生产),都是在建筑市场中进行的,都自始至终共同参与。即使不在施工现场进行的商品混凝土供应、构配件生产、建筑机械租赁等活动,也都是在建筑市场中进行,往往是发包方、承包方、中介组织都参与活动。交易的统一性使得交易过程长、各方关系处理极为复杂。因此,合同的签订、执行和管理、就显得非常重要。

3. 建筑市场主要交易对象的单件性

建筑市场交易的主要对象——建筑产品,具有单件性或一次性。因此,建筑产品不可能批量生产,建筑市场的买方只能通过选择建筑产品的生产单位来完成交易。建筑产品都是各不相同的,都需要单独设计,单独施工。因此无论是咨询、设计还是施工,发包方都只能在建筑产品生产之前,以招标要约等方式向一个或一个以上的承包商提出自己对建筑产品的要求,承包方则以投标的方式提出各自产品的价格,通过承包方之间在价格和其他条件上的竞争,决定建筑产品的生产单位,由双方签订合同确定承发包关系。建筑市场的交易方式的特殊性就在于,交易过程在产品生产之前开始,因此,业主选择的不是产品,而是产品的生产单位。

4. 建筑市场交易价格的特殊性

建筑产品的价值量很大,少则几十万元,多则数十亿元乃至数百亿元。因此交易中价值量的确定与企业节约资金、降低成本和盈利等关系很大。可以采用的计价形式也很多,如单价形式、总价形式、成本加酬金等形式均可选用;可以根据合同的约定作调整,也可以按照工程合同约定不作调整;可以采用预付款按月结算的办法,也可以在竣工后一次结算或分阶段结算。每件产品,都要根据特定的情况,由交易双方协商确定价格和调整方法。

5. 建筑市场交易活动的长期性

一般建筑产品的生产周期需要几个月到几十个月,在这样长的时间里,政府的政策、市场中的材料、设备、人工的价格必然发生变化,同时,还有地质、气候等环境方面的变化影响,因此,工程承包合同必须考虑这些问题,作出进行调整的规定。

6. 建筑市场交易活动的阶段性

建筑市场在不同的阶段具有不同的交易形态。在实施前,它可以是咨询机构提出的可行性研究报告或其它的咨询文件;在勘察设计阶段,可以是勘察报告或设计方案及图纸;在施工阶段,可以是一幢建筑物、一个工业群体;可以是代理机构编制的标底或预算报告;甚至可以是无形的,如咨询单位和监理单位提供的智力劳动。各个阶段的严格管理,是生产合格产品的保证。

7. 建筑市场交易对象的整体性和分部分项工程的相对独立性

建筑产品是一个整体,无论是一个住宅小区、一座配套齐全的工厂,或一栋功能完备的大楼,都是一个不可分割的整体,要从整体上考虑布局,设计及施工,都要求有一个高素质的总承包单位进行总体协调。各专业施工队伍分别承担土建、安装、装饰的分包施工与交工。所以建筑产品交易是整体的。但在施工中需要逐个分部分项工程进行验收,评定质量,分期结算,所以交易中分部分项工程有相对独立性。

8. 建筑市场交易活动的不可逆转性

建筑市场交易一旦达成协议,设计、施工等承包单位就必须按照双方约定进行设计和施工,一旦竣工,则不可能退换、不能再加工。所以对工程质量有着严格的要求。设计、施工和建材必须符合国家的规范、标准和规定,特别是隐蔽工程,必须严格检查合格后,方可进入下一道工序施工。

三、我国建筑市场的形成与发展

虽然在世界上建筑市场已经存在了100多年,但是在我国,建筑市场却是在本世纪80年代以后开始形成的。

在长期的计划经济体制下,建筑产品不被当作商品,建筑企业不是自主的法人,建筑行业也不被看成是生产行业,建筑产品的价格由政府规定,从而背离了价值规律。那时既没有合格的市场主体,又没有作为市场交换对象的客体,更无法形成供求机制、竞争机制、价格机制等市场机制,因此便不存在建筑市场。人们所认识和接受的,完全是计划经济理论和实践,没有市场经济的位置。

1978年实行改革、开放政策以来,建筑市场开始萌芽和发展。预计到2000年可以使建筑市场得到初步发育,到2010年可以建立起比较完善的建筑市场体系,即将建筑市场培育和发展成统一、开放、竞争、有序的大市场。

1980年4月2日,邓小平同志在一次谈话中指出,建筑业应成为支柱产业。过去我们很不重视建筑业,要改变观念。应该看到建筑业是可以赚钱的,是可以为国家增加收入、增加积累的一个重要产业部门……。这次谈话对建筑业的改革和发展具有划时代的指导意义。首先,肯定了建筑业不是消费部门、不是服务行业,而是生产行业;其次,肯定了建筑产品是商品,具有为国家增加收入和积累的作用;第三,肯定了建筑业发展为支柱产业的必要性。以上三点,呼唤建筑市场的建立,同时为建筑市场的建立奠定了理论基础。

1984年以后,建筑业作为城市改革的突破口,率先进行管理体制的改革,推行了大量的以市场为取向的改革措施。这些措施包括:全面推行工程招标承包制;使建筑企业成为自主经营、自负盈亏的生产经营单位;改革固定工用工制度,积极推行劳动合同制;改革材料供应方式,逐步由物资部门将材料直接供应给工程承包单位,由工程承包单位实行包工包料;推行住宅商品化;建立城市综合开发公司,对城市土地、房屋实行综合开发;改革建设资金管理办法和结算办法,实行资金多渠道供应和有偿使用等等。这其中,尤以推行工程招标承包制度为关键措施。这个制度的推广,改变了国家与企业的关系,改变了发包者和承包者的关系,真正建立了发包者和承包者的买卖关系和承包者之间的竞争关系,实际上促使了供求、价格、竞争三大市场机制的形成。

1988年以后,建设监理制和工程项目管理制同时试点;1993年该"两制"同时推广。该"两制"的建立对建筑市场的发展有极大推动作用。建设监理制的建立,启动了建筑市场中中介组织这类市场主体的形成历程;工程项目管理制则真正把项目当作商品进行生产与经营,同时促进了施工企业步入市场的进程,推动了承包方作为合格市场主体的建设活动。

1993年国家明确提出"中国经济改革的目标是建立市场经济体制"。从此,建筑业同全国各行业一样,全面启动了市场体制的建设。建筑业为建立市场经济体制,进行了建立现代企业制度的试点;颁发一系列文件,加强对项目法人及其建设行为的市场化管理;颁发《建筑市场管理规定》;完成了《建筑法》的立法工作,并于1998年3月1日起开始实施;颁发《建立建设工程交易中心的指导意见》;建立劳务市场;强化建材交易市场管理;推行总承包制;强化施工现场管理;加速工程造价改革进程;实施"三改一加强"方针(即改制、改组、改造、加强企业管理);从1994年开始,提出了"建筑市场治乱、工程质量治差、企业管理治散和工程造价求得合理"的"三治一求"要求；从1996年开始，进行建筑市场执法检查和工程项目执法监察活动，以整顿市场秩序；发动全国各地区建立健全建筑市场法规，开展法律服务；坚持建立四大基本制度，即项目法人责任制，招投标制，建设监理制和总承包合同制；提出四项待规范的制度，即投资多元化制度，政府的监督制度，造价调控制度和合同公证制度；还提出待研究建立的四项制度，即多渠道融资制度，工程保险与担保制度，个人执业资格制度，中介服务制度；1997年以后，为了加速建筑市场的发展，经营方式创新、制度和结构创新、管理创新等方面的努力；在发展国内建筑市场的同时，努力开拓国际建筑市场，对境外企业和外国企业进入国内市场认真加强管理；各项管理制度，凡能与国际惯例接轨的，尽量研究、创造条件接轨，以便于交流，使中国开拓国际建筑市场与国际市场接轨的步伐加快，等等。总之，为了实现2010年建成比较完善的社会主义建筑市场体系这个总目标，建筑业正在全面推进与深化改革，步伐越来越快，力度越来越大，范围越来越全面，一句话，正在实施着建立社会主义建筑市场这个宏伟的系统工程。

四、建筑市场的地位和作用

（一）建筑市场的任务

建筑市场的任务是对建筑业和工程建设进行资源的优化配置，促进建筑业发展，并与国际建筑市场接轨。

在计划经济体制下，建筑业的资源配制以政府为主体，致使政企不分，大政府、小市场，严重阻碍了建筑业发展。那时，建筑业被认为是消耗国家资源的部门，而不是生产部门。所以，化钱国家给，赚钱缴国家；企业吃国家的"大锅饭"，国家主宰企业的运行；供求由国家统一安排，价格由国家统一规定；企业没有自主权，甚至与业主的关系也处于不平等的附属地位，所以建筑业难以发展。

发展社会主义市场经济要求：凡市场经济能解决的，就让市场去解决；市场调节覆盖全社会，起基础性调节作用；企业是配置资源的主体；政企分开，形成大市场，就能使企业根据自身的利益，从企业的实际情况出发，作出市场选择和经营决策，企业在资源配置上充分发挥自己的自主性和积极性，参与竞争，谋求发展。

国家把建筑业作为为国民经济的支柱产业和独立的重要产业部门，它的发展靠什么？靠市场经济。只有在市场经济体制下，把建筑市场形成为统一、开放、竞争、有序的大市场，才能充分发挥企业的作用，才能形成供求平衡机制、竞争机制和价格机制，充分发挥市场机制的基础作用，实现资源的优化配置。

（二）建筑市场的地位

建筑市场是社会主义大市场体系中一个重要的部分，它支撑着建筑业发展成为支柱产业并发挥支柱产业的应有作用。

建筑业的改革，是作为我国城市中各行业改革的突破口提出来的。这个突破口实现的关键之一，是进行招标投标制。因此，能否实现建设工程的招标投标并正常开展这项活动，便成为建筑业改革能否成功的关键。事实上，招标投标制的建立和活动的开展，便象征着建筑市场的实际建立。这项制度改革了建筑业的计划经济体制，供求关系及价格确定均迈向市场化。招投标制使企业有了自主权，有可能作为市场主体之一参与竞争活动；招投标制使业主与企业的主（业主）从（建筑企业）关系变成了平等的协作关系或契约关系；招投标制打破了计划经济时建筑业的条块分割状态，使建筑企业跨出本地区、本行业、在更广阔的领域内进行竞争。

建筑市场的形成，促进了为建筑生产服务的各生产要素市场的形成，诸如物资市场、劳动力市场、机械租赁市场等。建筑市场的形成也促进了投资体制的改革，对国民经济体制的改革产生着重大影响。建筑业向着支柱产业的方向发展，它的增加值在国民生产总值中占5%以上，它的出口创汇在国家总创汇额中所占比例逐渐上升并在国际建筑市场中占有越来越多份额，它的从业人口占全国就业人数5%以上，其行业关联度高，影响力系数（增加一个单位最终使用产品时，对各部门所产生的生产需求波及程度）大于1（1990年即达1.158，在各行业中占第10位）；建筑业的需求收入弹性（即人均国民生产总值增长1%，某产业需求变化百分之几）较高，1991~1993年即达1.48；建筑业具有高于国民经济增长率的持续的部门增长率。因此，建筑市场在国民经济中的地位是十分重要的。

（三）建筑市场的作用

建筑市场在国民经济中的地位，决定了它的重大作用。它的作用不仅表现在国民经济总体上，也表现在建筑行业和建筑企业自身的发展上。

1. 建筑市场为我国固定资产投资和更新改造提供了资源配置的基础

我国每年大量的固定资产投资，主要是由建筑业进行建筑活动完成其建筑安装工程任务、从而使投资变成固定资产（国家财富）的。如此巨额投资，其资金的融通、勘察设计任务的完成、物资的供应、劳动力的招募、科学技术成果的应用等等，都是在建筑市场中进行配置的。市场的供求机制、价格机制、竞争机制、约束机制等都对资源配置产生影响，使之趋于优化。与计划经济时代由政府和计划配置资源相比较，市场经济下建筑行业的资源配置在数量上、质量上、价格上、时间上、经济效果上都做到了更优。建筑业总产值和建筑业增加值之所以能以比其他行业和国民经济总发展速度都高的速度增长，建筑市场的资源优化配置作用是最重要的原因。

2. 建筑市场促进建筑业发展

发展建筑市场是从建筑业发展的总体需要提出来的。计划经济体制束缚了建筑业的发展，使得我们不得不改革这种经济体制；改革的路程是一步步走向市场经济的历程，是一步步为建筑市场的形成创造条件的过程；建筑市场形成的过程又是它促进建筑业发展见成效的过程。实践证明，建筑市场与建筑业的发展是同步的。

建筑市场之所以能促进建筑业的发展，主要原因有五个：第一，建筑市场为建筑业的发展提供了优化配置资源的基础；第二，建筑市场为建筑业的发展提供了良好的机制，其中主要是供求机制；第三，建筑市场所要求的市场规则也正是建筑业法制建设的内容，而法制建设是建筑业发展的重要条件；第四，建筑市场的建立是建筑业体制改革的轨道和方向，建筑业体制改革归根结底是为了发展建筑业生产力的；第五，建筑市场的建立，必须完善其主体，它给市场主体以压力和动力，促使市场主体发展，从而形成建筑业总体实力发展和行业经济效益提高。

3. 建筑市场为建筑企业和业主之间进行平等交易活动提供了条件

建筑企业和业主之间的法人平等关系在计划经济条件下并没有实现，只有在建筑市场中才体现了出来。建筑企业与业主之间的交易关系是从投标开始的，投标和竞争是在市场中进行的，展现了买方和卖者之间的平等关系；签订合同，进行履约经营，完全是市场交易行为，签约双方依法要求地位必须平等。自开工以后，在进行施工、项目管理、处理供求关系、经济关系、监督关系中，业主和建筑企业两者始终处在统一体中，平等地相互联系和制约（交易），直到用后服务结束，始终在进行市场交易，这种交易既是建筑市场存在的要素，又依赖于市场提供条件。

4. 建筑市场为建筑企业的生存和发展提供条件

有了建筑市场，建筑企业进入市场以后，其生存和发展便融入建筑市场中了。所谓"政府调控市场，市场引导企业"，就是指政府通过对市场的宏观管理，依靠政策、法规等管理企业；企业以市场为导向开展交易活动，不断调整自身的机能、战略和策略，确定目标市场和行为目标，规范自身的行为，提高自身的能力，增强自身的活力和竞争力，从而使企业在市场的"海洋"中吸取"营养"，谋生存、图发展。

建筑企业的经营对象（工程）、资源和信息、压力和动力、无一不取自于市场；建筑企业的生产活动、交易行为、经济活动、关系处理和利益的谋求等等，都是市场行为，都利用市场，都受市场规范。总之，建筑市场为建筑企业的生存和发展，提供了充分而必要的条件，建筑企业一切活动的出发点、活动过程和落脚点，都离不开建筑市场。

5. 建筑市场促进工程项目管理的发展

工程项目管理在国外是市场经济条件下自发发展起来的，从而形成为工程建设的国际惯例。在我国，它伴随着建筑市场的培育和发展从国外引进并迅速在全国推广开来。1988年以后在我国推行的工程建设监理和施工项目管理，都是工程项目管理的内容，它们都借力于建筑市场的发展，又给建筑市场的发展以促进作用。正所谓相互依存，共同发展。

工程项目管理的全过程，都是在市场中进行的，构成市场行为，受市场约束和规范。项目管理的各方都在建筑市场中从事管理活动。

项目法人通过招标，从建筑市场上得到工程承包者和工程咨询、监理组织，三者是三种工程项目管理的主体：项目法人是建设项目管理的主体；监理公司是监理项目管理的主体；施工企业是施工项目管理的主体。就以施工项目管理而论，完善的市场机制为施工项目管理的投标和合同签订提供条件；为施工项目管理的目标控制、关系协调和资源优化配置提供载体；为工程的竣工验收、交付使用和工程款结算提供规范，等等。所以，工程项目管理离不开市场。可以预计，统一、开放、竞争、有序的建筑市场形成之日，就是工程项目管理标准化、制度化、程序化到位之时。

第二节 建筑市场体系

一、建筑产品市场

1. 建筑产品市场，即指建筑承发包市场，是指以建筑产品的生产和经营为目的（交易物），以项目法人（业主）为发包方（买方），以工程总承包企业或工程施工企业为卖方，通过招标投标形成交易关系，按合同进行交易活动的市场。这是建筑市场体系中最主要的建筑市场子体系。以这个市场为中心，还要建立生产要素市场体系为之服务，也要建立法规体系、监督体系、社会保障体系对建筑产品市场提供支持，于是便形成了如图6-1的关系，可称之为"建筑市场体系图，现简要说明如下：

（1）建筑生产要素市场，包括：劳动力市场、建筑材料市场、机械租赁市场、资金市场和科技市场。生产要素市场对建筑产品市场起支持作用。

（2）法律法规体系。它是保证建筑市场健康有秩运行的前提，它包括法律体系（如建筑法、企业法、劳动法、反不正当竞争法）、行政法规体系（如建筑市场管理条例、工程质量管理条例、建筑工程招标管理条例等）、技术法规体系（如设计、施工方面的规范、规程、验收标准等）和行业规范体系（如招投标指南、行业规则）等。法律法规体系是建筑市场的运行规则。

（3）社会保障体系。它是建筑企业深化内部改革、增强活力的基础，它包括人身保险、待业保险、医疗卫生保险、离退休养老保险和工程保险等。

（4）监督体系。它是实现建筑市场健康有序运行的必要措施，通过对违法行为的查处达到净化建筑市场的目的。监督体系中包括国家监督体系（劳动部门、质量监督部门）、行业监督体系（各级建设行政主管部门）、法律监督体系（司法部门）、社会监督体系（监理公司、银行等）和社团监督体系（商会、协会等）。

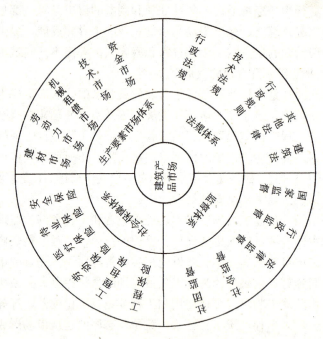

图 6-1　建筑市场体系示意图

2. 建筑产品市场在发展之初是无形的。近年来全国各地在研究、创造的基础上，纷纷建立"建设工程交易中心"（以下简称"中心"），使建筑产品市场由无形发展为有形。建设部对这一发展给予了高度重视，经过试点、总结，于1997年颁发了《建立建设工程交易中心的指导意见》，要求有一定建设规模，并具备相应条件的中心城市逐步建立建设工程交易中心，以强化对工程建设的集中统一管理，规范市场主体行为，建立公开、公平、公正的市场竞争环境，促进工程建设水平的提高和建筑业的健康发展。现摘要如下。

（1）"中心"的性质和职能

1）"中心"是由建设工程招标投标管理部门或政府建设行政主管部门授权的其他机构建立的、自收自支的非盈利性事业法人，它根据政府建设行政主管部门委托实施对市场主体的服务、监督和管理。

2) 中心的基本职能是：工程建设信息的收集与发布，办理工程报建、承发包、工程合同及委托质量安全监督和建设监理等有关手续，提供政策法规及技术经济等咨询服务。

(2)"中心"的组成和管理范围

各地建设行政主管部门根据当地具体情况确定"中心"的组织形式、管理方式和工作范围。

1) 以建设工程发包与承包为主体，授权招标投标管理部门负责组织对建设工程报建、招标、投标、开标、评标、定标和工程承包合同签订等交易活动进行管理、监督和服务。

2) 以建设工程发包承包交易活动为主要内容，授权招标投标管理部门牵头组成"中心"管理机构，负责办理工程报建、市场主体资格审查、招标投标管理、合同审查与管理、中介服务、质量安全监督和施工许可等手续。有关业务部门保留原有的隶属关系和管理职能，在"中心"集中办公，提供"一条龙"服务。

3) 以工程建设活动为中心，由政府授权建设行政主管部门牵头组成管理机构，负责办理工程建设实施过程中的各项手续。有关业务部门和管理机构保留原有的隶属关系和管理职能，在中心集中办公，提供综合性、多功能、全方位的管理和服务。

4) 根据当地实际情况，还可以采用能够有效规范市场主体行为、按照有关规定办理工程建设各项手续、精干高效的其他方式。

(3)"中心"的基本功能

1) 统一发布工程建设信息。工程发包信息要翔实、准确地反映项目的投资规模、结构特征、工艺技术，以及对质量、工期、承包商的基本要求，并在工程招标发包前提下供给有资格的承包单位。"中心"还应能提供建筑业企业和监理、咨询等中介服务单位的资质、业绩和在施工程等资料信息。要逐步建立项目经理、评标专家、其它技术经济及管理人才、建筑产品价格、建筑材料、机械设备、新技术、新工艺、新材料和新设备等信息库。要根据实际需要和条件，不断拓展新的信息内容和发布渠道，为市场主体提供全面的信息服务。

2) 为承发包交易活动提供服务。"中心"应为承发包双方提供组织招标、投标、开标、评标、定标和工程承发包合同签署等承发包交易活动的场所和其他相关服务，把管理和服务结合起来。

3) 集中办理工程建设的有关手续。逐步做到将建设行政主管部门在工程实施阶段的管理工作全部进入"中心"集中办理，做到工程报建、招标投标、合同造价、质量监督、监理委托、施工许可等有关手续集中统一办理，使工程建设管理做到程序化和规范化。

"中心"应根据本地的实际情况，开展多种形式的教育培训活动，不断提高市场主体的法律意识和市场管理人员的业务能力，不断提高"中心"的运行效率和服务水平。

(4)"中心"工作的原则

1) 信息公开原则。"中心"必须掌握工程发包、政策法规、招标投标单位资质、造价指数、招标规则、评标标准等各项信息，并保证市场各方主体均能及时获得所需要的信息资料。

2) 依法管理原则。"中心"应建立和完善建设单位投资风险责任和约束机制，尊重建设单位按经批准并事先宣布的标准、原则和方法，选择投标单位和选定中标单位的权利。尊重符合资质条件的建筑业企业提出的投标要求和接受邀请参加投标的权利。尊重招标范围之外的工程业主按规定选择承包单位的权利，严格按照法规和政策规定进行管理和监督。

3）公平竞争原则。建立公平竞争的市场秩序是"中心"的一项重要原则，"中心"应严格监督招标投标单位的市场行为，反对垄断，反对不正当竞争，严格审查标底，监控评标和定标过程，防止不合理的压价和垫资承包工程，充分利用竞争机制、价格机制，保证竞争的公平和有序，保证经营业绩良好的承包商具有相对的竞争优势。

4）闭合管理原则。建设单位在工程立项后，应按规定在"中心"办理工程报建和各项登记、审批手续，接受"中心"对其工程项目管理资格的审查，招标发包的工程应在"中心"发布工程信息；工程承包单位和监理、咨询等中介服务单位，均应按照"中心"的规定承接施工和监理、咨询业务。未按规定办理前一道审批、登记手续的，任何后续管理部门不得给予办理手续，以保证管理的程序化和制度化。

5）办事公正原则。"中心"是政府建设行政主管部门授权的管理机构，也是服务性的事业单位。要转变职能和工作作风，建立约束和监督机制，公开办事规则和程序，提高工作质量和效率，努力为交易双方提供方便。

(5) 关于建立"中心"的工作安排与部署

各地建设行政和主管部门应积极推动"中心"的建立。直辖市、计划单列市、各试点城市和绝大多数省会城市都应建立起"交易中心"，并逐步健全和完善各项职能。制订颁发"交易中心"的管理法规。各有关工程建设项目管理机构原则上应全部进入"中心"集中办公，统一管理。通过建立交易的正规渠道和程序，规范市场主体行为，建立统一、开放、竞争、有序的建筑市场。

二、建筑生产要素市场

(一) 劳动力市场

劳动力市场是生产要素市场中起决定性作用的市场，是劳动力开发、配置、利用、流动及所有者和使用者经济利益的实现机制。劳动力市场发育程度、运转状况既直接影响生产状况、制约社会经济发展，也直接制约、影响社会的稳定和进步。一般说建筑行业是劳动密集行业。建筑劳务市场容纳了大批农村转移出来的劳动力，在建筑行业的劳动者中占据了60％以上的比重，形成了建筑业不可缺少的力量。

劳动力市场的建立，有赖于各必要条件的具备。(1) 劳动力必须能够自由流动。在八十年代初期，外国学者曾经普遍认为这是影响中国改革的重要障碍。随着改革的深入和社会主义市场经济体制的建立，大量农民工投身建筑市场，成为建筑行业的主要劳动力来源。也使建筑市场绝大部分劳动力具备了自由流动的条件。(2) 劳动力的供给和需求绝大部分在市场中进行（不再是行政分配），由市场满足。建筑行业一直在不断探索用工制度的改革，大量使用合同工和临时工。一些国有企业内部，把管理层和作业层分离开，成立独立的劳务公司；逐年减少对他们的补贴，使他们发展成为独立的经济实体——劳务企业。(3) 劳动力供求通过劳动力价格调整解决。劳动力价格由劳动力消费的消费资料的价值决定，随着劳动力供求关系的变化而波动，最终通过双方协商确定。目前临时工的人工价格已基本由市场决定，但是，定额人工取费制度还未完全改革，仍然对劳动力市场价格有着一定影响。(4) 要有健全的劳动力供求信息及中介机构、劳动力素质开发及能力培养训练机构。一些地区建立和发展了各种形式的劳动力市场，为劳动力的流动和交易提供了条件。建立了劳动力的培训基地，加强队伍培训考核、监督管理，提高劳动力素质，促进劳动力的流通和劳动力价格趋向合理。(5) 固定工、合同工的流动和使用还受到管理体制的限制，其价格也还受到定额的制约，劳动力市场的发育完善还有待于人事管理制度用、工制度、大中专学生分配等管理制度的改革，有待于有关劳动就业、工资、流动等法规的健全管理、考核、认证制度的完善；有待于对劳动力社会保障体系的建立。目前的劳动力市场，主要还是劳动力市场中相对具备一定条件的临时工、农民工这一部分。我们要认真总结这方面的工作，积极探索社会主义条件下劳动力市场的理论、形式和管理，深化改革，加快劳动力市场的发育。

为了建立和培育劳动力市场，规范市场行为，强化劳动管理，提高职工队伍的素质，建设部以"建建〔1997〕175号文"发布《关于培育和管理建筑劳动力市场的若干意见》，现摘要介绍如下。

1. 建筑劳动力市场建设内容和重点

（1）培育和管理建筑劳动力市场的主要内容是：加强建筑劳动力基地建设与组织管理，注重从业人员的培训、考核、鉴定与认证，发展劳动力队伍，建立工程建设总分包管理体系，研究建筑劳动力价格机制与保险制度，强化劳动力供求信息网络与中介服务组织建设。

（2）建筑劳动力市场建设的重点是建筑劳动力的培训和管理。建筑劳动力输出前必须就地进行全面和系统的教育培训，了解相关的政策、法规，熟练掌握施工操作规程、规范，熟悉劳动力输入地的建筑行业管理有关规定，并保证具备与建设相适应的技术水平和管理技能。

建筑劳动力必须坚持成建制输出。要加强建筑劳动力的输出和输入管理，保证建筑劳动力有序流动和合理配置。各级建设行政主管部门要切实履行职责，强化建筑劳动力市场的监督和管理。

2. 建筑劳动力基地建设

（1）建筑劳动力基地是国家建设行政主管部门根据建筑市场供求状况确定的、能满足工程建设需要、并达到一定资质条件的建筑劳动力培训和供给的县（市）。

建筑劳动力基地应符合下列条件：

1）当地政府重视并给予大力支持，已纳入建设行政主管部门统一归口管理；

2）有满足提供合格建筑劳动力的培训基地，输出的建筑劳动力80%以上技术等级达到初级工及其以上水平，其中技术和管理人员占输出职工平均人数的5%以上；

3）建筑劳动力资源丰富，有传统的建筑优势，有跨省分包工程或输出劳务的经历，有较好的经营业绩和良好的社会信誉；

4）建筑劳动力基地管理机构健全，人员和经费落实，建立了必须的管理制度和办法，形成了一整套组织培训、鉴定、输出等综合管理和后方服务保障体系；

（2）建筑劳动力基地应保证输出的建筑从业人员经过正规化和系统化培训。

（3）建筑劳动力基地应保证培训经费来源。可从外出施工人员上缴管理费中提取一定比例作为培训基金。也可由地方自筹、输入和协作企业投资等渠道解决一部分。凡投资建筑劳动力基地的地区和企业可优先选用基地建筑队伍。

（4）经国家建设行政主管部门批准确定为建筑劳动力基地的县（市）建设行政主管部门，应在本地政府直接领导和建设行政主管部门指导下，履行下列职能：

1）开发基地的建筑劳动力资源，明确队伍的专业发展方向；

2）负责本地建筑劳动力职业技能岗位培训，严格执行先培训、后就业和持证上岗制度；

3）负责本地建筑劳动力的输出、跟踪管理和监督控制等综合管理工作；

4) 负责国际工程承包劳动力的推荐工作;
5) 指导乡、镇政府做好外出人员的后方服务工作;
3. 建筑劳动力输出管理

(1) 按照"政治上平等、经济上合理、技术上帮助、生活上关心"的原则,用人企业应与建筑劳动力基地的建筑队伍签订供求合同。建筑劳动力供求合同必须遵守平等协商,互惠互利原则,保证供求双方合法权益,并承担相应的法律责任。

(2) 按照"定点定向,双向选择,稳定协作,共同管理"的原则,用人企业应与基地输出的建筑队伍建立相互合作,协调发展的稳定关系,逐步形成管理层与劳务层,总包与分包的协作关系。

(3) 建筑劳动力的输出以乡镇为基地按专业组队,以县(市)为单位、以建筑业企业归口成建制输出。

(4) 建筑劳动力输出基地必须对输出的建筑劳动力实行统一管理。基地输出的建筑队伍应按照专业化、小型化的企业发展方向,通过采取多样化资产组织形式和管理体制,形成独具特色、规模适度、专业性强、机制灵活的小而专、小而精、小而活的充满生机和活力的新型企业。

(5) 建筑劳动力输出地驻外管理机构是输出地建设行政主管部门的授权机构,负责协助输入地建设行政主管部门管理其输出的建筑劳动力队伍。原则上输出建筑劳动力达到一定规模的均应设立驻外管理机构。输出地建设行政主管部门驻外管理机构职责是:

1) 接受建设行政主管部门的委托,审核输出建筑劳动力资格条件,并出具跨省施工介绍信;
2) 授权履行建设行政主管部门对输出建筑队伍的协调、指导、服务和辅助管理;
3) 协调输入地的建设行政主管部门对输出的建筑企业承包的工程进行检查、监督和管理;
4) 受输入地的建设行政主管部门的委托,组织输出建筑职工的各类技术和岗位培训。

4. 建筑劳动力输入管理

(1) 建设行政主管部门应切实加强建筑劳动力的统一归口管理。其主要职责是:

1) 建立和完善建筑劳动力市场准入制度,优先注册成建制输入的素质高、信誉好的建筑队伍;
2) 强化工程承包合同管理,创造公正平等竞争的市场环境、提高合同履约率,调解合同纠纷;
3) 制定年度劳动力需求计划,控制总量,调整结构,力求做到城市建筑队伍与建设规模的基本平衡。
4) 加强施工现场管理,保证工程质量,确保安全施工和文明施工;
5) 加强与有关部门或单位的联系,沟通信息,协调工作,具备条件的城市建设行政主管部门受有关部门的委托,可行使对输入建筑劳动力的专项管理;
6) 加强建筑劳动力专业技术培训和安全教育,增强其环保意识,搞好精神文明建设。

(2) 建筑劳动力价格应按照"随行就市,市场竞价"的原则确定,当地建设行政主管部门可发布指导性价格目录,为建筑劳动力价格的确定提供参考性依据。

(3) 建筑劳动力输入。建设行政主管部门要加强对建筑劳动力流动的监督和管理,不得随意增加其取费，以加重输入的建筑劳动力队伍经济负担。

5. 需要努力实践的几个问题

(1) 建筑劳动力成建制输出人员，凡持有职业技能岗位证书者，均应逐步建立个人医疗、工伤和养老保险制度。

(2) 加强建筑劳动力供求信息网络建设，形成及时、准确的信息传输反馈渠道和信息处理机制，保证及时提供建筑劳动力需求、布局、价格、培训、职业选择和法律保护等有关信息，以指导建筑劳动力的有序流动，逐步建立起有效保证建筑劳动力供求平衡的宏观管理体制和调控机制。

(3) 逐步加大建筑劳动力中介服务组织建设的力度。主要包括：建筑劳动力市场研究机构、劳动力培训和考核机构、劳动合同和劳动争议调解机构、劳动力咨询和法律服务机构等，充分发挥其为政府决策提供参考依据、为企业经营和管理提供服务的作用。

(二) 建筑材料市场

建筑材料市场是直接为建筑产品市场服务的很重要的生产要素市场，它的运行质量直接关系到建筑市场的发育。建筑产品的质量很大程度上决定于建筑材料的质量。在建筑产品中价值量最大的部分就是材料，达到60%～70%。

随着改革的深入发展，多元化的建筑材料市场正在形成。其主要特点是建筑材料的交易形式由按计划指标分配给建设单位，逐步转向由施工企业在市场采购。建筑材料的价格也由计划价格、双轨制价格转向全部由市场决定。实现建材使用和采购的统一，改变了计划分配建筑材料造成的供货不及时、质量和规格不合要求、价格不合理等种种弊病，有助于招标投标制的推行和工程建设效益的提高。各级建设行政管理部门要特别注意加强对建材市场的管理，保证建材产品的质量；及时收集和公布建材信息，促进市场流通；具备条件的地区，要发展主要建材的期货市场，发挥其套期保值作用，平抑市场价格，降低市场风险，加快建材市场的培育和发展。

企业的材料供应，主要应通过建筑材料市场配置，由企业法人面对市场，使市场成为向企业供应材料的"漏斗"。企业内部材料配置也要做到市场化，由企业组织材料（物资）公司，向各项目经理部配置材料，物资公司是卖方，项目经理部是买方，让市场机制尽量发挥作用。

项目经理部是内部核算单位，不是法人，因此它不能处处以法人的身份面向社会市场购买材料。但在企业经理授权下，它可以向社会市场购买部分建筑材料，这些材料一般是该项目所用特殊材料和零散材料，不是大批量供应的。项目经理部所用的材料，主要靠内部市场供应。

(三) 建筑机械设备租赁市场

建筑机械设备租赁市场也是建筑市场的一个重要组成部分，它的发育程度是社会化大生产及专业化协作程度的重要标志。机械设备的社会化、商品化，对提高生产效率，提高机械设备利用率，降低生产成本都起着很大作用。

近几年，建筑机械设备租赁市场在我国的大中城市已初步形成。到1996年建筑市场中机械设备租赁的份额已占40%以上。在土石方工程、公路工程中，机械设备租赁的份额已达到70%～80%。

建筑机械设备租赁市场的价格机制已经形成，完全由市场供求规律来调节，充分反映着供求关系。这一市场培育目标应是进一步提高社会化商品化程度，提高其科技含量，适度引进国外先进的设备，尤其是专用建筑机械设备，提高生产效率和装备水平，加快信息网建设。在建筑机械设备租赁市场中，租赁商要有一个合理的规模结构，即少量的大型综合性租赁商和大量的小型专业化的租赁商相结合的合作的组织结构。

建立建筑机械设备租赁市场，对社会资源的充分利用和提高劳动生产率有重大作用。在没有该市场时，机械设备由施工企业自有，企业在"万事不求人"的思想指导下尽量拥有机械设备，各个建筑施工企业往往尽量使设备齐全。这就形成了巨大的浪费，难以充分发挥机械设备的作用，也无条件让供求机制发挥平衡作用。企业重用不重管，管理能力薄弱，使机械设备易缺、易损、易闲置、易淘汰。建立建筑机械租赁市场后，机械设备进行专业管理和专业经营，一是有利于统一进行管理，二是有利于充分提高其使用效率，三是有利于供求协调，节约资源，四是有利于新型机械开发，五是有利于竞争，六是有利于价格机制发挥作用。有此六大好处，应大力发展机械租赁市场。

我国建筑行业1995年拥有施工机械384.3万台，总功率6035万kW，装备固定资产净值638.6亿元。国有企业技术装备率达到4264元/人，动力装备率达4.7kW/人，装备生产率5.5元/人。全国建筑机械年产量已达到150万t，可生产20大类、500多个品种、1300多个型号的建筑机械。这样大的产业装备还在逐年快速增加，成为我国经济快速发展的一部分缩影。各大城市塔机林立，成为一个个机械化程度很高的工地。所以，培育和发展建筑机械设备租赁市场，充分搞活建筑机械设备的供应与使用，已成为当务之急。

（四）建筑科技市场

科技水平是一个国家或一个产业生产力水平的主要标志，建筑业尽管目前仍在使用秦砖汉瓦，但现代科技水平在建筑产品生产中的巨大威力已是世所公认。科技在促进生产力发展中起着至关重要的作用。建筑业技术进步对建筑业生产发展的贡献已超过资本和劳动力投入的贡献，表现出集约型经营的趋势。

我国的建筑技术水平在重点建设项目和大型工程的带动下，有了很大提高，许多先进技术得到了应用，达到了当代国际先进水平，显示了中国建筑业的雄厚实力。在高层建筑方面，已建成超过100m高度的超高层建筑150多幢；靠自己的力量建成了一批高速公路和难度极大的铁路；建成了当今世界跨径最大（主跨602m）、技术最复杂的斜拉桥（上海杨浦大桥）；建成了亚洲第一、世界第三、总高468m的上海东方明珠电视塔；在混凝土技术方面，材性改善、混凝土平均强度及工业化水平大大提高，大体积混凝土、碾压混凝土和纤维混凝土的应用日趋普遍，配制早强、高强、抗冻、低收缩、泵送等多种性能要求的混凝土已成为可能，C50、C60高强混凝土已较普遍地得到应用，C80混凝土已在预应力管桩构件中使用，预应力混凝土技术快速发展；我国已掌握了一批高、大、精、尖设备的安装调试技术；近5年来，科技工作已从项目研究向科技成果推广应用转移，公布了重点推广项目500多项，其中有56项被列为国家重点推广项目；建设部正在重点推广应用10项新技术；1995年全国有182个科研机构，其中有16102名科技干部；建立了一大批综合性或专业性强的实验室和检测中心，装备了一大批具有世界先进水平的实验仪器和设备。综上所述，我国的建筑科技已有相当高的整体水平。

为了适应建筑业振兴和发展的需要，我国已制定了科技发展战略，其要点是：认真贯彻《建筑法》和《建筑业产业政策》；加快建筑工业化发展步伐，实现《建筑工业化发展纲要》；提高建筑功能质量，向社会供应满意的产品；推广先进、适用的建筑技术、提高工艺技术水平，建立和发展工业化建筑体系；提高企业的装备水平和劳动生产率；造就一支高素质的建筑科技队伍和建筑企业职工队伍；提高企业管理现代化水平，广泛使用计算机；建立新型科研体制，保障科研资金；加速企业技术积累，培育和发展技术信息市场。

实现如此庞大的建筑科技发展战略，需要依靠建筑科技市场作基础。有了科技市场，方便科技人才流动和科技骨干作用的发挥，有利于调动广大科技人员的积极性；有利于把科技成果迅速转化为生产力；有利于科学技术的迅速传播；有利于科技资源的合理利用；有利于政府科技政策的落实、对科技方向的引导和对科技工作进行调控与监督。总之，只有科技市场充分发育，才能改变科技工作个体化、分散化、低效化、封闭化、私有化的传统弊端；才能真正使科学技术发挥其第一生产力的作用，为经济和生产发展服务，才能建立起我国建筑业的现代化、高水平的大科技，推动建筑业发展为支柱产业。

科研单位、大专院校和国外先进的设计、施工技术和管理方法尽快与设计和施工生产结合起来，转化为生产力，提高我国工程建设的技术水平，要研究、探索建筑企业产权和资金市场的培育和发展，实现资源的优化配置，使素质好、效益高的企业能加快发展，促进建筑业整体素质的提高。

（五）建筑资金市场

资金市场既是货币资金的融通过程和载体，又是货币资金的融通关系的总和。具体说，资金市场是指资金债权人与债务人互相接触，对各种金融工具或证券进行自由交易的场所，是社会资金分配的一种形式。资金市场作为经济关系，实质上是把货币作为商品，既不是被付出，又不是被卖出，而只是被贷出，且以一定时期后本金和利息的回流为条件。资金商品，既有本身的价值，又有增加的价值，所以具有两重价值。资金市场的作用是，实现资金灵活地从冗余向短缺、从低效向高效转移。它一方面使资金的供给通过迅速地流转达到最大的数量，另一方面使资金的供给达到最优配置，取得最佳的资金使用效益。在市场体系中，资金市场处于轴心地位。

建筑业是资金需求大户，发展建筑业离不开资金的支持。发展建筑市场，需要有健全的资金市场以实现资金融通，既使建筑活动有足够的资金，又使资金高效运转。

发展建筑资金市场必须从全国金融市场的总体去考虑。从国家资金市场来说，存在着同业拆借市场、证券市场、外汇调剂市场，所以建筑市场要进一步依靠和利用资本市场和货币市场，满足建筑市场的需要。随着建筑业改组、改制和改造的进一步开展，特别要充分利用资金拆借市场、债券市场和股票市场。有关企业要慎重考虑在股份制企业改造的基础上的股票上市和上市后的运作，使资金使用高效化。在对外承包时，要合理利用外汇。

目前建筑业的盈利能力逐年下降、亏损面逐年加大、亏损额上升的局面不利于建筑资金市场的发展。拖欠工程款的大量存在使建筑企业不得不举债经营，而经营所用的资金效果又很差。建筑业的这种状况的改变，有待资金市场的发展，资金市场的发展要求建筑业迅速扭转效益滑坡、资金负债率过高的状况。建立和完善建筑资金市场是发展建筑市场的必要条件，势在必行。它将随着我国大金融市场的发展和完善而实现。

三、国际建筑市场

这里所述的国际建筑市场是指我国建筑队伍对国际市场的开拓及中国境内的国际市场，这就是构成我国建筑市场体系的国际市场。

中国建筑业对外开放始于80年代初,从世界银行贷款的云南鲁布革水电站引水隧洞由日本大成株式会社中标承包开始,可以说是中国各行业对外开放较早的行业之一,十几年来已有十几个国家和地区的境外企业进入我国进行工程总承包或工程分包,世界上最大的225家国际承包商中,有十几家以不同的方式、不同的规模进入中国,其中不少公司与我国公司合资合作。

1995年,我国有23家建筑企业跻身225家大企业行列,但就企业数量讲,虽占10.2%,而收入只占225家国外总收入992亿美元的3.2%。就每家对外收入额均值而言,中国公司只有1.3亿美元,比排在我国前的8国为少,也少于排在我国之后的韩国、瑞典、巴西、希腊、土耳其、西班牙、塞浦路斯、澳大利亚、比利时、爱尔兰、丹麦、芬兰等12国。

有关国际建筑市场的详细论述,将本书第十章中进行。

第三节 建筑市场的主体与客体

建筑市场的主体包括发包工程的政府部门、企事业单位、房地产开发公司和个人组成的业主方,包括承担工程的勘察设计、施工任务的建筑企业组成的承包方,包括构配件、商品混凝土生产企业;包括为市场主体服务的各种中介机构。

一、业主方

1. 业主方是既有进行某项工程建设的需求,又具有该项工程建设相应的建设资金和各种准建手续,在建筑市场中发包工程建设的咨询、设计、施工任务,并最终得到建筑产品的所有权的政府部门、企事业单位和个人。他们可以是各级政府、专业部门、政府委托的资产管理部门,可以是学校、医院、工厂、房地产开发公司等企事业单位,也可以是个人和个人合伙。在我国工程建设中,过去一般称之为建设单位或甲方;国际工程承包中通常称作业主方(在以下论述中我们统一称作业主方)。他们在发包工程和组织工程建设时进入建筑市场,成为建筑市场的主体。

2. 项目业主是由投资方派代表组成,从建设项目的筹划、筹资、设计、建设实施直至生产经营、归还贷款及债券本息等全面负责并承担风险的项目(企业)管理班子。这就是说,业主方首先必须承担建设项目的全部责任和风险,对建设过程中的各个环节进行统筹安排,实现责、权、利的统一。业主应该真正成为投资行为的主体,应形成企业法人。

由于长期计划经济体制的束缚,绝大多数工程建设的业主方还不是合格的市场主体,主要表现在以下几个方面:第一,有的业主方不是完全的法人主体,对于建设资金的使用、建筑物的标准和承包方的选择方面,没有完全的自主权,经常受到其行政主管部门的干预,无法承担发包方应当承担的义务和责任。第二,有的业主方同时享有对承包方行为进行干预的行政权力,缺少等价有偿、协商一致、平等互利的市场意识,破坏了与承包方之间的平等交易关系,也阻碍了市场机制作用的发挥。第三,投资责任机制不健全,业主方对工程建设的投资效益不负责任,不能发挥对业主的刚性约束作用,造成其行为的不合理;有的片面追求低造价,有的片面追求高标准,有的片面追求短工期,这些都损害了工程质量,也给国家财产造成了损失;国家资产管理体制的不完善和业主方内部管理制度的薄弱,使管理工程的发包人员追求个人或小集团的利益,造成了工程发包中的不正之风和腐败现象泛滥。第四,现行的建筑管理体制使业主在选择承包商时受到各种干预。目前,业主方和专业建筑队伍大都隶属于各级专业管理部门和地方政府，投资责任机制不健全，投资效益对业主没有刚性约束，但业主上级部门和地方政府对所属建筑企业的生存，对他们是否拿到任务，有不可推卸的责任。业主单位在失去发包自主权的同时，也必然失去了工程建设效益责任的约束。承发包双方难以界定自己的单独的利益，市场机制也就无法通过利益激励机制发挥作用。部门和地方互相割据封锁，从根本上阻碍了市场竞争的优胜劣汰和资源的优化配置。第五，有相当部分的业主方没有相应的工程技术经济管理人员，不具备承担发包和组织工程建设的能力。各种咨询、监理等中介服务机构的发展还远远不能满足需要，造成了工程发包和管理等工作中存在着不科学、不合理、不完善等问题。

3. 我国投资体制改革及对业主方的要求

新中国成立后近30年的时间，工程建设投资绝大部分是由全民所有制单位进行的国有投资，各种集体经济组织的投资比重很小，个人和国外的投资几乎为零。国有投资实行国家无偿拨款，业主对资金使用和投资效益不承担任何责任。因而，也就不能促使业主合理地使用资金和注意投资效果，并且导致了主管部门和业主单位向国家争投资、争项目，拉长了建设线。

改革开放以来，我国投资体制从多方面进行了改革。1979年8月28日，国务院批转国家计委、建委、财政部《关于基本建设投资试行贷款办法的通知》和《基本建设贷款试行条例》，国家对工程建设的投资由拨款改为贷款，逐步实行了有偿使用国家建设资金的管理制度，业主的责任机制有所改善。但是，建设单位管花钱、生产单位管还款、项目业主对投资决策的权力不足和责任不清的现象没有根本改变。这也是造成业主方不成熟，不能成为合格市场主体的原因，导致了有些业主主观臆断，不按经济规律办事，上项目拍脑袋、干工程拍胸脯、建成以后没有效益拍大腿；造成了许多重复建设、胡子工程，固定资产投资效益低下的状况长期难以改变。据有关资料统计，国家固定资产投资中真正能够形成固定资产的不足四分之三，这些固定资产中能够形成生产能力的只有70%，形成的生产能力与原设计的生产能力也有很大差距。这些都说明我们国家的发包方距离合格的市场主体还有很大的差距。

随着改革的不断深入，特别是邓小平南巡谈话发表和党的十四大召开后，工程建设投资的数量有了很大的增长，投资主体比例有了很大的变化，集体所有制单位、个人和国外投资都有了很大增长，并以高于国民经济增长速度的速度逐年大幅度增长。到1996年，全国固定资产投资总额已达24000亿元，建筑业企业完成12400亿元，因此对业主方提出了更高的要求。1992年底国家计委颁发《关于建设项目业主责任制的暂行规定》，指出业主方首先必须承担建设项目的全部责任和风险，对建设过程中的项目前期工作、资金筹措、建设实施和生产经营各个环节进行统筹安排，并拥有充分的自主权，实现责、权、利的统一。为了加强对业主方的管理，保证业主方必须具备相应的技术经济管理人员和管理水平，建设部1991年颁发了《建筑市场管理规定》，规定了业主必须具备的条件。按照国际惯例和我国的实际情况，建设部1989年颁发了《建设监理试行规定》，推行建设监理制度，由业主授权的监理工程师来代替业主行使对工程项目建设的管理权力，改变由于业主不具备技术资质造成工程建设管理中的随意性，提高工程建设管理的水平，提高工程建设的效益，目前这项制度已在全国推开。到1996年，全国31个省、自治区、直辖市和国务院44个部门都已开展了监理工作；全国共有监理公司2100多家，其中甲级资质的监理单位123家；全国从事监理工作的人员共102000余人，其中具有中级及其以上技术职称的人员达75400余人；取得监理工程师资格的人员达4828人；1996年实行监理的工程投资占总投资的43%。

为了加强和规范业主方的建设行为，1996年国家计委以"计建设[1996]673号"通知发布《关于实行建设项目法人责任制的暂行规定》代替1992年发布的《关于建设项目实行业主责任制的暂行规定》，规定"由项目法人对项目的策划、资金筹措、建设实施、生产经营、债务偿还和资产的保值增值，实行全过程负责"；规定在项目建议书被批准后，及时组建项目法人筹备组，具体负责项目法人的筹建工作；可行性研究报告经批准后，正式成立项目法人；项目法人按《公司法》的规定设立有限责任公司（包括国有独资公司）和股份有限公司形式；在规定中，对项目董事会的职权、项目总经理的职权，都作了具体的规定。

1994年，建设部以"建建[1994]482号"通知发布《工程建设项目报建管理办法》的通知，正式将项目业主的工作纳入建筑业管理的范围。该办法规定，"凡在我国境内投资兴建的工程建设项目，都必须实行报建制度，接受当地建设行政主管部门或其授权机构的监督管理"。并详细规定了报建的内容、程序和管理办法。

1995年，建设部以"建建[1995]494号"通知颁发《工程建设项目实施阶段程序管理暂行规定》。规定了施工准备阶段、施工阶段、竣工阶段应遵循的有关工作步骤。该规定对加强项目业主的工作和维护建筑市场的正常秩序，具有重要意义。

1997年，建设部以"建建[1997]123号"通知发布《工程项目建设管理单位暂行办法》。其目的是"加强建筑市场管理，切实贯彻建设项目法人责任制，规范工程项目建设管理单位在建筑市场中的行为，提高工程项目建设水平和投资效益"。该办法对业主单位报建、招标、办理工程质量和安全监督手续、与承包商、材料供应商、中介组织签订合同、行业纪律、委托监理、建设单位的资质、营业范围等都作了原则规定，提出了应执行的相应法规文件。

由于采取以上各种措施，健全有关法规，我国业主正在逐渐发育成为合格的市场主体。

二、承包方

承包方是指有一定生产能力、机械装备、流动资金，具有承包工程建设任务的营业资格，在建筑市场中能够按照业主方的要求，提供不同形态的建筑产品，并最终得到相应的工程价款的建筑业企业。按照生产的主要形式，它们主要分为勘察、设计单位，建筑安装企业，混凝土构配件及非标准预制件等生产厂家，商品混凝土供应站，建筑机械租赁单位，以及专门提供建筑劳务的企业等类型。他们的生产经营活动，是在建筑市场中进行的，他们是建筑市场主体中的主要成分。

1. 承包方的不成熟性阻碍其成为合格的市场主体

由于建筑行业率先进行管理体制的改革，承包方较早进入了市场，工程任务主要靠自己从市场承揽，产品价格也受到市场供求的影响，初步尝试了市场的竞争。但由于改革的不配套、不同步、不彻底、不完善，长期的计划经济体制仍然顽强地发挥着作用，承包方距合格的市场主体还有很大的差距。这主要表现在以下三方面：第一，承包方，特别是国有大中型建筑业企业大都隶属于专业部门和地方的行政管理部门，产权没有明确，自主经营的权力不能完全享有，因而无法自负盈亏；必须服从主管部门的行政命令，承担一定社会职能，因而无法抗拒对其盈利目标的干扰，利益机制难以发挥作用；还不是完全的法人实体和市场竞争主体。第二，建筑企业长期被看作吃投资的单纯消费部门，处于无利和微利的状况，使建筑企业失去了自我发展的能力。第三，计划经济的价格体制阻碍了市场机制发挥作用，导致了承包方行为的不合理。工程造价由国家规定的定额和取费标准决定，既不能反映市场的供求状况，也难以真实显示企业的实际消耗和工作效率，使价值规律无法发挥作用。承发包双方共用一本定额制订标底和投标报价，不利于开展真正的公平竞争，也造成一些施工企业依赖定额，当中标价低于定额价时，对招标投标产生抵触情绪。市场价格是不断波动的，定额难以及时调整，使微利的建筑企业难以承担因此造成的实际价差，经营困难，也导致了大量合同纠纷。

2. 工程建设管理体制的改革及对承包方的要求

1983 年以来，建筑业作为城市改革的突破口率先进行了工程建设管理体制的改革，制订了全面改革方案并进行大规模试点。其主要改革措施就是把单纯用行政手段分配任务改为主要通过建筑企业招标投标和自己承揽，把工程任务的计划分配改为市场竞争，提高了工程建设的效益，加快了进度，保证了质量，使建筑企业建立了市场的观念，促进了建筑企业素质的提高。

在建筑企业中实行各种形式的经营承包责任制，使建筑企业达到一定程度的自主经营和自负盈亏，企业内部改革得到深化，经营机制得到改善，调动了企业生产经营的积极性。放开建筑市场，促进多种经济形式的发展，以农村建筑队为代表的非国有企业建筑队伍成为全国建筑行业的重要成分。新老交替自然进行，减轻了国家负担，为我国经济建设的高速发展作出了应有的贡献，他们的组织管理形式，也为国有建筑企业的内部改革提供了重要的启示。调整企业组织结构，建立建筑企业资质管理体系，推行工程建设总承包制，改革企业用工制度，逐步走向管理层和劳务层分开的新型队伍结构体制。全面推行百元产值工资含量包干和多层次的按劳分配，把分配同效益挂钩，有效地克服了企业与企业之间、职工与职工之间分配上的平均主义弊端，使建筑业生产力得到很大发展。

根据《全民所有制工业企业转换经营机制条例》，国务院经贸办、国家体改委、建设部共同制订颁发了《全民所有制建筑安装企业转换经营机制实施办法》，规定了建筑企业应当享有的经营形式、经营决策、产品和劳务定价、产品销售、物资采购、对外经营、投资决策和资产处置、劳动用工和工资奖金分配、人事管理和机构设置等各项自主权力的内容；规定了企业必须建立分配约束和监督机制，对企业经营的盈亏承担相应的责任；规定了对企业合并、分立、解散、破产的要求和具体程序；明确了企业和政府主管部门的关系和政府部门的责任、义务和权力，为建筑企业成为真正的法人实体提供了法律依据和基础。

党的十四届三中全会《关于建立社会主义市场经济体制若干问题的决定》，提出了建立现代企业制度的要求。通过清产核资，明确出资人权益，使企业产权关系明晰，各自的权力义务和责任清楚；通过公司化、股份化等多种形式，健全法人制度，明确企业以其全部法人财产，依法自主经营、自负盈亏、照章纳税，对出资者承担资产保值增值的责任；通过把政府管理的职能和资产所有的职能分开，转变政府职能，改变政府对企业的行政管理方式，不再把企业作为行政的附属物，企业也不再承担社会和政府职能，真正做到政企分开。通过建立和完善国家对企业的组织管理机构，使政府的权力、监督职能和经营机构之间权责分明、各司其职、相互制约。建立由形成合力的领导体制、科学高效的决策体制、有广大职工参与的民主管理制度、严格的内部核算制度、体现效率和竞争的内部人事分配制度等组成的激励和约束相结合的企业内部机制，真正形成企业内部和外部的科学规范的管理。

为企业成为合格的市场竞争主体指明了方向。

三、建筑市场中的中介服务组织

中介服务组织是指具有相应的专业服务能力，在建筑市场中受承包方、发包方或政府管理机构的委托，对工程建设进行估算测量、咨询代理、建设监理等高智能服务，并取得服务费用的咨询服务机构和其他建设专业中介服务组织。在市场经济运行中，中介组织作为政府、市场、企业之间联系的纽带，具有政府行政管理不可替代的作用。而发达的市场中介组织又是市场体系成熟和市场经济发达的重要表现。

1. 中介组织的分类

从市场中介组织工作内容和作用来看，建筑市场的中介组织主要可以分为以下五种类型。

（1）协调和约束市场主体行为的自律性组织。如建筑业协会及其下属的设备完装、机械施工、装饰、产品厂商等专业分会，建设监理协会等等。他们在政府和企业之间发挥桥梁纽带作用，协助政府进行行业管理。其主要任务包括调查收集行业发展存在的问题和情况，企业的愿望和要求，及时向政府反映，作为政府制订政策和法规的依据，保护行业的合法权益；贯彻传达国家政策和方针，加强对企业的引导，实现政府的管理意图；制订行规，规范约束企业行为，协调企业间的关系，调解处理企业的争议和纠纷，维护市场正常秩序；收集发布行业动态及市场信息，促进交流；积极开展教育培训，促进企业人员素质的提高和先进管理方法、高新技术的推广采用。

（2）为保证公平交易、公平竞争的公证机构。如为工程建设服务的专业会计师事务所、审计师事务所、律师事务所、资产和资信评估机构、公证机构、合同纠纷的调解仲裁机构等等。由于这些机构独立于承发包双方之外，其人员大都受过较高的教育，有长期从事专业工作的经历，行为受到行业纪律和法规的约束，从而保证了他们行为的科学性、权威性和相对的公正性。因此，计划经济体制下政府部门承担的一些微观管理职能，可以由他们以有偿服务的形式承担，有利于政府职能的转换。这些服务的有偿性和社会性，也有利于改善服务的态度，保证服务的质量，提高服务的效率，完善服务的责任机制。中介机构通过技术服务，使企业了解自己完全的权力，帮助企业落实和使用好这些权力，帮助企业追究侵权者的责任，保障企业的合法权益不受侵犯。通过技术服务，还可以帮助企业提高法律意识和法制观念，避免违法违纪的行为。受政府管理机构的委托，承担一些监督、审查、审计等工作。受双方的委托，对争议和纠纷进行调解和仲裁。这些工作对于维护建筑市场的正常秩序，都将发挥重要的作用。

（3）为促进市场发育，降低交易成本和提高效益服务的各种咨询、代理机构。如工程技术咨询公司，招标投标、编制标底和预算、审查工程造价的代理机构，监理公司，信息服务机构等等。随着生产力的发展和经济管理的进步，社会分工的不断细化是必然的结果，改革的深化和社会主义市场经济体制的建立强化了企业对利益和效率的追求，也对工程建设的管理提出了更高的要求，咨询服务正在逐步成为企业经常性的需求，成为工程建设的必要程序。法制的逐步健全加强了对招标发包、标底编制、工程建设的组织管理等工作的资质要求和管理，使各种代理机构和监理公司迅速发展起来。政府职能转变和企业经营机制转化增加了对信息的需求和依赖，促进了信息服务机构的发育。

（4）为监督市场活动、维护市场正常秩序的检查认证机构。如质量检查、监督、认证机构，计量检查、检测机构，及其他建筑产品检测鉴定机构。随着经济的发展和市场机制的健全，发包方为了得到建筑物完美的使用功能，保证投资效益，承包方为了保证自己的信誉，提高企业的竞争能力，都更加重视产品的质量，更加需要一些监督检查机构的帮助。由于承发包双方利益的相对对立，双方对建筑产品质量认定标准的不同和争议也就在所难免，也就需要一个中立、公正的机构来检测认定。由于发包方选择的是生产建筑产品的建筑企业，通过中介机构确认建筑企业的质量管理的等级，事先了解确认建筑企业的质量管理能力和管理水平的工程质量认证方式，已被越来越多的国家所采用，有的国家和地区已规定，不经过认证合格的企业，不能承包工程。

（5）为保证社会公平、建立公正的市场竞争秩序的各种公益机构。如各种以社会福利为目的的基金会、各种保险机构、行业劳保统筹等管理机构。主要发挥这些机构的社会福利作用，防止因收入差别过于悬殊，造成社会分配的不公。

2. 中介服务机构在数量、作用等方面存在的差距

由于市场发育还很不完善，国家法制不健全，市场机制不能充分发挥作用，中介服务机构还远远不能适应市场经济的要求，不能满足市场日益发展的需要。

这种不适应首先表现在中介机构过去多数由政府包办，独立性、社会性、服务性较差；其次是职能不健全，许多中介机构及其人员缺少专业知识，不能满足专业性服务的需要；三是数量少，各种咨询代理服务和建设监理在一些城市和地区还没有真正开展起来；四是中介机构的服务对象——业主和建筑企业对中介服务的作用不够了解，缺乏正确的认识。

3. 建筑市场的培育和发展对中介服务方的要求

首先是制订政策、创造条件，促进中介服务机构发育和发展，满足市场日益增长的需要；其次是积极引导，大力开展对外交流，提高各种中介服务水平；三是建立赔偿制度等责任机制，使中介机构对其行为后果承担相应的法律责任和经济责任；四是加强管理，通过资格认定、依法设立，接受政府有关部门的监督管理，保证中介机构的素质和市场秩序；五是坚持中介机构的社会性，他们之间也要形成竞争机制，优胜劣汰，使中介机构保持活力。

《建筑法》的颁布，为我国建设监理制的发展提供了强大动力。《建筑法》中单列一章"建筑工程监理"，第30条说，"国家推行建筑工程监理制度"。这是对建设监理制度的法律认可，是发展建设监理制度这种中介组织的纲领。

四、建筑市场中各主体组织之间的关系

建筑市场不同于其他商品市场，市场中的各方存在着既互相对立、又相对统一，既交叉重叠、也互为因果的特殊关系。平等的交易伙伴关系是他们之间关系最基本的性质，这也是社会主义市场经济体制的基础。没有这种平等的关系，就没有平等互利、等价有偿、协商一致的交易原则，市场机制就无法发挥作用，也就不可能起到优化资源配置的基础作用。

（一）承发包双方的关系的变化过程

解放初期，工程建设多数属于自营性质，承发包双方同属于一个组织内，工程费用实报实销。这种作法对我们在经济和管理水平较低、法制不健全的情况下，进行突击式的恢复建设起了一定的作用。但是随着经济的不断发展变化，这种作法的弊病也逐渐暴露出来。第一，施工质量的好坏，工期的快慢，人力、物力投入的多少，与其自身的经济利益没有直接的关系，积极性得不到激励发挥，行为得不到约束监督；第二，对工程的造价双方都没有明确的责任，谁也不关心工程成本的核算，造成工程施工中严重的浪费现象，效益越

来越差；第三，承发包双方权利不清楚，职责不明确，工作中互相推诿扯皮，拖延了进度，出了问题也难以分清责任。随着改革的不断发展，建筑企业逐渐走向独立自主、自负盈亏，逐渐改变了与业主单位之间的从属关系。随着施工任务的取得由行政分配转变为市场竞争和市场经济的发育成熟，承发包双方逐渐成为平等的交易伙伴。

（二）承发包双方关系的相对统一

承发包双方作为独立的商品生产单位，都具有独立的生产利益。为了自身发展，他们必然都要追求自己最大的经济利益。这是走向市场经济的必然结果，是市场竞争中合理的现象，是促进经济发展的动力。业主方要追求自己的最大的经济利益，必然希望以最低的造价、最短的时间，得到质量等级最高、使用功能最全的建筑产品。承包方则希望以最少的人力、物力的投入，得到尽可能多的收益。质量标准的提高，必然要增加人力、物力的投入，一般把工程质量从合格提高到优良，工程造价要增加10％左右；减少投入超过合理的限度，也会因偷工减料破坏工程的质量；工期的缩短超过了一定的限度，也会使造价增加，还可能损害工程的质量；而工期的拖延，也同样造成机械、人工、管理费用和贷款利息的增加，使发包方不能得到预定的收益；工程造价上双方利益的冲突则更直接、更明显，数量也更多；在施工中，双方必然都希望享有更多的权利和更少的义务。这种相对对立的关系，形成了双方之间的互相制约和互相监督，有助于保证工程的质量、工期和控制工程造价。随着这种对立关系的不断强化，签订施工合同的重要作用也就越来越明显。加强合同管理、提高合同履约，搞好调解与仲裁，减少争议和纠纷造成的损失，是承发包双方和市场管理部门的一项重要工作。

（三）承发包双方权利义务关系的复杂性和长期性

承发包双方的权利义务关系从施工生产开始之前的签订合同以后开始，在工程完工后一定的时间结束，有的在交付工程、进行结算后结束，有的要在保修期满后才结束。在这样长的时间里有许多难以预料的情况可能发生，包括国家政策的变化、经济形势的变化、环境气候的变化、地质条件的变化等等。这些变化必然引起双方权利义务的增加、减少或改变，需要双方协商后以补充协议的形式作出新的约定。有些变化难以预料，后果也比较严重，就需要对双方应作的工作和承担责任的原则事先作出约定，进行风险管理。

（四）承发包双方权利义务的交叉性、重叠性

由于施工过程的复杂性等特点，一方履行义务时常要以另一方义务的履行为条件。如承包方履行开始施工的义务必须以业主方提供具备施工条件的场地为条件；业主方履行支付工程价款的义务，要以承包方按照约定的工期和质量标准完成约定的工程数量为条件。任何一方不能按照约定的时间和要求履行自己的义务，都可能影响另一方履行自己的义务。任何一方行使自己的权力，也必须受另一方相应权力的制约。如业主方有权对工程进行检查监督，承包方应接受检查并提供便利，但它也有权要求保证施工生产的正常进行；在确有必要时，业主方有权要求承包方暂停施工，承包方应按要求停工，妥善保护好已完工程，但它也有权要求业主方在约定的时间内发出修改或复工的指令。

（五）中介服务方与承发包双方的关系

中介服务方可以为双方中的任何一方服务，他们与其服务对象之间，是委托与被委托的关系，是平等的交易关系。中介组织与委托方之间是由合同约定的、市场中的交易关系，受到市场机制的调节和市场法规的制约。

建设监理单位受业主方的委托，行使业主方在交易中的权力。当然，这种权力的行使必须经过承包方的同意，并在合同中作出约定。虽然合同中约定承包方必须接受监理工程师的检查，按照监理工程师的要求工作，但是，这并不改变他们之间平等交易的关系。监理工程师是相对公正的，一是因为他相对独立于承发包双方之外，双方的盈利或亏损一般不影响他的收入；二是他以合同为依据工作，而合同是双方协商约定的，应当是公正的；三是他必须受到行业管理组织的约束，以取得行业组织的保护、指导和对其资质的证明；四是如果他不能保持公正，他将受到承包企业的抵制。

五、建筑市场的客体

（一）建筑产品市场的客体

建筑市场的客体，我们一般称作建筑产品。既包括有形的产品——建筑物，也包括无形的产品——各种服务，客体凝聚着承包方的劳动。业主方则以投入资金的方式，取得它的使用价值。

建筑产品不是为建筑企业自身需要而生产的，是为社会的需要及与其它行业交换而生产的。物化劳动和活劳动在建筑产品上的结合，使其具有价值和使用价值，具备了商品的特征。当然，建筑产品的固定性、单件性、高价值量等特点，使它成为一种特殊的商品。不能批量生产、不能拿到市场上交换。

正确认识建筑产品的商品属性，是建筑业管理体制改革的基础概念，也是培育和发展建筑市场工作的基础。只有正确认识建筑产品是商品，才能建立市场形成的价格体制，发挥价格机制的作用；才能有利于招标投标的推行，发挥竞争机制的作用，才能真正建立市场对资源配置起基础作用的社会主义市场经济体制。

（二）建筑生产要素市场的客体

建筑生产要素市场的客体是明显的，即生产要素。建筑材料市场的客体是建筑材料；建筑劳动力市场的客体是劳动力；建筑技术市场的客体是建筑技术；建筑资金市场的客体是资金，建筑机械设备租赁市场的客体是建筑机械设备。

建筑生产要素不等于建筑市场客体。只有在建筑生产要素真正成为商品后才能成为合格的市场客体。现在发育较好的是建筑材料市场的客体和建筑劳动力市场的客体。至于资金市场、技术市场、机械设备租赁市场等的市场客体，由于其商品化的条件不充分，所以不完全具备市场客体的条件。正因为如此，我们要继续完善建筑材料市场和建筑劳动力市场，对资金市场、机械设备租赁市场和技术市场，要创造条件迅速建成并发挥其应有作用。

思 考 题

1. 什么叫建筑市场？它有哪些特点？
2. 我国的建筑市场是怎样形成与发展起来的？
3. 我国建筑市场的地位如何？它有哪些作用？
4. 我国建筑市场体系是怎样构成的？
5. 什么是建筑产品市场？"建设工程交易中心"的基本功能和工作原则是什么？
6. 建筑市场主体包括哪些方面？它们之间应是什么关系？
7. 什么叫业主？业主的职责是什么？我国政府是怎样规范业主行为的？
8. 什么叫中介服务组织？它分为哪些类型？各有什么作用？

第七章 建筑市场的运行机制

第一节 建筑市场价格机制

一、建筑产品价格

（一）建筑产品价格的含义

建筑产品是指具有一定功能，可供使用的房屋、建筑物和构筑物。它具有价值和使用价值，具有商品性质。建筑产品的价格是建筑产品价值的货币表现，是物化在建筑产品中社会必要劳动时间的货币数量。在建筑市场中，建筑产品价格表现为建筑工程的承包价和结算价。它是建筑市场商品交换中现实存在的客观经济范畴。

（二）建筑产品价格的特点

建筑产品价格除具有一般商品价格的共性外，还具有其自身的特点。这些特点是由建筑产品、建筑生产和建筑产品交换方式的特点引发的。建筑产品价格的特点主要表现在以下几方面。

1. **特殊的计价方法**

由于建筑产品的单件性，不能成批生产，故也不可能成批计价，只能对每件产品（工程）单独计价。计价的方法是将分项工程作为最简单的"产品"先行计价，再在此基础上对分部工程综合计价；各分部工程全都计价后，对单位工程计价。对建筑企业来说，单位工程就是产品，其价格就是产品价格。因此分项工程计价是建筑产品计价的基础。这种计价方式可称之为"预算计价法"。在计划经济时代，分项工程计价是定额化的，即在定额中规定了分项工程量的计量方法，规定了材料、劳动力及机械台班耗用量和综合价格，以定额进行计算。在市场经济下，由于价格是浮动的，故除对分项工程的量使用定额计算外，单价是要在市场中形成的，即采用市场价。业主招标时采用预算法计算标底，承包商用预算方法计算投标价，中标价就是承包商的投标价，在此价格的基础上签订合同价，合同价即成交价。在工程进展中由于工程变更引起价格的变化，在竣工后进行结算，即在成交价的基础上调整。结算价是建筑产品的实际买卖价格。

2. **特殊的结算方式**

由于建筑产品价值量大、价格高，故结算有其特殊的方式。一般说来，建筑产品的交易结算是分期进行的。在工程开工前，由业主支付一定量的预付备料款。在工程开工后，分月结算（或分阶段结算）工程进度款。等到所余工程的材料费数额相当于预付备料款数额时，便在支付时逐月少收相当于该月应付款中所占的材料款。完工后根据合同价、索赔额、工程变更价和预付款回收情况进行结算。为了保证承包方用后服务质量，相当于产品造价的5%的价款是直到保修完成后才支付的。

3. **建筑产品价格管理的难度大**

建筑产品价格一般是由政府有关部门进行管理的。政府在管理价格时，一般要制定定额，规定计价方法，掌握价格水平，决定相关取费标准。还要进行动态管理，决定调价方法，提供计价和调价信息等。由于建筑产品价格涉及较多的宏观问题，又与国民经济各部门产品的计价方法和计价水平相关，所以由政府进行建筑产品价格管理是必要的，其管理难度是相当大的。

4. 建筑产品价格具有地区特殊性

由于建筑产品的不可移动性，它的生产与大地相连，利用地方人力、材料和水电资源，地区价格的差异，土地价格的差异，使建筑产品计价价必须因地区而异。在进行建筑产品计价和结算时，必须考虑地区特点。市场经济为处理这一特点提供了条件。

二、建筑市场价格机制

建筑市场的价格机制是指建筑产品价格所具有的传导信息、配置资源、促进技术进步、降低社会必要劳动量的功能作用。

价格的高低，直接决定着市场主体经济利益的大小。因此，价格机制是现代市场运行中的利益机制或动力机制。价格提高，会给供应者带来更大的利益而促使其增加供应，使需求者因增加开支而减少需求；价格降低，会给供应者造成损失而减少供应，给需求者带来利益而增加需求。同时，价格的每一变动不断向市场主体发出增减供应或增减需求的信号，因而它又是一种反馈机制。价格机制就是这样对市场商品供求的总量、结构以及不同时间、空间发挥着调节作用的。建筑市场的价格机制有以下特点：

第一，一般说来，同价格机制相联系的供给与需求，是指产品的需求数量和供给数量，价格的涨落能带动供给数量和需求数量的变化。但是建筑市场是先有需求，后产生供给。当市场上有投资需求时，并不存在产品供给，只存在施工企业参与工程承包的能力。所以，建筑市场上为价格所扯动的是投资需求，供给的是企业的个数及其承包能力，而不是产品数量。价格对供给的扯动力很弱。由此产生了建筑市场上特定的均衡内容。

第二，建筑产品的价格无需求弹性。这是因为价格涨落对需求无影响，影响需求数量的是投资规模和具体项目的投资利润率。然而建筑产品的供给弹性反映看建筑市场投标涨落对施工企业个数或供给能力的影响。我国劳动力过剩，技术要求低，所以市场容易进出，使建筑产品有很强的供给弹性。

第三，由于建筑产品缺少需求弹性，故价格变化不能调节需求，但对施工企业的供给能力有很大的调节作用，故价格只能起单向调节作用，不能象工业品对供需双向都有调节作用。

建筑产品在计划经济下不被认为是商品，建筑产品价格背离价值规律，只能起到核算作用，建立市场经济体制后，对建筑产品价格的改革提出了很艰巨的任务。

1. 完善价格形成机制

要以能够反映出市场经济下工程造价的真实性为基点，以是否适应竞争以及是否有利于提高工程质量和施工企业向现代化发展为前提，使工程造价计算方法尽量与国际惯例接轨。

按照我国现行的建筑工程管理体制和建筑业改革发展方向，工程造价的形成机制应是：国家统一计量方法，企业自己定价，国家和地方政府制定工程税费。

国家统一计量方法是由国家工程造价管理部门制定出全国统一的工程量计算规则。消耗定额（人工、材料、机械）要由行业协会编制，供招投标参考。建筑企业要有自己的消耗定额，并据此和公布的各类价格指数，编制投标书，最终实现建筑产品价格由市场确定。

2. 加强价格运行机制

创造公平的招投标竞争环境，按时公布有关材料、人工、机械价格信息，制定必须的法规，是维持正常建筑市场价格秩序的基本保证，也是从根本上制止工程建设中腐败行为发生的需要。立法工作应从我国国情出发，引进国外经验，建立起一套职责分工明确，具有可操作性的价格管理法规。

3. 建立宏观价格调控体系

建筑市场中的价格机制要求宏观调控，调控的主要途径是以经济利益引导，有效地利用经济手段。因此，要解决建筑行业利润水平过低的问题，逐步达到全社会平均利润水平。改变所有制不同、利润率亦不同的费率制度。管理费率应以工程施工难易程度及对施工企业技术管理水平要求而划分，工程类别越高，工程越难施工，越是要求有先进的施工管理手段和先进的施工机械设备，越应提高管理费费率，这是高技术高收益的产业政策的体现，也可促进企业进行技术改造和培养人才。

三、建筑产品价格控制和政策措施

（一）价格控制

建筑产品价格控制是指在价格确定的情况下，通过一定的管理措施使之不突破或少突破。对一般工业产品来说，并不存在这一问题，但对建筑产品来说，由于是先定价、后生产，故对买方来说，这个问题便被突出了出来。

业主控制建筑产品价格是分阶段的。它应当把投资控制的重点放在设计阶段，因为设计阶段对建筑产品价格的影响最大。设计阶段价格控制的责任落在设计者身上，业主起监督作用。设计单位应进行限额设计，应利用价值工程，应边设计边进行价格分析，努力在满足功能的前提下降低产品价格。

在施工阶段，控制建筑产品的价格的责任在业主身上，监理单位进行辅助。因为从自身利益出发，作为卖方的施工单位总希望高价出售自己的产品，与业主作为买方希望价格低的愿望正好相反。所以业主（或通过监理单位）应在以下几方面控制价格。一是制定合理的标底，用以衡量投标者的报价；二是对投标者的报价进行严格审查，对中标者的报价更应严格审查，在此基础上经过谈判确定合同价，即成交价；三是在施工过程中严格控制工程变更，控制转移产品（材料、构件）的价格选择，控制施工单位的索赔，合理掌握进度款的支付；四是在竣工后搞好结算。由此看来，施工阶段建筑产品的价格控制不是控制最终成果，而是通过对价格形成要素的价格控制影响产品的整体价格。

（二）建立注册造价工程师制度

1. 为了提高工程造价管理的工作质量，我国已经在1996年建立并实施了注册造价工程师制度。该制度规定的造价工程师，是指经过全国统一考试合格，取得《造价工程师资格证书》，并经注册取得《造价工程师注册证》，从事工程造价业务活动的人员。凡从事工程建设活动的建设、设计、施工、工程造价咨询等部门和单位，在涉及工程造价业务的关键岗位，均应配备注册造价工程师，负责工程的计价、评估、审核、控制和管理等工作。

2. 注册造价工程师的执业范围

（1）建设项目投资估算、概算、预算、结算、决算及工程招标标底、投标报价的编制或审核。

(2) 建设项目经济评价和后评价、设计方案技术经济论证和优化、施工方案优选和技术经济评价。

(3) 工程经济纠纷的鉴定。

(4) 工程变更及合同价的调整，索赔费用的计算。

(5) 工程造价计价依据的编制或审核。

(6) 国务院建设行政主管部门规定的其他业务。

3. 注册造价工程师享有的权利

(1) 有独立依法执行注册造价工程师岗位业务并参与工程项目经济管理的权利。

(2) 有在其经办的工程造价成果文件上签字的权利。凡经注册造价工程师签字并加盖其执业专用章的，工程造价文件需修改时，应当征得本人同意；如因特殊情况不能征得本人同意时，可由所在单位委派本单位具有相应资格的注册造价工程师代行签字或盖章，并对其负责。

(3) 有使用注册造价工程师名称的权利。

(4) 注册造价工程师对违反国家有关法律、法规的意见和决定有提出劝告、拒绝执行并向上级或有关部门报告的权力。

4. 注册造价工程师的义务

(1) 熟悉并严格执行国家有关工程造价的法律、法规。

(2) 恪守职业道德和行为规范，遵纪守法、秉公办事。

(3) 对经办的工程造价文件质量负有经济的和法律的责任。

(4) 积累用于工程的新技术、新材料、新工艺及已完工程造价资料，为工程造价管理部门制定、修订工程定额和数据库提供资料并实行资料共享。

(5) 接受继续教育，更新知识；积极参加职业培训，提高业务技术水平。

(6) 不得参与与经办工程有关的其他单位事关本项工程的经营活动。

(7) 保守在执业中得知的技术和经济秘密。

(8) 不得允许他人以本人名义执行业务。

(三) 工程造价咨询

为了维护建设市场秩序，加强工程造价管理，我国从1997年起建立工程造价咨询制度。工程造价咨询由工程造价咨询单位承担。工程造价咨询单位是指取得《工程造价咨询单位资质证书》、具有独立法人资格的经济组织。

工程造价咨询单位的等级分为甲、乙、丙级，各等级的资质标准如下：

1. 甲级

(1) 具有高级专业技术职称、从事工程造价管理工作10年以上并取得注册造价工程师资格的专业人员作为单位专职技术负责人和专业技术负责人。

(2) 具有中级以上专业技术职称、从事工程造价管理工作5年以上并取得注册造价工程师执业资格或概预算人员资格的从业人员不得少于20人，其中具有中级专业技术职称人员不得少于10人；高级专业技术职称人员不得少于6人。单位固定专业人员不得少于注册从业人员的40%。

(3) 注册资金不少于30万元。

(4) 具有固定的办公场所，健全的组织机构，完整可靠的技术资料和微机管理手段，以及严格的管理制度和章程。

(5) 近3年已完成5个大型建设项目工程造价的咨询工作，有较高的社会信誉。

2. 乙级

(1) 具有高级专业技术职称、从事工程造价管理工作7年以上并取得注册造价工程师执业资格的专业人员作为单位专职技术负责人。

(2) 具有中级以上专业技术职称、从事工程造价管理工作3年以上并取得注册造价工程师执业资格或概预算人员资格的从业人员不得少于10人，其中具有中级以上专业技术职称人员不得少于5人。单位固定专业人员不得少于注册从业人员的40%。

(3) 注册资金不少于15万元。

(4) 具有固定的办公场所，健全的组织机构，可靠的技术资料和微机管理手段，以及严格的管理制度和章程。

(5) 近三年已完成3个中型建设工程造价的咨询。

3. 丙级

丙级的资质由省、自治区、直辖市建设行政主管部门和国务院有关部门参照上述甲、乙级标准自行制定。

工程造价咨询单位的业务范围是：(1) 甲级单位可在全国范围承担建设项目的工程造价咨询业务。(2) 乙级单位可在本地区、本行业内承担中型以下建设项目的工程造价咨询业务。(3) 丙级单位的业务范围由省、自治区、直辖市建设行政主管部门和国务院有关部门制定。

工程造价咨询单位的工作原则是：(1) 遵守国家法律、法规，客观公正。(2) 不得参与与委托工程有关的经营活动。(3) 承担工程造价咨询业务不得转让。由几个咨询单位联合承接业务时，应由一个咨询单位与委托方签订合同，对委托方负责，并与参与方签订联营合同。(4) 对委托方所提供的文件、资料负责保密。(5) 接受各级建设行政主管部门和政府有关部门的监督和检查。

(四) 今后五年的重要工程造价管理工作

建设部于1997年召开了建设标准定额工作会议，确定今后五年进一步开展工程造价管理工作改革，努力抓好以下4项工作。

1. 加强法制建设

(1) 贯彻中央提出的"改革建设项目概算管理办法，切实解决普遍存在的超概算现象"的指示，制定《建设项目设计概算编制办法》，理顺建设项目费用组成，从方法上规范概算编制行为，以静态投资控制设计，以动态投资筹措资金、控制资金使用，形成既有利于国家对建设项目投资的宏观管理，又有利于把建设项目投资打足，不留缺口，使长期存在的普遍超概算的现象得到改善。

(2) 组织制定《建设工程合同价管理规定》，明确建设工程标底价、报价、合同价以及工程价格结算编制和审核的要求，防止盲目性和随意性，制止目前建筑市场上普遍存在的标底价与实际相脱离、压级压价、高估冒算、合同违约等行为。

(3) 按照现行的财务制度的要求，制定有关建设项目竣工决算编制办法，以提高竣工决算的质量，为正确核定交付使用的资产价值提供科学依据，也为建设项目进行经济后评估提供合理的尺度。

2. 继续进行计价依据的改革

按照国家对工程实体消耗进行宏观控制的要求,由国家制定全国统一基础定额和全国统一安装工程预算定额,以及相应的工程量计算规则。对工程所需人工、材料、机械的消耗量由国家统一定额确定。价格由各级建设行政主管部门根据市场变化情况,适时发布指导价格信息,动态调整。同时要不断完善工程量计算规则,便于依工程量清单采用实物法报价,向国际惯例靠拢。各地要在全国统一建筑工程基础定额的基础上抓好单位估价表的编制工作。组织制定全国统一建筑工程、安装工程概算定额项目划分和工程量计算规则,同时继续推动按照工程类别或工程投资来源实行差别利润率,促进企业平等竞争。有条件的企业,逐步推行以工程成本报价,通过竞争形成价格。

3. 继续加强工程造价的动态管理

根据国家现行的工资制度改革和市场劳务价格的变化,由各地区、各部门及时进行人工费单价的动态调整;依据市场价格变化情况,由各地、各部定期发布价格信息和价格指数,对设备材料价格进行动态调整。依据机械原价、折旧年限以及零配件等价格的变动情况,适时做好机械台班费用定额的统一修订和调整工作。继续加强资料的积累工作,逐步建立工程造价信息系统,为工程造价动态管理服务。

4. 作好造价工程师执业资格考试和注册工作

按照《造价工程师执业资格认定办法》,认定一批造价工程师。认真总结造价工程师考试经验,推动造价工程师全国考试工作。为此尽快出台《注册造价工程师管理办法》,明确造价工程师的权利、义务和职责范围,规定造价工程师执业行为和执业道德。经过几年努力,造就一批具有高素质和职业道德的工程造价管理专业人员队伍。

第二节 建筑市场的竞争机制

一、建筑市场竞争机制概述

市场竞争是市场主体为取得有利的市场条件而进行的角逐。这种角逐不断向市场主体提供外在的压力,迫使市场主体为了取得和保护自己的经济利益而积极参与市场活动,以推动市场的发展和社会的进步。因此,竞争机制是市场机制中的压力机制。

竞争是商品经济的产物,并随着市场的发展而发展。只要存在商品生产和商品交换,就必然存在市场竞争。但是,竞争的性质取决于社会的性质,在不同的社会制度下,市场竞争具有不同的目的、手段和结果。

竞争是在市场主体中间展开的,有三种类型。第一种是发生在市场供应者之间的竞争,竞争的主要目标是实现甚至增加自己产品的价值。供应者之间的竞争又分两种情况,一种是发生在同一生产部门内部的竞争,一种是发生在不同部门之间的竞争。前者的结果是优胜劣汰,从而推动社会生产力的发展;后者的结果是实现利润平均化,从而推动产业结构的调整。在国际建筑市场上,供应者之间的竞争主要体现在价格、质量和工期上。第二种是发生在市场需求者之间的竞争,竞争的主要目标是取得使用价值。需求者之间的竞争可以推动市场价格上升。第三种是发生在供应者和需求者之间的竞争,竞争的主要目标是货币。供求双方之间的竞争对价格的影响取决于双方力量的对比。这三种类型在不同的市场形势下是各不相同的。在卖方市场条件下，市场上主要是需求者之间的竞争；在买方市场条件下，市场上则主要是供应者之间的竞争。

建筑市场的竞争机制主要是指承包者之间的竞争，承包方为了取得施工任务，与竞争对手之间进行的价格、质量、进度、节约、信誉、服务等多方面的竞争，通过竞争使承包者承担压力，增强活力，提高经营和管理水平，降低价格，提高质量，加快进度，减少消耗，讲究竞争策略和艺术，争得竞争取胜。所以，建筑市场的竞争机制是使生产企业乃至整个行业的素质得到提高的动力。

为了保证竞争的有效性、就必须在鼓励竞争的同时，充分利用规模经济，即形成企业的竞争实力。

我国建筑业同其他行业一样，在计划经济时代是不存在竞争的，因此发展动力不足，发展速度很慢。改革开放以后，通过开展招标投标活动，逐渐开展了竞争。竞争机制促进了建筑市场的形成和发育。为了规范建筑市场，我国政府主管部门努力健全市场管理法规，大力提倡公平竞争，反对不正常竞争，长期进行执法检查，打击非法竞争者，使建筑市场逐步走向有序竞争轨道。从1980年开始国务院就颁发了《国务院关于开展和保护社会主义竞争的暂行规定》，提出，"对一些适宜于承包的生产建设项目和经营项目，可以试行招标、投标方法。"1983年出台的建筑业改革大纲、提出了要在我国开展招标投标制。1984年六届人大二次会议的政府工作报告中提出，凡重要工程和城市开发建设的承发包，都必须进行招标、投标"。1984年11月，国家计委和原城乡建设环境保护部制定并发布了《建设工程招标投标暂行规定》。1985年颁发了工程设计招标投标暂行办法。1991年原国家物资部发布《建设工程设备招标投标暂行规定》，1992年，建设部以23号部令发布了《工程建设施工招标投标管理办法》。1991年11月21日，建设部和国家工商行政管理局联合发布了《建筑市场管理规定》。1996年12月，建设部发布了《建设工程施工招标文件范本》。1998年3月1日起施行的《中华人民共和国建筑法》中的第三章，以整章15条的篇幅对工程发包与承包进行了规范，主要是对招标投标活动进行规范。其第16条规定：建筑工程发包与承包的招标投标活动，应当遵循公开、公正、平等竞争的原则，择优选择承包单位。"

二、建筑市场中的招标投标

（一）基本情况

建筑市场的招标投标活动目前发展势头很好。据国家统计局统计，1996年内地建筑业企业投标承包面积为54728万m^2，占施工面积的42.4%，投标承包工程个数为188001个，占当年施工工程个数的27%。国有建筑业企业投标承包工程施工面积为24261万m^2，占其全部施工面积的54.5%；投标承包工程的个数81800个，占其全部施工工程个数的38.2%。

1996年内地绝大多数地区的招标投标工作取得了较好成绩。北京市、区（县）两级共办理决标工程1829项，建筑面积1912万m^2，建筑面积比上年同期增加8%，按政策规定2000m^2和投资50万元以上的工程，基本上进行了招标发包；天津市招标工程961项，建筑面积584万m^2，并完成世界银行近亿元的招标代理业务。上海市、区（县）施工决标3363项，建筑面积2417万m^2，中标价346亿元；勘察决标668项，面积3274万m^2；设计决标305项，面积985万m^2。

我国招标投标的成绩主要表现在五个方面：一是招标投标法规建设有了较大进展。内地目前有23个省、自治区、直辖市陆续颁发了《建筑市场管理条例》，7个省、自治区、直辖市颁发了《建设工程招标投标管理条例》。1996年底,建设部以建监[1996]577号文正式向全国推荐使用《建设工程施工招标文件范本》,范本总结了推行招标投标工作十多年的经验,参照世界银行贷款项目招标投标的做法,标志着我国招标投标管理进一步走向规范化。二是建筑市场与招标投标执法工作得到加强。一些大中城市建立了专职的建筑市场执法监察队伍,及时查处并纠正违章违规行为,以维护建筑市场的良好秩序,保证招标投标的公平竞争。在罚劣的同时,还对优秀施工企业实行政策优惠,以鼓励先进,引导竞争,促进企业提高素质,提高管理水平。三是招标投标管理机构和职能继续加强。绝大多数地级以上城市都建立了专职的招标投标管理办公室(简称招标办)。据不完全统计,列入招标投标办公室事业编制、专职从事管理工作的人员近3000人。招标办基本职能包括工程报建、招标投标、建设单位资格管理、工程合同管理、发承包代理单位管理和市场行为的检查监督等。四是建设工程交易中心继续发展。目前全国92个地级以上城市建立了建设工程交易中心。交易中心以工程发包承包为核心,公开发布招标信息、宣传贯彻工程建设的政策法规、统一办理报建、建设单位资格审查、招标投标、质量监督、办理开工手续等手续,为承发包双方提供方便、快捷的服务。五是招标投标代理机构健康发展,招投标代理机构以其专业化优质服务,赢得了市场,求得了生存,为提高招投标工作质量作出了积极贡献。

建筑业与招标投标管理中取得了一定成绩,但也存在不少问题。一是建筑市场的混乱状况还没有得到根治;二是地方封锁、部门保护现象仍然较为严重;三是私下交易、利用工程发包权索贿受贿现象依然存在;四是招标程序、评标方式、方法也有待进一步完善与改进;五是部分地区议标面过大,议标过程有待于进一步规范;六是倒手转包工程现象依然存在,给工程质量带来隐患。

(二)我国建设工程招投标的特点

由于我国的经济制度基础是生产资料公有制,整个经济体制正处于向完善的社会主义市场经济体制过渡时期,因此我国的招标投标制与世界上许多国家相比,具有一些突出的特点:

1. 具有中国特色的招标范围和管理机构

由于我国是生产资料公有制为主体的国家,政府和公有制企事业单位投资占全社会固定资产投资的绝大多数,因此我国强制招标的范围较大,主要包括政府和公有制企事业单位投资的限额以上建设工程。公开招标和邀请招标属于竞争性招标,得到政府的大力提倡。议标属于特殊形式的招标,受到严格限制。

我国对招标投标的日常监督管理主要是通过全国各级建设工程招标投标管理办公室进行的,这个管理办公室是政府授权管理建设工程招标投标的事业单位。目前全国绝大多数地级以上城市都建立了的招标投标管理办公室。这些管理机构为推动我国招标投标工作起了关键性的作用。

2. 全国性和地方性法规互为补充的招标投标法规体系

如前所述,全国目前已有21个省、自治区、直辖市人大颁发了《建筑市场管理条例》,这些市场管理条例都把招标投标列为重要内容;有7个省、自治区、直辖市颁发了《建设工程招标投标管理条例》。在这些地方性法规出台后,不少地方还制定与之配套的规章和规范性文件,包括报建、招标代理、招标申报、招标文件及标底管理审查,开标、评标、定标、百分制评标等方面的管理规定。这些法规和规范性文件的颁布执行,构筑起各地招投标的基本框架。

3. 以标底为中心的投标报价体系

标底是依据全国统一工程量计算规则、预算定额和计价办法计算出来的工程造价,是投资者对建设工程预算的期望值,也是评标的中准价。设立标底的做法是针对我国目前建设市场发育状况和国情而采取的措施,是具有中国特色的招标投标制的一个具体表现。标底需要经过招标办的审查,以保证其准确性和权威性。开标前标底是保密的,任何人不得泄露标底。为减少标底泄密现象的发生,招标投标管理机构审定标底的时间是在投标截止之后,开标之前。标底有一定的上下浮动范围,在这个浮动范围内投标报价有效,超出浮动范围的投标报价无效。采取这些措施的目的是为了制止盲目压价,保护招标投标双方的合法权益,保证工程质量。

4. 以百分制为主体的评标定标办法

大部分地区应用的是百分制评标办法,即设立造价、质量、工期、信誉若干指标,赋予每项指标一定的分值,逐项打分,得分最高者中标。考虑到项目经理是工程的具体实施者,在项目实施过程中有着举足轻重的作用。将其业绩量化记分带入百分制评标中,直接影响企业能否中标。

5. 逐步建立工程交易中心

为加强招标投标管理,方便发包方与承包方办理各种开工前手续,从1995年起,全国一些大中城市陆续开始建立建设工程交易中心。

6. 扶植发展招标投标中介服务机构

政府还注意扶植招标投标代理机构发展。招投标代理机构不仅规范了市场行为、提高了招投标工作质量,而且扩大了招投标覆盖面,强化了市场的统一管理。

(三) 我国建设工程招标投标发展趋势

我国将进一步加快招标投标管理市场化步伐,转变政府职能,规范市场主体行为,完善市场机制,加强市场管理,完善招标投标管理法规,最终建立一套依法管理、竞争有序,既有中国特色又与国际惯例接轨的招标投标制度。

1. 招标投标法规建设将继续被高度重视

为维护建筑市场秩序,保证招标投标当事人的合法权益,促进社会主义市场经济发育,建立健全招标投标法规日趋迫切而且必要。《中华人民共和国建筑法》和正在起草的《中华人民共和国招标投标法》是这个领域的基本法,有着极其重要的地位和作用;与这两部法律相配套的法规、规章和《建设工程发包承包管理条例》等,也是招标投标法律体系不可缺少的组成部分。在高度重视立法的同时,加大招标投标执法力度也日益引起关注。

2. 更加科学的评标定标办法将逐步形成

评标定标是招标投标工作中最关键的环节,也是核心环节。百分制评标是适应我国建筑市场发育状况较为合理的评标方法,在今后一段时间里仍将被较广泛应用,但是在指标的设置和分值的分配方面尚需进一步改善,改善的目标是使分值的高低充分体现企业的整体素质和综合实力,使质量好、信誉高、价格合理的企业能多中标、中好标;合理的低价中标法作为向发达市场经济过渡性的办法,将在技术简单、利润高的工程中试行;两阶段招标法适用于技术复杂工程;费率招标适用于图纸不全又急于开工的工程。总之,在今后相当长的一段时间内,我国的评标定标仍将是多种办法并存的格局,但是定量代替定性评标办法将是一个发展趋势。(见【案例 7-1】)。

3. 招标投标管理将进一步严格规范

通过各级招标投标管理机构的努力,将首先在招标工程中杜绝倒手转包、挂靠承包现象,以维护市场秩序,保证工程质量;继续提倡公开招标和邀请招标等竞争性招标,严格限制议标,坚决杜绝假招标;加强上级招标办对下级招标办的监督管理,并逐步建立群众监督、社会监督、舆论监督等多方面的监督制度。

4. 建设工程交易中心将继续得分发展和规范

交易中心管理的规章、制度和运行规则将陆续出台,以规范发包方、承包方、中介方和管理部门的行为;交易中心技术装备水平和现代化管理水平也将进一步提高,将广泛应用计算机处理各类信息数据,实现工程报建、招标信息、投标企业档案、场内办理手续等的微机管理;交易中心的功能和管理将日趋完善,逐步成为信息中心、管理中心、交易中心和咨询服务中心。

5. 招标投标代理机构将继续得到扶植和发展

拥有一批高素质的招标投标代理单位,不仅是发展社会主义市场经济的需要,同时也是建筑市场发育成熟的标志。代理单位参与市场竞争,提供优质服务,有利于规范市场交易行为,有利于提高招标投标的质量,也有利于扩大招标投标覆盖面。建设部将继续采取必要措施,促进代理单位的健康发展。

6. 合同是招投标结果的体现,与招投标工作密不可分

在合同管理方面,规范甲乙双方合同的签订行为、增强索赔意识,仍需做大量工作;推广使用《建筑装饰工程施工合同示范文本》和《建筑工程施工合同示范文本》等合同示范文本将是今后合同管理的主要工作之一。

7. 计算机辅助管理招标投标前景广阔

投标企业将应用计算机建立投标报价系统,实现快速、准确报价,以适应日益激烈市场竞争的需要;开发招标投标管理专业软件,应用计算机建立工程项目信息、主要材料价格信息、工程造价信息、投标单位信息、政策法规信息、评标专家网信息等数据库,以及投标企业已完工程质量、安全、信誉等数据资料,为招投标监督管理提供可靠依据,提高管理的科学性和权威性。

8. 加强招标投标管理机构建设也将是一项长期的工作

要在招标管理机构内部建立相互制约的机制,从机制上保证招标办高效有序运行,逐步建立健全内部管理规章制度,完善廉洁自律监督管理办法,公开办事制度、办事程序,防止以权谋私和行业不正之风,在全社会树立招标投标管理人员公仆形象。

(四) 建筑市场施工企业投标竞争策略

面对众多的施工企业,怎样才能在竞争中获胜,尽快使企业投身到市场经济中求得生存和发展,这就需要使施工企业在激烈的竞争中找到自己的位置。如何选择合适的投标报价、投标策略和投标技巧,提高中标率,是应该认真研究解决的问题。能否在竞争中获胜,除了取决于投标单位的资金实力和企业信誉外,采取合适的投标策略是中标的关键。一般来讲,建筑施工企业在投标中可以采取以下几种策略。

1. 精心预算、接近标底

在一个规范的建筑市场上,准确的投标预算是保证中标的最基本、最必要的前提。报

价低而适度是中标的基础。投标成败除施工质量和工期外，关键在于报价。报价太高，无疑会失去竞争力而落标；报价太低，也未必能中标，即使中了标，也难免潜伏亏损的风险。只有报价低而适度且接近标底才是中标的基础。怎样才能做到报价低而适度呢？根据国际上流行的获胜概率理论，利润率越低，中标可能性就越大，在一定限度内预期贡献越小；反之，利润越高，中标可能性就越小，在一定限度内预期贡献越大；越过一定限度，预期贡献就越小。一般来说这个限度为15%，当报价相当于直接成本的115%，为最佳报价，利润为15%时的报价预期贡献最大。我国公司由于开展国际承包工程的时间不长，经验不足，施工技术水平和管理水平又不高，所取利率低于国际水平，一般为5%～10%为宜。但对某项工程来说，又要因地制宜，不能一概而论。

在获胜概率理论指导下，要认真做好标书预算。一是要认真研究招标文件，准确理解业主标书的含义和要求。二是要重视答疑会议。在会议上，不仅要把自己在图纸中发现的问题弄清，还要认真听取各位竞争对手提出的各种问题，使自己能尽量多地掌握一些竞争对手的实力和社会信誉的情况，以及他们的动态和报价情况，为以后总决策提供依据。三是要精心计算工程量，稳妥套单价。由于计算工程量技术性强，难度大，耗时多，必须精心组织，精心计算。一般来说，国际招标单位在招标文件中都附有实物工程量，且工程计算较紧，有部分数字小于工程实际需要的数值。对此，必须进行全面复核或重点复核，以求工程量数字准确可靠。国内招标如标书中未附工程量数字，投标方就要重新进行详细的工程量计算，弄准套单价的依据。这是一项很严肃的工作，要求做到认真细致，方法科学，数据准确，实事求是，按规定计算。不存侥幸心理，也不搞层层加码。具体采用哪一种计算方法应视工程合同要求和单位的经验习惯来确定。有的可采用单价分析法，有的可用概预算指标法，有的可用类似预算法和标准预算法，也有的可用平方米造价包干法等。由于我国没有制定和颁布全国统一单价，只能按各地区、各部门的单价进行套用。

2. 摸清意图、有的放矢

在建筑市场竞争中，不同的业主对影响标价的各种因素会给予不同的权重，从而确定不同的招标方案。一般情况下，对于一个急于投产见效（尤其是利润可观，供不应求的产品项目工程，特别希望早一天投产，早一天获利）的业主招标，他们首先考虑的是工期，并十分注意施工企业的设备、技术实力及工效。其次再考虑标价。对于这种业主，投标方就应着重强调自己将采取的有效技术措施，并明确节约后的最短工期，而价格方面的优惠可一笔带过甚至不提，但对于由职工集资建造的住宅来说，对工期的要求往往不怎么紧，对工程造价则非常敏感，对此，投标方就要着眼于精心组织施工，提高管理水平，保证质量，降低工程造价，并把这种合理节约措施分项公布，使职工享受到实实在在的优惠，以获得住户们的支持，也有些招标单位在其资金周转有困难时，还可能提出，要投标方出面帮助获得优惠信贷等条件。在这种情况下，投标方都要充分研究论证。

3. 发现问题、多方案报价

在研究招标文件的过程中，对招标文件不明确或存在多方案的，投标单位要相应作出多方案报价，最后与招标单位协商处理。同时，要善于发现设计中不合理或可改进之处，或可利用某项新的施工技术使成本降低，提出修改设计方案。着重解决对设计不合理且可改变设计之处，以及构件、材料的替换代用。一方面按原设计制定施工组织设计，提出报价；另一方面附上修改设计的比较方案并作相应的报价，连同投标书同时送达招标单位，这样往往能得到招标单位的格外重视,以吸引业主的注意力。

4. 了解对手、知己知彼

一个投标单位不管其实力和信誉如何,要想在竞争中获胜,必须对对手的情况充分了解,否则就难以采取相应策略,即使实力雄厚,也不易取胜。因此,要用优势去战胜劣势,以长处去胜过短处,随机应变,根据情况不断改变自己的竞争策略。一成不变的标书是很少成功的。

施工企业在投标竞争中应注意做好企业内部资料的积累和外部情报的采集,更应重视对竞争对手情报的收集、分析、加工和储存。

竞争对手情报资料主要包括竞争对手的数量,各个竞争对手的技术实力、经济实力、管理实力、信誉实力、专业特长、定额资料,特别是各竞争对手历次投标书中的标书资料、施工方案和报价中各项费用的比例以及报价特点,要认真分析和加工,并与本企业的投标报价进行反复比较,从而把握各种情报资料的真实价值,找出竞争对手投标报价的各种信息与报价策略为我所用。要充分利用计算机建立信息库,对情报资料进行科学分类、存储,以便随用随调,快速有效地运用报价策略。

5. 让利优惠、恰到好处

在工程招投标市场上能否最终取胜,让利优惠是一个十分重要的问题。特别在建筑市场长期处于买方状态的情况下,尤其要注重让利优惠策略。从当前建筑市场形势看,至少有几点好处:一是由于施工任务不足,新工程尽管微利,也有利于企业简单再生产;二是有利于在新开辟的市场区域打开局面,占领市场,提高知名度;三是有利于先打进去,争取第二期工程。

让利优惠是否封底要因具体工程而异。从投标竞争体制的发展方向看,应该是合理的低价中标。何为合理,一方面取决于投标预算是否准确,另一方面取决于投标方采取的策略是否科学,在充分体现竞争的前提下,让利依据合理。在社会主义市场经济活动中,作为投标方,要对投标报价进行动态分析。抓住业主的心理,充分表达自己的诚意,报出的价格,要有据可依,有合理的分析计算。同时,一旦确定中标价,就必须严格执行。

施工企业投标竞争策略可参阅【案例 7-2】。

三、《建设工程施工招标文件范本》简介

(一)编写《建设工程施工招标文件范本》的宗旨

编写《建设工程施工招标文件范本》的宗旨是规范我国建筑市场的交易行为,保证建设工程施工招标的公正性、竞争的公平性,维护建筑市场的正常秩序,与国际惯例接轨。

该范本的编写,结合了我国建筑市场的现实情况,吸收了国际招标程序中适用于我国情况的部分内容,考虑了建筑市场今后发展的需要,着重考虑了我国建筑市场运行机制的现实状况。因此使得该范本既符合国际工程招标程序的惯例,又适应我国工程招标的需要。

(二)《建设工程施工招标文件范本》的组成

该范本包括九种文件:

1.《建设工程施工公开招标程序》;
2.《建设工程施工公开招标文件》;
3.《建设工程施工邀请招标程序》;
4.《建设工程施工邀请招标文件》;

5.《建设工程施工邀请议标程序》；

6.《建筑工程施工邀请议标招标文件》；

7.《建设工程施工招标工程标底》；

8.《建设工程施工招标资格预审文件》；

9.《建设工程施工招标评标办法》。

(三) 对范本的"使用说明"摘要

1. 对于结构复杂、工期较长、工程造价较高的大型工程，可进行资格预审，列出资格预审合格的报标单位"短名单"，然后向"短名单"中的投标单位发放招标文件。对于工期较短，而且结构不太复杂的工程可采取资格后审。

2. 招标方式可采用公开招标、邀请招标、邀请议标。对于采用邀请招标的工程项目，邀请单位不得少于3家，最好控制在7家以内；采用邀请议标方式进行招标的工程项目，邀请的单位2～3家为好。

3. 对结构不太复杂、工期在12个月以内、且工程造价较低的工程项目，可采用固定价格，但应确定固定价格所包括的范围，并考虑加入风险系数。

4. 在招标申请时，由招标机构审查建设单位的资质，不具备招标能力的应委托经批准的具有相应资质的中介机构代理招标，双方签订"委托代理协议"。具备能力的建设单位应组成招标机构，并将招标机构人员情况报招标管理机构核准。招标单位在投标中应写明项目经理的技术和经验情况。

5. "招标代理协议"的主要内容包括：对建设单位应提供的资料及提供的时间要求，委托招标的范围及内容，代理费用的约定及支付方式，各自的权利和义务，违约责任，建设工程招标时间安排等内容。

6. 整个招标、投标、定标过程，其核心是标价。工程标底价是招标单位的期望值，也是判断投标报价合理性的依据。因此招标工程必须编制工程标底价格。工程标底中的工程量清单应按国家公布的统一价目划分，并按国家统一公布的计量单位及计算规则进行确定。

《建设工程施工招标文件范本》中介绍了两种工程量配价方式：一种是"工料单价"，另一种是"综合单价"，前者是目前我国正在应用的计价方法；后者是考虑到与国际接轨而采用的计价方法。工程标底价格编制应科学、合理、准确，标底编制完成后报招标管理机构审定。

(四) 三种招标方式的范本对照说明见表7-1。

三种招标范本对照说明　　　　　　表7-1

对照内容	招标方式		
	公开招标	邀请招标	邀请议标
招标申请	不填写投标单位名称	填写拟邀请投标单位名称	填写拟邀请投标单位名称
资格预审文件	编写，但采用资格后审的不用编写	不编写	不编写
邀请方式	刊登资格预审通告及招标通告	发出投标邀请书	发出投标邀请书
标底价格及投标报价	采用综合单价	采用综合单价或工料单价	采用工料单价或进行议价

续表

对照内容	招 标 方 式		
	公开招标	邀请招标	邀请议标
发放招标文件	向资审合格的投标单位或愿意参加投标的单位发放招标文件	向邀请的并愿意参加投标的单位发放招标文件	向邀请的并愿意参加投标的单位发放招标文件
勘察现场	采用	采用	不采用
自开标之日起至定标期限	中小型工程 7d 内,大型工程 14d 内	中小型工程 7d 内,大型工程 14d 内	中小型工程 3d 内,大型工程 7d 内
评标	组织评标委员会	组织评标委员会或评标小组	组织评标小组

（五）招标程序框图

在《建设工程施工招标文件范本》中，分别规定了公开招标、邀请招标和邀请议标的程序，绘制了框图，详见图 7-1，图 7-2 和图 7-3。

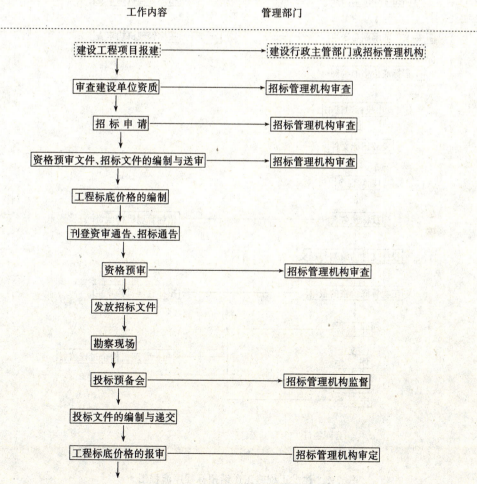

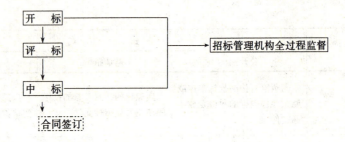

图 7-1 建设工程施工公开招标程序流程图

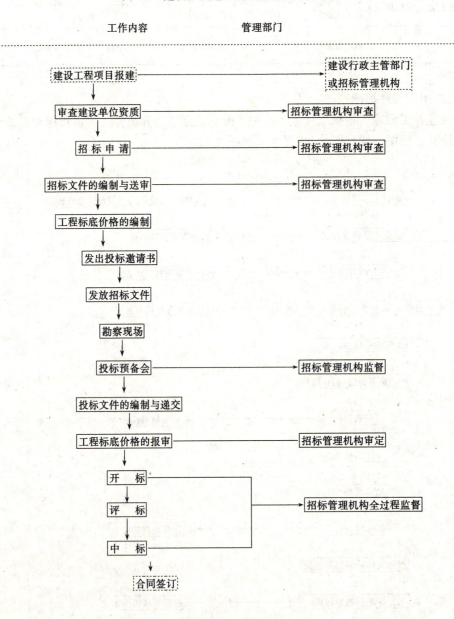

图 7-2 建设工程施工邀请招标程序流程图

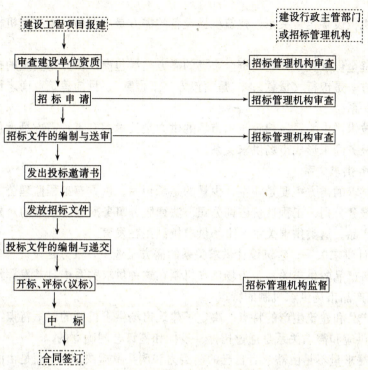

图 7-3 建设工程施工邀请议标程序流程图

第三节 建筑市场的供求机制

一、建筑市场供求关系的种类和特点

（一）建筑市场供求关系的种类

建筑市场的供求关系，根据建筑市场的构成体系可以划分为以下几种类型：

1. 建筑产品供求关系

建筑产品供求关系体现在业主与承包商之间的关系上。承包商为供方，业主为需求方。承包商是商品的生产者，也是供应者；业主是商品的购买者，一般说来也是使用者或经营者。

建筑产品的供应者是企业法人，由于建筑产品生产和供应的一致性，故没有个体供应者，也没有非企业法人供应者。

建筑产品的购买者也是生产资金的提供者，提供的方式是将购买费用（投资）以预付款和分期付款（工程进度款）的方式支付。

购买者和供应者是先成交（签订工程承包合同）后生产商品，因此，这是一种特殊的交易关系。

2. 生产要素供求关系

（1）劳动力供求关系。劳动力的需方是承包商；劳动力的供方是劳务公司或劳务承包企业。建筑劳动力市场正在培育之中。

（2）建筑物资供求关系。建筑物资的需方是承包商。建筑物资的供方是建筑材料供应厂或供应商，预制构件的供应厂，其他物资的供应厂或供应商。这一类市场供求关系发育状况良好。

（3）建筑机械设备租赁关系。建筑机械设备的需方是承包商，供方是机械设备租赁企业。

（4）建筑资金供求关系。建筑资金市场的需方是承包商，供方是资金的拥有者。建筑企业的资金供方一是银行（贷款）；二是发包方（工程款）。目前建筑业尚未形成完善的资金的市场供求关系。

（5）建筑技术供求关系。建筑技术市场的供方是技术拥有者，需方是承包商。目前我国建筑业技术服务尚未形成市场供求关系。

3. 中介服务供求关系

中介服务供求的需方主要是业主，少量的是承包商。供方有工程监理公司、工程咨询公司、招投标服务公司、工程造价咨询公司、法律服务事务所等。供求的对象是"服务"，它是一种无形产品。这类供求关系的市场供求机制正在发育。

4. 建筑设计供求关系。建筑设计供求关系的需方是业主，供方是设计单位。这类供求关系类同于建筑产品的供求关系。市场供求机制在这种供求关系中日益发挥作用。

（二）建筑产品市场供求机制的特点

由于建筑产品和建筑生产的特点，决定了建筑市场供求机制的以下特点：

1. 市场的供应和需求关系是通过招标、投标和签订合同确立的。

2. 市场的需求量不是由需求者自己的购买力和购买欲望决定的，而是由固定资产投资量决定的。而固定资产投资量又取决于建设事业发展和社会总消费水平。换句话说，建筑产品市场的需求量不是由市场供求机制决定的。

3. 市场的供求关系在产品生产之前就确立了。在生产过程之中，需方直接参与，供需的交换过程是长期的，工程的竣工验收是交易过程的结束。

4. 在建筑市场交换过程中，由于需方的始终参与，中介组织也是始终参与的，对供方的生产和供需交换过程均产生影响，这种影响是积极的，既服务，又监督。

5. 建筑市场供求在时间上的矛盾，不表现在需求上，主要体现在生产上。有雨季施工和冬季施工的问题。因此解决这一矛盾靠制定合理的施工计划，采取必要的措施，以满足需方对交工期的要求。

6. 由于建筑市场的需求量不取决于供应量，而生产能力却受需求量的影响，因此建筑市场一般总是处于买方市场的状况。当建筑任务（需求量）对建筑生产活动要求高的时候，生产能力（非产品量）发展；反之，建筑任务（需求量）对建筑生产活动要求低的时候，生产能力（非产品量）萎缩。于是，建筑市场的总供应量与总需求量总是处在相对稳定的平衡状态，也不存在建筑产品脱销和积压的状况。但是生产者之间的竞争却非常激烈，这是由于卖方的供应能力（生产能力）过剩的特点造成的。

二、建筑市场供求分析

基于建筑市场供求机制的上述特点，我们对建筑市场进行以下供求分析。

（一）建筑市场需求

建筑产品无论是作为生产资料和生活资料，都是人们最基本的消费需要。这种消费需要主要是通过建筑市场和房地产市场得到满足的。因此它形成了对建筑市场的需求。建筑市场的需求有以下特征。

1. 建筑市场的需求有鲜明的个性。由于需求的个性，形成了建筑产品的多样性。作为生活资料，它受人们的喜好差异、教育程度、文化素养、对艺术的鉴赏能力、社会地位、经济收入、使用范围等的不同而呈现个性。作为生产资料，它又受生产技术、使用范围、企业规模、企业组织、盈利水平、发展战略、生产能力等差异影响而呈现个性。

2. 具有鲜明的区域性。在建筑产品市场中，由于产品的固定性，不存在物流流通，从而呈现区域性的特点。建筑市场的需求因地区而异。地区内的社会、经济、文化、技术、风俗、风格不同，使建筑产品的需求呈现地区多样性，同一地区的产品造型、规格也日益多样化，需求总量地区差异很大。

3. 需求的间断性。对特定的需求者来说，需求具有一次性，许多建筑产品因此而不能连续需求，产生了需求的间断性。这就使得建筑市场的消费者相对缺乏建筑产品作为商品交换对象的知识和经验，容易导致建筑产品消费需求与消费能力之间的矛盾，客观上容易产生对建筑产品需求满足程度较低、而对建筑产品的需求过热现象，导致需求变化的不稳定性，其波动幅度大于一般市场。

4. 需求价格弹性小。需求价格弹性是指价格变动一定比率而引起的需求量变动率，表示需求量变动对价格变动的敏感程度。建筑产品的需求价格弹性小于1，表明建筑产品需求量变动幅度小于价格变动幅度，即价格变动幅度大，不会使需求变动幅度相应增大，无论是对建筑产品作为生活资料或生产资料来说，都是如此。

5. 建筑市场需求具有相当程度的计划性。这是由于对建筑产品的需求在总体上表现为固定资产投资。固定资产投资规模是有计划进行的。当计划性合理而又可行，符合客观经济规律时，使得建筑市场的需求呈现出稳定、连续发展的局面，有利于充分利用社会资源和提高社会生产力。反之，则可能造成建筑市场需求大起大落，引起供求关系失衡，不利于建筑业和建筑市场发展。提高固定资产投资计划的科学性是使建筑市场总体供求关系保持动态平衡的必要条件之一。

（二）建筑市场的供应

建筑市场的供应具有以下特征：

1. 供给弹性大。供给弹性是指供给变动率与价格变动率之比，表示供给量变动对价格变动的敏感程度。建筑业是劳动密集型产业，通过增加劳动力数量来扩大生产能力是既简便又适用的途径。中小型企业成立不需要大量资金，不一定要掌握特殊、高难的技术，劳动力转行是很顺利的。建筑产品生产所消耗的材料，大多数属于常用材料，其生产技术和工艺并不复杂，容易扩大生产能力，因此生产能力扩大受原材料的制约不大。这就使得供给量的变动引起的价格变动小，故供给弹性大于1。当然，不同的建筑产品供给弹性不尽相同，建筑产品的规模愈小、技术愈简单，供给弹性愈大。

2. 供给被动地适应需求。一般的市场供给决定需求状况，需求也可以反作用于供给。供给不是被动地适应需求，而是通过不断改进、完善原有产品、并不断开发新产品来主动地适应需求，甚至还能引导消费和需求。故在一般市场中，供求双方基本处于平等地位。但是在建筑市场中，供给者不能像一般商品生产者那样，通过对市场估计、分析、预测，自主决定所生产的产品种类、数量、价格等内容，而主要是由需求者决定的，供给者只能接受订货生产，按需求者要求的产品形式、功能、质量、价格、供货时间等进行生产。在建筑市场中，不仅供给者总体要适应需求者总体，而且供应者个体更要适应需求者个体，这就表现了供给者的严重被动性。因此，供给者生产的计划性、科学性，产品的规划性，都显得较差。建筑市场的供应者必须努力寻求改变这种被动状态的方针和战略。

3. 建筑市场供给的内容是生产力。一般市场的供给内容是产品，是其使用价值。而在建筑市场中，供给的内容是能生产各种建筑产品的生产能力。决定这一特征的是建筑生产的订货特点。在建筑市场中不会出现由于供过于求而导致的产品过剩或不适销对路的现象。建筑市场中对建筑产品使用价值的需求和供给，在总量上永远是平衡的。建筑市场中供求关系的不平衡，则是由体现需求总量的投资额与体现供给总量的生产能力之间的不平衡来反映。因此，市场机制的调整对象不是具有使用价值的建筑产品，而是生产这种使用价值的生产能力，其调节机制主要是通过由于供求关系变化而产生的价格变化来实现的。建筑市场的这一特征使得供过于求不会造成社会产品资源的浪费。但这一特征并不能避免产生建筑产品生产能力供过于求的现象。如果供过于求，不能充分发挥现有生产能力的作用，同样也是社会劳动资源的浪费，导致建筑生产效率下降和社会总产品的减少，其后果也很严重。因此，应尽可能使建筑生产能力与投资需求之间保持大致平衡、动态平衡。

4. 供给方式多种多样。作为供给方的设计单位和施工单位，向需求者提供的是不同生产阶段的服务，也即不同形态的产品。设计单位除供应设计产品（设计图说）之外，还可提供咨询服务，为需求者监督施工生产过程，甚至还可能与施工单位一起共同向需求者提供最终产品。施工单位既可以在最终向需求者提供最终产品，又可以提供阶段产品或部分产品，既可以多施工单位联合起来向需求者提供产品，还可以与设计单位联合，共同向需求者提供最终产品。这一特征使建筑市场的供求关系比一般市场复杂得多。完善以哪种方式供给，主动权并不在供给者，大多数情况下都由需求者决定。各种不同的供给方式为需求者提供了多种选择的可能性，客观上为需求与供给的最佳结合创造了条件。

（三）建筑市场供求关系的变化

在研究建筑市场供求关系变化时，应注意以下几点：

1. 宏观市场与微观市场的区别。这里所指的宏观市场，是建筑市场的总体及相应的供求关系；这里所指的微观市场，是指某一特定建筑产品所表现出来的供求关系。在建筑市场总体供求关系基本平衡的条件下，在许多情况下宏观市场和微观市场的变化规律都有所不同。这是因为，建筑产品的供给者不能向市场提供具有使用价值的最终建筑产品与需求者进行交换，而总是先与特定的需求者确定交换关系，再根据特定要求进行生产。在确定这种关系时，竞争很激烈，供给者由需求者选定。因此，在微观建筑市场中，建筑产品的需求者总是处于买方有限垄断的地位。建筑市场也给供应者选择需求者提供了各种机会。供应者是否参与某一特定工程的竞争是他的自由。当然，这种自由是有限度的。一旦供给者决定参与竞争，总希望取胜。所以微观市场的供求关系对需求者有利。建筑市场中的供求关系，以微观市场表现得最为直接，即使在总体供求关系基本平衡的条件下，微观市场的综合作用也会影响宏观市场。当建筑市场的供给者不够成熟，缺乏对宏观市场的了解和意识时，微观市场的这种综合作用表现得更为突出。

2. 如果总体供求关系失去平衡，建筑市场的类型亦将随之变化。建筑市场的类型如何变化，应分别从供大于求和供小于求两方面分析。

当建筑市场中出现供大于求的情况时，各类建筑产品的市场类型均向对需求者有利的方向发展。大型建筑产品的市场变为买方有限垄断型；中型建筑产品的市场虽然仍为买方不完全竞争型，但其比例增大或买方不完全竞争性加强；小型建筑产品市场则由完全竞争型转变为买方不完全竞争型。从微观市场分析，宏观市场的供大于求，将大大加剧微观市场中供给者之间竞争的激烈程度，使需求者处于相对垄断的地位。

如果建筑市场出现供小于求的状况，各类建筑产品的市场应当向对供给者有利的方向变化，但是否能实现这种变化或市场类型变化如何，则取决于供小于求的程度。当供小于求较为显著时，大型建筑产品市场转变为卖方有限垄断型，中型建筑产品的市场转变为卖方不完全竞争型；小型建筑产品的市场转变为卖方不完全竞争型。宏观市场供小于求的状况降低了微观市场供给者之间竞争的激烈程度，但除了少数具有技术优势的大型建筑企业之外，供给者一般并不能处于相对垄断的地位。当宏观市场供小于求的情况不甚明显时，微观市场的特征与供求关系平衡条件下宏观市场的特征基本一致。以上变化可归纳为表 7-2。

总体供求关系不同条件下的建筑市场类型　　　　表 7-2

总体供求关系	建筑产品的规模		
	大	中	小
	建筑市场的类型		
供求平衡	买卖双方不完全竞争	买方不完全竞争	完全竞争
供大于求	买方有限垄断	买方不完全竞争	买方不完全竞争
供小于求	卖方有限垄断	卖方不完全竞争	卖方不完全竞争
	买卖双方不完全竞争	买卖双方不完全竞争	完全竞争

3. 建筑市场的供给弹性有可能与需求或价格变化的方向有关。前面所的提到的建筑市场的供给弹性较大，是针对需求或价格的提高而言，其原因在于建筑业可以通过吸收农业或其他行业非技术劳动力来扩大生产能力。但是如果建筑产品的需求或价格降低，建筑业的剩余劳动力却难以向其他行业转移，要么降低效率，要么失业。在这种情况下，供给弹性就显得较小，至少与需求或价格提高时的供给弹性变化程度有所不同。在建筑市场机制较为完善时，建筑市场供给弹性两个方向的变化不会有很大差异。但是，当建筑市场机制不够完善时，建筑市场供给弹性的"方向性"就特别明显。这样便使得建筑市场的总体供求关系失去平衡，而且总是处于供大于求的局面，而不会出现供小于求的局面。这将加剧建筑市场供给者间的竞争，形成买方市场。这显然不利于建筑市场的健康发展。建筑市场供给弹性的方向性是经济不发达和市场机制不完善的产物。要想避免这种方向性，应从发展经济和完善市场机制两方面下功夫。

4. 联合承包对供求关系的影响。在供给量一定的情况下，多个供给者的联合承包使建筑生产要素更新组合，并不改变宏观市场供求总量之间的关系，一般也不会改变建筑市场的类型。但在一定程度上扩大了供给者生产能力的平均规模，减少了供给者的数目，降低了微观市场的竞争激烈程度，改变了微观市场的供求关系，削弱了需求者相对垄断的地位，对供给者显然有利。联合承包还加强了不同供给者相互之间的了解，有助于减少供给者在其他场合下单独承包或联合承包的盲目性，有利于对宏观市场的了解和在微观市场中决定自己的竞争策略，有可能使微观市场的供求关系与宏观市场的供求关系在一定程度上趋于一致。联合承包在建筑市场供给者生产能力平均规模较小时应用较多。反之则应用较少。是否进行联合承包,在大多数情况下由供给者自己决定,服从于竞争的需要。

三、完善建筑市场供求机制

(一) 概述

建筑市场供求机制的完善是培育建筑市场的核心问题。供求机制以竞争机制作为催化剂,以货币流通机制为调节手段,以价格机制作为动力和反馈信号。因此,完善求求机制,必须与完善竞争机制、货币流通机制和价格机制相辅相成,不能孤立地对待它。

在计划经济体制束缚下,作为买方的建设单位,需求量不能确定;作为供方的施工单位,既不能自主经营,又背负着大批固定职工的包袱,不可能及时调整经营方向;政府部门习惯于对企业进行微观管理,既不能及时、准确掌握建设规模和队伍数量等宏观调控的依据,也不具备进行宏观调控的奖金和手段。竞争机制和价格机制不健全,无法发挥催化剂的作用、动力作用和反馈信号作用。所以我国的建筑市场至今供求关系不正常。建设规模(需求)长期以来膨胀—压缩—再膨胀—再压缩,形成恶性循环,建筑业队伍极不稳定,忽聚忽散,忽多忽少,且效益低下。所以,完善市场供求机制是个系统工程。在建筑市场培育和发展的过程中,我国政府建筑主管部门也采取了许多发展措施,并显见成效。例如,建立工程报建制度,以准确掌握市场供求情况;有效控制业主发包工程的数量,防止建设规模过度膨胀;加速施工企业经营机制的转换,建立现代企业制度,提高建筑市场供方的综合素质;进行战略管理,提高经营效果;发展劳务市场以支持建筑市场供方的发展。建筑市场供求机制的完善,关键在建筑业队伍(供方)的市场经营机能的增强。

(二) 建筑企业要建立改革与发展战略

战略是重大的,带全局性的、决定全局的谋划和策略,它有助于实现企业的目标。战略一般有四个特点:一是战略的总体性,即建筑业行业的总体是战略的服务对象;二是战略的层次性,即既有高层次的战略,也有低层次的战略;三是战略的时效性,它是针对未来的,战略的实施是有时限的;四是战略的系统性,战略的层次性、战略的运行过程和战略的内容都具有系统性。建筑业现在正在实施6大战略。

1. 市场战略,即发展建筑市场。它的要点有8个方面。

一是培育合格的市场主体;二是健全市场机制;三是培育要素市场;四是发展中介服务组织;五是健全社会保障制度;六是强化对市场主体行为的监管;七是建立市场风险机制;八是健全法规体系。

2. 体制创新战略。该战略的宗旨是通过建筑业结构调整、改组、企业改制转机、制度创新,以振兴建筑业,其要点有三个:

(1) 产业体制的改革。第一要积极培养和扶植一批国有大中型企业,使之成为建筑业的支柱企业,同时放开一大批国有的中小型企业,依靠市场机制使之焕发生机,增强活力,对市场有良好的适应性;第二要进行产业结构调整,积极推进总承包企业、施工承包企业、专项分包企业和劳务分包企业的建设,使建筑业组织层次分明、各具特色、互相补充、协调发展。第三,进行所有制结构调整,变单一的国有企业为混合股权结构企业,逐步减少国有独资公司的比例,实现国有经济的战略转移。

(2) 企业组织的改革,使企业成为管理型组织,以承包能力、科技与管理人员的比例、资本金的多少等,衡量企业的级别和能力。发展项目管理,带动企业改革。

(3) 企业要创新，使企业解决"三大难"、"三个清晰"、"三个科学"。即扭转国有企业历史包袱重、社会负担大、冗员多的困难状况；产权、资产、利益要清晰；制衡机制要科学、经营责任要科学、管理制度要科学。

3. 营销战略。营销战略是进行规模经营、多元化经营、现代经营、精细管理等战略，以适应经济增长方式的转变及企业经营方式的改变。该战略有以下六个要点：

(1) 将企业由完成任务的生产型向履约经营型转变。要研究投标策略，提高中标率；要研究合同，提高履约能力；要研究企业的质量效益，改进计划，创名牌，增信誉。

(2) 从小而全施工型企业向规模经营型企业转变，面向市场，面向工程建设全过程，以规模经济的扩大实现成本的相对降低。

(3) 由单一经营向多元经营方向转变，以便有可能根据市场供求变化和资源流向调整经营方针，减少市场风险。

(4) 由独立承包向联合经营转变，特别是与金融部门联合，形成真正的开发和竞争实力。

(5) 由国内经营型向国际经营型转变，既拓展国际市场，又扩大国内的国际市场的占有份额，提高国际承包市场的经营水平和竞争实力。

(6) 由信任型经营向责任型经营转变，企业的每个单位，每位职工都承担一定的经济责任。

4. 国际化战略。这项战略的宗旨在熟悉和运用国际惯例，拓展国际建筑市场，扩大劳务输出和工程承包力度，实现输出兴业。该战略的要点有5个。

(1) 研究国际惯例，真正按国际惯例经营。

(2) 加强涉外工程管理。

(3) 参与国际组织，参加国际会议，使自己成为国际建筑业大家庭的成员。

(4) 加强国际间交流，也和国内的合资企业交往，学习国际上的先进管理经验。

(5) 开拓国际市场。努力培养精通国际建筑市场运作的工程技术与管理人员，制定鼓励开拓国际建筑市场的政策和措施。

5. 建筑工业化战略。建筑工业化的宗旨是通过建筑技术政策，加快建筑业技术改造的步伐，加大建筑业技改的力度，走建筑工业化和住宅产业化发展之路，依靠科技教育，全面提高行业整体素质。这项战略有五个要点：

(1) 进一步完善建筑技术政策。

(2) 继续推广新技术，增加技术在建筑业经济增长中的作用。

(3) 进一步加大科学管理力度。

(4) 加强科技培训和科技知识的普及。

(5) 加强职业道德教育，树立建筑队伍的新形象，培养企业家队伍。

6. 名牌战略。这项战略实质是质量战略，也可称为精品战略。其宗旨是通过对工程质量的综合治理消除质量通病和不合格建筑产品，以质促销。该项战略有六个要点。

(1) 要深刻认识市场经济条件下，质量问题的突出意义。

(2) 建立建筑企业质量体系。

(3) 强化政府的质量监督。

(4) 强化社会监督，树立为用户服务、让用户满意的思想。

(5) 奖优罚劣。

(6) 加强标准化建设，严格按标准施工、按标准检查验收。

为了实施改革和发展战略，建筑业企业应进行战略管理。战略管理过程可分为战略规划、战略实施和战略控制三个基本阶段。

(1) 建筑业企业战略规划。制定企业战略规划，首先就是要解决"我们的企业是一个什么样的企业"这个问题，确定企业现在和未来的状况。企业战略规划主要包括以下几个方面：

1) 确定企业的宗旨和性质。即确定企业的经营服务范围，是为社会创造怎样的产品或提供怎样的服务。

2) 设置企业的战略目标。即确定企业的利润目标、发展目标、生存目标、稳定目标、竞争目标等。

3) 制定企业的战略。也就是制定企业为实现企业宗旨和目标而应采取的策略、步骤、方法和途径。

4) 制定企业的政策措施。企业战略的全部含义需要由企业政策来做进一步的阐述和说明，战略政策是指导人们实施战略的细则，企业政策涉及到人事、组织、技术、财务、市场、制度等方方面面，都是围绕实施战略而展开的，是为战略实施服务的。

(2) 战略实施。企业战略实施是借助于战略发展方案、预算、计划和一定的工作程序来实现企业战略和政策的行动过程。企业战略实施过程包括如下一些内容：

1) 制定战略方案。战略方案明确了实施战略规划所要采取的行动，它使战略实施落实到行动上，特别是针对每一分战略都要制定不同的、适当的、可操作的行动方案。

2) 编制收支预算。它是从企业战略管理角度出发，为了管理和计划控制的目的，确定每项战略活动方案的详细成本。

3) 确定工作程序。工作程序具有一定的技术性和很强的可操作性，它规定了实现企业战略目标所必需的活动的细节，工作程序的制定必须在人、财、物等方面适应企业的具体情况，满足战略目标的要求。

(3) 战略控制。战略控制就是对战略规划及其执行的控制，以保持战略规划所确定的方向，或在战略执行过程中进行修正。战略控制是企业高层战略活动的控制。战略控制是将战略执行的实际情况与企业战略目标及企业内外部环境因素的变化相比较，分析影响战略实施的原因，及时调整战略方案。战略控制包括监督和调节两方面的工作。战略监督可以采取检查、监督、总结、下级的定期报告、管理审计、战略审计等方法；战略控制调节可以采取滚动战略计划法和启用备用战略等方法。

(三) 建筑企业资产重组与资本经营

1. 问题的提出

目前，我国经济发展已从总量不足矛盾转为总量矛盾和结构矛盾并存，已经积累起可观的物质基础，形成了庞大的资本存量和生产能力，经济总量处于供略大于求的状态，最终需求增长率稳中趋降，经济增长率也是稳中趋降。与此相伴，一方面出现生产能力部分闲置，企业生产困难和经济效益不佳；另一方面出现金融外汇资金充裕、社会游资较多。40多年来我国的企业只有开张，没有倒闭；优不能胜，劣不能汰；在投资上只有增量调节，没有存量调节。这就造成了存量资产的凝固化，表现为产业结构的凝固化，经济中几乎不具有产业结构调整和优化的能力,以致传统产业和新兴产业的矛盾日益尖锐,经济增长难以摆脱外延的粗放的增长方式。中央明确要求:紧密结合结构调整和增长方式转变,继续以国有企业改革为重点,广泛展开存量资产的流动和重组。资产重组被认为可以加快国有企业改革,加大结构调整力度和解决宏观经济总量矛盾,解决我国经济运行中的三大难题的综合性方法。

2. 资产重组与资本经营的概念

所谓资产重组,是指在全国范围内或行业范围内,对企业所占用的资产进行重新配置。资产包括所有的生产要素,即:资本、非技术劳动力、人力资本和新思想。换句话说,资产重组就是企业经营者打破企业现有的生产要素构成和相互关系并对生产要素进行新的组合,是一种创造性的破坏。资本经营是指对企业的资产包括有形资产和无形资产从资本的角度进行经营。资本的本性在于追逐利润,它不仅是追求一般的利润,而且是追求最大化的利润。要使资本能够真正具有这样的功能,就必须促进企业按照资本机制的内在要求进行运作,广泛地进行资本经营。在我国,建筑业历来被当作投入少的产业,因此建筑业生产要素就具有自有资金少、技术含量低、劳动密集等特点。当前,受宏观调控的影响,建筑业的生产能力过剩,大量生产要素闲置,资产浪费现象比较严重。

3. 怎样进行资产重组与资本经营

建筑业企业资产重组和资本经营,应当根据建筑业的特点,抓住影响企业发展的关键问题,与转变企业经营机制、建立现代企业制度、建筑业组织结构调整、部分企业上规模上档次,与企业实行综合性、多元化发展等问题紧密结合起来,抓住资产重组给企业改革发展带来的良好机遇,实现新一轮的快速进步。

(1) 从宏观来说,目前建筑业企业的组织结构不尽合理,呈现出低水平、分散、重复的企业结构。具体表现为:建筑业企业数目众多,但经济规模普遍偏小,生产能力分散,强势企业不明显。不合理的企业组织结构必然带来不理想的行业发展状况。我国建筑业企业多种经济成分并存,但企业总资产和资本金少,装备陈旧、老化,技术落后,管理松散,整体实力相差不太大,无自己企业的特色和优势,大部分企业都是搞综合施工承包,技术管理层和劳务作业混合。这种不合理的企业组织结构,导致国内建筑市场上的过度竞争;企业效益普遍不佳,增产不增效。对外无龙头企业,相互倾轧,形不成合力,以致在国际建筑市场上承包份额少,经营规模小,不能在多个项目上同时施工,跨地域经营受到很大限制,而且多是分包,进行总承包的极少,不能适应国际建筑市场通行带资垫资承包、新技术和工艺要求高的形势。因此,亟需对我国的建筑业企业进行组织结构的调整,将企业的层次拉开,以形成总承包企业、施工承包企业、专业分包与劳务企业三个层次,大而精、大而强,小而专、小而活的企业相结合,各得其所、协调发展的合理化的企业组织结构。所以,从行业发展来说,需加快资产的流动和重组,使建筑业的行业组织结构逐步向两极分化,一极是支持一批大集团和大公司的发展,充分发挥其在行业中的龙头和骨干作用,以推动建筑业生产力水平的迅速提高和行业实力的不断增强;一极是加大企业的分化和改组力度,逐步培养和造就出一大批专业化的小型公司。这也是转变经济增长方式的迫切要求。具体作法是:营造优势企业,以优势企业为龙头,以资产联结为纽带,以购、并企业为基本手段,以扩大市场占有率为目标,最大限度地引导存量资产向优势企业转移和集中,实现企业集团化发展,集约化经营。在资产重组过程中,一些优势企业通过兼并、联合劣势企业，花很少投资就实现了企业规模、市场格局等多重的低成本扩张，迅速扩大市场份额；而那些相对处于劣势的企业则借助优势企业有形或无形资产盘活了沉淀多年的国有资产存量，尽快摆脱困境，重新获得生机和活力。对于广大的中小型企业，则让它们到市场经济的大潮中去求生存、求发展，该淘汰的则淘汰一批，生存下来的对照行业的组织结构和本企业的情况就位，选择自己的发展方向。这也符合国家"抓大放小"的方针。

(2) 从微观来说，不仅企业的资产结构不合理，而且企业的资本结构也不合理。企业资产中，非技术劳动力所占比重偏大，人力资本所占比重偏小，资本短缺，创新动力不足，以致企业的生产方式仍是外延扩大再生产，企业仍是劳务密集型。

我国的建筑业企业以纯粹的施工企业为多，在企业内缺乏科研力量，包括人员、资金和设备，新技术、新工艺等专利成果少；企业的资本构成中，自有资金数量过少，资产负债率偏高，普遍在85％以上。究其原因，一是企业成立时核定的流动资金盘子太小，利润率低，积累少，流动资金得不到有效补充；二是设备老化、闲置，该折旧、报废的由于没有资金添置新的而没有提足折旧和报废；三是由于带资垫资企业流动资金被占用和拖欠工程款的缘故，企业只好贷款并同时又须负担沉重的利息。几方面的因素使得企业的资金短缺，资产负债率居高不下。因此，需要对企业的资产结构进行调整。

对企业的资产结构进行调整，操作方法归纳起来就是进行资产重组与资本经营，以盘活存量，用好增量，使企业资产发挥最大的经济效益。

1) 将凝固的资产盘活，使存量资产从实物形态通过交易转化为货币形态，增资减债，优化资产负债结构。对闲置的机械设备，通过转让变现，使帐面资产向货币资产转化，以获取部分资金；或通过对外租赁，提高利用率，使物尽其用，增加收益。设备租赁市场是建筑市场的有机组成部分。对办公用房，针对施工企业流动性大、不固定的特点，利用级差地租，将其从条件好、有开发价值的地段搬迁到地价便宜的地段，或出卖、或自己进行经营性开发。

2) 进行人员的调整。按照企业发展战略制定的发展目标，对企业各类人员进行分流、分离、重组，使企业各就各位，使人员各就其位。引进企业发展中的缺门人才，完善企业的人员结构。加强自己的科研力量，同时密切与大专院校和科研单位的合作。对企业的员工进行定期和不定期的培训，同时针对工程的特点进行强化，有条件的企业还应将有潜力的员工送到大专院校进行深造。

3) 债权转股权或产权，变建筑业企业被施欠工程款的不利因素为有利因素，在可能的情况下将被施欠的工程款转为出资，从而拥有部分股权或产权，对拖欠企业的发展决策施以影响或拓展企业的经营领域。也可以再将产权作为抵押贷款等盘活呆滞资产。施工企业对于房地产开发商的高额债权怎么办？握着实实在在的房子比握着兑现遥遥无期的索债单要牢靠得多。

4) 加大技术改革的力度，采用新技术和新的工法，加快设备更新，提高劳动生产率。

5) 直接融资，广泛吸纳社会资金。对于需要大量发展资金的企业，可通过对企业进行股份制改造来实现，一是按照建立现代企业制度的原则和《公司法》的规定，通过向社会出让部分或全部股权的方式，将国有或集体企业改组为有限责任公司或股份有限公司；二是把企业或全部产权转让给内部职工，将中小型国有企业改组成为劳动群众集体所有制性质的股份合作制企业。有条件的企业直接组建为上市公司，对外公开招募股本，发行股票，在证券市场上市交易，溢价发行，不仅可获得银行利息和溢价资金，而且还可源源不断地从证券市场筹集资本；也可以"买壳"上市经营或"借壳"上市经营，这也是直接融资的一条捷径，它能避开有关法规对新上市公司的种种要求，达到上市的目的。

6) 资产剥离、分割，对一些历史包袱沉重，整体难以搞活的企业，从实际出发，实行分块搞活，让有效资产先活起来。

7) 破产重组，使企业轻装上阵，以获得发展的机遇，最终使企业走上良性发展之路。

8) 多元经营。在主业上层次、上规模的基础上，向主业的横向、纵向延伸，有能力的也可以向其他领域发展，提高建筑业企业抵御风险的能力。其中，投资经营是最高境界。通过投资经营，充分发挥企业优势，不断扩张自身规模。向多家企业投资，不仅使对方解脱了资金不足的困难，促使对方正常生产，而且使自己企业也收到了扩展的成效。

9) 银企联合。涉足金融领域，控制更大量的社会生产要素。一方面在企业发展需要大量资金时可获得稳定、全面、及时、有效的金融服务，另一方面在企业流动资金过剩时也可以及时的放贷出去，提高资金的使用效率。

10) 其他可以采用的方法。如转换主业，重新选定企业的发展方向；出售资产，将不适合企业长远发展的部分资产出售；无形资产的运用等。建筑业企业的质量信誉、资质就是无形资产。质量是企业的生命，靠质量赢得信誉，靠信誉赢得市场，靠市场取得效益。

【案例 7-1】

某国际机场地基处理施工评标办法

一、评标总则

（一）本工程采用两阶段评标法进行评标

第一阶段为技术标书的评定。主要是对各投标单位的施工组织设计进行综合评定，看其是否满足本工程地基处理技术文件的有关要求；强夯施工工艺是否符合地基处理技术标准和要求；能否体现合理的施工程序。主要内容包括 7 个方面：土方施工、试夯计划、夯填料、强夯方案、管理体系、人员配备、施工进度计划，用百分制评分法对各项指标进行评分。

第二阶段为商务标书的评定。主要是对技术标书获通过的投标单位的报价以及施工承包合同（草案）的合理性进行综合评定，对施工承包合同内容基本满足建设单位要求并且报价中没有漏项，没有开口的商务标书，用基准分加减附加分的评分方法对其报价进行评分。

各投标单位的最终得分按以下公式进行计算：

最终得分＝技术标得分×0.6＋商务标得分×0.4

（二）中标单位的确定

在每个标段最终得分列前两名的投标单位中，经和建设单位商量，确定最终中标单位。

二、评标细则

（一）技术标的评定

先由各评委对所有技术标进行评议和分析，据此按以下 7 项指标（共计 100 分）各自无记名对所有标书打分，统计、汇总所有评委对每一份标书的评分，从中去掉一个最高分，一个最低分，然后求出每一份投标书的平均得分，列前5名的技术标获出线权，取得进入第二阶段商务标评定的资格。

1. 强夯方案（30分）

自行设计的强夯参数是否合理？本标段内不同功能区若采用不同的垫层材料，是否考虑了相对应的强夯参数？采用不同垫层材料10m过滤段的施工方案是否可行？施工排水措施是否落实？是否有完善的自检手段？机械的性能和数量是否满足工艺要求和工期需要？

2. 试夯计划（10分）

试夯位置是否合理？试夯面积是否恰当？工期安排和检测手段是否周密？试夯方案是否足以指导大面积的施工和保证整个工期？

3. 夯填料（15分）

所选用材料的种类和物理性能是否符合设计文件提出的各项要求？材料的来源（产地）是否相对集中，若来源分散，如何保证材料质量的稳定性？材料的运输方式、运输路线是否符合当地实际情况？供料进度如何保证？

4. 土方施工（20分）

土方施工（挖、填、运）的施工程序是否合理？沟浜、暗浜的处理是否符合技术要求？弃土堆放地点是否合理？采用的排水措施是否足以保证本标段土方工程有序地进行？

5. 管理体系（10分）

工程管理体系、质量安全管理体系是否完整？

6. 人员配备（5分）

是否配备强有力的领导班子？现场是否配备足够数量并且具有丰富强夯施工经验的科技人员？

7. 施工进度计划（10分）

本工程总进度计划安排是否切合实际？对计划工期的控制有何措施？

（二）商务标的评定

1. 商务标的评定。首先由各位评委对取得商务标评定资格的投标单位，在商务标中所附的施工承包合同内容进行评议，应基本满足招标文件的各项要求；同时，对投标报价书进行分析，其中不得有漏项，不得有开口要求，否则，该商务标书得分为40分。

2. 投标报价评分办法。以各投标单位所报工程总价之和除以投标单位数，得出平均报价数；以平均报价数为100分，在此基础上，商务标书中的报价每高出平均报价数1％扣1分；每低于平均报价数1％加1分，最多加20分。分值用四舍五入法保留小数点后两位小数。

报价评分由评标小组指定两位工作人员计算，然后将计算评分结果汇总成表。

三、本工程评标由××公证处进行公证。

评标办法补充说明

1. 本工程评标需有2/3以上评标小组成员参加为有效。

2. 技术标的评定：评标办法中的"列前五名"取得商务标评定资格所指的"前五名"，不考虑技术标评分中可能出现的并列分，最终只能有五名获得商务标评定资格。若出现并列分的情况（二名及其二名以上并列），将以获并列分的技术标书中的强夯方案、夯填料、土方施工三项指标得分总和的高低,决定其名次;若再次同分,由评委无记名投票表决;若发生得票数相同的情况(投票的当时评委数为双数),评委再次无记名投票表决,同时授予评标组长两票权。

技术标的评分,各项指标的得分保留小数点为后一位,每0.5分进位。

3. 商务标书的评定,首先由评委对每一份投标书集体评议确定是否属开口,是否有漏项,在取得基本一致的意见后,对确属有开口和漏项的,该商务标书的得分为40分。

4. 商务标的平均报价数,以取得商务标评定资格的标书中的报价进行计算。

5. 取得商务标评定资料的标书的最终得分若出现并列分,则各以其技术标的得分高低决定各次先后;若技术标的得分并列,将以获并列分的技术标书中强夯方案、夯填料、土方施工三项指标得分总和的高低,决定其名次;若再次同分,由评委无记名投票表决;若发生得票数相同的情况(评票的当时评委数为双数);评委再次无记名投票表决,同时授予评标组长两票权。最终只能评出两名投标单位,经和建设单位商量,确定最终中标单位。

【案例 7-2】

工程投标策略分析

某工程总造价6600万美元,工期32个月,预付款支付情况如下。

开工后第1个月支付400万美元;

第13个月支付300万美元;

第25个月支付300万美元;

工程付款每6个月支付一次,分10次付完。假定工程进度按每月1/32计算,银行存款复利月息为5‰。

这样的工程可否承揽?

这个问题不能简单地回答是否可以承揽,必须经过认真计算并与国际通行做法相比较之后,才能知道承揽后的利弊。

首先应了解国际工程承包的例行付款办法。

1. 预付款。国际承包工程的预付款支付数额为:

$$预付款 = \frac{工程总造价}{工期总月数} \times 12 \times 15\%$$

(1) 根据国际惯例,本工程的预付款应为:

$$\frac{6600}{32} \times 12 \times 15\% = 371.25 \text{(万美元)}$$

(2) 该工程实际支付的预付款按现值计算为:

$$400 + 300 \frac{1}{(1+0.05)^{13}} + 300 \frac{1}{(1+0.05)^{25}} = 400 + 281 + 265 = 946 \text{(万美元)}$$

2. 工程进度款。

(1) 根据国际惯例,承包工程的进度款应逐月支付,每期的付款期限为2个月。因此,从第3个月开始,承包商可以逐月收取工程进度款。假定每月按工程总额的1/32计算至开工后的第23个月止,工程付款可达工程总额的65%;从此时起业主开始扣还预付款,直至工程付款额达到与工程总额85%时为止。按本工程进度,第24~第28个月的5个月的工程款应用于偿还预付款,每月应扣除 371.25÷5=74.25 万美元,即这 5 个月中,每月只能收取 206.25－74.25=132 万美元的工程款。第 29～第 34 个月每月平均收取工程款 206.25 万美元。另外,按照保留金的扣取办法,承包商从第 3～23 个月,每月实收工程款应为 196 万美元,第 24～28 个月,每月实际收费应为 132－10.25=121.75 万美元,第 29～34 个月,每月实际收工程款应为 196 万美元。因此,按国际惯例,该工程进度款总额的现值为:$P=5552$ 万美元。

(2) 按本工程合同规定的方法支付工程款的现值为:$P=4765.6$ 万元

3. 两种办法所收到的总额现值比较。

(1) 按国际惯例,承包商应收款总额的现值为:371.25＋5552=5923.25 万美元。

(2) 按本合同付款办法,承包商可收款额的现值为:946＋4765.6=5711.6 万美元。

承包商所受损失款额现值为:

$$5923.25-5711.6=211.65 \text{ 万美元}$$

由以上计算可知,按本合同规定的付款办法,承包商将损失 211.65 万美元。尽管如此,结论还不能因此而最后确定,还要看工程的预期利润和在承包商提供贷款的情况下,业主支付的利息方能决定。如果工程的预期利润与不提供贷款的正常条件下承包商所获利润之差高于 211.65 万美元,或者业主支付的贷款利息能弥补这笔损失,则该工程并非不能承揽。不过,这种可能性极小,因为承包商为业主提供这项贷款,自己就必须向银行借贷,因而还得支付银行一笔巨额利息。

结论,如无特殊优惠条件,该工程以不承揽为好。

【案例 7-3】

工程承包盈利技巧

某国 TL 公司以最低报价击败众多竞争强手,在我国一项总造价数亿美元的房屋建造工程项目招标中夺标。参与竞标的各国公司当时认为,以 TL 公司的报价,能保本就不错了。在工程建设期间,TL 公司作为总承包商,统筹指挥 20 家中外分包公司;施工高峰期工地上多达 8000 余人工作,而 TL 公司现场指挥部人员最多时仅 60 多人,在工程装修阶段仅七八人而已。4 年后,项目竣工并交付中方使用,TL 公司则赚取了相当工程总造价 18% 以上的利润。TL 公司之所以能以低报价盈利,原因很多,除了周密的计划、良好的管理、先进的施工工艺等因素外,还有高明的经营术,值得我们研究。

1. 利用分包商的弱点。承担分包任务的某些中国公司缺乏国际工程承包知识,缺乏同国外承包公司打交道的经验,TL 公司利用我国有关公司的这一弱点,在分包合同中大做文章,违反国际惯例,加进许多不合理条款。例如,规定分包工程预付款在 9 个月中付清;规定我分包公司为其在我国境内采购材料,若超出 TL 的采购价,超出部分由分包公司承担,若节省了费用,节省部分则由双方平分。TL 公司还规定,施工机具费用和相应的税金全由分包公司承担。在向我分包公司下达任务或提出要求时,常常故意不出书面文件,而我国分包公司却轻易接受并实施工程任务,到结帐或追究责任时,我分包公司因拿不出凭据而干吃亏。

转移矛盾、推卸责任是 TL 公司的另一惯用手法。按照国际惯例,除业主指定的分包商外，总承包商选中的分包商同业主不发生直接关系。TL公司则常把分包商推到前台。在业主或监理工程师提出某种批评时，TL公司便躲在一边，或干脆为业主和监理工程师帮腔，让分包商充当其牺牲品。我国分包公司往往因缺乏经验和常识而被其利用。

2. 竭力扩大索赔收益并避免受罚。无论工程设计的细微修改，还是物价上涨，抑或影响工程进度的任何事件，都是TL公司向业主提出经济索赔或工期索赔的理由，只要有机可乘，他们就大幅加价索赔。仅1989年一年，TL公司就向业主提出高达6000万美元的索赔要求。

反过来，TL公司对分包商处处克扣。分包商如未能在要求期限（往往过于苛刻的期限）内完成任务，TL公司便对他们实行重罚，毫不手软。

整个工程比原计划工期拖延了17个月，而TL公司灵活、巧妙地运用各种手段，居然避免了受罚。

3. 境外支付工资。跨国公司盈利的主要手段之一是避税。TL公司成功地实现了这一点，他们对6000名雇员每月的工资在境外支付，即从法国或第三国的子公司或代表处的账上支付，并直接寄往雇员家中。由于雇员不在中国领工资，自然无需向我国有关方面缴纳所得税，而在其本国总部由于要为工程项目支付雇员工资，当然就增加了扣除额，如此可一举两得。此外，索赔所得也不作为单独征税项目。

4. 设备以旧充新。在机具购置方面，TL公司将其他工地上已提完折旧的机具稍加修理，喷刷一新，运至中国工地，充顶新机具。

此外，TL公司知道中国公司急需进口设备，愿出高价购买他们的旧设备，便将大部分已基本提完折旧而所剩残值无几的机械设备转卖给中国分包商，既赚了钱，又节省了大笔设备回运费。

5. 非法廉价聘用中国劳务。工程初期，TL公司让中国分包商为其提供少量翻译、秘书，并按中方要求的外聘劳务价格支付薪金。与此同时，他们私自招聘工长、译员、秘书和服务人员，付以相当于前者一半的工资，而我国有关方面并未干预，于是TL公司更加大胆地私自招聘人员，付给的工资则越来越低，且不给任何津贴，解聘时也不给解聘费。据估算，TL公司此举即节省了430万美元的工资支付，尚不包括税收、保险、食宿津贴和国内外旅费。

评析：

国际工程承包常常不是以报价高低决定盈亏。最重要的盈利手段是管理。报价高固然为盈利奠定了基础，但鉴于当前国际上竞争已趋白热化，高价夺标已不可能。那么在这种形势下，承包工程是否还可盈利？TL公司的经营术为我们作了很好的回答。通常情况下，国际工程承包的盈利手段有4种：工程管理、索赔、国际避税和价格调值。TL公司除客观条件不允许调值外，其余3种手段都运用得非常成功，这是很值得我们借鉴的。

TL公司的经营技巧中最大的特点是索赔敢要价，避税有妙方，善于利用业主和分包公司的弱点，善于钻法律和政策的空子。其经营手段之所以成功，除了客观因素外，更主要的是其主观能动性的充分发挥，尤其是具有丰富的国际工程承包经验和渊博的国际工程承包知识，这是其成功的关键。我国公司很有必要认真学习掌握有关国际工程承包方面的知识，吸取经验教训。

思 考 题

1. 建筑产品价格有哪些特点？
2. 建筑市场价格机制的含义是什么？它有什么特点？
3. 我国建筑市场竞争机制是怎样表现的？是怎样发展的？
4. 你对我国建设工程招投标的状况和特点有何认识？
5. 我国工程建设招投标应怎样发展？怎样评标好？
6. 建筑施工企业应当有怎样的投标竞争策略？
7. 建筑市场供求关系有哪些特点？
8. 你认为应怎样建立企业的改革与发展战略？
9. 谈谈你对资产重组和资本经营的必要性的认识。你的企业应怎样进行资产重组和资本经营？

第八章 建筑市场环境、信息与战略

第一节 建筑市场环境

一、建筑市场宏观环境

我国建筑市场的宏观环境包括国家环境（经济的、政治的、法律的、社会文化的、技术的）、建筑业环境及国际环境。这些环境对发展建筑市场均十分有利，现分析如下。

（一）国家环境

1. 改革环境

从 1978 年开始的我国改革，至今走过了整整 20 年的光辉历程，国民经济得到了高速发展，为建筑市场的发展提供了雄厚的基础。改革、开放的路线的正确性被世人所公认。安定、团结、可持续发展是人心所向，是现实和未来。科技教育、文化事业在改革中发展。社会主义民主法制建设得到加强，民族团结的社会稳定的局面进一步巩固。城乡居民收入显著增加，生活水平进一步提高。对外开放继续扩大，形成了全方位、多层次、宽领域的开放格局。

建筑业和建筑市场是改革的主要受益者之一。有了国民经济的快速发展，才有对建筑业的较高需求，促使建筑业以比国民经济更高的速度发展。有了国民经济体制的改革，才有建筑业成功的改革。有了国家不断扩展的对外开放，才有建筑业的对外承包成就和国内的国际市场的形成。有了国家良好的政治环境、法制环境、社会文化环境和技术环境，才有建筑市场发展的良好土壤。

2. 国家大市场环境

建筑市场是我国国民经济大市场的一个分市场。建筑市场的发展是国民经济大市场发展的一部分。建筑市场是在国民经济大市场的怀抱中培育和发展的。因此，分析国家大市场环境对建筑市场的发展具有十分重要的意义。

改革开放以后，我国经济逐渐改变由计划经济体制造成的种种弊端，步步朝着市场经济转变。党的十四届三中全会提出建立社会主义市场经济的决策以后，我国改革的市场经济体制目标明确起来了，有计划、有步骤、有力度地建立市场经济。近年来以建立社会主义市场经济体制为目标的改革取得重大突破，新的宏观调控体系框架初步建立，市场在资源配置中的基础性作用显著增强。正如第九届全国人民代表大会《政府工作报告》中所指出的："大步推进了财政、税收、金融、外汇、计划、价格和投融资等体制改革。新的财税体制已经建立并且运行正常，中央和地方财力都有较大增加。政策性金融和商业性金融初步分开，中央银行的调控和监管职能开始增强。汇价保持稳定，实现了在经常项目下的可兑换。价格进一步放开，绝大部分消费品和生产资料的价格已经由市场决定。市场机制对增加供给、调节需求、丰富人民生活所起的作用越来越明显。在投资领域进行了改革，推行项目法人责任制、资本金制度和招标制度，投资风险约束逐步加强，企业筹资渠道进一步拓宽。国有企业改革力度加大。在市场竞争中涌现出一批有实力的企业集团。以公有制为主体、多种所有制经济共同发展的格局进一步展开，国民经济市场化、社会化程度明显提高。

3. 未来发展环境

国家经济体制改革和经济发展战略要求，在2010年前积极推进经济体制和经济增长方式的根本转变，努力实现"九五"计划和2010远景目标，为下世纪中叶基本实现现代化打下坚实基础。在这个时期，建立比较完善的社会主义市场经济体制，保持国民经济持续快速健康发展，坚持社会主义市场经济的改革方向，使改革在一些重大方面取得新的突破，并在优化经济结构、发展科学技术和提高对外开放水平方面取得重大进展，真正走出一条速度较快、效益较好，整体素质不断提高的经济发展的路子。

在第九次全国人民代表大会的《政府工作报告》中提出，加快以国有企业为重点的各项改革，加大经济结构调整力度，提高对外开放水平，继续推进经济体制和经济增长方式的根本转变，保持国民经济持续快速健康发展。加强民主法制建设，实现依法治国，坚持不懈地开展反腐败斗争，维护社会稳定；加强精神文明建设，促进教育、科学、文化发展和社会全面进步；加强各族人民团结，为建设有中国特色社会主义事业齐心奋斗。1998年的重点工作是：进一步稳定和加强农业，国有企业改革要取得新的突破，继续加强改善宏观调控，进一步提高对外开放水平，积极发展科技教育文化事业，努力改善城乡人民物质文化生活，积极推进政府机构改革。要用三年左右的时间，通过改革、改组、改造和加强企业管理，使大多数国有大中型亏损企业摆脱困境，力争到本世纪末使大多数国有大中型骨干企业初步建立起现代企业制度。

以上这些涉及国家未来的战略部署给建筑业提供了最佳的未来发展环境，从党的十五大到第九届全国人民代表大会，均有明确的目标，周密的部署，使建筑市场的发展有了十分明确的奋斗方向。

（二）建筑业环境

建筑市场为建筑业优化资源配置提供基础，因此，建筑业环境与建筑市场的发展关系最为密切。现对建筑业环境分析如下。

1. 建筑业的支柱产业地位

建筑业作为国民经济支柱产业的地位已经确定。对建筑业的实际水平进行分析可以发现，建筑业增加值及总产值在GNP中的比重、出口创汇面、就业人口的比重、行业关联度及影响力系数、需求弹性系数、部门增长率六个方面，均达到支柱产业标准；只有产业集中度和骨干企业市场占有率、技术成熟度、经济效益三个方面还存在差距。所以，我国建筑业基本具备了支柱产业的标志和实力。

2. 建筑业作出了重大贡献

1992年至1996年，我国全社会固定资产投资总额为81187亿元，其中由建筑业直接完成的为51600亿元，占固定资产投资总额的63.56%，建成各类工业、能源、交通、通讯、农林、水利、文教、科研、军工等基本建设项目和更新改造项目共42.9万个，其中大中型基建项目902个，包括淮河干流治理工程，齐鲁、扬子、茂名、吉化大型石化联合装置。大亚湾、秦山核电站，宝钢二期，京九铁路（包括北京西客站），南昆铁路，京津塘、沪宁、太旧、广深高速公路，上海南浦大桥、洋浦大桥，广州国际大厦、上海金贸大厦、天津体育馆、深圳地王大厦等项目；新建城乡住宅 48.89 亿 m^2。五年中，新增采煤生产能力 1.2 亿 t、石油开采能力 5478 万 t、新增发电机组容量 7101 万 kW、投产铁路新线 7875km、新建港口码头年吞吐量 28363 万 t。此外，大批在建项目，如长江三峡水利枢纽工程、小浪底水利枢纽工程、京深高速公路、首都机场扩建等，都进展顺利。

3. 建筑业的产业规模大发展

1992 年～1996 年，我国建筑业共完成增加值 15101 亿元，占同期国内生产总值的 6.45％，其中 1996 年建筑业增加值为 4568 亿元，比 1991 年高了 3.35 倍，占国内生产总值的 6.7％，比 1991 年的 4.7％提高了 2 个百分点。截至 1996 年底，全国共有四级资质以上的建筑业企业 64027 家，其中一级企业 2130 家，二级企业 8839 家，三级企业 25810 家，四级企业 27248 家。1996 年建筑业从业人数已达 3408 万人，占全社会从业人数的 4.95％，比 1991 年末的 2521 万人增加了 35.2％。其中，国有建筑业企业从业人数为 616 万人，城镇集体建筑业企业从业人数为 424 万人，乡村从业人数为 2304 万人，城镇私营和个体从业人员为 34 万人。国有建筑业企业全员劳动生产率到 1996 年达 18974 亿元（按增加值计算），扣除物价上涨因素，比 1991 年提高了 1 倍多。1992 年～1996 年，我国的建筑技术有了长足的进步，已跻身于世界先进行列，具备了解决工程建设各种复杂技术问题的能力。特别是一批规模宏大、技术复杂的重点建设项目和城市大型公共设施工程的建成，代表了我国九十年代设计施工技术水平。

4. 建筑业改革不断深化

党的十四大以来，建筑业改革不断深化。在建筑市场管理方面，实行了工程报建制度、招标投标制度、施工许可证制度、资质管理制度等。全国已有 84 个地级以上城市建立了有形建筑市场，既对市场行为加强了监督管理，又为交易各方提供了配套服务。在工程建设项目管理方面进一步推行了工程建设监理制度。在建筑业企业改革方面，先后实行了企业承包经营责任制、项目经理责任制、管理层与作业层两层分离、调整企业组织结构和经营结构、转换企业经营机制、明确企业经营自主权、开展建立现代企业制度试点等，并取得了可喜的效果。一批大中型建筑业企业走上了集团化发展道路，初步形成了工程总承包企业、施工承包企业、专项分包企业三个层次协调发展的建筑业组织结构。在工程质量和安全管理方面，实行了企业内控、社会监理、政府监督、用户评价的质量体系和以施工现场安全管理标准化、创建文明工地为主要内容的安全保障体系。在工程造价管理方面，进行了量价分离、动态管理、差别利润率等改革。这一系列的改革措施，有力地推动了建筑业生产力的发展和工程建设水平的提高。

5.《建筑法》发布实施

《建筑法》已于 1997 年 11 月 1 日颁布，1998 年 3 月 1 日起实施。它使我国建筑市场规模建设的法律需求得到满足，进一步健全了建筑法律体系。它为促进两个转变提供了法律武器，为建筑业持续稳步发展提供了法律保证。《建筑法》的作用是通过它所提供的制度显现出来的。《建筑法》规定的基本制度有五个，即建筑许可制度，建筑工程发包与承包制度，建筑工程监理制度，建筑安全生产管理制度，建筑工程质量管理制度。在基本制度中，涵盖了 18 种具体制度（详见第九章第三节）。

6. 建筑业的未来走向

在今后较长的时间内，中国社会经济发展对建筑业需求旺盛，继续呈增长趋势。主要表现在以下方面：

（1）重点建设任务繁重。为调整产业结构和产业布局，国家将在较长的时期内持续投资建设代表当代技术水平的大型项目。老企业技术改造、改扩建任务将十分繁重。

（2）住宅建设和改造量大。2000年以前，每年约需建城镇住宅1.6亿m^2以上，农村住宅6.5亿m^2以上。现在20亿m^2的城镇住宅需要按成套率要求进行不同程度的改造。农村住宅的设施水平也有待于提高。大量农村人口正以每年1%以上的速度进入城市社会，其居住问题也需要在城市建设中加以解决。我国城市化的速度将有所加快，住宅建造能力需要有更大更快的发展。

（3）城镇建设任务加大。今后每年新增城市15个左右，新增建制镇300个左右，这将为建筑业提供新的建筑场地。

（4）农村建设将成为有巨大潜力的建筑市场。随着农村城市化的进程和乡镇企业结构上档次。镇的建设将异军突起。预计今后农村投资的增长仍将高于全社会的平均速度。这是一个亟待开发的建筑市场。

（5）发展前景十分乐观。建筑业增加值增长速度进一步加快，达到10%—13%的高水平。之后，随工业化的逐步实现，建筑业虽进一步增长，但速度放慢。21世纪前10年建筑业产出占国民经济的比重将从90年代的6%～7%，上升到8%～10%。这一峰值将停留一个阶段。当中国步入后工业化社会，比重将下降。中国建筑业就业规模还将继续增长，但速度放慢，由规模型向技术型、效率型转变。今后30～40年，是中国建筑业发展史上的黄金时代。

（三）建筑市场的国际环境

1. 政治环境

自80年代末以来，冷战结束，国际上两大军事集团对峙局面被打破，和平与发展成为当代的主旋律。国际战略格局向多极化转化，科技与经济竞争取代政治军事对抗而成为国际关系的主要内容。在20世纪的最后几年，世界处于旧格局被打破，新格局尚待建立的转折时期，东西矛盾渐渐被南北矛盾、北北矛盾所取代，意识形态的冲突被民族矛盾、文化冲突所取代，国际间的经济摩擦加剧，局部地区的国际冲突难以避免，但和平与发展是绝大多数国家的主动选择。这种政治形式有利于我国争得和平发展经济的政治环境，有利于我国开拓国际建筑市场，有利于国际建筑市场向中国发展，更有利于我国建筑市场的快速发展。

2. 经济环境

区域经济一体化由少数地区向全球蔓延，继欧盟之后，又相继出现了东盟、西非共同体、北美自由贸易区等数十个区域一体化组织，几乎所有地区都不同程度地卷入了一体化过程。区域经济一体化由低级形态向高级形态发展，也呈现向洲际和跨洲组织发展的趋势，这对世界经济有着深远影响，有创造贸易和转移贸易的双重影响。中国将受到区域一体化的不利影响。利用外资对中国的发展有积极作用，但因游离于区域一体化组织之外，受到区域内国家的有力挑战。中国出口有美国和日本两大集中点，但我们的战略是市场多元化。在进入一些区域一体化国家时，中国产品便遇到许多障碍，欧盟对中国产品，屡屡进行反倾销起诉。因此中国的政策选择是坚持对所有区域一体化组织开放，无排他的立场。

90年代后期中国的周边经济环境将为中国经济的发展和贸易扩大提供难得的历史机遇。建筑业要下大力加强与周边国家的经济合作,开拓周边国家市场。这样既可以实现中国的市场多元化战略,也可深化区域经济合作,迎接区域经济一体化。

香港几十年来为我国建筑业的对外劳务输出和工程承包起到重要的纽带作用,回归以后这种作用更大,它将作为贸易中介,提高我国对外工程承包的效益。香港也是我国吸引外资的中介。有60%的外商投资直接通过香港进入大陆。

90年代后期国际融资成本提高,国际资本继续向发达国家集中。发达国家以直接投资为主且集中在部分地区,更注重东道国的技术开发和经营资源利用。跨国公司是投资的主体。国际投资部门结构高级化,重点在高技术产业、资本密集型产业和服务业。国际投资方式多样化,证券投资、企业兼并及非股权投资等方式的发展引人注目。国际资本流动的趋势表明,如果中国不适当地调整利用外资战略,采取新的举措,则吸引外资的前景并不乐观。如果能调整利用外资战略,充分利用东亚地区经济繁荣的外部条件,发挥我国市场容量大、科技力量雄厚的优势,我国利用外资有可能保持较大规模,并提高利用国外资金质量。

3. 国际建筑业环境

对建筑业影响最大的是城市化、工业化和技术进步。

城市化需要建筑业支持。建筑业最活跃的时期是从一个国家进入城市化到城市化成熟的前期,发展中国家的这种需求量大。

建筑工业化为工业化提供物质基础,铺平道路并带动相关部门发展;工业化产生更多产品和积累更多财富为建筑业的发展提供保证。

建筑业的技术进步是本世纪最为缓慢的老行业;但并不防碍建筑业外部环境的改善。在技术进步的世界浪潮中,建筑业的发展速度被拉动得大幅度提高。

当代国际承包的贸易流向模式是,主要从发达国家流向发展中国家。发展中国家也有能力开辟不发达国家的市场,并主要以劳务和分包商的角色进入发达国家。这就使西方承包商的垄断地位受到挑战,发展中国家的潜力很大并将逐步释放,进一步成为国际承包市场的主角。发达国家继续在特定的智力、技术密集型专业服务和BOT合同领域内保持优势。发达国家将成为建筑业的重要进口国。不发达国家的工业化将使建筑业逐步壮大,与发展中国家和发达国家进行贸易。

未来西方国家建筑市场规模依然很大,但继续萎缩。随着产业结构和劳动力结构向智力型转移,将为发展中国家的建筑业提供可能的市场。欧洲建筑市场将出现"僧多粥少"的局面。北美80年代盲目过热,短期难以恢复。南美经济不振,建筑市场有限。非洲建筑市场一定时期内尚难活跃。北非有可能活跃。亚洲和中国建筑市场活跃,东南亚和中国部分地区将成为跨本世纪的海外承包主阵地。

二、建筑市场微观环境

建筑市场的微观环境是站在企业的立场上对竞争者、业主和中介组织进行分析,也对工程项目环境进行分析。现对承包商、业主、中介组织及工程项目四个环境分析如下。

(一)承包商环境分析

1. 国有建筑业企业的优势

我国国有建筑业企业是建筑业的主导力量,是国家建设的骨干力量,是建筑市场的卖方，国有大中型建筑业企业在人均占有资本、人员素质、技术装备、管理水平等方面均保持优势。目前国有企业在国家采取一系列战略措施以后，正在向着健康方向发展。这些战略措施包括：进行改组、改制、改造和加强企业管理；实施企业集团发展战略；实施"抓大放小"战略；促进大型骨干建筑业企业发展；规范招投标市场；进行执法监察等。有相当一部分企业领导班子锐意进取，体制转换卓有成效，在市场竞争中顽强拼搏，实力不断增强，信誉越来越好，在市场上处于有利地位。

2. 国有建筑企业的劣势

目前，尚有一部分国有大中型企业体制转换延缓，社会负担沉重，技术管理人员大量流失，企业技术管理水平下降，生产经营困难重重。在建筑业中，不同经营规模和水平、总包与分包、不同专业的建筑企业层次不分明。大型企业与一般企业之间经营效果的差距没有拉开，大而全、中而全面貌依旧，技术素质、管理水平、企业实力的优势表现不明显，在产业组织结构中，真正的管理密集的总承包企业层的作用还未得到体现。

国有企业管理水平提高不快。在竞争激烈、市场不规范的条件下，建筑企业加强管理的效益回报不明显，致使投入在管理上的力量减少；而转包和接受挂靠却收益颇丰，故削弱了企业加强管理的幸趣。

目前国有建筑企业尚有以下困难：一是企业经营机制转换远未完成。改革的大环境的改善有限，建立现代企业制度尚有许多难点，故不少企业在观望。二是企业的负担仍然很重，加大了生产成本，影响了资本积累，降低了企业的市场竞争能力。三是欠拖工程款日趋严重。加之建设单位压低工程造价，要求垫资承包等，加剧了企业资金的短缺。四是企业的资产负债率过高，经营压力过大，致使债台高筑，利润不敷利息支出，固定资产更新困难，设备老化，失去发展后劲。五是建筑市场竞争过度，秩序混乱，运营成本较高的国有企业供大于求；市场不规范，建设单位行为无制约，随意发包；低资格或无资格的建筑企业随意挂靠，使用高资格牌子；建筑企业倒手承包，层层转包；建筑市场法制不严，监督不严，使市场中优不胜、劣不汰，严重影响着建筑企业，尤其是国有企业的健康发展。

(二) 业主环境分析

我国的业主，过去分属于不同的企业，在计划经济的体制下进行分散管理，依靠政府进行建设，离市场主体甚远。一是力量薄弱，专业人员严重不足，不具备充足的业主条件；二是建筑行业主管部门管不到他们，使他们因远离市场管理部门而建设行为带随意性；三是没有摆正与承包商的关系，弄成了主从关系；四是没有中介组织可以被委托进行管理，等等。总之，那时的业主基本处于无管理能力的状态。

随着建筑市场的逐步建立，业主被真正地推到了买方的位置，因此其管理机能必须健全。为此国家计委和建设部先后采取了一系列措施。

首先是国家计委在1992年11月颁发了《关于建设项目实行业主责任制的暂行规定》(2006号文)，规定了实行业主责任制项目的范围是1992年起新开工和进行前期工作的全民所有制单位的基本建设项目；项目业主是指投资方派代表组成的，其任务是从项目筹划、筹资、设计、建设实施、直到生产经营、归还贷款及债券本息，并承担投资风险；明确了项目业主与有关方面的关系。

其次是国家计委于1996年颁布了673号文件《关于实行建设项目法人责任制的暂行规定》，取代了2006号文。规定，建设单位（业主）应按公司法建立责任有限公司，形成项目法人，实行项目法人责任制，对项目的策划、资金筹措、建设实施、生产经营、债务偿还和资产保值增值负责。在《规定》中还规定了董事会的职权、项目总经理的职权等。这样，业主便以法人实体的身份出现在建筑市场上，有资格成为市场主体了。对于业主来说，该《规定》具有划时代的意义。

建设部先后发了三个文件规范业主的建设行为。最早的是在1994年颁发《工程建设项目报建管理办法》（842号文），规定建设单位须在工程项目可行性研究报告或其他立项文件被批准后，向当地建设行政主管部门或其授权机构报告。这就从加强市场管理、控制建设规模的目的出发，把建设单位的建设行为纳入了建设行政主管部门的管辖之下，对建设单位也是有利的。其次是颁发《工程建设项目实施阶段程序管理暂行规定》（494号文），从加强建筑市场管理、维护建筑市场的正常秩序的目的出发，对施工准备阶段、施工阶段、竣工阶段应遵循的步骤作了规定，进一步规范了建设单位的行为。第三是颁发《工程项目建设管理单位管理暂行办法》（123号文），从加强建筑市场管理、贯彻《建设项目法人责任制》的目的出发，对建设单位资质等级及建设行为作了规范。文中规定，如果建设单位不具备资格条件，则必须委托监理单位实行监理。从而使建设单位有可能真正成为项目法人。

从1998年开始实施的《建筑法》，规定了发包方全面履行合同约定的义务、进行招标承包、廉洁自率的纪律要求、订价及拨付工程款、发包程序及纪律等，进一步把建设单位的活动纳入法律管辖范围。

但是也应看到，虽然有了法律、法规和有力的管理，但毕竟还不等于现实。建设单位目前存的问题还是比较多的，如肢解发包、索要回扣和好处费、收受贿赂、私自授标、压价发包、拖欠工程款等。不规范的表现很多且影响很坏，大大干扰了市场的发育，因此，有必要在投标时进行对业主的购买倾向和业主的信誉进行分析，进而对投标决策进行优化。

（三）中介组织环境分析

建设中介组织的存在必须同时具备两个条件：一个是工程建设达到相当的规模，另一个是工程建设体制属于市场经济。显然，这两个条件只有到了改革开放以后才逐步具备，尤其是后一种条件。我国建设中介组织从无到有，逐步发展，现在建设中的各个领域都有了一些中介组织，形成了快速发展的局面。尤其是建设监理组织，自1988年开始试点以来，经过了1993年以后的稳步推行，1996年以后的全面推行，可望到2000年达到行业化、制度化、科学化、与国外接轨的水平。

然而我国的建设中介组织在发展中也存在着一些问题。第一，市场需求还不旺盛，中介服务的许多内容，在企业内部都有自我服务机能满足自己的需求。这是市场经济下建筑企业"大而全"、"小而全"、"万事不求人"路线形成的结果。第二，中介组织的素质还不能完全满足要求，表现在专业人才缺乏、技术储备薄弱、保证企业发展的机制没有建立起来。第三，中介组织的行业垄断现象还普遍存在，一些中介组织是政府转变职能的过程中建立起来的，凭借自己的有利地位制造行业垄断，并依靠行业垄断不讲究服务质量，搞不合理收费，造成一些不好影响。第四，政府转变职能没有到位，一些应当由中介组织去做的工作，还在政府的工作范围之中，没有交给中介组织去做。第五，建筑市场的发育不充分也影响了中介组织的发展，两者的发展相辅相成，市场体制下的专业分工还需要有一个发展成熟的过程。

基于以上几个问题，中介组织的发展要两靠：一靠中介组织自身的建设和自我完善，建立自己客观、公平、公正、诚信、守法的社会形象，并以此为立身之本；通过各种方式宣传自己，扩大社会影响，积极探索社会需求，适应社会需求；注意自己业务能力建设，增加技术储备，采用先进工作设备和手段，提高工作的现代化水平。二靠政府创造中介组织的发展环境：一要管理先行、法规健全、适时引导、综合改革、创造条件、促进发展；二要及时总结中介组织发展过程中的经验教训，加强指导；三要从根本上促进建筑市场发展，同时注意为中介组织的发展统筹兼顾、创造条件；政府要制定系列的措施发展中介组织，如确定个人的专业执业资格体系及以个人资格为基础的中介服务机构的营业资格，支持其采用有利于自身发展的多种存在方式，促进公平竞争，克服中介服务的独家垄断；不同性质的中介组织要有不同的管理和取费方法；加强对中介组织的专业管理，制定促进中介组织发展的制度和办法；加大人才的培养力度等。

（四）工程项目管理环境和工程项目任务环境

1. 工程项目管理环境

工程项目在生产过程中是作业对象，在交换过程中是交易对象，因此工程项目管理应当是建筑市场的要素，它在市场经济中产生，存在于建筑市场，服务于建筑市场，构成了建筑市场的微观环境之一。

我国的工程项目管理在1982年从国外引进。由于其与建筑市场发展不可分割的密切关系，受到政府的极大重视。从1988年开始进行项目管理与配套的企业管理改革试点（当时称之为"项目法施工"试点），经过5年，自1993年全面推行并抓住项目经理培训这个关键环节大力推行，健全了工程项目管理制度，提出了指导意见，及时部署与规范其研究和发展方向，故使我国的工程项目管理起步虽然较晚，但发展力度大、效果良好。现在已经在全国推开，运行基本正常，已促成了一大批工程项目高质量、高速度、低造价地建成，带动了企业的体制改革。

我国的工程项目管理具有以下特点：第一是工程项目管理与企业体制改革相结合，产生了很好的改革效应；第二是引进和自创相结合，创造了适合我国国情的项目管理经验；第三是政府大力推进，起到了扶持、引导、监督、教育人才的全面作用，使工程项目管理有计划、有步骤、有力度地开展，尤其是政府领导的项目经理培训，培养了几十万项目经理，确保了专业人才济济和管理的高素质。第四是活跃的学术研究活动持久展开，使工程项目管理有坚实的理论基础和典型引路。第五是指导思想明确，指导思想包括：科学技术是第一生产力的思想，依靠市场、促进市场发展的思想，系统管理的思想，以及现代化管理的思想。因此，我们可以说，工程项目管理的环境是好的，极有利于建筑市场的发展，形成了承包企业的竞争优势和项目法人的管理优势。管理好者，势强；管理差者，势弱。

2. 工程项目任务环境

建筑市场的工程项目任务是固定资产投资的一部分，即其建筑安装工程任务。自80年代以来，我国的固定资产投资任务呈逐年增长趋势，因此，建筑安装任务也逐年增长。总的来看，增长幅度较大，且高于国民经济的平均增长速度，也因此促成了建筑业长足的发展，建筑业队伍迅速扩大。预测今后的固定资产投资，由于国民经济发展的需要，仍将适度增长。九届全国人大《政府工作报告》中提出，为了使投资规模适度增长，"今年（1998年）全社会固定资产投资预定增长8%或者更多一些"。又说，"投资要重点用于加强农林水利建设，能源、交通、通信、环保等基础设施建设，加大高新技术产业的投入，提高技术改造投资的比重，加快普通民用住宅的建设……加强产业政策导向和信息发布，引导企业按照市场需求调整投资方向。积极推进住房体制改革，采取切实措施促进住房商品化，使居民住房建设成为新的经济增长点"。以上这些信息使我们对工程任务环境有了较为明确的认识。一个企业可以根据这样的市场环境选择自己的目标市场和经营策略。

展望 2010 年的发展前景，工程任务形势也是比较乐观的，建设部"建筑业与工程建设'九五'计划与 2010 年远景目标"中说："今后 15 年，建筑业将以高于整个国民经济 2～3 个百分点的速度增长。到 2000 年，建筑业增加值占国内生产总值 6％以上，全行业年总营业额达 21000 亿元，竣工各类房屋 14 亿 m^2，年对外承包营业额达到 120 亿美元左右，资本金利润率达到 10％"。这些指标，均比目前水平有较大提高，故市场形势是乐观的，环境是较好的。

第二节 建筑市场信息

一、建筑市场信息的作用

信息作为一种社会概念，可以被理解为人类共享的一切知识。在信息社会中，信息成为比物质和能源更为重要的资源。有时获得一条信息，会使一个企业获得巨额利润，甚至可以使一个企业起死回生；失掉一条信息，可能失掉一个重要的机遇或商机，甚至导致一个企业亏损或倒闭。

建筑市场信息是国家建设行政主管部门制定建设活动政策和法规的依据。建筑市场信息是行业领导者了解社会实践的中介，他们通过自身的社会调查，通过机关工作人员收集到的信息，通过各方面提供的信息，可以把握可供领导决策的信息。

建筑市场信息是建筑企业经营活动的指示器、企业与哪些业主联系？向哪些工程投标？如何确定经营战略和目标？如何组织生产要素供应？等等，都是通过建筑市场或与其相关的市场信息实现的。

建筑市场信息是建筑企业经营管理的"神经"、"耳目"。企业领导靠市场信息了解情况、掌握商机、审时度势、开展经营。企业领导利用信息组织、控制、指导、协调企业的各项经营管理工作。企业领导要提高信誉、推销产品、开发产品、提高市场占有率，也要靠市场信息创造良好的外部环境。

在计划经济条件下，由于企业是在政府的严格指令和控制下运行的，所以企业对信息的需要量是很有限的，企业领导如果不重视信息或没有足够的信息，照样可以生存。但是在市场条件下，在信息社会中，一个企业领导是否能取得事业的成功，把握信息的数量、时间，利用信息的技巧和水平，可以起到决定性作用。很明确，有关国家方针政策的信息、有关历史资料的信息、有关行业市场的需求和供应信息、有关行业市场的竞争信息和价格信息、有关本企业的生产经营信息等，都是市场主体的领导者需要把握和利用的。利用它发现商机，利用它认知危胁，利用它明确自己的优势，利用它正视自身的劣势，从而利用机会，避免威胁，发挥优势，克服劣势，这样才能避开市场的风险，利用有利的市场环境，取得事业成功。一个成功的建筑企业家必须制定和实施市场信息战略。

二、建筑市场信息的分类与开发

（一）建筑市场的直接市场信息（即微观市场环境信息）

建筑市场的直接市场信息有以下一些。

1. 工程项目和业主信息。这类信息反映了市场需求。这类信息影响着建筑企业的市场活动方向和经营方向。

2. 承包商信息。这类信息影响企业的市场占有份额和竞争方略。承包商的信息包括：企业数量、专业特长、竞争能力、在手任务、信誉情况等。在买方市场下，这类信息影响着企业的生存和发展，每个企业都必须根据承包商信息作出自己的市场策略决策。

3. 中介组织信息。中介组织一部分（如监理公司）将被业主雇来进行顾问和对承包商进行监督，一部分将对市场进行服务。由于中介组织是市场的主体，所以这类信息也至关重要，包括其资质、能力、特长、信誉、在手任务等。

4. 建筑材料、建筑制品供应信息，包括供应数量、质量、品种、价格及相应的运输条件等。

5. 设计单位信息，包括设计单位数量、等级、信誉、特长等。

6. 影响我国建筑市场的国际市场信息、国际承包商信息、有关价格信息、竞争信息、项目信息等。

7. 劳动力市场的状况，包括人数、工种，其在相关地区所处状况等。

（二）建筑市场的间接市场信息（即宏观建筑市场信息）

由间接影响建筑市场活动的因素产生的信息属间接建筑市场信息，主要指国家的发展规划，建设政策，建设法律法规的颁布，建筑科学技术的发展，主要领导人对建筑市场的指令、意向、态度，交通状况的变化，进出口物资状况的变化，人们对居住建筑的消费期望，国民经济和固定资产投资发展的规划与目前状况，金融市场状况，能源市场状况。这些信息都必须认真研究，并对其与建筑市场的关联度和影响进行分析，正确使用这些信息。

（三）建筑市场信息的采集与传输

建筑市场信息的采集，从经营者角度讲，主要有以下方法。

1. 市场调查法。主要是经营者到信息源调查，信息源包括有关企业、中介组织，政府部门及相关市场等。

2. 利用工程建设交易中心、劳动人才交流市场、建材市场及其管理机构获得信息。

3. 利用计算机联网从网上获得信息。

4. 通过新闻媒介、信息交流会、展销会获得信息。

5. 利用信息情报网获得信息。

6. 利用报刊、杂志、内部资料、交流材料获得信息。

7. 其他渠道和方法。比如追踪机会信息，职工传递的信息等。

可用来采集建筑市场信息的方法很多。只要经营者对信息的重要性有了充分认识或下决心利用信息进行经营，作有心人，便能灵活运用各种渠道有效地采集到丰富的信息。但必须使所得到的信息真实、可靠，这样才能使信息有用，产生积极效果。为了获得信息，一个企业或项目经理部，应该建立信息中心，该中心既可作为收集信息的集中地，又可作为处理和传递信息的枢纽。信息的采集方式和传输形式往往是统一的。

三、建筑市场信息管理系统

每个建筑市场的主体，都应该建立市场信息管理系统。在当今建筑产品市场处于买方市场的情况下，承包商更应该建立市场信息管理系统。承包商的市场信息管理系统，应当是企业经营管理系统的一个组成部分,服务于参与市场竞争和企业生产经营。各种信息均以信息中心为枢纽进行信息的输入、储存、处理与输出,见图8-1和图8-2。

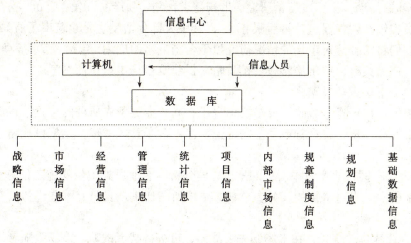

图 8-1　建筑企业信息管理系统

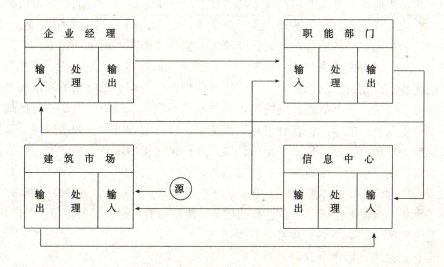

图 8-2　建立企业信息中心

图8-2是企业信息中心与企业经理、职能部门及建筑市场信息关系图。可以简单地概括如下:有了信息中心以后,大家的信息都送到信息中心,大家需要的信息,都从信息中心中索取。市场信息也应直送信息中心,信息中心经过处理后,可输给企业经理、职能部门及市场管理部门。这样,便大大缩短了信息流通的时间,甚至改变企业的组织结构。

第三节　建筑市场"营销"战略

一、建筑市场"营销"战略综述

一般市场的营销理论也适用于建筑市场。但建筑市场"营销"的表现形式却与一般市场大不相同。一般市场营销的表现形式是商品可以流动;而建筑市场的商品都不能移动,因此在一般市场中可以见到商品，而建设工程交易中心却没有可供买卖的商品，它主要提供信息。《市场营销新论》中说，"可以将市场营销理解为与市场有关的人类活动"；又说，"现代企业市场营销活动包括市场营销研究、市场需求预测、新产品开发、定价、分销、物流、广告、人员推销、促售促进、售后服务等"，其中大部分活动也是建筑市场所具有的。因此在本节中我们将结合建筑市场的情况研究以下营销战略的应用，包括：市场竞争战略、目标市场战略、产品策略、定价策略和促销策略，供建筑市场中承包商参考。

二、建筑企业市场竞争战略

对承包商来说，市场竞争战略主要是明确自己在同行业竞争中所处的位置，进而结合自己的目标，资源和环境，在目标市场上的地位，制定市场竞争战略。实施该战略，承包商可从以下方面运作。

1. 分析本企业在同行业竞争中所处的地位，即分析本企业所处地位的施工任务量，工程类别，竞争者多少，自身承担的任务在总任务量中所占比重，自身有哪些优势，有哪些劣势等。

2. 根据对企业地位的分析，在市场领先者战略、市场挑战者战略、市场跟随者战略和市场补缺战略等四种战略中选择一个。集团式企业一般均可选择市场领先者战略和市场挑战者战略；集团所属的二级企业可选择市场挑战者战略或市场跟随者战略，即要么向领先者进攻；要么跟随领先者，自觉共处；至于小企业，（三级以下企业及乡镇企业），因为实力有限，故只能采用市场补缺战略，通过专业化经营来占据有利的市场位置。

3. 根据选定的市场竞争战略进一步选择二级战略。如选定了市场领先者战略后，为了维护自己的优势、保住自己的领先地位，可选择保护市场占有率战略或提高市场占有率战略。如果选择了市场挑战者战略，就应确定是争取市场领先者地位？还是在与挑战者共处的情况下求得尽可能多的收益？在目前建筑市场中，以后者为可取。如果选用了市场跟随者战略，则应保持现有客户，争取一定量新客户，这里所指的客户就是业主。如果选用了市场补缺战略，则应致力于专业化，发挥自己的特长。

4. 二级战略确定后，接下来就要确定承揽任务的策略。首先是参加哪些工程的承揽，其次是怎样去承揽。承揽哪些任务要看自身的优势，优则可胜，则应参与竞争。怎么承揽呢？这就要讲竞争策略，如本书第七章第二节所述。

三、建筑企业的目标市场战略

目标市场战略即是在进行市场分析之后，明确本企业市场何在，为满足哪些顾客群的哪种需要而从事生产和"销售"。这个市场由市场细分、目标市场选择及市场定位三部分内容组成。承包商亦可实施这一战略，且可按下述方式运作。

（一）市场细分

承包商的市场细分的意义在于：（1）发掘新的市场机会，发挥竞争优势，克服企业劣势，选择最有效的目标市场；（2）为了集中人、财、物和信息等资源条件投入目标市场，取得市场营销成功；（3）有利于调整市场营销策略；有利于合理配置市场营销资源。所以，承包商应重视这一战略。建筑市场的细分，可按以下标准：

1. 按地域：国外市场、国内市场；国外市场按地域划分；国内市场按地域划分。

2. 按任务的专业类别细分。

3. 按任务的规模细分。

4. 按任务的结构类型细分。
5. 按竞争状况细分。

(二) 选择目标市场

目标市场是指企业经过比较、选择、决定作为服务对象的相应子市场。建筑目标市场的选择应注意以下几点：

分析哪些市场可作为选择的目标，其判别标准是：是否本企业营业范围；是否本企业专业特长；是否有竞争取胜可能；是否有盈利可能；是否有力量承担等。在分析是否可作为选择目标时，可以采取三种战略，即：

(1) 目标市场涵盖战略。这一战略决定承包商为多少个子市场服务（承揽工程）。这其中又有三种选择：

一是无差异市场"营销"，即在市场细分之后，不考虑各子市场的特性差异，只注重各子市场需求方面的共性，把所有子市场的工程整体看作一个大目标市场，制定市场选择目标。

二是差异市场"营销"，即承包商决定同时为几个子市场服务，制定策略，选择目标市场，满足各子市场的需求。

三是集中市场"营销"，即承包商集中全部力量，只选择一个或少数几个性质相似的子市场作为目标市场，实行高度专业化经营，努力在较少的子市场上占有较大的市场占有率。这就是集中优势兵力作战的策略。

(2) 目标市场的选择。承包商究竟为多少个子市场服务？应考虑以下三个因素：

第一，企业的资源状况，包括人力、物力、财力、信息、技术等。

第二，工程的专业状况和企业的专业特长。

第三，竞争对手的目标市场涵盖战略如何，以决定是回避还是竞争夺取目标。

(3) 国际市场选择战略。在进行了国际建筑市场环境分析之后，就应对国际市场进行细分，选择目标市场。选择时应考虑下列因素：

第一，市场规模。

第二，市场的可延续性。

第三，造价及盈利可能性。

第四，承包商自身的竞争相对优势。

第五，风险程度。

然后，选择国际市场进入战略。在进入市场前，要考虑以下问题：

第一，估计目前的市场规模。

第二，预测未来的市场规模。

第三，预测市场占有率。

第四，预测成本和利润。

第五，估计投资收益率与分析风险。

进入国际建筑市场的主要方式有：工程总承包，工程分承包，劳务承包，BOT方式，综合输出，联合承包等。经过选择后再行投标竞争。

(三) 市场定位

所谓市场定位，就是根据所选定的目标市场上的竞争者现有的位置和企业自身的条件，树立自己的特色和形象,以吸引顾客。其实质就是取得目标市场的竞争优势。市场定位可通过三步完成:第一,确认本企业潜在的竞争优势;第二,准确地选择相对竞争优势;第三,明确显示竞争优势:

1. 确认本企业的竞争优势。为此,应先确定在目标市场上可能出现的竞争对手,再深入了解竞争对手的优势和劣势。与自己的优势和劣势进行对比,从而发现自己的相对优势所在。

2. 准确地选择相对竞争优势。即从以下几方面分析哪些是强项,哪些是弱项:经营管理方面;技术开发方面;采购方面;生产方面;市场营销方面;财务方面;质量方面。

3. 显示独特的竞争优势。即通过一系列宣传活动,使承包商的独特竞争优势准确传播给业主,主要是使业主了解本企业的市场定位,在其心目中建立与市场定位相一致的形象,加深业主的印象。

四、建筑企业的产品策略、定价策略和促销策略

(一)产品策略

建筑业企业的产品策略即通过何种途径满足业主的需要。在这方面建筑业企业只有三种战略:第一是专业化策略,第二是工程质量策略,第三是用后服务策略。

1. 专业化策略。即本企业要建立自己的专业特长,使企业在某个专业上有独特的优势并创造出显赫的业绩,在某个专业上有较大的市场占有份额和竞争优势。这个优势的特点是:可以出精品、创"名牌";在同行业中具有非常明显的技术优势,竞争取胜的把握大;在业主心目中建立了良好的形象,使企业的知名度颇高;在国际市场上也力争具有优势,可以与国外知名企业一较高低。每个企业都应建立自己的专业优势,这是企业成功之本。但应注意,发展专业化优势不等于企业经营的单一化。企业的经营要多角化,因此企业的能力要多样化。一个土建公司应能进行一般土建施工,应能进行综合承包,具有综合优势,这是必须的。然而凡成功的企业都具有一种或两种专业特长优势,如有的以预应力施工为特长,有的以地下工程为特长,有的以钢结构施工为特长,有的以超高层建筑施工为特长等。

2. 工程质量策略。建筑企业树立工程质量策略,即以精品意识保证产出质量优良的工程,以高质量盈得用户。树立工程质量策略首先要确认,"确保工程质量是永恒的主题"。其次要树立质量法制观念,增强企业全员的质量意识。要实施《振兴质量纲要》、《建筑法》和建设部的第29号令《建设工程质量管理办法》。要认真进行全面质量管理,发动全企业、全员、在全过程中、用系统质量管理方法确保工程质量,把贯彻ISO9000族标准视作全面质量管理的标准化工作,认真建立起企业的质量体系,扎实地控制好质量,不作表面文章。

3. 用后服务策略。用后服务是建筑企业的任务,是质量管理重要环节,是工程项目管理的一个阶段。企业搞好用后服务即搞好保修、在使用中进行指导和服务,对试运转及试生产进行服务,等等。服务质量关系到企业在业主心目中及在社会上的形象,对于保持和发展目标市场关系很大。

(二)定价策略

建筑业企业的定价策略,说到底是报价策略。报价策略服从于两方面:一要竞争取胜,二要有利可图。改革越深入,建筑工程造价的形成越与市场定价接近,因此,企业首先要实事求是地根据自己的水平和市场价格状况进行估价。有了估价究竟以怎样的浮动价报价?即如何做报价决策呢?则有高价策略和低价策略。简而言之,企业有竞争优势时,则可报高价；企业如果无明显优势，则应报低价。企业在报价考虑盈利水平时，应勿忘中标后的索赔潜力和工程变更对造价的影响。

在我国招投标市场上，以标价高低作为唯一的决标标准的现象将逐渐改变。改变的方向有两个：一个是在决标标准中减小造价所占权数，增大质量、进度、信誉、节约等所占权数，以加权分数高低决标；另一个是进行两阶段决标：第一阶段决技术标，即先比较投标者的质量、进度、信誉、节约，求出若干优者作为决标对象；再在这些对象中用报价进行二阶段决标，选中标者。后一种方向是比较合理的。因此，投标报价还要根据决标办法，考虑质量、进度、信誉、节约等因素的影响，综合确定投标报价策略。

（三）促销策略

建筑企业的促销策略同其他产业企业的促销策略基本相同，目的是使目标顾客（业主）心目中建立起企业的形象，乐于向承包商发包工程。

影响企业形象的是工程质量，服务质量，企业的业绩，典型工程，领导水平，技术能力和经验等。因此，促销策略即是向社会和业主宣传自己的形象，使之对企业的印象良好、加深。这样，促销的办法就集中在"宣传"上了。因此，要实施广告战略、宣传战略、样板工程战略、利用媒体传播信誉战略等。

【案例 8-1】

香港武夷公司的"营销"战略

香港武夷建筑有限公司是福建省建筑工程总公司投资的，在香港注册的合资公司，成立于 1981 年 3 月，我方占 80%股份，港方股东余祖忆和徐其理先生各占 10%股份，公司初创时仅有 5 位外派干部和 24 万美元的贷款。经过十几年艰苦创业，"香港武夷"已经发展成拥有 5 家公司的集团公司，经营业务由单一的工程承包扩展到房地产开发、合作办企业、办酒店，以及引进先进技术、设备、材料；经营区域由香港拓展到澳门、加拿大、美国、马来西亚和国内的北京、上海、南京、杭州、昆明等地，共完成营业额 5.35 亿美元，公司注册资本由 300 万港元增加到 2500 万港元，交回国内净利润 4.11 亿港元。

"香港武夷"除了公司内在的管理优势和把握市场机遇之外，主要得益于他的用人之道、融资之道和经营之道。

1. "香港武夷"的用人之道

（1）选好合作者。"香港武夷"的港方股东余祖忆先生和武夷（美国）公司的外方股东陈友忠先生，都是原福建省建筑业出国（境）定居的技术人员，我方对其有比较深的了解，合作起为，相得益彰。

（2）精选外派干部。武夷公司选派干部坚持高标准，相对稳定，不搞照顾，把境外工作岗位需要作为选才任用的唯一条件。"香港武夷"创立以来，外派干部形成良好风气，自觉学习广东话，学习各种专业知识，在审时度势、捕捉机遇和经营管理上获得了主动权。

（3）高薪聘用当地员工。"香港武夷"聘用的当地员工，工资一般都比同类型公司略高一些，只有这样才能保证员工的素质比别的公司高。此外，公司还采取了一些灵活措施，凡为公司提供有价值的业务或信息的，公司都给予一定的报酬，这使公司又拥有了一批"编外员工"。

2. "香港武夷"融资之道

(1) 正确处理效益和信誉的关系：企业的效益是主要的，办境外企业目的就是要盈利，但客观条件的变化，往往难以预测。如公司开创初期，承包油塘工业大厦工程，合同签订不久，港币与美元的汇率发生大变化，由原来1美元兑5.6港元，跌到1美元兑9.8港元，合同是以港元计价的，这个工程如做下去肯定会亏本，不做则影响公司信誉。在此情况下，公司还是从信誉出发，坚持履行合同，同时从加强施工管理入手，精打细算，节省开支，最后基本上做到了保本。这个工程虽不赚钱，但各方面反映良好，为公司以后的发展打下了基础。

(2) 正确处理好缴税和信誉的关系："香港武夷"无论是承包工程，还是房地产开发，由于事先作了充分的可行性研究，并实行科学决策，科学管理，基本上做到了每个项目都有盈利，公司经会计师楼审定的报表，都如实反映了合理的利润，并按香港的规定缴税。项目可行性报告和会计报表等都经得起银行审查。

(3) 处理好借款与还款的关系：十多年来，"香港武夷"不论向中资银行借款，还是向英资、日资等银行借款，都坚持"有借有还，按期还贷"的原则。有时公司还主动提前还款，帮助银行解决暂时困难。如1989年春夏之交政治风波期间，中资银行受到挤提，当时公司刚到收一笔卖楼款近千万港元，公司立即存入某中资银行，取得该银行进一步的信任，并与之建立了更加密切的关系。

(4) 处理好按揭成数和利率问题：按揭成数和利率直接关系到企业的利益。"香港武夷"在利用境外资金中，都是先找几家银行，进行反复比较，哪家最优惠，才向哪家贷款。由于公司信誉好，"香港武夷"在香港的银行贷款，多为优惠利率，利率比市面上约低一个百分点，而且对房地产的按揭亦给予较高的成数。一般讲投资一个项目，公司只要自筹20%的资金，其余80%银行都可以提供贷款。

(5) 处理好合股者的关系：在香港利用境外资金，除向银行借款外，还有一个重要方面，就是搞合资经营。合资开发不仅可以发挥各自优势，还可以筹集大量的资金。资金愈雄厚，投资获利的机会就愈多。几年来，"香港武夷"和香港万新集团等多家港商进行联合投资开发，既拓宽了经营规模，也提高了经济效益。在合作过程中，既坚持原则、分清职责，又与合股者互相信任、平等互利。

3. "香港武夷"经营之道

(1) 从经营决策上讲，要把握机遇，认真调研，审慎发展，规避风险，每个项目都作好可行性研究。"香港武夷"对每个投资开发项目都请估价师写出报告，公司自己再进行仔细研究和评估，作出经济分析，做到心中有数，同时进行市场调查，通过各种渠道掌握信息。如参加香港筲箕湾地铁上盖开发权的投标，当时正值中英关于香港问题谈判的紧张阶段，房产业处于低潮，风险大，竞争激烈，公司在认真分析形势的基础上，请汇丰银行的专家共同参与各种可行性方案测算比较，最后作出决策，提出分级递增优惠条件参与投标，并一举中标。这个工程共有五幢20多层商住大厦，总投资2.2亿港元，因事前汇丰银行做了深入研究，资金上给予较大的支持，同意贷款1.8亿港元。这个项目股东实际仅出资2000万港元（公司按股份出资960万港元），盈利1.4亿港元；其中，公司获利润近4000万港元，出资与利润的比例为1：4.17。

(2) 在经营策略上，要根据自己的实力和客观条件走自己的道路。"香港武夷"在投资开发上，以"折旧楼，盖新楼"为主。香港地价越来越贵，随着经济的发展，真是寸土寸金。购买新地皮，价格高，投资大；买旧楼盖新楼出售，成本低，风险小，利润高，当然，实施时工作亦难做，要一个门牌一个门牌地去连，要一家一户地做工作。如枫林花园一期地处北角建化街29～37号，开始公司先买下33、35号两栋旧楼，按下钉子，以后逐步做工作，再买下31、37、39号旧楼，连成一片，进行开发。

经营策略上，另一条就是内外结合，利用大股东——省建工总公司在国内的优势，抓住开放的有利时机，在香港成立装修公司，承担国内旅游宾馆的高级装修工程，而且从单纯装修承包（如福州西湖宾馆六号楼、杭州饭店等）发展到工程总承包（如福州温泉大厦），继而发展为投资开发和工程总承包相结合（如北京燕山大酒店）。既获得经济效益，又提高了知名度和社会信誉。同时，公司还引进了资金，在国内兴办了九个合资企业，做到内外结合，优势互补。

(3) 在经营方法上，"香港武夷"亦有特色。一是投资开发和工程承包相结合。开发公司投资开发的项目，由于客观原因，交由其它承建商承包。这样做往往工期得不到保证，质量难以控制，而且经济上扯皮也多。公司总结了教训，确定凡是武夷建筑有限公司开发的项目，全部由自己承包施工。这样做不仅解决了矛盾，而且减少了风险，增加了利润。其好处是：自己既是发展商也是承建商，工程建设上可以保质量、促进度，投资开发和工程承包均可获得利润。如禧利大厦工程，"香港武夷"和万新财务集团有限公司等合作开发，武夷既是总承建商，又是发展商，减少了中间环节。在短短的一年时间里完成高23层商住大厦的施工任务，比合同期提前了13d，而且质量优良。由于"香港武夷"承建的工程盖一幢，成功一幢，而且幢幢有提高，因此在社会上享有较好的信誉。如枫林花园三期工程，只有72个单元，公司没有做广告，却有200多客户提前要购买，并都送来了定金；最后公司只好采取抽签的办法销售，才解决了供不应求的矛盾。

二是灵活经营，注重效益。公司在购旧楼建新楼过程中，有时也采取灵活措施，划得来就买，连不成就放，及时果断处理。如原计划拆建的香港电气道85～91号工程，因89号的业主既不愿意出售，也不愿意合作开发，公司果断地将已购旧楼转让他人，不仅避免了损失，还获利500万港元。

三是定价合理。在确定售价方面，定价太高，卖不出去，销售时间长，资金占用大，利息负担重；定价低，影响效益。如何合理定价，进行反复调查测算是十分重要的。如枫林花园一期工程，当时李嘉诚在附近发展的嘉乐中心，每平方英尺平均售价是1160港元。公司分析了各种条件，并征求银行、律师楼的意见，最后确定每平方英尺售价平均为1100港元，很快销售完，取得理想的经济效益。

"香港武夷"始终奉行艰苦创业，效益优先的宗旨，公司白手起家，不断滚动发展壮大，走出了一条从无到有，从内到外，从小到大的创业路子，经营效益连续几年在福建省境外企业中名列榜首。他们艰苦创业的精神，稳健的经营作风和骄人的业绩，受到新华社香港分社、中共福建省委和省人民政府领导的充分肯定。

"香港武夷"的经营方式创新对你有什么启发？俗话说："创业容易守业难"，家大业大的"香港武夷"现在不比创业初期，将面对更大的挑战，你认为他们要保持目前这种竞争优势，"香港武夷"对未来的发展还应该从哪些方面在经营战略上加以定位？

思 考 题

1. 结合你的企业,分析国有建筑业企业的优势和劣势。
2. 根据你的了解,对我国的建筑市场业主环境进行分析。
3. 你怎样认识我国中介组织的发展现状和方向?
4. 请分析我国的工程项目管理环境和工程项目任务环境,谈谈你公司利用这一环境的打算。
5. 你的企业是怎样利用市场信息的?你的企业如何建立信息中心和信息管理系统?
6. 你认为,建筑市场应实施哪些市场"营销"战略?如何实施这些战略?
7. 你的企业如何实施市场竞争战略?
8. 你的企业如何实施目标市场战略?
9. 你的企业如何制定产品策略,定价策略和"促销"策略?
10. 请结合你企业的实践,分析环境、信息和战略制订之间的关系。

第九章 建筑市场的培育与发展

第一节 概 述

一、培育和发展建筑市场的必要性

我国的建筑市场从无到有,发展到目前的状况,不是自发的,而是通过改革,在国家、政府和行业主管部门的政策推动、行业指导及引导下,经过培育,发展起来的。过去是这样,将来也同样应当通过培育,发展我国的建筑市场。我国建筑市场培育的必要性表现在以下几个方面:

1. 我国要在计划经济体制的基础上,通过改革发展建筑市场体制。

计划经济体制和市场经济体制是两种绝然不同的经济体制。我国实行计划经济体制30年,已根深蒂固地形成了该体制下的经济运行方式。要在这样的基础上通过改革建成市场经济体制,实际上是一个"破旧立新"的"革命"过程。一方面要改变过去的一套做法,另一方面要创新。改变过去是个痛苦的、艰难的过程,从思想认识、行为习惯、上层建筑等方方面面都要改变,极不容易;创新的过程是一个复杂的、艰苦的过程,是个浩大的系统工程。所以不能像资本主义国家那样,靠长期自发地形成市场,而要积极培育,破旧立新。

2. 通过培育,完成建筑市场建设这个系统工程。

建筑市场这个系统工程是十分庞大的。首先要确立它的理论基础,证明它对建筑业发展的积极作用,并为从业者认可。其次要确立建筑产品是商品的经济地位,这既是个理论问题,也是个实际问题,过去是不被承认的。第三,要培育合格的市场主体,使其具有独立进行市场运作的资格和能力。承包商的主体地位要确立和完善,业主的主体地位也要确立和完善;而社会化的中介组织则要从无到有,从小到壮大和完善,则更非易事。第四,要培育生产要素市场,以扶持建筑产品市场。生产要素市场是多方面的,除了市场主体和客体的确立以外,更主要的是客体的商品化。这些市场都要具有全面的市场机制。建筑市场的发育完善有赖于生产要素市场的首先完善。第五,要有健全的市场法规体系,以规范建筑市场,其中包括法律、行政法规、技术法规、行业规划、市场规则等,法规的制定都是政府行为,是政府培育建筑市场的主要职责。第六,要建立完善的市场监督体系,包括国家监督、行业监督、法律监督、社会监督等。第七,要建立社会保障体系,包括人身保险、待业保险、医疗保险、离退休保险及工程保险等。这样大的系统工程,必须在政府的领导下,有计划、有步骤、有力度地培育,并克服培育中的各种困难,如方向不明、相互掣肘、条件不备等。

3. 要通过建筑市场的培育,克服建筑市场的负面效应。

在建筑市场中,利益机制在起作用。提倡正当地,合法地谋求企业和职工的利益。但也有的组织和个人,以不正当的、违法的手段谋取小集团或私人的利益。通过培育建筑市场，健全法制，加强监督，使市场发育完善，便可堵住漏洞，使非法谋利者不能得逞。也就是将诸如此类的负面效应克服掉。

4. 通过对建筑市场的培育，积极推进市场建设，加快市场的发展速度，按市场发展的规划目标建成建筑市场。建筑市场的发展，必须主动推进，既排除障碍，又创造条件，还可规范地进行。这样才能实现2000年"初步建立"，2010年"比较完善"的战略目标。同时，建筑市场的发展，与国民经济大市场的发展是相协调的。只有通过培育，才能实现这种协调，才能利用国民经济大市场的条件，建成建筑市场。由于建筑市场与国民经济市场及各产业市场的关联度很高，故必须注意协调发展，进行有规划、有步骤地培育。

二、培育和发展建筑市场的工作目标

我们要培育和发展的建筑市场应具备如下七项基本特点：

1. 这个市场应是一个统一的、开放的、现代化的大市场。统一就是要加强各管理部门的协调配合，形成对市场的全面的、统一的管理；开放就是尽快打破各种保护落后，阻碍经济发展的割据和封锁，实现市场在资源优化配置方面的基础作用；现代化就是符合经济规律、管理手段先进、市场规则严密、信息管理科学的市场，就是加强政府对市场的宏观调控，而不是那种完全靠市场机制本身来调节的原始形态的市场。

2. 它应主要由健全的市场机制发挥作用。公平竞争成为交易的主要方式，竞争机制给企业以压力和动力；建筑产品价格由双方在市场竞争中协商决定，价格机制引导企业决策，使各生产要素合理流动，优化配置；工程建设的规模和建筑队伍的数量在政府主管部门的宏观调控和价值规律、竞争机制的作用下趋于合理，供求机制引导投资方向和引导企业及时调整经营战略。

3. 它应建立起有效的社会保障机制。各种保障职能从企业转向社会，让国有企业从沉重的包袱下解脱出来，与其他企业平等竞争。通过建立社会和行业的养老、医疗和待业等广泛的、多层次的社会保险体系、使老、弱、病、残和企业富余人员的生活得到保障，形成风险共担的社会保险体系，这会使社会主义社会的优越性得到保证。

4. 它应有与之相应配套的要素市场体系。材料、资金、劳动力、机械租赁、技术等生产要素市场得到充分发育，促进市场流通，加快企业发展，实现资源的优化配置。

5. 它应是法规健全、管理完善、监督严格、秩序良好的市场。

6. 进入市场的各个主体都应具备相应的条件，成为自主经营、自负盈亏、自我约束、自我发展的和具备相应资质条件的合格主体。特别是适合市场要求的咨询、监理等中介服务组织得到很大发展，能够满足市场需要。

7. **市场客体**——建筑产品应真正成为质量合格的，通过市场交易的商品。

实现这个目标，不是一朝一夕可以办到的，必须经过较长时间的努力。按照国家的发展规划和建设部的统一部署，"到2000年，初步建立起比较规范的建筑市场体系，完善和全面推行招标投标制，建立由市场形成工程造价为主的价格机制，初步形成以《建筑法》为母法的建筑法规体系"。"到2010年，建立起统一、开放、竞争、有序的，符合国际惯例的建筑市场体系，公平、合理的工程造价管理体系和完备的建筑市场管理法规体系"。

三、培育和发展建筑市场的政策措施

建设部在《建筑业和工程建设"九五"计划与2010年远景目标》中，对发展建筑市场提出了以下政策措施：

1. 健全建筑市场法规体系，规范建筑市场主体行为，强化建设行政主管部门对市场的监督和管理。

2. 推进建筑市场有形化进程，大中城市要逐步建立固定的、统一的工程承发包交易场所（交易中心），把建筑交易活动纳入有序化、公开化的管理轨道，杜绝私下交易、肢解发包、行业垄断、地区封锁等各种形式的不正当行为。要规范建筑企业的工程分包行为，杜绝非法转包、挂靠等不规范行为。

3. 完善招标投标制度，扩大建设项目招标投标范围，规范招标投标程序和方式，提倡公开招标和邀请招标，严格控制议标，改进评标定标方法，鼓励企业间公平竞争。

4. 强化合同管理，推行施工合同示范文本。所有工程必须在开工前签订合同，建立和完善建设工程担保制度，加强合同纠纷的调解和仲裁工作，保证合同的全面履行。研究和掌握索赔技巧，增强依法索赔意识。

5. 培育和发展市场中介组织，发挥其协调、服务、公证和监督作用。进一步推行建设监理制度，充分发挥其在工程建设全过程中对投资、进度和质量的监督、控制和管理作用。发展相关的法律服务、合同调节、项目评估、招标代理、技术咨询、信息交流等中介组织，并实行有效的资格认证和注册制度。

6. 大力发展生产要素市场，重点发展建筑劳务市场、机械设备租赁市场、材料配送市场、技术和信息服务市场等，逐步形成统一、开放、竞争、有序的建筑市场体系。

第二节 培育和发展建筑市场的主要工作环节

一、培育合格的市场主体

（一）培育建筑业企业使之成为合格的市场主体（卖方或供方）

培育合格的市场主体，最重要的是培育建筑业企业成为合格的市场主体，主要途径如下：

1. 制度创新

制度创新即建立现代企业制度。现代企业制度的特征是"产权清晰、权责明确、政企分开、管理科学"。按照这16个字去做，首先要做到"三个清晰"，即资产清晰、产权清晰、利益清晰。在此基础上，建立企业新的经营机制，即新的经营观念，新的组织体制，新的规章制度，新的管理方式。国有企业转变经营机制，就是改变对政府的依赖，下决心自主自立、自负盈亏、走向市场、努力竞争。企业要以市场为中心，制订经营发展战略，及时准确地掌握市场信息，科学决策，追求效益，避免风险。要形成市场反应敏捷、产品调整迅速、营销策略灵活、对用户服务周到的机制。形成根据市场竞争需要，适时调整企业组织结构和资本结构，不断优化配置生产要素的机制。既形成能调动职工积极性、增强企业凝聚力、规范企业行为、依法从严治厂的激励和约束机制，又形成面向未来、集约发展、不断进行技术创新、管理创新的机制。

财务制度要科学，要把它作为企业管理的中心环节予以强化，按《企业财务通则》和《企业会计准则》进行规范，为经营决策提供可靠依据。发挥会计监督功能，维护国家、投资者、企业和职工的利益。加快资金周转，提高资金的运营效率和获利水平。增强偿债意识，注重资产负债结构，保持负债合理水平，提高企业信用。要以提高市场竞争力和经济效益为目标，紧紧抓住降低成本这一关键环节，推动各项管理和技术进步。要以市场可以接受的价格确定目标成本，加强成本核算和成本控制，大力降低成本。

领导体制要科学。思想政治工作以调动人的积极性为目的。企业要建立集体决策和监督机构，形成制约机制。要按《公司法》改制，按《公司法》使所有者代表进入企业行使职权，形成企业的动力约束机制。所有者、经营者要通过建立权力机构、决策和管理机构、监督机构，形成权责明确、相互协调和制衡的关系，并通过公司章程加以确立。领导体制要精干、高效、具有权威。要从体制上、制度上保证决策的科学化、民主化，提高决策水平和效率，防止决策失误，回避市场风险。

2. 结构创新

结构创新是使组织结构科学。组织机构要根据项目管理的需要进行调整，使公司形成决策层、管理层和作业层，做到两层分离。要把非法人化的行政编制变成适应市场机制的组织结构，成立内部市场。要使非生产化的生产编制变成适应经营的结构，使所有者、经营者和劳动者各负其责。重视适应经营的开发和营销，重视资本经营。要重视信息化对组织结构的影响，逐步改变宝塔式的组织结构为网状组织结构。

建立了合理的组织结构后，还要建立科学的规章制度，形成有效的运行机制，发挥企业整体功能。

大型企业和企业集团要处理好集团化经营和专业化协作的关系；处理好集权与分权的关系，加强内部协作，充满活力，灵活经营；要根据需要与可能逐步形成投资中心、利润中心、成本中心的分层次的管理格局。企业集团优势很多，有利于贯彻国家产业政策，有利于调整企业组织结构，有利于实行专业化、协作化和多元化经营，有利于优化资源配置、壮大企业经济实力、提高国内和国际的市场竞争能力。因此应当大力发展。但这种发展要突破隶属关系和地域观念。企业集团要逐步建立以资本为主要联结纽带的母子公司，按集团章程实行管理，形成利益共同体，统一规划，优势互补，发挥整体优势。

3. 管理创新

加强企业管理，归根结底是一个体制问题和机制问题。不解决企业自主经营、自负盈亏的机制，不把企业推向市场，企业就没有管理动力，就做不到管理科学化。

首先要强化基础管理。基础工作决定了企业的控制能力和应变能力，决定了企业的效率。因此要有规章，有监督，有奖惩，建立标准，加强考核，加强定额工作，加强计量工作，加强班组建设，优化劳动组合，优化现场管理，优化管理系统，大力实现计算机辅助管理。要强化项目管理，把质量、工期、成本和安全控制好，搞好协调，搞好分包管理，用好目标管理方法。

其次要加强营销管理。要把市场作为生产经营的出发点和落脚点。要面对国内、国际两个市场强化营销管理。要建立灵敏的信息网络，赢得竞争的主动权。要加强市场预测，分析市场，了解竞争对手，选准目标市场，培养营销人才。要以经济效益为中心谋求效益最大化。

再次，要进行战略管理，即"发展管理"。考虑发展后劲，以战略致胜。大型企业应建立以下经营发展战略：进入和退出某一市场；发展专业化或多元化的选择，产品（技术）结构和方向的选择；资产负债结构和筹资方式的选择；扩大规模和效益优先的选择；产业、金融、贸易三者组合的方式选择等。营销战略、科技战略、人才战略、名牌战略、企业形象战略都十分重要。要发展战略管理机制，使制订、实施和控制战略具有机制保证。

4. 经营方式创新

企业只有进行经营方式的创新，才能实现国家对经济增长方式转变的要求，开发企业的实力，在市场经济下，企业要实现以下经营：

(1) 履约经营。通过投标签订合同；通过履行合同搞好经营；履行合同时要搞好索赔；索赔是正常的经营现象，要大胆，要科学合理，要见成效。

(2) 规模经营。发展龙头企业、集团企业、联合企业，使企业上"规模"，进行规模经营，使企业取得规模效益。

(3) 多元经营。即在主业建筑施工之外，兼营别样，它可以创造价值，以收补欠。

(4) 联合经营。即建筑业企业为扩大经营能力，与有关单位联合。要尽量与金融单位联合，以增加企业的资金支持。

(5) 资本经营。即以资本增值为目的的经营。资本经营是以价值化、证券化了的资本为基础，依托资本市场，以提高资本的营运效力或效益为目的进行运营。

(6) 国际经营，也即跨国经营。它可以利用国外资源弥补我国资源的相对不足；可以较多地利用国外资金；可以引进先进技术、装备和管理，带动国内设备出口及促进经贸结合。

(7) 责任经营。即赋予经营者一定的责任，以责任为目标指导其行动，调动其积极性。

(二) 培育建设单位（业主），使之成为具有进行工程发包和管理能力的市场主体（买方）

业主也是市场主体，这个主体主宰着工程的发包，是实际的"买方"，其资质必须合乎条件，否则难以使建筑市场规范。

1. 业主应当按建设部"建建〔1997〕123 号"文的规定，具备下列条件：

(1) 具有一等工程项目建设管理的单位

主要负责人应掌握和熟悉国家有关工程建设的方针、政策、法规和建设程序，应有工程建设实践经验和组织、协调、指挥能力，参加过一个该等级的工程项目的管理；有在职的高级工程师作技术负责人；建筑安装、设备材料、工艺、水电等工程管理及经济管理专业技术人员必须配套，有专业技术职称的在职人员不少于 50 人。其中主要专业工种的在职高级工程师不少于 8 人，高级经济师 2 人，其他中级以上专业技术职称不得少于 15 人，并具有较强的审查设计、审核概（预）算以及工程质量检查监督能力。

(2) 具备二等工程项目建设管理的单位

主要技术负责人符合前条规定；有在职的高级工程师作技术负责人；建筑安装、设备材料、工艺、水电等工程管理及经济管理专业技术人员必须配套，有专业技术职称的在职人员不少于 50 人。其中主要专业工种的在职高级工程师不少于 5 人，高级经济师 1 人，其他中级以上专业技术职称的不少于 10 人，并具有审查设计、审核概（预）算以及工程质量检查监督能力。

(3) 具备三等工程项目建设管理的单位

主要技术负责人符合前条规定；有在职的高级工程师作技术负责人；建筑安装、设备材料、工艺、水电等工程管理及经济管理专业技术人员必须配套，有专业技术职称的在职人员不少于 10 人。其中主要专业工种的在职高级工程师不少于 2 人，经济师 1 人，其他中级以上专业技术职称的不少于 5 人，并具有一定的审查设计、审核概（预）算以及工程质量检查监督能力。

如果各等级业主不具备上述相应等级的条件，必须委托经建设行政主管部门认可、具备相应资质等级的建设监理单位实行监理，否则不得进行工程项目施工发包，建设行政主管部门不予核发施工许可证。

2. 业主应有能力按国家计委"计建设[1996]673号"文的规定，承担建设项目法人责任制中的规定，即对项目进行策划、资金筹措、建设实施、生产经营、债务偿还和资产的保值增值，实行全过程负责。

3. 业主应按建设部"建建[1994]482号"文《工程建设项目报建管理办法》的规定，在工程建设项目可行性研究报告或其他立项文件批准后，向当地建设行政主管部门或其授权机构进行报建。

4. 业主应按建设部第23号令《工程建设施工招标投标管理办法》的规定，组织对所属的工程建设项目进行招标，并接受建设行政主管部门的监督管理。

5. 在工程项目开工前，到当地工程质量、安全监督机构办理工程质量、安全监督手续。

6. 业主应认真履行与承包商、材料供应商及中介组织等签订的合同。按《建筑法》的规定办事，遵守各种制度规定和职业道德、纪律。

（三）大力发展中介组织，发挥其服务、沟通、公证、监督作用，建立健全的市场中介服务体系

中介服务是建筑市场培育和发展的迫切需要，而为工程建设专业服务的中介组织是否完善和发达，是市场体系是否成熟和市场经济是否发达的表现。

发展中介组织的必要性和迫切性主要表现在四个方面：（1）中介组织保护市场主体的合法权益，有利于市场机制的形成和市场机制的运行。通过保证每个主体权力的完整，来保证市场的公平竞争。通过保证市场主体行为的合法、守法，保障当事人合法权力不受侵害，保障经济的高速发展。（2）充分发挥中介组织的独立性、公证性、服务性等特点，为市场主体提供全方位的服务，承担政府部门不再适宜承担的社会性、服务性、公证性、经营性工作，促进政府管理职能的转换。（3）促进与国际市场经济的接轨。发挥中介组织作用本身，就是向国际惯例靠拢的作法。通过中介组织的作用，使市场主体学习利用索赔、仲裁、诉讼等多种手段保护自己利益的知识和技巧，尽快熟悉掌握国际惯例。（4）充分发挥中介组织高专业性、高技术性等特点，为企业提供各种咨询服务，提高企业素质，提高工程建设的效益，满足经济建设高速发展的需要。

发展中介组织，目前主要是做好以下工作：（1）充分发挥建筑业协会、建设监理协会及下属各专业分会的作用，使他们真正成为政府和企业之间的桥梁和纽带。发挥协会熟悉、了解企业情况、愿望和要求的作用，认真搞好振兴建筑业的调查，在制订政策和法规方面，及时反映企业愿望，提供依据和意见，保护行业的合法权益。加强对行业经营政策、经营方向的研究和引导，搞好建筑企业迫切需要的各种培训工作，全面提高企业素质。发挥协会自律性组织的作用，加强对建筑企业资质的研究和管理，规范约束建筑企业的行为，保证建筑市场的秩序。（2）发展建设专业的法律服务，在具备条件的大、中城市，开办建设专业的律师事务所。工程建设专业性强，技术、管理都非常复杂，合同纠纷多，对专业法律服务的需求非常迫切，需要量很大。为满足市场的需要，应加强对从事法律专业的人员的建设专业培训和有中级职称的工程建设管理人员的法律专业的培训，建立一支专业的律

师队伍。同时提高建筑行业的法制观念和法律意识，引导企业认识法律顾问的作用。（3）建立专业的合同纠纷调解、协调和仲裁工作机构。在搞好培训的基础上，建立一支责任心强、熟悉专业、作风正派的调解员队伍，及时处理合同争议和纠纷，维护建筑市场的良好秩序，避免工程建设造成更大的损失。（4）鼓励工程建设咨询、代理等技术服务机构的发展，全面推行建设监理制度。工程建设咨询、监理、评估和科研等为建筑生产服务的高智能、高技术行业的产生和兴起，标志着我国建筑经济发展的一个进步。但要满足建筑市场的需要，还应有更大的发展。要制订相应政策，鼓励他们的发展，使可行性研究、组织招标、编制标底、制订合同、工程索赔等工作，逐步由咨询服务企业承担。同时加强资质管理，提高咨询服务的水平。

二、建筑市场体系的建立与完善

健全市场机制，完善要素市场，是培育和发展建筑市场的关键环节。

（一）加快改革现行预算取费制度，建立以市场形成为主的新价格机制

江泽民同志在十四大报告中提出："应当根据各方面的承受能力，加快改革步伐，积极理顺价格关系，建立起以市场形成价格为主的价格体制"。这项工作牵涉面广，影响大，各有关管理部门要加强协调，统一步骤，加快步伐，积极稳妥地进行。

考虑到建筑产品的特点，政府要制订统一的价格计算方法，包括统一的工程项目、计量单位和工程量计算规则，为新的价格体制提供基础。然后按统一的方法由政府主管部门组织编制参考定额，供业主方制订标底，作为政府宏观指导价格的手段。参考定额要包括一个合理的利润比例，改变目前不合理的价格体制，使建筑业能够有所积累，促进建筑业的发展，使建筑业真正成为能够为国家提供积累的支柱产业。同时，引导企业根据统一的方法编制自己的定额，作为投标报价的依据。条件成熟后取消原国家定额的法律属性。放开建筑产品价格，由承发包双方在市场竞争、价值规律作用下，协商决定工程造价。政府工程造价管理部门定期公布价格信息和造价指数，供承发包双方在编制工程概预算、制订标底、投标报价、调整合同价格、支付工程价款时参考。对双方协商的价格，政府不干涉，但是对采用不正当手段扰乱市场的，政府主管部门要依法查处，特别要加强管理和监督，制止垄断和不正当的竞争。

（二）大力推行招标投标，强化市场竞争机制

这是健全市场机制的重要内容，也是培育和发展建筑市场的重要工作。

招标投标是国际通用的、比较成熟的、科学合理的工程发包方式。对于健全市场竞争机制，促进资源优化配置；对于提高企业素质，保证工程建设的工期、效益和质量；对于防止不正当竞争手段，加强廉政建设，都具有非常重要的作用。招标发包的工程大都取得了很好的效益，招标投标管理工作也取得了很大的成绩。但是，由于体制的束缚和经验的不足，也存在着许多失误和教训。因此，各级招标投标管理部门应全面认真地总结十年来的招投标工作，制订出工作发展的规划，使招标管理工作的质量和招标工程的比例都有一个较大的增长。要结合贯彻《工程建设施工招标投标管理办法》，根据实际情况，制订相应办法或细则。要强化招标投标的推行，必须加强与各有关部门和各管理环节的协调和配合，加强对工程报建和发包方资质的管理，使招标投标成为工程建设管理程序中的必要环节。竞争机制是建立社会主义市场经济体制、优化配置资源的重要手段，是推行招标投标的本质与核心。在招标管理中，要严格控制议标发包，防止各种不正之风。提高招标管理的水平，

加快向国际惯例靠拢。要规范标书格式和招标程序，完善方法，做好招标投标管理基础工作。改进目前的评标、定标方法，力求科学、合理、公正。继续研究探索勘察设计招标方法和形式，为勘察设计招标的推行创造条件。配合设计管理体制改革，逐步试行施工图位移，扩初设计招标，由具有施工图设计能力的施工企业投标承包，以节省招标时间，提高招标效率，提高工程建设的效益，也有助于企业自身发展和提高。要把招标投标与合同管理结合起来，加强招标工程跟踪管理。保证合同的正确签订和全面履行，保证招标工程取得好的质量和效益。要实施建设部颁发的《建设工程施工招标文件范本》。

（三）发展工程建设的劳动力市场、材料市场、机械租赁市场、技术市场和资金市场，建立完善、配套的要素市场体系（见第六章第二节）

（四）积极发展对外承包，加强国际合作和对外交流，加快与国际建筑市场接轨

建立内外结合的、现代化的建筑市场体系，是促进建筑市场培育和发展的重要措施。

国际上一些经济发达国家市场经济体制建立较早，已形成了比较完善的管理体制和管理方法。我们要重视学习这些知识，成为我们培育和发展建筑市场的参考和借签。(1) 邀请国外有关专家学者到国内讲学，及时翻译介绍有关资料和著作，积极组织有关人员到国外考察、学习和培训，不断更新知识，了解国外的情况和发展趋势；(2) 积极采用国外的先进技术规范和技术标准，提高企业的技术水平，使我国工程质量尽快达到世界先进水平。在各项管理工作中，积极引进推行国际惯例，加快与国际建筑市场的对接；(3) 加强对世界银行贷款项目和外资工程的管理，利用这些承包外资工程的机会，努力学习他们的管理方法，锻炼我们的队伍；(4) 授予权力、简化手续、在提供外汇资金和履约担保方面提供方便，积极为建筑业企业开展对外承包创造必要的条件，使我国对外工程承包和建筑劳务输出有一个较大的发展。努力提高建筑业企业的技术水平和管理素质，使对外承包的效益也有一个较大的提高。为经济建设积累资金，带动材料设备的出口，加快我国经济的发展。

三、建立宏观调控体系与转变政府职能

转变政府职能、深化投资体制改革、建立有效的宏观调控体系、健全建筑市场供求机制，是培育和发展建筑市场的重要前提。

（一）加快转变政府管理职能

彻底改变政府直接管理企业的作法，是中央政府改革和地方政府改革的重点工作。

做好这项工作的关键是把属于企业经营自主权范围的职能切实交还给企业；把配置资源的职能转移给市场；把社会服务性和相当一部分监督性职能转交给中介组织。这就要求各级政府管理部门做到以下几点：

1. 转变观念。各主管部门要按照十四大精神，改变那种总是把企业置于自己保护之下，惟恐他们在竞争中失败的观念；改变那种抱住微观管理的权力不放的思想；改变直接管理企业和越俎代庖的作法；改变那种分割和封锁市场的作法，使不同行业、不同所有制、不同规模大小的所有市场主体在市场中公平竞争，其合法权益都受到法律的保护。

2. 要理顺关系。各级建设行政主管部门要按照国务院的职责分工，加强与各部门的协调配合，实现市场的统一管理。内部各设计、施工、造价管理以及工程报建、招标投标、合同管理、质量监督、队伍资质及劳保统筹、履约保证等各项管理工作互相配合，加强协作。建立一套合理的、完善的工程建设管理程序。

3. 加强合同管理。政府不再直接管理企业后，在市场交易活动中，主要靠合同约束双

方行为，协调双方关系。各级建设行政主管部门要重视这项工作，依据《建设工程施工合同管理办法》，建立合同审查、考核制度，加强对合同履行的检查监督，保证合同全面、准确、严密、有效和严格履行；强化承发包双方合同意识，加强内部管理和自我约束，提高合同履约率。在市场中，交易双方都要追求自身最大利益，争议和纠纷难以避免。为尽快合理解决，减少工程损失，各级建设行政主管部门要和工商管理机关互相配合，有条件的地方可以联合成立合同管理和仲裁机构，共同搞好调解与仲裁，提高工作效率和水平。在加强合同管理的基础上，积极稳妥地开展工程建设的索赔工作。发展建设法律咨询服务机构，强化企业的法制意识；加强宣传，建立对索赔的全面正确认识；研究探索适合我国实际情况、科学合理的索赔程序和方法；广泛开展培训，提高企业索赔管理水平，保护双方的合法权益，建立市场经济新秩序。

4. 建立、完善工程建设报建制度，加强工程开工管理，抓住工程建设管理的龙头，搞好市场供求的宏观调控。要把所有工程全部纳入报建范围，全面、准确地了解掌握固定资产投资情况，为经济发展政策的制订，为市场的调控提供依据。

5. 加强服务，为政清廉，搞好自身建设。各级建设行政主管部门、办事机构，要转变工作作风，公开审批内容和审批条件，限定审批时间，公布审批结果。主动接受群众监督，防止拖拉、推诿、不负责任，杜绝各种不正之风的侵蚀。各项管理工作都要从企业的实际需要出发，从有利于工程建设出发。要统一协调，简化手续、减少层次、提高效率，使提供服务成为政府的一项重要工作。

（二）健全业主投资责任风险机制，深化投资体制的改革，保证工程的效益

要明确主管部门的责任，通过制订税法、破产法、合同法，指导投资方向，进行宏观控制。投资资金应由业主在完全承担风险的条件下筹措，由银行根据项目的效益和业主自身偿还能力决定贷款的时间和数量。

（三）要加强宏观调控，认识供求机制作用

在市场经济体制下、投向工程建设的资金和建筑队伍数量，特别是施工队伍的数量，都要在价值规律的作用下，不断流动、变化，在变化中取得相对平衡。我们必须认识到供大于求的买方市场是正常的、合理的、必要的，也是将长期存在的；认识到建筑市场的供求必然要受到经济发展、政策变化和国际形势的影响，需求的波动难以避免。但是，也要看到，只要我们正确认识供求机制的弱点，发挥政府宏观调控的作用，便可以减少或避免市场机制的消极作用，减少或避免这种波动对经济发展和建筑企业造成的危害。

1. 建立完善的建筑市场的统计体系，及时掌握工程建设的规模和建筑队伍的数量。通过开工管理和其他政策性方法使开工工程数量得到合理的、有效的控制，避免材料、能源、供应及城市交通设施的过度紧张。

2. 引导建筑企业改革用工制度、调整企业结构、拓宽经营范围、积极开展对外承包，使企业能够及时调整经营战略，增强抵御和承担波动和风险的能力。

3. 发挥政府宏观调控的作用，国家建立一定的调控基金，在工程建设出现低谷，建设任务急剧减少时，通过调整投资方向，适时向微利住宅、低等级公路等占用资金少、人工投入比例高的工程投放一定数量资金，以调节市场供求，保持市场一定程度的稳定。

四、建立合理的分配制度和社会保障制度

建立以按劳分配为主，效率优先、兼顾公平的收入分配制度。建立以行业劳保统筹为

主、多层次的、广泛的社会保障制度，解决国有大、中型企业负担沉重，活力不足的问题，在平等的条件下进入市场竞争，促进经济发展和社会稳定。这是培育和发展建筑市场工作的必要条件和保证。

（一）建立社会保障制度是多层次的、范围广泛的工作。

这项工作主要包括职工养老保险、医疗保险、待业保险、工伤事故保险、建筑工程保险、大型机械设备保险等等；包括管理机构的建立和保险基金的收取；包括保险基金的管理和使用。既有政府强制性的，也有行业的，商业性的。这项工作的主要目的是把退休、医疗、就业等保障职能从企业转向社会，使国有企业从沉重的包袱下解脱出来，与其他企业在平等条件下竞争，有利于企业经营机制的转换，有利于劳动力市场的形成和市场机制的作用。通过在二次分配中坚持社会主义共同富裕的原则，使所有社会成员的基本生活条件得到保证，为改革提供一个稳定的环境。

由于建筑企业长期处于微利行业的地位，其劳动保险基金的来源是按预算取费制在建设项目投资中支付。实行行业统筹有利于解决企业劳保收入差异和企业负担畸轻畸重的问题。1984年以来，一些省市进行了行业统筹试点，改善了国有企业的经营环境，取得了好的效果，使这项工作具备了统一部署，全面试点的条件。建设部于1994颁发的《建筑施工企业基本劳动保险基金行业统筹工作的实施意见》，规范和推动了建筑行业劳保基金行业统筹工作的开展。该文件规定了行业统筹的内容、范围、管理机构、基本劳动保险基金的收取办法、标准、支付和管理。要把在职职工退休保险金的费用积累计入人工费；已离、退休人员的劳动保险费计入企业经营费，为保险基金取得来源；要加强对统筹基金的管理，保证基金的保值、增值和妥善使用，逐步建立和推动行业的退休、医疗和待业等保险制度。

（二）建立合理的收入分配制度，促进生产力的发展。

建筑业企业要坚持以劳动定额为依据的，按劳分配为主的分配方式，保证职工工资和企业效益相联系。建筑业改革经验充分证明了，坚持按劳分配，完善分配方法，划小核算单位、搞好项目管理，是促进生产力发展的成功经验。全民所有制企业，一般不提倡采用个人承包的方式，特别要防止以包代管的种种弊病。同时也要注意保证项目管理班子及人员的合理收入，使承担经营风险的项目管理班子得到相应的补偿，逐步有所积累，体现效率优先和兼顾公平的原则，促进生产力的发展。

第三节 建筑市场管理

一、加强对建筑市场管理的必要性

（一）克服建筑市场自身的缺陷

建筑市场有其自身的弱点和消极方面。它既有促进经济发展的一面，也有无能为力，甚至有消极作用的一面，表现如下：

1. 由于主体的差异性，使社会分配不一定公平。长期计划经济体制造成的行业价格水平和分配上的不合理，在市场机制的作用下有可能加剧。因此会影响社会的安定，影响经济发展。

2. 市场经济虽然有优化资源配置，自发调节经济发展的作用，但也造成了市场的投机性、盲目性，导致市场供求无计划。如要靠市场自身矫正和恢复，其过程是较长的。在建筑行业中，装饰等利润较高的专业队伍盲目发展，施工队伍膨胀、竞争加剧；建设项目盲目上马和开工，使城市设施、能源供应能力短缺等，都是这一弊端的体现。

3. 市场主体对自身利益的过度追求。必然造成对社会和公众利益的忽视，导致污染环境等公害。建筑行业的索取或收受"回扣"，偷工减料，高估冒算，弄虚作假，违反工程建设程序和法律程序等，使利益的追求超过了法律与道德的限度，既损害了工程建设，又造成了社会风气的污染，就是市场经济这一弊端的表现。

4. 市场经济的竞争机制虽然促进了经济的发展，但也为不正当的竞争提供了可乘之机，违背了发展市场经济的初衷。

基于以上各点弊端的可能发生，中央领导指出，"必须加强和改善国家对经济的宏观调控；大力发展全国的统一市场，进一步扩大市场作用，并依据客观规律的要求，运用好经济政策、经济法规、计划指导和必要的行政管理，引导市场健康发展"。

(二) 学习市场经济发达国家和地区的经验

一些市场经济发达的国家和地区，都不同程度地加强对市场的调控和管理。二次大战的战败国西德和日本，就是依靠政府对市场的强化管理，才使经济奇迹般地高速发展。市场经济发达国家和地区对市场的管理主要表现在以下六个方面：

1. 有严格、全面、完备的建筑管理法规，包括对建筑技术标准、市场交易和对从业人员的管理。

2. 普遍对承包商进行严格的资质管理，企业必须按规定的等级承揽任务。

3. 对工程的开工、竣工和投入使用建立严格的管理制度。

4. 政府投资工程的发包，必须使用招标方式。

5. 政府严格管理专业技术人员的资格和注册。

6. 加强对工程质量和安全的管理。对质量的管理主要是通过各种详尽的技术法规以规范施工方法，保证质量符合标准要求，充分发挥政府管理人员和监理工程师的作用。香港设专门机构监督检查劳动保护、安全设施、施工现场、粉尘状况等，严格按标准执行。

(三) 保证公有制投资效益，防止国有资产流失

在建筑市场中，作为买方的建设单位，对投资效益、资产的保值增值负有直接责任。但由于国有资产与建设单位管理人员个人的利益关系不直接，故在投资责任机制不健全的情况下，容易忽视效益，而片面追求高标准、短工期，或为小集团的利益内外勾结、营私舞弊，索取或收复回扣，使用不合格的设计单位和施工单位，乃至用质次价高的建筑材料和设备，损害工程质量。为了保证投资效益，防止国有资产流失，必须加强对建筑市场管理。

(四) 保护主体合法权益，加快经济发展

加强市场管理，可以保证交易等价有偿、平等互利、协商一致和正常秩序，使买卖双方的合法权益得到保护，保证经济发展。没有适当的宏观调控，经济无法持续和稳定地发展，也无法对违法和违纪行为及时查处，不能使双方的权益得到保护。当发包方的权益受到损害时，投资效益便得不到保证，导致投资减少、市场萎缩。当承包方的权益受到损害时，会影响工程的质量和进度，影响企业的发展，最终使工程建设受损。所以加强对市场的管理是保护主体合法权益，加速经济发展的保证。

二、法制管理

加强法制建设，完善市场管理法规体系，是维护市场秩序的重要保证。

于1997年11月1日发布的《建筑法》共8章85条。除总则外，还对建筑许可、建筑工程发包与承包、建筑工程监理、建筑安全生产管理、建筑工程质量管理及法律责任等作出了规定。这是一部建筑业的"基本法"，是我国建筑市场规模建设的法律依据。

建筑业正在发展成真正的国民经济支柱产业。1998年到2000年，三年中总投资规模要达到12000亿美元，即折算每年投资30000多亿人民币，表明我国正处在规模建设时期。但有许多与规模建设不相适应之处，一是建筑市场发育不健全，市场各方主体不规范；二是建筑产品质量和安全在不断提高的同时，仍存在不少问题。这些，都要求执行《建筑法》，将多年来在改革和管理实践中的一些行之有效的重要制度以法律的形式予以确认，为发展市场经济、搞好规模建设提供可靠的法律保障；加重建筑市场各方参与者的法律责任，承担起应承担的各项任务。《建筑法》确定了18项法律制度，为发展建筑市场提供了法律保证。

1. 项目法人责任制。《建筑法》对项目法人的规范性条款很多，重点体现了三方面的内容：一是在工程建设程序上，规定了以下内容：建设单位必须履行办理施工许可证对开工时间的限制、对中止时间的约束，招标发包的程序和方式，依法同中标单位签订合同，按时支付工程款等。二是在市场行为方面，不准受贿、收受回扣和索取其他好处，不得肢解工程，不得指定承包单位购入用于工程的材料、构配件、设备和指定生产厂家、供应商等。三是在质量、安全监督管理过程中，不得降低质量，要提供与施工现场相关的地下管线资料，办理现场管理中有关报批手续等。

2. 建筑工程施工许可制度。《建筑法》第七条规定：建筑工程开工前，建设单位应当按照国家有关规定，向工程所在地县级以上人民政府建设行政主管部门申请领取施工许可证；但是，国务院建设行政主管部门确定的限额以下的小型工程除外。

3. 从业资格审查制度。《建筑法》第十三条规定：从事建筑活动的建筑施工企业、勘察单位、设计单位和工程监理单位，按照其拥有的注册资本、专业技术人员、技术装备和已完成的建筑工程业绩等资质条件，划分为不同资质等级，经资质审查合格，取得相应的资质等级证书后，方可在其资质等级许可的范围内从事建筑活动。第十四条还规定：从事建筑活动的专业技术人员，应当依法取得相应的执业资格证书，并在执业资格许可的范围内从事建筑活动。

4. 建设工程招标投标制度。在《建筑法》第三章中，有许多这方面的规定。当前的招标投标存在三方面的问题：一是认识上的问题，有些政府部门对招投标中存在的干扰和阻力认识不足。二是重经济招标，轻技术招标。三是交易中心的服务功能还有待于拓展和提高。

5. 建筑工程总承包制度。《建筑法》第二十四条"提倡对建筑工程实行总承包，禁止将建筑工程肢解发包"，并规定了总承包的三种方式：(1) 全过程总承包方式，即将建筑工程的勘察、设计、施工、设备采购一并发包给一个工程总承包单位进行总承包；(2) 单项总承包方式，即将建筑工程勘察、设计、施工、设备采购的一项发包给一个工程总承包单位。(3) 多项总承包方式，即将建筑工程勘察、设计、施工、设备采购的多项发包给一个工程总承包单位。

6. 合同制度。《建筑法》第十五条规定："建筑工程"的发包单位与承包单位应依法订立书面合同，明确双方的权利义务"。

7. 监理制度。《建筑法》第四章明确规定："国家推行建筑工程监理制度"。

8. 建筑安全生产管理制度。《建筑法》第五章对安全生产管理作了法律规定。证明了我国对建筑安全生产高度重视，指明了安全生产管理的方向，明确了"安全第一，预防为主"的方针。

9. 意外伤害保险制度。该项制度涵盖在建筑安全生产管理制度之中。《建筑法》第四十八条明确："建筑施工企业必须为从事危险作业的职工办理意外伤害保险，支付保险费"。

10. 劳动安全生产教育培训制度。这项制度也涵盖在建筑安全生产管理章中。《建筑法》第四十六条说，"建筑施工企业应当建立健全劳动安全生产教育培训制度，加强对职工安全生产的教育培训；未经安全生产教育培训的人员，不得上岗作业。"

11. 群防群治制度。《建筑法》第三十六条要求"建立安全生产责任制度和群防群治制度。"

12. 安全事故报告制度。《建筑法》第五十一条规定："施工中发生事故时，建筑施工企业应当采取紧急措施减少人员伤亡和事故损失，并按照国家有关规定及时向有关部门报告"。

13. 工程质量责任制度。《建筑法》第五十五条至第六十条，分别规定了建设单位、建筑施工企业、勘察设计单位的质量责任。虽然对建筑材料、建筑构配件和设备生产供应单位的质量责任没有明确作出规定，但这些单位的质量责任，要依据《产品质量法》和建设部1993年第29号令《建筑工程质量管理规定》来执行。

14. 质量体系认证制度。《建筑法》第五十三条规定："国家对从事建筑活动的企业推行质量体系认证制度"。

15. 竣工验收制度。《建筑法》第六十一条规定："建筑工程竣工验收合格后，方可交付使用，未经验收或验收不合格的，不得交付使用"。

16. 质量保修制度。《建筑法》第六十二条规定："建筑工程实行质量保修制度"。

17. 质量的检举、控告、投诉制度。《建筑法》第六十三条规定："任何单位和个人对建筑工程的质量事故、质量缺陷都有权向建设行政主管部门或者其他有关部门进行检举、控告、投诉"。

18. 连带责任制度。所谓"连带责任"，是一种严格的、加重的民事责任形式，是义务人员有共同义务或对共同义务的不履行而应共同承担的法律后果。《建筑法》第二十七条说，"共同承包的各方对承包合同的履行承担连带责任"。有七条对连带民事责任作了规定，其中义务性连带责任3条，制裁性连带责任规定有4条。对连带责任是非常重视的。

综上所述，对建筑市场实施法制管理是非常必要性。近年来建设部及各地方均制定了一批建设法规。据统计北京等28个省、市、自治区制定了44种有关建筑市场及质量管理方面的法规。继《建筑法》出台之后，建设部将进一步颁布《建筑工程发包承包条例》、《建筑安全生产管理条例》、《建筑工程质量管理条例》、《建筑工程监理条例》等，对《建筑法》所确定的制度作更具体的规定，使法具有可操作性。

三、资质管理

对市场主体进行资质管理是政府对市场进行管理的关键，它可以使各市场主体以合格者的身份参与市场营销活动，确保市场良好秩序和运行质量。建设部非常重视建筑市场各主体的资质管理，除制定各种规范市场主体的规章制度以外，主要是通过制定各类型企业的资质等级标准和相应的营业范围进行管理。资质管理即按企业自身的能力,包括人员素质、资金数量、承揽工程的业绩等确定企业的资质等级,并发给资格证书,企业持证书到工商行政管理部门登记注册,取得营业执照。检查监督企业贯彻执行资质管理法规的情况,查处不遵守法规的行为。检查评定企业的状况和能力,决定企业资质等级的升降,形成按核定的资质等级承揽任务的制度,用企业的资质能力来保证工程的质量、工期和效益。

(一) 对业主的管理

近年来,建筑业把对业主资质的管理作为建筑市场的培育和发展一项大事来抓。首先在思想认识上有突破,即业主虽不属于建筑业的管辖范围,但都是市场的买方,市场的三大主体之一,如果业主的资质管理得当,必将对建筑市场的培育和发展具有极大促进作用。

对业主的管理规定主要体现在《工程项目建设管理单位管理暂行办法》(123号文)和《关于实行建设项目法人责任制的暂行规定》(673号文)上,如本章第二节所述。

(二) 对承包商的资质管理

1995年,建设部以48号部长令发布《建筑业企业资质管理规定》,对承包商的资质作了规范。该规定将建筑业企业分为工程施工总承包企业、施工承包企业和专项分包企业三类。其中,工程施工总承包企业资质等级分为一、二级;施工承包企业资质等级分为一、二、三、四级,其资质等级标准摘要见表9-1和表9-2。在规定中还对资质审查、动态管理和承包工程范围进行了规范。

工程施工总承企业资质等级标准(摘要) 表9-1

资 质 项 目	一 级	二 级
企业经理工程管理经历(年)	10	8
总工技术管理工作经历(年)	15	10
有职称人数不少于(人)	500	350
工程系列职称人数不少于(人)	300	200
高级职称人数不少于(人)	高50,中100	高20 中50
项目经理人数(人)	一级50	二级以上30,一级10
资本金(万元)	15000	5000
固定资产原值(万元)	10000	3000
年建筑业总产值(万元)	50000	20000
年建筑业增加值(万元)	10000	4000

工业与民用建筑工程施工企业资质等级标准(摘要) 表9-2

资 质 项 目	一 级	二 级	三 级	四 级
经理施工管理工作经历(年)	10	8	5	3
总工程师施工技术管理工作经历(年)	10	8	5	3
总工程师、总会计师、总经济师职称	高,高,高	高,中,中	中,初,无	初,初,无
有职称人数(人)	350	150	40	15
工程系列职称人数不少于(人)	200	80	25	8

续表

资 质 项 目	一 级	二 级	三 级	四 级
中高级职称人数不少于（人）	50	20	中 5	中 1
项目经理人数不少于（人）	一级 10	二级 10	三级 8	四级 3
资本金、固定资产原值（万元）	3000，2000	1500，1000	500，300	100，60
年完成总产值及建筑业增加值（万元）	12000 3000	6000 1000	1500 400	300 80

1. 工程施工总承包企业的承包工程范围：

一级企业：可承担各类型工业、能源、交通、民用等工程建设项目的施工总承包。

二级企业：可承担中型工业、能源、交通工程建设项目，15万 m^2 以下的住宅区建设项目，总投资2亿元以下的公用建设项目的施工总承包。

2. 工业与民用建筑工程施工企业承包工程范围。

一级企业：可承担各类工业与民用建设项目的建筑施工。

二级企业：可承担30层以下，30m跨度以下的房屋建筑物，高度50m以下的构筑物的建筑施工。

三级企业：可承担16层以下，24m跨度以下的房屋建筑物，高度50m以下的构筑物的建筑施工。

四级企业：可承担8层以下、18m跨度以下的房屋建筑物，高度30m以下的构筑物的建筑施工。

（三）对建设监理单位的资质管理

1992年，建设部以第16号部长令发布了《工程建设监理单位资质管理试行办法》，规定建设监理单位的资质等级分为甲、乙、丙三级，其条件摘要见表9-3。

监理单位资质等级条件（摘要） 表9-3

资 质 项 目	甲 级	乙 级	丙 级
单位负责人	取得监理工程师证书的高级工程师或高级建筑师或高级经济师	同甲级	同甲级
技术负责人	取得监理工程师证书的高级工程师、高级建筑师	同甲级	同甲级
取得监理工程师资格人员不少于	取得监理工程师资格证书的人员50人，其中高级工程师、高级建筑师10人，高级经济师3人	取得监理工程师资格证书的工程技术人员30人，其中高级工程师、高级建筑师5人，高级经济师2人	取得监理工程师资格证书的工程技术人员10人，其中高级工程师、高级建筑师2人，高级经济师1人
注册资金（万元）	100	50	10
监理过的工程	5个一等一般工民建项目或2个一等工交项目	5个二等一般工民建项目或2个二等工交项目	5个三等一般工民建项目或2个三等工交项目

监理单位的监理业务范围是：甲级可以跨地区、跨部门监理一、二、三等的工程；乙级只能在本地区、本部门监理二、三等的工程；丙级只能在本地区、本部门监理三等的工程。

四、程序管理

进行程序管理，可以规范建筑市场管理秩序。现对工程建设项目实施阶段的程序管理及工程施工招标程序简介如下。

(一) 工程项目建设实施阶段程序管理

1995年，建设部以"建建〔1995〕494号"通知发布了《工程项目建设实施阶段程序管理的暂行规定》，现概要介绍如下：

1. 工程项目建设实施阶段的管理程序，指施工准备阶段、施工阶段、竣工阶段应遵循的有关工作步骤。

2. 施工准备阶段分为工程建设项目报建、委托建设监理、招标投标、施工合同签订四个步骤。

3. 施工阶段分为建设工程施工许可证领取、施工两个步骤。

4. 竣工验收阶段分为竣工验收、工程移收及期内保修三个步骤。

5. 工程建设项目报建的程序是：建设单位到建设行政主管部门或其授权机构领取《工程建设项目报建表》；填写报建表；报送报建表；按要求进行招标准备。

(二) 工程施工招标程序

工程施工招标程序规范化，有利于招标和投标工作的制度化和公正化，是搞好招标投标工作的重要内容。建设部1997年发布的《建设工程施工招标文件范本》，是以招标投标程序为纲的。在这个范本中，分别对"建设工程施工公开招标程序"、"建设工程施工邀请招标程序"及"建设工程施工邀请议标程序"作了规定，并绘制了程序框图，分别见本书第七章的图7-1、图7-2和图7-3。

五、监督管理

监督管理是国家和地方建设行政主管部门的职能，也是保证市场正常秩序的必须。我国政府建设行政主管部门向来十分重视质量监督，安全监督和市场监督，并取得了明显的市场治"乱"的结果。现在，有些地方的建筑市场的一些混乱现象屡禁不止，难以根治的一个重要原因，就是执法监督薄弱，缺少对施工现场的日常监督和检查。为保证各项管理法规的贯彻实施，必须授权专门的机构和人员，负责建筑市场的执法工作，监督、检查、纠正和查处违法、违纪的行为。保证对市场的检查覆盖每一个进入市场的工程，每一个施工现场；保证对市场的监督覆盖每一个进入市场的企业；保证对市场的管理覆盖到工程建设的全部过程。要结合贯彻《反不正当竞争法》工作，加强建筑市场的执法管理，重点抓好九个不准：一是不履行报建手续的工程，不准招标发包，不准开工建设；二是不准工程发包中私相授受、营私舞弊，严格禁止各种形式的权钱交易；三是不准各级管理部门指定设计施工单位和质次价高的设备、材料生产厂家、干预工程招标；四是不准利用职权，设置障碍、封锁市场，保证建筑市场的统一开放；五是不准发包单位强行要求承包企业带资承包，不准发包单位使用无资质或资质不符合要求的设计施工单位，不准发包单位及管理人员以任何形式索取和收受回扣、佣金和其他好处；六是不准任何人员泄漏标底；七是不准设计施工单位向发包单位及人员提供回扣、佣金或其他好处，不准互相串通、哄抬标价，不准在工程结算中采取欺骗、伪造证据等手段抬高或降低标价；八是不准设计施工单位超越等级承揽任务，不准出让资质证书、营业执照、设计图签，不准转包工程和向不具备相应资质的企业分包工程，不准使用不合格的材料设备；九是不准市场管理人员向承发包双方索取或收受任何形式的好处。

自 1996 年 4 月份开始，国务院组织建设部、监察部、国家计委和国家工商行政管理局四单位开展工程建设项目执法监察，正确行使了政府的监督职能，取得了很大成效。现将"国发〔1996〕12 号"通知精神列于【案例 9】，以供参考。

六、价格管理

（一）颁布法律

《中华人民共和国价格法》已于 1997 年 12 月 29 日由 92 号主席令发布，自 1998 年 5 月 1 日起施行。该法共 48 条。在总则中说，制定价格法的目的是发挥价格合理配置资源的作用，稳定市场价格总水平，保护消费者和经营者的合法权益，促进社会主义市场经济健康发展。可见，价格与市场是紧密相关的，应当充分利用建筑市场的价格机制，充分发挥市场的作用。

第三条说，"国家实行并逐步完善宏观经济调控下主要由市场形成价格的机制，价格的制定应当符合价值规律，大多数商品和服务价格实行市场调节价，极少数商品和服务价格实行政府指导价或者政府定价。

第四条说，国家维护正常的价格秩序，对价格活动实行管理、监督和必要的调控。

第十四条对经营者的价格行为进行了规范，主要有以下内容：经营者不得相互串通，操纵市场价格，损害其他经营者或消费者的合法权益；不得为了排挤对手或独占市场，以低于成本的价格倾销，扰乱正常的生产经营秩序，损害国家利益或者其他经营者的合法权益；不得捏造、散布涨价信息，哄抬价格，推动商品价格过高上涨；不得利用虚假的或者使人误解的价格手段，诱骗消费者或者与其进行交易；不得对提供相同的商品或服务，对具有同等交易条件的其他经营者实行价格歧视；不得采取抬高等级或者压低等级等手段收购、营销商品或提供服务，变相提高或者压低价格；不得违反法律、法规的规定牟取暴利；不得从事法律、法规禁止的其他不正当价格行为。

价格法中的第五章是专门规定价格监督检查的，该章共有 6 条，分别对政府价格主管部门进行价格监督检查的职权、经营者在接收监督检查应提供的资料、保密事宜、发挥人民群众的价格监督作用、新闻单位的价格舆论监督等，作出了详细规定。

（二）工程造价管理的目标

建设部自改革开放以后，始终注意进行价格管理。价格管理的目的主要是改变计划定价，建立市场价格体系。工程造价管理改革的最终目标是：在统一工程量计量规则和消耗定额的基础上，遵循商品的价值规律，建立以市场形成价格为主的价格机制；企业依据政府和社会咨询机构提供的市场价格信息和造价指数，结合企业自身实际情况，自主报价，通过市场价格机制的运行，形成统一、协调、有序的价格管理体系，达到合理使用投资、有效地控制工程造价、取得最佳投资效益的目的；逐步建立起适应社会主义市场经济体制，符合中国国情，与国际工程造价惯例接轨的工程造价管理体制。

目前，全国已制定了统一的工程量计算规则和消耗量基础定额。各地普遍制定了工程造价价差管理办法，在计划利润基础上，按施工技术要求和施工难易程度划分工程类别，实现差别利润率。各地区、各部门工程造价管理部门定期发布反映市场价格水平的价格信息和调整指数。工程造价咨询机构已开始普遍建立。造价工程师全国统一考试并进行注册认证的工作已于1997年完成试点，1998年开始全面正常运行，造价工程师队伍已经形成。以上这些改革，都为促进工程造价管理、合理控制投资起到了积极的作用，向最终目标迈出了坚实的一步。

（三）要进行造价管理改革的工作

为了迈向工程造价管理改革的最终目标，还要进行以下努力：实现量价分离，变指导价为市场价格，变指令性的政府主管部门调控取费及其费率为指导性，由企业自主报价，通过市场竞争予以定价。改变定额的政府法定行为，由企业自行制定定额与政府指导性相结合的方式，并统一项目费用构成，统一定额项目划分，使计价基础统一，有利于竞争。要形成完整的工程造价信息系统，充分利用现代化通讯手段与计算机大存储量和高速的特点，实现信息共享，及时为企业提供材料、设备、人工价格信息及造价指数。要确立咨询业公正、合理、负责的社会地位，发挥其咨询、顾问作用，逐渐代替政府行使造价管理的职能，也同时接受政府造价管理部门的管理和监督。在这之后，造价管理将进入完全的市场化阶段，政府行使协调监督的职能。通过完善招标投标制，规范工程承发包和勘察设计、建设监理等招标、投标行为，建立统一、开放、有序的建筑市场体系。社会咨询机构将独立地成为一个行业，公正地开展咨询服务。建立起在国家宏观调控的前提下，以市场形成价格为主的价格机制。根据物价变动、市场供求变化、工程质量、完成期等因素，对工程造价依照不同承包方式实行动态管理。最终实现与国际惯例接轨。这是一项艰苦而又充满希望的事业，通过努力，定会取得成功，使价格机制在建筑市场中正常发挥作用，从而加速我国经济建设事业的发展。

（四）关于工程建设合同价

在建立社会主义建筑市场的事业中，招标投标是个关键；招标投标的全过程中，签订工程承发包合同是最终目标；在工程承发包合同中，合同价是关键。因此，对合同价的规范、合理确定，以保证发包方和承包方双方的合法权益，就显得十分重要。

（1）工程合同价应包括合同价款、追加合同价款和费用。合同价款系指按合同条款约定的完成全部工程内容的价款总额。招标工程的合同价款为中标价。追加合同价款系指在工程施工过程中，因工程变更而增加的合同价款，以及按合同条款约定的计算方法计算的材料价差。材料市场价差只计算税金，而不作为计算其他费用之基础。费用系指在合同价款之外，甲方应支付的款项。

（2）确定工程承包价的合同，可分为三类：一是固定总价合同，即适用于工期在一年以内，并可在工程合同价中适当考虑价差等风险因素的工程；二是总价可调合同，适用于工期在一年以上，需要调整价差的工程；单价合同，适用于预计工程量与实际可能有较大出入的工程。

（3）目前，现行预算定额应是工程合同价的计价基础。预算定额既是编制标底的基础，也是编制投标报价的基础。在中标价确定后才能确定合同价。但预算定额不是一成不变的。各地区工程造价管理部门应根据市场价格变化对人工单价、材料价格和施工机械台班单价按季度（或月度）发布价格信息或价格指数，以适应造价计算和价差调整的需要。因此，工程造价管理部门应收集整理有重复使用价值的工程造价资料，分析研究出对较常发生的施工措施费和索赔费用的计算方法和计算标准,供参考使用。

【案例9】

国务院进行工程建设执法检查的通知精神

1. 问题的提起

改革开放以来,我国的投资建设和建筑业得到了很大发展,不仅建设了一大批基础设施和工业项目,促进了经济发展和人民生活水平的提高,而且还吸纳了大量农村剩余劳动力,对社会的稳定和进步起到了积极的作用。但是,由于工程建设方面的法规、规章相对滞后,对建设工程项目管理不严、建设资金控制不力、建设监理制度不落实、建设单位和施工企业缺乏有效监督等原因,建筑市场出现了一些比较严重的问题。主要表现在:一些单位违反建筑市场管理法规和工程建设程序,不报建、不招标,压级压价,超规模、超标准、超概算,强行垫资施工;有些建筑企业无证照或超级承揽设计、施工任务、层层转包、偷工减料、质量低劣;有的建设单位、施工企业和中介机构相互勾结,贪污挪用、行贿受贿、私分工程款;还有的领导干部和政府机关工作人员利用职权干预工程发包,为单位和个人谋取非法利益,不仅直接影响国家宏观调控措施的落实、浪费国家资财,危及人民生命财产安全,而且也腐蚀了一些干部,败坏了党风和社会风气。因此,加强对建设工程项目的管理,规范建筑市场,纠正和查处建设领导中存在的不正之风和腐败行为,是当前为促进经济与社会建设发展的一项重要任务。经建设部、监察部、国家计委、国家工商行政管理局共同研究,拟从1996年4月份起在全国开展一次建设工程项目执法监察。

2. 执法监察的范围和重点

执法监察的范围是,各地区、各部门1995年以来竣工和1996年在建及新开工(工程投资总额在50万元以上)的建设工程项目;1995年以前竣工、存在严重违法违纪或重大工程质量问题的建设工程项目。围绕建设工程项目的立项、报建、招标投标、工程质量和竣工验收五个方面,重点检查工程建设中存在的严重违法违纪和不正当竞争行为。

3. 执法监察的主要内容

执法监察以《中华人民共和国反不正当竞争法》和国家关于固定资产投资管理等有关规定,以及建设部制定的《工程建设项目报建管理办法》、《工程建设施工招标投标管理办法》、《建筑市场管理规定》,建设部、监察部《关于在工程建设中深入开展反腐败和反对不正当竞争的通知》等法律法规和政策规定为主要依据,对下列情况进行检查:

(1) 建设工程项目是否按国家规定立项、报建。

(2) 建设工程项目是否按规定招标发包,有无私相授受、串通投标、肢解工程发包;有无不按规定实施建设监理制度;有无强行让建筑企业贷款、垫资施工、不合理压级压价和工程竣工不按规定结算,拖欠工程款以及强行要求建筑企业购买不合格的材料,设备等问题。

(3) 建筑企业是否遵守建筑市场管理规定,有无无证照或越级承揽设计、施工任务,有无出卖证照和图签、私招滥雇、层层转包和偷工减料、粗制滥造、质量低劣等问题。

(4) 建设工程质量是否符合国家标准和合同要求,有无不按规定委托监理和质量监督、工程竣工不验收等问题。

(5) 建设工程是否审计，有无超标准、超规模、高估冒算、挪用工程建筑费用、挥霍浪费，以及在资金管理和使用中存在的其他违纪问题。

(6) 与建设工程有关的公用事业单位是否遵守《中华人民共和国反不正当竞争法》的规定，有无利用职权搞行业垄断、强行指定不符合规定的施工单位和指定购买劣质设备、材料问题。

(7) 领导干部和政府工作人员有无利用职权指定施工队伍、干预工程建设和索贿受贿、挪用公款、失职渎职等问题。政府及其部门有无向建设项目乱收费问题等。

4. 执法监察的目标

通过执法监察，摸清本地区、本部门建设工程项目的底数，加强对建筑规模的有效控制；完善、培育和规范建筑市场，实现市场治乱、企业治散、质量治差、价格合理，促进建筑业健康发展；严格资金管理，防止国有资产流失；健全监督机制，加强廉政建设，遏制不正之风和腐败现象的滋生蔓延。

5. 方法和步骤

这次执法监察、由各地区、各有关部门负责组织，建设部、监察部、国家计委、国家工商行政管理局负责综合协调和督促检查。这项工作大体分为四个阶段：

(1) 准备发动阶段。各地区、各部门组织力量，研究制定方案，动员部署工作。通过新闻媒介等手段宣传开展建设工程项目执法监察的重要性和紧迫性，为这项工作顺利进行做好充分准备。

(2) 调查摸底阶段。组织建设单位或施工企业填写《建设工程项目登记表》，全面掌握本地区、本部门建设工程项目总数和投资底数。深入到建设单位、施工企业及其主管部门和用户调查研究、了解建设工程项目立项、报建、招标投标、工程质量、竣工验收和与建设工程有关的单位（部门）执行有关规定的情况。

(3) 自查和重点检查阶段。首先是建设主管部门、建设单位和施工企业，按照要求对建设工程项目存在的问题进行自查自纠并写出情况报告。在自查自纠的基础上、根据实际情况组织检查组对建设单位和施工企业进行重点检查。重点检查的比例不得低于40％。

对自查自纠走过场、弄虚作假、消极应付的，要追究主管领导的责任。对检查中发现的以权谋私、行贿受贿以及失职渎职造成重大经济损失和人身伤亡的案件，要从严查处；构成犯罪的，移送司法机关处理。

(4) 整改验收阶段。督促建设主管部门、建设单位和施工企业，针对工程立项、报建、招标投标、工程质量和竣工验收方面存在的问题，建立健全规章制度和监督制约机制，加强建设工程管理，规范建筑市场行为，写出整改报告；结合本地区、本部门实际，确定具体的验收标准，组织人员对建设单位、施工企业及建设主管部门的整改情况进行检查检收，验收比例不低于60％。验收情况，要书面报告同级政府并抄报上一级负责执法监察的有关部门。

开展建设工程项目的执法监察，涉及范围广、工作量大、情况比较复杂。各地区、各部门要把这项工作作为促进经济发展、深入惩治腐败的一项重要工作列入议事日程，认真动员部署，经常督促、检查和指导，帮助解决工作中遇到的困难和问题。各有关部门要积极发挥职能作用，各司其职、各负其责，搞好协调配合。要加强对有关政策、法规的研究和学习，严格把握政策界限，秉公执法执纪。对存在的违法违纪问题，要坚持自查出来的处理从宽、通过重点检查发现的处罚从重的原则。同时，对干预监督检查或为违法违纪人员袒护、说情、开脱责任的行为，要坚决予以抵制和严肃查处。

思 考 题

1. 你的企业拟如何成为建筑市场的主体？作为企业领导者，你是如何创新的？
2. 你认为业主作为市场主体现在有什么不足？应如何对业主进行管理、规范和培育？
3. 我国应如何发展中介组织，目前工程建设监理单位作为建筑市场主体，都存在哪些问题？如何发展？
4. 完善建筑市场应抓住哪些环节？
5. 对转变政府职能的现状和前途谈谈你的看法。
6. 如何学习《建筑法》、实施《建筑法》，用《建筑法》管理市场？
7. 举例说明目前在按资质允许范围承包工程方面存在什么问题？
8. 你认为应如何进行工程造价管理改革？在这方面目前存在什么问题？

第十章 国际建筑市场

第一节 国际建筑市场的结构

一、国际建筑市场分类

国际建筑市场又称国际工程市场或国际承发包市场,是世界市场体系的一个分支体系。它是各国建筑市场在范围上的延伸,把各国的建筑市场联系起来,形成世界范围的工程建设领域。国际建筑市场的买卖双方不属于同一国际,市场客体分布在世界各地。我国的建筑市场是世界建筑市场的一部分;世界建筑市场是执行开放方针的我国建筑市场向国外延伸的领域。我国建筑业有进行对外综合输出的作用和能力,因此研究国际建筑市场具有重大经济和政治意义。国际建筑市场可作以下分类:

1. 按地区分类。例如把建筑市场分为中东建筑市场、非洲建筑市场、东南亚建筑市场、中国建筑市场、日本建筑市场、欧洲建筑市场、北美建筑市场、拉美建筑市场等。人们感兴趣的是开发的热点地区的建筑市场,向这些地区投资、承包工程、输出劳务等。

2. 按提供建设服务的内容进行分类,则可把国际建筑市场分成为国际工程劳务市场,国际工程承包市场和国际工程咨询市场等。

国际工程劳务市场是一种直接为生产服务型劳务,由劳务输出国为劳务输入国提供工程建设需要的劳动力,进行工程施工或设计。这时,输出国只承包劳务,不承包工程,所取得的报酬只有劳务费用。这种市场是劳动力富裕国家向劳动力短缺国家进行的输出。输出国的劳务费一般较输入国的劳务费低,故输入国具有劳务输入的吸引力。我国在改革开放以前很少开展这方面的服务,只对某些国家进行无偿援助。十一届三中全会以后,把向国际建筑市场提供劳务置于了重要地位,并为国家赚取了外汇。

国际工程承包市场是国际工程劳务市场的扩大,即输出国不但向输入国提供工程劳务,而且承包国际工程。承包人可以独立承担工程项目的建设任务,也可以将一部分工程分包给他人,即自己作总包,他人作分包。可以是全过程的承包,即承包投资、咨询、设计、施工和监理,也可以只承包施工,作他人的分包。工程承包不只是承包劳务,起码是包工、包料、包工期、包质量。目前我国的建筑队伍在国际市场上承包工程施工较多,进行总承包或全过程承包较少,其原因是我国建筑业的经济实力和竞争力还不够充实。

国际工程咨询市场是一国的咨询公司向另一国提供工程咨询。这是一种智力输出,提供高智能服务。国际工程咨询一般结合国际工程投资进行。这种市场服务可以获得高额利润,比国际工程劳务输出和工程施工承包能获得更大的效益。我国实行建设监理制后,监理公司和咨询公司迅速形成行业且不断提高水平,为我国打入国际工程咨询市场提供了基础。

二、国际建筑市场的形成与发展

国际建筑市场开始形成于 19 世纪中叶,那时,发达国家的承包商便开始跨国经营,故国际建筑市场已有了一百多年的历史。发达国家为了在不发达国家及殖民地掠夺原材料、倾销剩余产品，也向这些国家投资建设，以谋取更多利益，由此而带动了国际建筑市场的发展。

国际建筑市场大发展是在20世纪60年代中期以后。此时正是二次世界大战后，资本主义国家经济得到恢复，有了对外投资的资金，加之一些国家为了加速经济发展，需要大规模建设，迎合了发达国家寻求国际市场和在不发达国家寻求原料及资源的需要，于是双重力量促成了国际建筑市场的飞速发展。1973年，世界石油价格大幅度上涨，中东石油输出国家外汇收入剧增，使中东国家积累了大量石油美元，便有能力以雄厚的资金改变自身长期落后的状态，大量兴建机场、铁路、公路、港口、码头、输油管道、与石油有关的能源项目，以及现代化新城市。在70年代，中东和北非地区，每年的工程合同金额都达数百亿美元。由于本国缺乏技术和劳务，故使各国的工程咨询、设计、施工和安装力量云集于此，该地区成了国际工程承包商角逐的中心场所，国际建筑市场进入了黄金时代，在1981年达到了顶峰，这一年中东地区国际工程承包合同总额达到816.8亿美元，比1980年增加了76.5%。1982年以后，由于国际石油市场滞销，石油价回落，加上两伊战争的影响，中东各国石油生产和出口大幅度下降，石油收入锐减，中东各国的经济发展产生了严重困难。伊拉克和科威特的战争使中东地区油田破坏、收入锐减、财政赤字、政局不稳，故项目减少，投资削减，市场萎缩。

80年代后期和90年代前期，东亚和东南亚地区的许多国家和地区：新加坡、马来西亚、泰国、印度尼西亚、韩国、香港和台湾地区等，经济增长率远远超过世界其他地区，利用外资的步伐加快。日本和发达国家积极将劳务密集型工业、可利用当地资源的项目，以及可以在当地占领销售市场的产品转移到这些国家和地区。这样，既促进了这些地区的经济繁荣，使这一地区每年国际工程承包合同金额增长率，以及在全世界的合同总金额中所占比例，均高于中东等其他地区。中国的市场需要很高，世界上最大的225家国际大承包商中，有12个国家和地区139家企业以不同的方式、不同的规模进入中国，如美国的柏克德、福陆丹尼尔，日本的大林组、清水、大成、竹中，美国的特法佳，法国的布依格、SAE等，其中不少公司与我国公司成立了合资合作企业。

当前世界两极尖锐对立的形势业已改变，但地区性的民族、国家之间和内部的斗争仍然激烈，局部战争此伏彼起，政治形势不稳定，故世界经济的总趋势是，在相当长的时间内可能处于低速增长和调整之中。70年代中东市场的极盛时期难以出现。国际建筑市场会出现分散化和起伏变动的局面。

三、国际建筑市场的特点

1. 需求量变幻不定

国际市场中工程需求量受世界经济的影响，受各地区、各国家经济发展趋势及政治局势影响，受固定资产投资规模和投资方向的影响，因而有很大弹性。在局势稳定、经济发展顺利时，工程需求量会增长；在局势动荡、经济萧条时，工程需求量会下降，且产品结构会发生很大改变。

2. 需求内容多样性

由于工程项目的多样性，不同时期对工程项目的需求内容不同，不同地区的要求不同，故产生对建筑市场需求内容的多样性。这一特点对建筑业企业提出了适应能力强的要求，适应能力强可以获得更多的市场机遇。

3. 实行承发包制

国际建筑市场不同于工业品市场的订购销售方式，而要求实行承发包制，发包者和承包者通过签订工程承包合同，明确各自的权利和义务，并付诸实施。

4. 风险大、竞争激烈

在国际建筑市场上，发达国家承包商拥有较雄厚的资金、先进的技术和成熟的管理经验，其综合经营能力和抵御风险的能力比较强，因此在竞争中占有明显的优势。从事国际工程承包的建筑业企业，都必须准备面对强手，与之展开竞争，因此要求承包商信息灵通、头脑清醒、目光敏锐、知识渊博、经营水平高、实力强、客观地面对现实、科学地预测未来、善于处理、化解或转移各种风险，以取得竞争的优势。

国际建筑市场的大风险有三类：一类是政治风险。因为国际建筑市场涉及工程所在国的政局，如中东地区战争频繁，非洲地区政变频繁。这类风险难以预测，容易使市场主体蒙受巨大损失。两伊战争、海湾战争、卢旺达政变产生的难民潮等，都给承包商造成了巨大灾难。一些以劳务输出为主的国家（如东南亚、巴基斯坦、埃及等国），不仅损失巨额外汇收入，还因几十万劳工返国而带来沉重负担。

其次是货币风险。外汇比价变动带来的货币风险是普遍存在的。发展中国家的货币都不是硬通货，都可能对美元比价大幅度降低，货币贬值，因而产生巨大经济损失。1997年末产生的东南亚金融危机给这些国家造成巨大灾难，无论是这些国家的业主还是使用当地货币的承包商，都不能幸免于难。

第三是合同风险。因为国际通用的是FIDIC合同条件，其条款有利于业主，承包商与业主处于不平等的地位，苛刻的合同条件和严格的第三方担保制度使得承包商几乎承受了所有风险。

5. 交易行为复杂

国际市场的工程一般投资额都比较大，任务重，营造时间比较长，从筹建到完成要经过一系列复杂的实施过程（施工组织、质量控制、成本核算、资金回收等），还要涉及到国际金融、贸易、税收、保险、外汇、海关、国际法律等；承包商要根据业主的要求和项目的特征，确定实施方案、选择施工方法、施工机械，确定物资采购与运输方式，进行劳动力招募，选择分包，合理筹资和运用资金，选聘咨询单位，对"交钥匙"工程进行前期咨询和后期试运转等。因此国际建筑市场是一个多目标、多因素的大系统工程。它是国际间的一种投资大、风险大、利润期望值高的无形贸易方式，可以带动其他一些无形贸易和有形贸易，其市场参与度极广。承包商为了取得工程项目的承包权，必须压低标价，条件优惠，善于履约和索赔，驾驭风险，竞争取胜，进行成功的贸易，才能获得理想的利润。

6. 按国际惯例运行

国际建筑市场既然是一种国际间贸易活动，就不可能按某一个国家的既有做法行事，而必须有共同的法规、共同确认的方法和行为准则，这就是国际惯例。建筑市场的国际惯例较多，包括以下主要方面：

（1）FIDIC条件。FIDIC先后编写了许多工程咨询、勘察、设计、施工和建设咨询方面的文件，包括《土木工程施工合同条件》（红皮书）、《电气机械工程合同条件》（黄皮书）、《业主咨询工程师标准协议书》（白皮书）等。红皮书是土木工程业主与承包商签订工程承包合同的范本，是国际建筑市场的惯例之一。

（2）招标投标的竞争式交易方式。竞争是市场机制，国际建筑市场的交易方式就是竞争。100多年来，在国际上已经形成了招标和投标的习惯做法，尤以公开招标方式更为成熟，形成了国际惯例。

（3）ISO9000族质量体系标准。它是产品走向国际市场的质量"通行证"，到1994年6月，开展质量体系认证工作的国家和地区已达76个；实施认证机构认可制度的国家和地区达36个，经国家认可的质量体系认证机构达到321个。建筑业（含我国建筑业）也普遍推行使用该系列标准。所以它是应用面很广、吸引力很大的国际惯例之一。

（4）中介服务。在国际建筑市场上，利用中介组织为发包方和承包方服务，这是一种国际惯例。估算测量、咨询代理、建设监理、法律服务、财会服务、保险担保等，都利用中介组织服务。

（5）安全管理利用国际劳工组织167号公约。我国已在北京、上海等12个城市进行试点。

（6）工程保险与担保。工程保险是在国际建筑市场上、工程承包与发包活动中的一种强制性行为，是对风险转移的一种措施，可保护投资者和承包商双方的利益，对工程所在国来说，可利用工程保险服务赚取外汇和盈利。FIDIC合同条件中，有7条（占近10%）与工程保险有关。

工程担保是保证人和债权人约定，当债务人不履行债务时，保证人按照约定履行债务或承担责任的行为。这种责任约定的书面形式就是保证合同。在国际建筑市场中，业主为了避免遭受承包商因财力或能力不足而造成损失，一般均要求承包商提出保证，由第三方出面保障业主的权益。当然承包商也用同样的方式要求业主不因履约障碍而影响到自身权益。国际上通行的担保方式有：投标保证、履约保证、质量责任保证、付款保证、预付款保证等，这些都形成制度。

（7）现场监督。国际上较普遍地重视施工现场的监督。新加坡建筑业发展局制定了《建筑品质保证计划》；香港房屋委员会制定了《承包商的工作表现评分计划》（PASS）；德国人有个信条：监督比信任更重要。故我国建设部1995年颁发了《施工现场综合考评办法》，并在15个城市试点。

（8）利用网络计划技术进行进度控制。网络计划技术是指用箭线和圆圈构成的"网状图"，主要是"关键线路法"（CPM）和"计划评审技术"（PERT）。从1958年诞生时起，它就被用来控制复杂工程的计划安排和进度控制。FIDIC条件也给予了重视。不少国家对承包商有不绘制网络图不准投标的规定，世行贷款项目也有类似规定。我国在1965年由华罗庚教授引进，至今已做到了很大程度的普及，1991年和1992年，分别发布了《工程网络计划技术规程》和三项《网络计划技术》国家标准。我国在建设监理及项目管理中普遍学习和应用网络计划技术。在这一方面，已与国际实现了接轨。

（9）工程项目管理。工程项目管理是国际上通行的做法，工程项目管理的必要性是由于它的一次性，工程项目管理的核心内容是目标控制，工程项目管理的关键方法是目标管理（MBO），工程项目管理的支柱是项目经理责任制和项目成本核算制。我国自1988年以后试点和推行工程项目管理，现在已经推广，在建筑业是一项成功的改革，效益很大，并已实现了与国际惯例接轨。

(10) 建立公司制企业。国际的建筑企业普遍实行公司制，即股份制。公司制企业财产清晰，责权明确，政企分开，管理科学，企业活力大，竞争力强，发展速度快。我国党的十四届三中全会提出经济增长方式由粗放型向集约型转变，提出建立现代企业制度，并在15大提出加大力度，加快速度，说明在公司制问题上，我们正在努力与国际惯例接轨。

四、国际建筑市场的主体

国际建筑市场的主体同国内建筑市场的主体一样，仍然是业主方、承包方和中介服务组织。现分别对其特点进行分析。

（一）国际建筑市场的业主

在国际建筑市场上，业主是名符其实的项目的投资方代表，负责筹划、筹资、设计、实施、生产经营、归还贷款及债券本息。它具有以下特点：

第一，是项目的真正主人。它既有资金、又有各种准建手续，还有进行工程招标发包、委托建设咨询、监督建设的权力，承担风险。

第二，国际建筑市场中的业主，大都是私人资本所有者派代表组成的，较少是国有资金持有者。他们完全按市场经济规律组织建设，按完整的法制体系从事建设，按国际惯例实施建设。

第三，大部分业主都委托咨询单位代行管理。这是国际惯例。既基于利用高智能组织进行服务的需要，又充分发挥中介组织的监督作用。FIDIC合同条件的前提是必须有"工程师"单位参与。我国现已建立了建设监理制。但是对投资使用等重大决策权，业主总是牢牢掌握的。咨询单位的权力是业主授给的。

第四，在国际建筑市场中，很少有自营的业主，他们都是通过招标发包进行建设的。咨询、设计、施工、采购等，都可分别招标或进行总发包（即招募总承包人）。

（二）国际建筑市场中的承包商

1. 国际建筑市场中的承包商是真正的独立自主经营的企业或企业集团，他们在市场上之所以能够生存，是因为他们大都是规模大、实力雄厚、竞争力强的企业。

2. 在国际工程的承包实践中，尤其是大型土建工程，往往授标给总承包商，然后再由总承包商将不同部位的工程施工任务分包给数个分包商。有时，业主出自对某些专业承包商的信任，或由于某些部位施工的特殊要求，由业主提名指定分包商，完成特定的施工任务，称"指定的分包商"。分包商的选定，在大多数情况下由总承包商以议标形式商定，有时亦用竞争性投标选定，但均需经业主批准。至于业主指定的分包商，虽然总承包商有责任采纳，但可提出一定的经济条件，以防备可能发生的风险。在合同关系方面，所有的分包商向总承包商负责，总承包商向业主负责；分包商与业主之间没有直接的合同关系。

除分包商外，总承包商在实施合同过程中，还要同运输商及制造厂家建立合同关系，以解决物资设备的生产和运输问题。为此，总承包商分别同运输商和供货商签订相应的合同。

3. 在国际工程的承包事业中，承包商肩负着施工重任，承担着主要的施工风险。但是，在"买方市场"的原则指导下，承包商的行为受合同文件的严密约束，他只能在严格履行合同的条件下，通过精明的经营管理，取得经济效益。任何疏忽或失误，都可能给他带来亏损或失败。因此，合同实施过程中的经营管理工作，对承包商的成败得失，有着重要意义。

4. 根据一般合同条件，承包商的主要职责可归纳为以下10点：

(1) 按合同文件和施工规程的要求,提供必需的设备、材料和劳动力,按时保质地完成工程项目的施工。

(2) 按合同规定,完成部分设计工作,绘制施工详图,经工程师审核批准后按图施工。

(3) 在施工过程中,根据技术规程的要求进行施工,保证工程质量合格。

(4) 向保险公司投保工程保险、第三方责任险、运输险、设备损坏险等。

(5) 对业主或监理工程师提出的任何工程变更指令必须照办;必要时,可提出保留索赔的权利,或重新议定施工单价。

(6) 对监理工程师提出的任何施工缺陷,根据施工规程的要求予以修改或改进。

(7) 保证提供的建筑材料和施工工艺符合质量标准,提供的施工设备符合投标文件中填报的型号和数量。

(8) 向业主提供施工履约担保及预付款保函。

(9) 遵守工程所在国的法令和法规,尊重工程所在国人民的生活习惯。

(10) 保证工程按合同规定的日期建成完工,并负责做好维修期(即缺陷责任期)内的维护保养工作,直至最终验收合格。

5. 根据一般合同条件国际市场中的承包商有以下 5 项权力:

(1) 有权按合同规定的时限取得已完工程量的工程进度款。

(2) 由于客观原因(不是承包商的责任)形成工期拖延或造价提高时,有权得到工期延长或经济补偿。

(3) 有权要求业主提供施工场地和进场道路。

(4) 由于客观原因或业主责任(不是承包商的责任)引起施工费用增加时,有权提出索赔要求,并得到合理的经济补偿。

(5) 在业主违约或长期拒付工程进度款的条件下,有权提出暂停施工,甚至要求终止合同。

对比业主和承包方的权利和义务,可以看出,作为国际工程市场主体的承发包双方关系是相互对立、互为因果的。

(三) 国际建筑市场中的中介服务组织

1. 在国际建筑市场中,中介服务组织也可分为五类,即协调和约束市场主体行为的自律性组织,如各种协会;保证公平交易、公平竞争的公证机构,如专业会计师事务所等;为监督市场活动、维护市场正常秩序的检查认证机构,如计量检测机构、认证机构等;保证社会公平,建立公正的市场竞争秩序的各种公益机构,如保险机构等;为促进市场发育,降低交易成本和提高效益服务的各种咨询、代理机构,如招投标代理机构、测量师事务所、信息服务机构等。

2. 在国际建筑市场中,咨询工程师具有特别重要的地位,现介绍如下:

咨询工程师是对工程项目进行技术服务的合格法人,它实际上是一个设计咨询公司。为了完成在施工现场的技术服务任务,它向施工现场派遣授权的"工程师代表"或"驻地工程师",具体完成"工程师"的合同职责。

工程师不属于业主和承包商之间的合同一方,但他与业主之间签订"技术服务合同",规定了业主和咨询工程师之间的合同关系。这种合同的标准格式,国际咨询工程联合会(FIDIC)及世界银行均有正式发布的标准版本,作为每个具体工程项目编写技术服务合同的参考。

在国际工程承包施工实践中，工程师的工作性质具有一定的特殊性，使他处于特殊的合同地位。一方面，他与业主之间有合同约束，以业主代表的身份工作，实质上是业主的雇员。但另一方面，他在合同法律上所处的地位赋予他工作上的独立性，要求他自行做出决定，而不是偏袒合同的任何一方。因此在通用标准条款中，都要求工程师"处事公正"，"独立地判断和决定问题"，并将这一行为规范作为工程师的职业道德准则。

（1）咨询工程师的职责。在国际工程招标承包实践中，业主通常要通过竞争物色选定某一设计咨询公司——"工程师"，委托他进行某一工程项目勘察设计工作，编制设计文件和招标文件，并负责工程施工阶段的技术管理和监督指导，代表业主对工程项目的施工进行合同管理。这样工程师能透彻了解工程的全貌，便于监督管理。有时业主出于另外的考虑，在工程施工阶段，另行选聘监理工程师，委托他代表业主对工程施工进行监督管理，而将设计工程师的技术服务，置于监理工程师（即施工监理）的统一管理之中。

（2）咨询工程师的任务，一般可分为三个阶段：

1）规划设计阶段：工作的主要内容是勘察，调查及可行性研究，设计及计算工程量，以及编制招标文件等。

2）招标阶段：主要的工作内容有制定招标文件、协助业主进行资格预审及组织投标人进行施工现场考察、参与开标、评标、并向业主提出授标对象建议等。

3）施工阶段：如果业主不是自己组织施工，也不雇聘另外的施工监理公司进行施工管理工作，而是继续委托设计咨询公司进行施工阶段的监督管理工作时，则咨询工程师的主要任务包括：对施工进度、质量进行监督检查，保证设计图纸的正确性，管理合同实施及处理合同争端，审核付款单据，确定价格调整及工期变更，永久设备及建筑材料的检查，审核索赔报告，发放接收证书和竣工证书，建立工程项目档案，协调各承包商之间的关系等。

（3）咨询工程师的权力。咨询工程师拥有以下权力：

1）有权向承包商发布各项指令，使工程项目更为完善。

2）有权决定额外付款，以补偿承包商完成的额外工程开支。

3）授权主管工程项目的合同实施，并解释合同条款的含义，处理合同纠纷。

4）有权发布与合同管理有关的一切指示，包括工作性质、工作范围及施工期的变化。

5）监督检查承包商的施工进度和质量，要求承包商的工作使工程师满意。

6）审定承包商要求付款的结算书及索赔报告，签署后转报业主付款。

由此可见，咨询工程师作为业主的代表具有广泛的权力，具体地掌握着工程项目的建设成本、施工质量和竣工时间等三大关键问题。因此，业主在选聘咨询工程师时都是十分慎重的，不仅考察其技术水平和业务能力，还要考察其职业道德和履约信誉。作为咨询工程师。必须公正无私，诚实无欺，才能管理好工程项目的建设，使合同双方（业主和承包商）通过项目实施，取得各自的实际利益，咨询公司本身也才能站住脚。

3. 监理工程师

国际工程市场的运行机制在经营管理的实践中不断完善和发展。近十多年来，新的工程管理办法不断出现，从而更有效地保证工程项目以较低的成本、在计划的工期和质量标准条件下顺利建成。在这些新的经营管理方式中，一般采用"施工经营管理合同"（或称施工监理合同），以及"设计施工合同"。

总承包商按上述两种合同对工程项目施工进行经营管理，而所有的施工部位均分项由分包商完成。总承包商统一负责设计和施工，统一运筹各个环节并协调各分包商的工作任务，从而有利于缩短工期，降低造价。

这些新型的经营合同管理，是以业主为一方、施工监理为另一方共同签订的。施工监理承担起了实施施工管理的总承包商的任务。随着这一机制的改变，国际上施工监理已成为发展非常迅速的新兴行业。施工监理公司兼营规划、设计和施工、拥有现代化的设备手段、专业技术和经营管理人员。有些设计咨询公司则扩大自己的经营范围，兼营施工管理工作。有些工程承包公司，则将自己的施工承包业务扩展到规划设计领域，兼营设计工作。

施工监理单位作为实施承包合同的一方，具有法人的资格，它的法人代表是监理总工程师，简称"施工监理"。施工监理同工程师或建筑师一样，他们分别作为施工监理公司、设计咨询公司或建筑设计公司的代表，按技术服务合同文件的规定，同业主一起实施合同任务，因此在新型经营体制下，施工监理成为合同关系中的一个重要的独立法人，对工程建设合同的实施起着重要的作用。

至于施工监理的具体工作内容和组织方式，各国在不同类的工程项目上的作法也不尽相同。我国正在推行监理制，这一新型经营管理的形式和作法，还在探索改进中。

(1) 施工监理的合同责任。施工监理的职责总的来说，是对工程项目的建设过程进行计划、实施和监督，以适应业主的要求。具体地说，他对业主、设计工程师（或建筑师）以及承包商分别承担不同的合同责任。

1) 对业主的合同责任主要是提供技术服务和决策支持，处理合同问题并调解合同争端，提供专业技术服务，经常报告工程施工进度、落实施工计划，处理招标中的问题，协助业主选择分包人等。总之，他必须实施与业主签订的技术服务合同，保证向业主交付建成的工程项目符合合同的规定，维护业主的利益。

2) 对设计工程师（或建筑师）的合同责任主要是向被业主择定的专业设计公司提供咨询建议，与设计工程师密切合作修改或变更工程设计，使设计更加合理。

3) 对承包商的合同责任包括向他们解释合同条款及施工技术规程，对因非承包商责任而造成其损失或开支增加时给予承包商合理补偿，监督承包商保质按期地建成工程项目，为承包商按时得到其应得的款项创造条件。

(2) 施工监理的任务。在目前采用的施工监理制度下，监理工程师的工作范围各不相同。有的业主要求监理工程师负责工程建设全过程的监理工作，即从可行性研究开始，包括工程设计、施工、以至工程投产运行全过程的技术服务工作，这种情况称为"工程监理"。也有的业主仍委托设计咨询公司进行可行性研究及工程设计，只将施工阶段的监理工作委托给施工监理公司，这种情况称为"施工监理"。施工监理的主要任务是：

1) 保证工期。协调各承包商的施工计划，保证施工各环节紧密衔接，保证供应商、运输商按计划提供施工物资和设备，确保甚至缩短工程项目的建设期。

2) 保证质量。对工程使用的永久设备、建筑材料及半成品和各阶段、工程各部位的施工质量进行试验检查，对整个工程项目进行竣工验收或提出补救措施，以确保工程质量。

3) 控制成本。通过控制附加工程和额外工程，确定单价变更，审核承包商的工程进度款及材料设备付款单，核签月结算单，审核承包商的索赔申报等环节，在保证工程项目的质量的前提下，尽量降低成本，使工程投资款额不超过原预算。

除此之外，施工监理还有督促承包商做好施工安全、预防各类事故、协助承包商处理好劳工关系、解释合同文件、避免合同纠纷以及建立施工档案等方面的工作任务。

由上述各项监理工程师的主要工作任务可以看出，在工程项目的施工阶段，监理工程师同咨询工程师一样，代表业主对承包商的施工进行全面的监督检查，其不同之处在于：在聘用监理工程师进行施工过程监督管理时，仍然要吸收设计工程师参加施工，并以"设计代表组"的名义参加监理工程师的工作机构，在监理工程师的领导下对工程项目的施工进行监督管理。

第二节 国际建筑市场基础知识

一、资本国际化与资本输出

第二次世界大战后，资本国际化迅速发展，其原因有以下五个方面。

1. 资本积累是资本国际化的最主要因素

二次大战后，各主要资本主义国家的资本逐渐集中在少数垄断者手中。国内生产过剩，市场饱和。垄断组织在控制了国内市场以后，把过剩的能力用来夺取国际市场。除扩大商品输出，还把过剩的资本输出到国外，投资建厂，从事生产和销售，并实行生产和销售一揽子经营发展战略，加快了生产和资本国际化的发展过程。在50年代和60年代，能容纳过剩资本而又有利于从事经营活动的有西欧、加拿大和日本。美国对外投资最多。70年代和80年代，西欧、日本经济迅速发展，使发达国家间资本相互渗透。

投资海外可以获得高于国内的利润。资本究竟投向何方，以获利大小为导因。对发达国家投资可为国际垄断资本提供大量利润，故资本流向发达国家的制造业。对发展中国家投资，可获得较高的利润率，因为地价廉，原料贱，工资低。70年代以后，发达国家着重发展资本和技术密集型产业，把劳动密集型和污染严重的工业转移到发展中国家。发展中国家从现有条件出发发展劳动密集型经济，促进民族经济的发展。80年代以来，国际垄断组织对发展中国家的投资增多。

2. 科学技术的发展提出资本国际化要求

由于科学技术的发展，引起了生产结构的变化，出现了新兴工业部门和新产品，加强了国际分工和协作，各国各自发挥优势，密切了相互间在研究、生产、分配、消费等方面的联系，加快了资本国际化进程。

生产国际化是资本国际化的基础。由于新兴的工业部门技术先进，固定资本更新速度快，所需资金数量多，故投入资金越来越多，往往需要合资经营，这种需要导致资本在国际范围内积聚，促进了资本国际化的形成和发展。科学技术也促进了交通、通讯业的发展，为资本运营国际化提供了便利条件。

3. 各国政府对经济关系的调节推动了资本国际化

资本国际化，使国家间的生产、交换、金融等的联系更加紧密，要求国家进行干预和调节为资本国际化开辟道路。于是各国政府便发布政策和措施，扶植本国垄断资本向外扩张，甚至直接参与国际资本的再生产过程。这种干预与调节，又大大推动了资本国际化的发展。

4. 劳动力在国际建筑市场中的自由流动为国际资本的循环与增值提供了源流

劳动力在国际建筑市场中流动，使国际垄断资本获得巨额剩余价值，因为国际建筑市场中的国际劳动力工资水平低。于是剩余价值迅速转化为生产资本，促进了资本国际化的发展。

5. 国际资本市场的扩大提供了大量的资金来源

国际垄断资本扩大再生产，需要巨额资本，需要增加短期资本支持以融通国际贸易、生产、支持国际工程项目，需要获得中、长期资本以更新设备、改进技术，需要在国际上调拨资金，需要利用多余资金谋利益，需要资金参与外汇市场的期货交易和套汇、套利活动以减少风险、增加收入等等。由于国际资本很少受到各国政府的限制，故来源广泛、借贷简便、运用灵活、周转期短、流动性强，经营状态良好，资金筹措量不断增加，可用来支持投资活动。

二、国际建筑市场环境

企业的生存与发展是以适应外部环境为条件的。企业的国际工程市场环境包括"微观环境"和"宏观环境"。微观环境主要包括企业本身的状况、供应者、中介组织、竞争者、业主、银行、保险公司和各种公众等等。微观环境又要受到宏观环境中各种因素的制约和影响。宏观环境是指那些给企业带来有利机会和环境威胁的主要社会力量和社会条件，包括经济环境、政治环境、社会文化环境、法律环境、技术环境和自然环境等等，构成企业的不可控因素。一个企业，如果没有科学的、客观的、准确的、全面的市场环境分析，就不可能制定出成功的国际工程经营策略。

（一）国际建筑市场的经济环境

1. 国别经济环境

国别经济环境是目标市场国的经济情况，以某些总体指标作为分析依据。这些指标有：国内生产总值（GDP）或国民生产总值（GNP）、人均GDP或人均GNP的增长率、失业率等。国际工程承包企业可通过研究这些指标研究目标市场国的经济条件和利润潜力，以决定承包策略。

2. 国际经济环境

国际工程承包商只有了解国别经济环境，并认识国际经济环境的变动趋势，才能抓住机会、开拓市场、减小风险。各国经济都有一定的开放度，因而一些国际经济的变化会通过国际传递机制影响到国别市场。国际经济的有些特殊因素、机制和机构构成一种合力，影响国际建筑市场的各个方面。

影响国际建筑市场的首要因素就是世界经济，因为市场的运作需要投入资金，而资金的来源取决于经济的发展和繁荣。经济发展的前提条件是政治、社会安定与和平的环境。国际建筑市场的兴衰反映了经济的发展或萧条。目前只有亚洲太平洋地区，尤其是东亚和东南亚诸国，经济快速增长，增长率高于平均水平，使建筑市场空前活跃。从1991年起，国际建筑市场承包劳务合同总额便居各大市场之首，预计在较长时间内仍保持这个势头。

（二）国际建筑市场的政治环境

与国际建筑市场有关的政治因素有5点。

1. 政府干预

国家政府干预建筑市场的方式一是政府直接参与国际工程承包经营活动，二是政府对经营活动进行控制。政府参与表现在三方面：政府垄断本国建筑市场，阻止外企进入本国市场；政府作为业主直接从事工程项目发包活动；政府作为外国企业的合作经营者。政府控制是通过货币和财政政策影响市场定价和信用，并用法律形式体现出来；因此，承包商应了解目标市场国的法令、规章及其与别国（含本国）的差异。

2. 政治体制及其方针政策

政治体制和方针政策是制定经济政策、贸易法令、条例规章、税率等的前提，了解它有利于估量进入该目标市场的可能性和前景。

3. 政府政策的稳定性

因为目标市场国的政策是否稳定对从事国际工程承包的企业关系重大。政策变化、社会动荡往往对承包商造成威胁。应取向于政局稳定，政策较少变化的市场。

4. 国际关系

企业的商务活动，反映了一种国际关系。本国与目标市场国的关系影响着国际工程承包商的经营活动。目标市场国与各国的关系对国际承包商进入该国市场也有影响，因此除对某一国的政治经济环境进行分析外，也要对其在国际中的地位和影响作分析。

5. 民族与宗教

民族与宗教矛盾普遍存在，如果矛盾激化，会严重影响国际建筑市场。

基于以上分析，国际工程承包企业进入国际市场中的目标市场时，应认真研究分析政府在经济中的作用、经济及政治的意识形态、国际关系与其所处地位、企业与政府间的关系等等政治因素，以便利用机会，减少威胁。

（三）法律环境

对国际建筑市场有影响的法律环境主要由各国的法律制度和有关国际规则构成。承包商一方面根据法律规定进行经营活动，另一方面应利用法律保护自己的正当权益。所以了解目标市场的法律环境对国际承包企业非常重要。法律环境由政治环境衍生，所以企业要了解政治环境，以便决定企业活动如何在现在与将来利用法律环境。

国际建筑市场有着复杂的法律环境。一般企业必须面临三方面的法律，包括国内法律、国际商法、目标市场国法律。企业决策者应考虑三个问题：哪些企业经营策略会受到法令的限制？由于政府管制措施或行政手续的改变会产生哪类成本？法律法令的改变会给企业提供哪些可利用的机会？

1. 国际法与国际经营

国际法是国与国之间形成的、具有法律效力的条约、惯例和协定的集成。国际法涉及两个或两个以上主权国，对国际工程经营活动有重要影响。很多国际条约和惯例直接影响工程的经营决策，包括：

(1) 友好通商航海条约与税收条约。

(2) 国际货币基金组织和世界贸易组织。

(3) 联合国国际商法委员会。

(4) 国际标准化组织（ISO）。

(5) 专利法。

(6) 地区性组织与国际法。

国际工程承包企业应认真研究"经济合作与开发组织"一类国际组织的行为规则，它们往往对跨国经营有具体规定。也应认真研究各国在法律事务上的合作趋势的加强。承包商不应只考虑单个国家的法律条文，必须设计出具有协调意义的战略。

2. 各国法律与国际经营

各国都有自己的商法，对其境内的商业活动无时无处不发挥着影响。但各国的商法显然各具特点，国际工程承包企业对目标市场国的商法必须熟知。

由于各国的法律不尽相同，所以国际工程承包商必须针对自己的目的分别对各目标市场国有关法律进行研究。一个国家的各方面的法律十分庞杂，工程承包商没有必要熟悉其全部法律内容。但为了涉足目标市场国的业务，通过当地律师或自己的同行了解与工程承包业务有关的法律条款则是十分必要的。这些方面的法律通常包括：公司法、投标法、经济合同法、移民法、劳动法与社会保障法、税收法等。

承包商最好聘请一位当地律师，定期或不定期地提供法律咨询服务，有时可担当诉讼代理。经验教训表明，花钱聘请律师是值得的，这可避免或减少损失，维护承包者的正当权益。

3. 国际建筑市场经济纠纷的解决

（1）法律争端的裁定。国际上不但没有一个公认的法律制度来满足此要求，而且也没有一个被广泛接受的法律机构来解决国际经营中的争端。

国际间既然无所谓统一的国际商法，因此国际工程承包商必须认真研究东道国的法律，以避免一些不必要的冲突。一旦发生纠纷，可寻求下列三种方法作为裁决的依据：

1) 以合同内规定的裁决方法为准；
2) 以合同履行所在地的法律为准；
3) 以合同签订地的法律为准。

（2）国际争端的解决。在国际工程承包经营活动中，当事人之间难免会发生各种纠纷，根据国际惯例和我国法律，一般采取的解决方法是：先由双方直接友好协商解决；经过协商不能解决时，则在双方自愿的基础上通过调解或仲裁裁决；没有书面协议提交仲裁，可以向人民法院起诉。因此，当事人对国际工程承包经营活动的经济纠纷可以采取协商解决、调解解决、申请仲裁和诉讼。

（四）社会文化环境

文化是一个社会全体成员表现的和长期以来形成的行为特性总和。文化的构成要素包括物质文化、语言文字、审美观、教育、民族主义、商业惯性等，这些都对企业经营产生影响。

（五）技术环境

技术是指人的所有行事方法的知识总和，它直接影响到企业的经营管理。"技术环境"主要是指企业目标市场国家的科技发展水平及其应用程度，另外还包括科学技术对社会经济文化各方面的影响。

国际工程市场经营活动在很大程度上为科学技术力量所左右。由于各国科技进展水平及其应用程度有着极大差异，科技力量对于各国社会经济生活领域的影响也不尽相同，而国际工程市场面临着复杂的技术环境。

企业进行国际建筑市场技术环境分析时可以从三方面考虑：

一是项目本身的技术难度，有高难技术项目、中等技术难度项目和无特殊技术要求项目，要根据自身技术水平及盈利可能选择承包。

二是国际工程项目竞争者的技术能力。与之竞争必须进行技术能力对比，分析竞争态势，方能处于主动地位。

三是目标市场国的技术水平。可从其基础设施、城市规划、建筑材料和设备等方面看出其整体技术水平及其与国际水平接近的程度。但必须明确，决定国际建筑市场技术环境水平高低的主要因素是工程所在国的经济实力。

（六）自然环境

一个国家的地形、地势和气候等自然因素是评价该国市场时必须考虑的重要因素。地理特征及气候特点对国际市场的发展具有一系列的影响。

（七）环境的机会和威胁

环境中既存在着机会，也存在着威胁。机会可遇而不可求，稍纵即逝，不可多得；威胁即风险，应加以防范。

1. 环境机会

当前国际建筑市场总的来说虽不算景气，但因经济发展的不平衡，各国社会发展的不同需求，工程承包业仍有不少的有利条件和机会。

东亚、东南亚国家经济快速发展，是全球经济最活跃的地区。这些国家经济的高速发展，必然带动建筑业的兴旺发达。交通、能源、通讯、住宅等等基础设施比较薄弱，需要大力发展。发达国家的加工业、建造业由于其工资高、劳力短缺、成本高，纷纷在这一地区投资办厂，新建项目越来越多。

过去的局部战争或地区冲突已经停止，可转向恢复经济搞建筑。长期闭关锁国的国家转向对外开放，国际金融机构也积极给予财政支持，使得经济恢复发展，开放市场，从而也扩大了国际建筑市场。发达国家人口老龄化，也增加了对初级劳务的大量需求。发达国家高科技的发展，伴随着新型产业的诞生，也对国际建筑承包市场提出新的需求，刺激了工程市场向新的领域拓展。

上述建筑市场环境机会的出现，要求建筑承包业以新的姿态迎接这些不断扩大的需求。因此，近年来出现了向大型化、国际化、集约化发展的趋向。西方国家大的工程承包公司凭借其丰富的经验和应变能力、雄厚的实力先行了一步。我国的建筑承包企业认清了这一新的动向，也紧随其后，在国际建筑承包市场上争得尽可能多的份额。

2. 环境威胁

国际建筑市场在发展，我国的建筑承包企业亦应随之发展，否则就可能掉队落伍，甚至被挤出国际建筑市场。这是建筑承包企业时刻不能麻痹大意的。除此之外，单就市场环境本身而言，也存在着环境威胁，即环境风险。诸如政治风险、经济及商务风险、经营管理风险、建设环境风险和不可抗力风险等。

种种环境威胁给承包商带来的重重困难及由此产生的经济损失，工程承包企业必须从对投标项目选择、编标作价到项目实施等各个环节，仔细识别可能发生的各方面的风险，用科学的方法进行评估，并在此基础上制定防范风险的措施，才能防患于未然，或尽可能地减少各方面的损失。

风险在本质上是永远存在的，保险学上的所谓消除风险，实际上是指在最小成本水平上承受风险。控制风险的含义指通过各种技术经济手段将风险减小、分散或转移。风险管理的基本手段有五种：即风险回避、风险抑制、风险自留、风险集合、风险转移等。这些基本手段有以下几点。

1) 风险回避。放弃对风险较大国家的投资计划；断绝与风险较大区域的贸易往来；闭关自守，不参与国际工程市场经营活动，不受任何国际经济政治因素的影响。风险回避固然减少了国家风险对企业的威胁，但同时也失去了国际经济竞争的机会和获得利益的机会，这是较为消极的手段。作为战略，回避风险是下策，但作为战术，它却大有用武之地。

2) 风险抑制。采取多种措施减少风险实现的概率（可能性）及经济损失程度。如加强对本国派出经理、技术人员和工人驻地及工作场所的警戒，防止当地宗教冲突和内乱的骚扰；与东道国企业合作经营，得到认同，而少受政治风险的困扰。

3) 风险自留。指对一些无法避免和转移的风险采取现实的态度，在不影响企业根本或大局利益的前提下承受下来。

4) 风险集合。指大量同类风险发生的环境下，各国企业联合行动以分散风险损失并降低防范风险发生的经济成本。

5) 风险转移。保险是最典型的风险转移机制。企业在海外建筑市场经营可购买风险保险将风险转到保险人身上去，或者要求当地信誉好的银行、公司或政府为了提供担保，万一发生不测事件，担保者须给予一定补偿。

此外企业应积极开展公共关系活动，对东道国的经济和文化作出贡献，在当地树立良好的企业形象，改善与当地政府和社会团体的关系。这样做并不能完全消除由政治环境造成的风险，但至少可以减少某些风险发生的频率和可能性。

(八) 国际建筑市场的微观环境

1. 竞争者环境

首先，可向招标单位（业主）索取已通过资格预审批准参加投标的企业名单，得知其名称、国别及其合作伙伴（可能是当地企业，也可能是外国企业），通过资审的企业不一定都去购买招标书参加投标，因为它看到投标企业名单后，认为竞争对手强劲，可能决定提前退出竞标。也有的企业买到招标书后通过详细审标，并结合现场勘察，认为项目难度大、风险大或自己中标希望不大，主动放弃投标。这种情况屡见不鲜，有时通过资审的企业有二、三十家，开标时只有八、九家参加竞标。

对通过资审的企业（有些可能不参加投标），根据过去掌握的情况进行分类排队，挑出主要竞争者进行分析。

(1) 他们过去几年在国际建筑市场参加投标的中标率及其经营业绩（盈、亏及索赔情况等）如何。

(2) 他们过去的价格水平及近几年来价格水平的走向如何。

(3) 他们在目标市场当地是否已有工程，如有，要了解其已完工程或正在施工的项目情况，以及在邻国承包工程的情况。因为该企业可能就近利用现有设备为新投标工程服务，从而可以降低投标报价，占据优势。

(4) 注意竞争者与招标项目的资金来源和咨询单位的关系，以免忽略主要竞争者。

2. 业主环境

研究业主环境主要从以下几方面进行：

(1) 资金是否落实。对国际金融机构贷款或双边国家贷款项目，要进一步了解外汇贷款所占的比重及本国配套资金是否已经落实。资金完全是本国自筹的项目，应看它是否列入财政预算，是否能执行计划、按期付款。对于私营工程项目，应对其资金来源背景、业主的支付能力及信誉作详细了解。

（2）业主支付信誉。如果资金来源落实，还要了解支付信誉，谨防上当受骗。

（3）业主的管理能力。体现在编制资审文件和招标文件、签约、实施、竣工验收的全过程中和对项目的管理同国际标准接轨程度。能否认真履约、控制进度、质量和如期完工，是衡量业主代表个人素质和工作能力的尺度。

3. 中介组织环境

"中介"可以是组织，也可以是个人。其工作内容很广泛，如提供信息、协助公关，代办手续与索赔、代购某些商品等。中介组织多是工程项目所在国的，也有第三国的。

在市场经济体制的国家，中介组织（或个人）通常都不难找到，但找到一个得力的代理并不容易。经济越发达，这类组织越活跃。在聘请或委托中介组织（或个人）时，要通过各种可靠渠道对他们的能力和资信进行调查和评估，仔细筛选，活动能量不大、起不到作用的代理不能聘，更要防止上当受骗。代理的报酬一般根据其"业绩"支付。

三、国际建筑市场信息

（一）国际建筑市场信息概述

1. 国际建筑市场信息的概念与用途

国际建筑市场信息是国际建筑市场上各种经济活动的数据、资料、情报的统称，可用来反映国际建筑市场活动的变化、特征和趋势。对于承包企业决策者来说，准确的市场信息可以为市场预测提供依据，为报价决策提供支持，为经济控制提供手段，为市场竞争提供力量，为提高经济效益提供条件。

国际工程承包商应对它可以竞争的工程项目作出市场评估。对工程项目信息首要的要求是为市场和工程项目评估服务，并指引企业对今后发展作出最佳决策。评估人员要求的信息如下：某地区的新客户或工程项目；从目前的客户那里寻找新业务；了解工程项目目前的进展情况；识别正在竞争本项目的企业；确定这项工程如何融资，筹资活动是否与提供资金国家的企业有关，决定企业所能提供的满足项目需要的最佳服务范围，是否需要与其他企业合作。

2. 国际建筑市场的信息类别

（1）国际建筑市场需求信息。即国际工程项目业主方面的信息：哪些项目将进入国际工程承包市场；项目的使用目的和环境；业主对项目的价格、质量、专业化程度的要求等；工程所在地的技术经济条件和自然条件。该信息可用来把握机遇。

（2）国际建筑市场供应信息，即国际市场上对承包企业经营活动所需资源供应的信息。该信息可用来决定承包商的投资方向。

（3）国际建筑市场竞争信息。竞争者是谁？主要竞争者的资金、技术状况，竞争者以往所承包工程的状况，如质量、服务水平、价格等；竞争者的利润额、市场占有率、经营战略与策略等；某些竞争者成功的原因；竞争结构和竞争强度。该信息可为国际工程承包企业制定竞争战略和策略提供依据。

（4）宏观环境信息：项目所在国的方针、政策、法律、经济、政治、自然资源等。

（5）有关本企业的市场信息：本企业在国际上同行业中的地位、知名度、市场占有率；

业主方对本企业的信誉、服务质量、定价水平的评价。这些信息有利于评价自身的经营状况并为企业发展服务。

（二）国际建筑市场信息的收集

1. 收集国际建筑市场信息的原则是准确、全面、及时、适用和经济。

2. 国际建筑市场的信息来源有第一手资料（亲自调查获得）和第二手资料（别人已整理过的资料），而以后者为多。第三手资料的来源是：国家贸易促进机构；专门国际机构，如世界银行、亚洲开发银行、经济合作与发展组织、欧洲经济共同体、英联邦秘书处等；国家机构；计算机数据库、互联网；商业机构一级的出版物；商会、行业协会出版物；涉及商业信息的通讯；贸易期刊；信息来源或信息服务的摘要与索引；商业电信服务；由联合国开发计划署提供资金建立的非政府机构；地区性出版物即期刊；已出版的出口或对外贸易的专著；有关人员讲话；海外业务考察与联系。

3. 国际建筑市场信息的收集方法

主要有调查法、索取法、交流法、采购法、摘录法等五种。

（三）国际建筑市场信息的分析、处理与传递

1. 国际建筑市场的信息分析。得来的大量信息要进行整理、分析，才能适合需要。分析工作包括：判断信息的准确性；分析信息间的相互关系；分析信息的变化规律。

2. 国际建筑市场信息的加工处理。

加工处理包括组织处理和技术处理。组织处理是对所取得的市场信息进行整理、归纳、分类，把粗糙的信息变成能够满足需要的信息；技术处理是把信息中的特殊情况加以技术处理，使之恢复本来面目，呈现规律，以正确反映国际建筑市场活动情况。

3. 国际建筑市场信息的传递

国际建筑市场信息可用书信、电话、电报、传真、电子邮件等方式传递。

（四）国际建筑市场信息的存储、使用与反馈

1. 国际建筑市场信息可用文件资料存储，也可用计算机存储。为了便于检索，可按信息来源分类，也可按信息内容分类。

2. 国际建筑市场的信息可自用于对外承包经营决策，确定投资、竞争、发展等战略及定价、投标等策略；也可供他人使用，用信息换回自己有用的其他信息或获利。

3. 建立市场信息反馈体系，有利于提高市场信息的使用质量，及时发挥经营管理中的问题。国际工程承包企业应完善市场信息反馈制度。

四、国际建筑市场调查与定价

（一）国际建筑市场的调查

1. 调查内容

（1）市场环境调查。调查的内容包括：政治环境、经济环境、文化环境、自然环境及人文情况。

（2）项目调查。项目调查为承包商进行投标成本分析提供信息。调查的内容包括：招标机构的要求，材料、设备供应等。

（3）业主情况调查，主要是对资金供应情况调查。

（4）竞争情况调查。调查内容包括：参加某一地区市场竞争或参加某一具体招标项目竞争的公司名称、国别及与当地合作的公司名称；参加竞争的公司的能力和过去几年的工

程承包实绩；对贷款国当地公司的优惠条件。

（5）市场商情调查。包括：同类建筑的一般造价资料；当地的劳务价格水平；当地的电力、水和其他动力及燃料价格水平；当地生产的普通材料价格；当地不生产而必须进口的材料和设备应采取多渠道询价；调查工程所在国境内将发生的各项费用；当地施工机具的租赁费用；当地各类物资在近几年内的涨价幅度。

2. 国际建筑市场的调查实务

（1）市场调查原则是计划性、针对性、时间性、系统性和科学性。

（2）市场调查的组织机构有多种形式，如咨询公司、国内经济合作公司、驻外机构、信息机构、业务考察等。调查人员的组织工作包括：调查人员甄选、培训及监督管理等。

（3）市场调查工作应按计划进行。调查计划的内容有：调查目标、调查范围、调查目录、资料来源、调查预算、日程安排、调查结果报告形式。

（4）市场调查步骤包括：调查准备→正式调查→资料整理→资料分析研究→提出调查报告。

（5）市场调查方法：利用各国电讯、报刊杂志、书刊；委托国际、国内较大的信息或咨询部门；寻找合适的中间代理人；通过我国或本企业的驻外机构调查；通过对客户实地调查；通过组团出国调查；通过国内外贸公司调查；在日常业务活动中注意信息积累；通过进出口部门、银行、研究团体和商会发表的报告或材料调查。

（二）国际建筑市场定价

1. 国际工程的价格构成及影响因素

国际工程的价格由工程成本和利润构成。工程成本包括人工费、材料费、机械设备的购置使用费、施工管理费和其他费用；利润是承包商的纯收入，工程利润的数量通过规定利润率计算。

在国际建筑市场中，工程价格受下列因素影响：

一是市场要求因素。承包商要想高价承包工程，必须具备雄厚的实力，充分满足业主的需求。

二是市场竞争的因素。对于一般工程，竞争者较多，其定价必然低；对于特殊工程，当只有少数承包商具备满足工程要求的该技术水平时，市场竞争减弱，其订价必然较高。

三是工程所在国的政治、经济情况。

四是当地的法律、税收政策。影响工程造价的法律法规通常有：经济法、劳动法、各种税法、经济合同法、金融法、外汇管理条例等。对外国承包商征收的税种有合同税、营业税或生产税、印花税、法人收益税、个人所得税、进出口关税等。

五是当地劳动力、材料、燃料、机械设备和机具的价格，直接影响工程成本。

六是当地自然条件和气候情况。

七是工程施工条件。

2. 定价目标。在工程定价时应同时考虑几种定价目标。以一种目标为主，其他目标为辅。

（1）以获取最大利润为定价目标。追求最大利润包括两方面的意义：一是追求长期总利润最大化，这不等于追求最高价格下获利，而是从中标率高和获利多的战略观点考虑。二是要从承包商自身整体经营效益考虑。当新进入某国，往往采用低价策略，目的是开拓市场，招徕更多承包项目，从而在整体上获得更大利润。

(2) 以取得一定的投资收益率为定价目标，即先定资金利润率目标，再确定价格。

(3) 以保持稳定的价格为定价目标。稳定的价格通常是获得一定的目标收益的必要条件。这种方法可保承包商长期获得稳定的利润。

(4) 以保持或提高市场占有率为定价目标。

(5) 以应付或防止价格竞争为定价目标。

3. 定价程序

制定工程价格的程序。第一，是认真研究招标文件，通过研究吃透招标文件，明确合同规定的承包商应完成的工程组成和范围，明确工程项目分项划分包括的内容，理出招标文件中含糊不清的问题，明确合同文件对工期、延期罚款、奖励、工程保险、第三方责任险、投标保函、预付款保函、履约保函、工程保修、工程保留金、税收、外汇比例、付款条件等要求和规定。第二，选择定价目标。定价目标实际上是承包商确定该工程的利润水平，故其基本要求是要符合自身的战略目标。是特殊工程还是一般工程、为盈利还是为占领市场、竞争者多还是少，其定价目标是不同的。第三，估算工程成本。工程成本是最低价限，应按实物计算法计算准确，以作为定价的基础。第四，分析竞争对手的竞争实力和定价策略。如果自身比对手资历及服务质量高，可定高价，否则应以低价取胜。第五，确定最终价格。必须对各种可能因素全面分析后再作最终定价决策，在以成本为中心、以需求为中心和依竞争为中心的三种定价方法中选择满意的一种进行定价。

4. 国际建筑市场的定价方法

(1) 以成本为中心的定价方法。

这是一种以承包商意图为中心的定价方法。其计价基础是收回支出的全部成本，再考虑一定利润。所以这种定价方法要做好两项工作：一是估算工程成本，二是确定利润的"加成率"，其计算公式是：

$$工程价格＝工程成本（1＋加成率）$$

可变因素是加成率。不同时间、不同地点、不同市场环境，加成率不尽相同。该法的主要优点是计算简便，保证承包商可获得正常利润率。但这种方法没有考虑业主方的利益，且这种计算科学依据不足。

(2) 以需求为中心的定价方法。这是以市场导向观念为指导的定价方法，认为工程实施的目的是为了满足业主的需求，就应该以业主对工程价值的理解和认识程度为依据。首先要估计和测定项目在业主心目中的价值水平，然后根据业主所理解的项目价值及对工程质量与服务水平的认可程度来制定工程价格。当确定价格与业主认可的水平大体一致时，业主就会接受这个价格。判断业主对工程价值的理解程度可采用诊断评议法，即用评分法对工程的类型、功能、质量和可靠性、服务水平等多项指标进行打分，找出各因素指标的相对理解价值，再用加权平均法算出理解价值。

(3) 以竞争为中心的计价方法。

这是根据竞争者的报价来定价的方法，一般通过招标、投标的过程实现。

五、国际建筑市场的服务与咨询

(一) 国际建筑市场服务

国际建筑市场服务是指参与工程建设各方为完成工程项目所提供的各种类型的服务，主要包括下列内容：

1. 投资决策阶段进行可行性研究。上述服务由咨询公司受业主委托提供。

2. 工程设计阶段通过招标选择勘察设计单位,也可由进行可行性研究的咨询公司承担。

3. 工程招投标、签订合同阶段的服务内容,包括:准备招标文件、刊登广告或发邀请函、资格预审、发售招标文件、投标准备和投标、开标、评标、签订合同,在这个过程中,国家贸易促进机构、世界银行、商业信息公司等可提供市场信息服务;咨询公司提供招标的组织服务,包括准备招标文件、代理招标、评标、向业主推荐中标人、与中标者洽商签订合同;国际金融组织提供贷款服务及技术服务等;承包商代理人的服务包括协助公关、业务咨询、业务代理。

4. 施工阶段的服务。包括业主提供的服务,承包商提供的服务和监理工程师提供的服务。

(1) 业主提供的服务,包括:提供建设用地,并按期向承包商移交施工场地;按合同规定向承包商提供正式图纸,提供施工所必须的水文、地质资料,以及其他与工程有关的技术资料和基础数据;协助承包商向本国政府申请办理承包商派来人员的入境签证和居住证等手续,办理承包商在施工中所需要的设备、机具、材料等的申报入关和完工后的出境手续;派遣驻现场的监理工程师;向承包商提供在工程施工中所需的水、电及其他当地资源和设施,按合同规定提供工程所需的一般工人;按合同规定及时验收完工的分项工程、隐蔽工程;全部工程的竣工验收,接收完工的合格工程项目;支付经审核后应付的工程价款和其他款项。

(2) 承包商提供的服务,包括:组织现场施工,为此,必须编制好施工项目管理规划、进行有效的项目管理,保证合同要求的质量、工期、造价全面实现,交出业主满意的产品。

(3) 监理工程师的服务职责。监理工程师受业主委托,签订服务合同,以第三方的地位,监督施工合同的实施,进行工期、质量和造价控制,协调施工中以业主和承包商为主的关系,达到业主的购买要求(建设意图),维护国家和公众的利益。

(二) 国际建筑市场咨询

在国际上,工程咨询已形成市场。由于国际咨询市场具有高风险性,故需要大量信息,高智能人才,丰富的咨询经验。当前多被发达国家所垄断。我国的国际咨询能力尚很弱,所以面临着开拓国际咨询市场的任务,为此,应发展咨询力量,研究咨询科学,熟悉国际咨询业务。

国际工程咨询业务有三项特殊要求,一是工程咨询服务必须适应工程项目所在国政策法规的要求;二是必须了解客户所在国的语言、文化、风俗和地理环境;三是服务必须符合国际标准或所在国标准,以便参与国际竞争。

国际工程咨询业务包括:(1) 设计与工程服务;(2) 技术服务;(3) 经济服务,包括资金的筹集和收支计划制订;(4) 管理服务,如进行管理规划、目标制定与评价、管理人事安排等;(5) 技术培训。

根据实践经验的总结资料可知,进入国际工程咨询市场的方式很多,主要的方式有:(1) 在每个目标市场指定一位代理人,公司与该代理人签订代理合同,委托他在当地开展业务。(2) 如果条件允许,在选定的目标市场建立办事处。(3) 在目标市场组建一个公司,或与这类公司组成联营公司。(4) 与本国或国外某些承包商联合,共同开拓海外市场。(5) 发展一个地区组织,负责目标市场所在国的本企业业务。(6) 在公司内部指定一位专家，负责本公司咨询服务"销售"，直接推销本公司的服务。

海外工程咨询业务的扩展，必须争取政府的支持。政府可将国有工程的部分咨询任务授予本国咨询公司或要求外国公司与本国公司联合进行咨询服务；政府也可给予财务资助或帮助本国企业与本国驻外使馆的商务部门取得联系。政府还可以制定有利于工程咨询服务出口的贸易政策。

第三节 开拓国际建筑市场

一、国际建筑市场开拓

（一）开拓国际建筑市场的意义

我国应建立国际建筑市场开拓战略，努力发展国际工程承包事业，其意义在于：

第一，开拓国际建筑市场可以充分利用我国的劳动力资源，为我国过剩劳动力的分流提供重要渠道。我国的农业机械化、现代化步伐的加快，地少人多矛盾的存在，使得农业大量产生剩余劳动力。解决剩余劳动力有两条途径：一条是在国内努力消化，增加就业门路，向城镇转移；二是发展国际劳务市场，既开拓了就业机会，又能赚回外汇。

第二，为出国人员增收入，为"四化"建设创汇。我们的方向应是，努力使我国对外工程承包和劳务合作的收入达到发达国家水平。使劳务输出创汇在我国的国际收支中占据重要地位，成为一项稳定可靠的外汇来源。

第三，为我国的经济建设引进外国的先进技术和管理经验。发展国际工程承包与劳务合作，是引进先进技术和管理经验的一种最经济、最简便、最有效的途径。将学来的先进技术和管理经验在国内推广，必将对国内建设发挥巨大作用。

第四，带动我国与建筑业有关的行业对外输出，如金融、保险、运输、邮电等。

第五，有利于我国对外交往，增强我国与世界各国的相互理解和支持。

（二）开拓国际建筑市场的有利条件和不利条件

1. 有利条件

(1) 我国建筑业有非常庞大的劳动力队伍，有比较雄厚的技术实力。

(2) 我国已经具备了较多的对外工程承包经验。我国建筑业对外交往的历史已有30多年。建成了大量项目，有了对建设大中小型项目进行设计、发运设备材料、组织施工、设备安装、调研、人员培训的经验，在国际上有了广泛信誉。

(3) 我国在世界许多国家设有驻外经济机构，可以协助国际工程公司了解情况，追踪招标信息，与当地政府商洽承揽项目事宜。

(4) 我国已有几十家国际经济技术合作公司，专门从事对外工程承包和劳务合作工作。

(5) 党和国家十分重视开拓国际建筑市场，包括提供贷款、银行担保、保险、物资供应、收益留成与分配、出国人员待遇与奖惩等，都有支持性的具体规定，这是对外工程承包和劳务合作发展与兴旺的重要保证。

2. 不利条件

(1) 劳务输出总水平偏低。

(2) 经济效益不理想。我国的劳务成本比国际劳务市场平均劳务成本每月高100～200美元。我国的工程承包公司和劳务合作公司在承包工程时带动设备、材料出口很少，绝大部分在国外购买,势必减少大量外汇收入。

(3) 结构单一,地区狭窄。我国派出的劳务人员,绝大多数通过承包工程派出去,多为建筑技术工人和工程技术人员。我国对中东市场比较重视,对穷国则重视不够,一些潜力较大的国际建筑市场尚未开拓。

(4) 经营能力差。我国对外承包工程和劳务合作公司的经营方式呆板,对国际劳务市场的灵活经营做法不习惯。融资能力差,技术和装备水平相差悬殊,故不敢进行总承包,拿不到大项目。

(5) 国际工程咨询发展滞后于工程承包及劳务输出。我国的咨询和监理公司基本还没有走出国外,在国际工程咨询市场所占份额极小,在国内的世行、亚行投资项目,负责咨询和监理的,也几乎全是国外公司,说明我们的差距太大。

(6) 对出国承包管理不力。目前,对出国承包管理体制不集中,多头对外,协调不得力,各公司缺乏联系,各行其是,自相压价,出口手续繁杂,审批周期长,队伍不稳定,人员素质低,缺乏竞争实力,这些都对进行国际工程承包造成不利影响。

(三) 我国对外工程承包的开拓

1. 国际工程承包现状

我国到国际建筑市场开展工程承包和劳务合作业务,则是国家实行改革开放政策后才起步的。1979年我国才开创国际建筑事业,当年成交额只有5117万美元,以后逐年发展,1979～1985年间以82%的平均速度增长,以后各年发展速度虽稍有下降,但到1994年国际承包成交额即已达到60.27亿美元,营业额48.77亿美元,到1994年底在外执行合作的劳务人员达21.99万人。见表10-1。

我国国际承包历年指标完成情况表(单位:万美元) 表10-1

年 度	成 交 额	营 业 额	年 度	成 交 额	营 业 额
1979	5117		1987	174300	110322
1980	18513		1988	217168	142966
1981	50345	17017	1989	221241	168637
1982	50673	34805	1990	260350	186741
1983	92386	45152	1991	360900	197000
1984	173749	62267	1992	658500	304900
1985	126475	83484	1993	680000	450000
1986	135888	97334	1994	602700	487700

1984年中国建筑工程总公司率先进入世界250家国际大承包公司行列,1989年又有中国公路桥梁工程公司、中国冶金建设公司、中国水利电力对外公司四家进入250家国际大承包公司行列,到1993年又增加到9家公司进入世界225家大承包工程公司行列(从该年起已由250家改为225家)。这9家公司的对外合同总额达21亿美元,居世界大承包工程公司所属国的第9名。到1995年,有23家公司进入225家大公司行列,这23家公司的营业额为30亿美元,居大承包公司所属国的第8名。

我国建筑业已登上国际建筑市场的竞争主舞台。我们是经历了一条由单一劳务合作——工程分包——合作、联合承包——独立总承包——房地产及多元化经营的发展过程。我们由过去单纯提供劳务,单纯搞施工,到现在能总承包,并组织国际上几家大公司共同实施完成一个项目，开拓多元化经营通路，分散风险，获取利润，这是在竞争中的一个飞跃。我们已完成由产品生产者到商品生产者的第一次飞跃，正在向商品生产经营者、向资本经营者的第二次飞跃过渡。其特征是：以资本为中心开展经营，求得资本实力的不断扩张的经营。其作法是形成以资产为纽带的母子公司管理体系，逐步形成跨国集团公司，在经营方式上以主业为主导，转向多元化的资本经营，多方获利，分散风险，这是我们的发展道路。

2. 吸取国际先进经验，改进我们的工作

(1) 我国建筑业海外承包创汇发展的潜力是很大的。只要我们锐意改革，采取正确的政策措施，将会使我国建筑业较快成为国民经济支柱产业，并带动机械设备、劳务出口及建材工业的发展并创汇。

我国海外承包1979年才起步，那时只能为他人作嫁衣裳，单纯提供劳动。例如我国某海外工程公司为某医院工程项目提供劳务分包，日本大成公司总包，该项目投资6500万美元，劳务费只350万美元，只占总投资的5.4%。可见总包利大，还掌握设计材料、设备选用主动权，能带动国内设备，材料和劳务出口，把对外承包业务做活做大。现在我们已有一定的经营规模和经营能力，对外承包公司已发展到160余家，各省市都有自己的对外承包公司。我们要充分发展中央、地方两支力量，组成合力，使中国建筑业在国际市场上更具有竞争力。

(2) 我们也应从225家国际大承包公司排名表中看到差距，采取对策，改进工作。

1993年列入225家国际大承包公司中的我国9家公司的国外合同额总计为21亿美元，1995年我国增加到有23家公司，国外合同额总计30亿美元，说明我们有进步、有发展，发展速度还是较快的。但是与发达国家比较起来，差距还是很大。1993年我国列入排名表的9家公司的总对外合同额21亿美元，只占当年国际承包市场营业额的1.3%，比排在225家大承包公司前10名的各单个公司的营业额都小，如美国的约翰·布郎/戴维公司，美国的弗卢尔·丹尼公司营业额都在100亿美元以上。1995年我国列入排名表的23家公司对外合同总额为30亿美元，占当年国际承包市场营业额的3.25%，但比排在225家国际大承包公司前4名的单个公司的营业额都少，如排在第4名的法国布依格公司国外合同额就达31.69亿美元。这表明我们的公司规模较小，实力不强，海外工程承包市场占有额低，创汇不多，通过对外承包带动建材、设备出口额也就较少，这亟须国家政策支持，实行大集团战略，吸取国际先进经验，认真改革，加强管理，努力开拓。

3. 当前国际承包市场的特点

世界已进入大开放时代，全世界生产的产品在30多年前只有1/10投入国际市场，今天平均有1/5国民生产总值与对外贸易有关，全世界跨国公司大约有4万家母公司和25万家设在世界各地的子公司，其生产总值占世界国内生产总值的25%，贸易量占全球贸易成交额的1/30。1995年跨国公司投向其他国家和地区的资本总额高达2.6万亿美元。(1996年3月22日《经济日报》) 生产国际化、资本国际化、技术国际化、劳务国际化、土地国际化(指土地作为生产要素介入国际贸易行列，包括土地转让、开发、建立特区等)，这表明世界已进入一个越来越开放的时代，作为后起开放国家的中国建筑业，只有加大开放力度，了解国际承包市场的特点，采取对策，才能赶上世界国际化潮流，求得生存与发展，这些特点是：

(1) 国际承包市场进入 90 年代以来,已由原来的卖方市场转变为买方市场,公司林立,竞争加剧,利润下降。国际承包公司海外利润率在剧烈竞争中不断下降,70 年代中期利润率 20% 以上,1978 年后下降为 15%,80 年代中期以来更下降到 5% 左右,这次《工程新闻纪录》公布的 1994 年国际 225 家国际大承包工程公司统计资料表明:它们在国内市场赢利的有 179 家,平均利润率为 5.5%,亏损的有 16 家;在国际市场上赢利的有 171 家,平均利润率为 8.51%,亏损的有 22 家。许多国际大承包公司常采取以低价夺标策略,获得总包地位,靠掌握设计、材料及设备选用主动权,带动国内材料设备出口,获高额利润,把对外承包业务做活做大。

(2) 发包国多系发展中国家,带资承包方式盛行。

80 年代初出现的投资、设计、施工总承包和近年来 BOT 方式的兴起,为业主解决项目所需资金已成为夺标的关键。

(3) 支付方式多样化。承包工程项目支付方式因资金缺乏,趋向多样化,有采用实物支付的,有支付全部或部分当地货币的,有要求延期付款、提供信贷等,承包公司的风险增大。

(4) 保护主义增长。某些国家规定外国公司必须与当地公司合营方能取得项目投标权,有的规定外国公司必须雇用当地代理人才能参加项目投标,有的国家则规定本国公司能干的项目不得发包给外国公司承建,某些国家规定只允许世界银行及外资项目可以让外国公司参加投标,还必须雇用部分当地劳工等。

(5) 劳动密切型的土建项目减少,技术、资本密集型的项目增加,智能型建筑迅速发展。智能型建筑,它通过构筑在大楼皮肤(墙壁)内各种控制传导系统,使大楼象人一样的遍布全身的神经网络和中枢神经,使主人随时随地能获得多种信息,包括温度、光线、通风、烟气、消防、节约、保卫、传真甚至个人的健康状况等一系列高水准需求,并得到满足。这就要求设计、施工和管理等多方面提高水准,发展新体系。

(6) 技术领先,先进技术成为项目中标的重要因素。

在国际市场竞争上技术领先是一家公司将竞争对手远远抛在后面的关键,如我国国际投标的引大工程,意大利 EME 公司以技术先进,日进尺 50m,高于日本熊谷组的 6m,中国的 2m。1994 年 225 家国际大承包公司名列榜首的美国特法佳工程与建筑公司宣布今后四年的目标是将其技术业务扩大两倍,改进技术和发展国际通讯网络,使不出办公室即可查找现场资料和解答问题。

4. 政策支持,努力开拓

国际承包竞争剧烈,我国公司必须适应国际市场的特点,深化体制改革,加强经营管理,转变经济增长方式,增强竞争和应变能力;国家政策上也要大力支持。这样我们才能在强手如林的国际承包市场中拼搏,并求得更快的发展。

(1) 加强全国性的有权威的海外承包协调机构,统一指挥,实行内部联合,统一对外方针,防止内部互相竞争,肥水外流。要健全法制,严格执法。有些企业以为实行市场经济就可以一切不向政府报告,我行我素,自由行动了,在投标中自相残杀,压价,这是十分错误的。市场经济不是放任自由经济,市场经济国家如日本、韩国的海外建设协会组织的主要任务是:1) 协调对外承包力量和利益,制定对外承包战略;2) 调解在国外同一市场上国内企业之间经济矛盾,指导、裁决海外承包公司的投标活动;3) 广泛收集市场情报,向对外企业发布商情信息。我们应加强这方面的机构，加强执法力度。

(2) 多方集资、融通资金、建立海外发展基金。

我国自打入国际承包市场以来，其主要问题之一是资金不足，影响了业务的开展应建立基金，以便支持国际承包竞争中的需要，如给已中标者以低息贷款，出具多种保函给以金融保证等。日本的海外建设促进基金协会成立于1979年9月，主要对海外建设企业提供投标前调查的低息贷款，对海外工作人员进行培训、进修，收集国外建设情报等。韩国也有类似规定，对在海外承包到5000万美元以上的项目，国家银行、基金会给以担保和贷款等。荷兰政府规定，对海外发包单位投标时，本国承包公司参加国际投标而未能中标者，政府对该公司的投标前调查费给予补助。

(3) 改革对外承包公司体制，建立起国内企业与对外承包公司的总分包体系，使之规范化。

目前有些对外承包公司搞"窗口经营"，获得项目后交国内企业实施，只凭自己有对外承包权作项目贩子收费，其他一切不管。这种作法对造就人才和提高经济效益都不利，应该杜绝。

(4) 加强对外联合以提高竞争能力。

运用"优势联合"，这是近几年在大型的技术较复杂的工程上常采用的方式，以提高竞争能力。我们看到国际225家大承包公司之间既是竞争对手，在大项目上又是合作的伙伴。不同国籍的承包公司联合是国际承包市场的一大特点，这是竞争剧烈促成的。联合的目的是发挥资金、技术、廉价劳动力及地利的优势，以期在竞争中获胜。韩国通过与西方公司的联合，已挤进拉美和澳大利亚承包市场，我们也应根据本身特点，适应潮流，加强联合，在联合中壮大自己。

(5) 建立承包工程、劳务合作同贸易相结合的体制。

现在国际承包工程中，货币支付能力下降，我们又没有能力提供大量买方信贷承包大工程，如果不接受补偿贸易，实物支付，只做现款生意，则开拓市场就受限制。因此我们应迅速建立起承包工程同贸易结合、有条件的更可同金融结合的体制，接受国内需要或可能转口的某些初级产品，以提高竞争能力，扩大国际承包市场。

(6) 政府政策鼓励。

现在各国政府都在进行经济外交，政府代表团带同许多企业家同往，签订项目意向书，这既加强了各国的友好往来，又扩大了经济联系，还使企业打开了国际市场。

(7) 提高人员素质。

在国际市场竞争中，在某种意义上说是人才竞争，我们的职工长期在计划经济模式下从事建设工程，缺乏市场经济商业化竞争的经验，也不熟悉国际惯例、法规、规范，所以转向社会主义市场经济除在实践中学习外，更要加强培训。

二、我国企业开拓国际建筑市场的对策

(一) 基本方针

我国发展对外工程承包和劳务合作的基本方针是：守约、保质、薄利、重义；统一计划、统一政策、联合对外；平等互利、讲究实效、形式多样、共同发展。

(二) 我国发展对外承包与劳务合作对策

1. 面向海外，与国际惯例接轨。主要是在行业标准、规范、结构上接轨。

2. 加强对国际工程市场信息的研究。

3. 合理筹资,扩大融资渠道,解决企业资金不足障碍。政府为外向型的国际工程承包公司提供财政支持、财政金融部门更好地支持对外工程承包和劳务合作。

4. 调整企业结构,加强横向联合,走综合化、集团化经营的道路,参与国际市场竞争。在集团内部建立统一的人才、资金、设备、劳务市场,建立内部竞争机制,调动各方面的积极性,努力提高企业的竞争力。

5. 加强多层次高级复合型人才的培养。派出人员一般分为四个层次:第一层是决策层,应具有敏锐的观察力,熟悉国际市场的运动规律,有高超的领导艺术;第二层次是参谋班子,具有丰富的经验和全面的专业知识,精通外语,有一定的组织和协调能力;第三层是项目管理班子;第四层是技术工人队伍,特别要下功夫培养高级管理人才——经理级人才。

6. 广开渠道,实现多元化劳务输出。今后出口劳务仍然应由国家和企业有组织地进行,这是重点。但还须鼓励个人自谋出国渠道,实行劳务输出自由政策。

7. 加强对国内的国际工程市场管理。我国承包商在开拓国外市场的同时,应适当承揽一些国内的外商投资项目,以壮大实力,取得经验。

(三) 我国发展对外劳务合作的思路

现在国际劳务市场采用的劳务市场输出方式有:

1. 由对外承包建筑工程带动劳务出口,其特点是大批量、有组织、好管理。

2. 在国外开办独资、合资、合作生产经营企业所派出的经营管理人员、技术人员和技术培训人员。这种方式的劳务输出可以做到长期、稳定。

3. 按劳务合同派出的工程技术人员、管理人员、海员、技工、厨师、医生、护士以及体育教练等。

4. 境内劳务输出,即在本国境内为国外雇主提供纯劳务,收取劳务费。

当前我国应制定以中东、非洲和原苏联、东欧市场为重点的全方位开拓对外劳务合作的地区发展战略。

三、我国建筑市场国际化趋势

(一) 对外开放基本情况

随着我国改革开放的不断深入,大批外资涌入中国,我国建筑市场已成为国际建筑市场的重要组成部分,越来越多的境外企业进入我国承包工程。

中国工程建设领域对外开放的范围广阔,主要方式有:

1. 允许外国投资者在中国境内举办合资或合作的工程承包公司、房地产开发公司、建设监理单位、工程造价咨询单位等;

2. 允许外国企业在中国境内进行工程总承包、联合承包或者分包;

3. 允许外国监理工程师对在中国境内建造的三资工程以及国外贷款工程进行监理;

4. 允许外国承包商及其他企业在中国境内派驻代表机构。

中国建筑业对外开放的主要措施有:

第一,加强立法,完善有关法规。目前已颁发的法规有:建设部1994年3月22日第32号令《在中国境内承包工程的外国企业资质管理办法》及1994年6月16日建设部第410号文《在中国境内承包工程的外国企业资质管理办法实施细则》;1995年9月18日建设部、对外经济贸易合作部建第533号《关于设立外商投资建筑业企业的若干规定》。

第二，改革管理体制，向国际通用作法靠拢。改革开放以来，中国的工程建设领域先后实行了工程项目招投标制、工程项目监理制、工程项目管理制以及工程标准合同文本制等。这些作法的施行，与国际承包惯例相一致，更加方便了外国承包商在工程建设领域业务的开展。

第三，中国的建筑市场已从允许境外企业到中国承包工程进入到允许境外企业到中国投资建筑业企业，标志着中国建筑市场进入进一步开放的新阶段，已日益成为国际市场的组成部分。

（二）关于境外企业来中国承包工程的管理

根据《在中国境内承包工程的外国企业资质管理暂行办法》及《在中国境内承包工程的外国企业资质管理暂行办法实施细则》，境外建筑业企业不是中国的法人，并不属于中国的企业，但允许其进入中国境内承包工程，承包工程范围为：

1. 全部由外国投资或赠款建设的工程；
2. 国际金融组织贷款，采用国际公开招标的工程项目；
3. 国内企业在技术上难以单独承包的中外合资建设的工程；
4. 国内投资的建设工程，如确有特殊项目国内企业难以单独承包的，经省级建设行政主管部门批准后允许外国企业与中国建筑企业联合承包。

目前在我国境内19个省市正在开展承包工程并已取得《外企资质证》的境外承包商有119家，其中建设部批准的31家，地方批准的88家。

（三）关于外商投资中国建筑业企业的管理

根据建设部、外经贸部联合颁布的《关于设立外商投资建筑业企业的若干规定》的要求，外商（包括台、港、澳地区的投资者）投资建筑业企业是指中外合资、合作经营土木建筑工程，线路、管道及设备安装工程，建筑装饰装修工程的新建、扩建、改建活动的企业（目前，暂不允许设立外商独资建筑业企业）。

设立外商投资建筑业企业，除符合中国有关法律、法规规定的条件外，还应具备以下条件：

(1)申请设立外商投资建筑业企业的中方必须是取得二级以上资质证书的建筑业企业；外方必须是具有较高的技术、管理水平，有良好信誉并取得企业法人资格的建筑企业。

(2)能够引进或采用先进建筑技术和设备，并能够在工程建设和经营管理方面培训中方职员。

(3)注册资本符合以下要求：一级建筑施工企业的注册资本不低于1000万美元；二级建筑施工企业的注册资本不低于500万美元；三级建筑施工企业的注册资本不低于160万美元。一级建筑装饰装修企业的注册资本不低于200万美元；二级建筑装饰装修企业的注册资本不低于150万美元；三级建筑装饰装修企业的注册资本不低于60万美元。

设立外商投资建筑业企业的审定与审批：外商投资建筑业企业设立的审定、审批，实行分级管理：

(1)申请设立一级资质外商投资建筑业企业由建设部审定，对外经济贸易合作部审批。

(2)申请设立二级资质外商投资建筑业企业由省级建设行政主管部门审定，省级外经贸部门审批。

(3)中方合营者为国务院直属企业，由建设部审定，经贸部审批。

【案例 10】

老挝建筑市场综合分析

1. 基本情况

老挝属亚洲内陆国家,面积24万km²,人口450万人,其中农村人口占85%,成人识字率50%。

1993年人均国民生产总值290美元。国民经济总产值中农业占56.3%,工业和服务业各占17.4%和24.3%,其他占2%。年经济增长率为5.9%,通货膨胀率为6.3%。年外贸出口额为2.1亿美元,进口额为3.7亿美元,外贸逆差1.6亿美元。官方外债12亿美元,每年从国外获取的低息贷款和赠款较多,除平衡贸贸逆差、偿还外债本息外,尚有少量盈余。1993年底外汇储备额1.51亿美元。

老挝属热带雨林气候,一年为两季:5~9月为雨季,10~4月为旱季。有2/3的国土地处海拔200~2800m的山区,交通不便,影响了经济发展。森林面积占国土的47%,但多系制造家具的硬木,建筑用材尚需进口。矿藏资源丰富,但因受技术和资金限制,其储量、埋藏条件等尚未全部查清。水能资源也较丰富,总蕴藏量为1500万kW,可开发的有1000万kW,现已建成三座水电站,总装机20万kW,占可利用量的5%。

工业基础薄弱,且水平低,大部分商品靠进口。交通运输、通讯等基础设施很差,首都居民50万人,到1995年底尚没有一辆公共汽车或出租汽车,也没有交通警察。

由于文化教育、卫生医疗条件差,婴儿夭折率很高。工业、建筑业不发达,缺乏合格的技术工人。国民笃信佛教,民风朴实、谆厚,但不够勤快,建筑工人多来自邻国。

该国政局稳定,社会秩序和治安良好。由于实行对外开放政策,得到国际金融机构援助,近几年来经济发展较快,处于由计划经济向市场经济转轨阶段。1990年实行私有化以来,全国500家国有企业已大多实现或正在实施私有化。1994年2月批准的外国投资法及8月实行的工商企业经营法和税法,为国内、外企业参与其经济活动提供了法律依据。另外,1993年以来还颁布了企业法、土地基本法和自然资源法等,逐步完善了经济法规。

1993年国家总收入2.02亿美元,其中税收占59%,非税收占18.8%,外国赠款占22.2%;总支出2.37亿美元。财政赤字0.35亿美元,靠外国贷款(占赤字的65%)和出售国有资产(占赤字的35%)来解决。

老挝政府和联合国开发计划署、亚洲开发银行、国际货币基金组织的经济技术合作项目正在实施,已批准了1994年~2000年的公共投资项目框架。其中1994年~1995年财政年度投资1.467亿美元,到2000年,6个财政年度投资总额为13.4亿美元。这些项目主要集中在交通(公路、铁路、水运和航空)和能源两大部门。交通项目侧重于与领国的联系和国内的主干道。该国能源虽较丰富,但因处于偏远山区,开发和运输均很困难。全国矿物燃料(燃油、天然气)消耗的65%仍要靠进口,农村80%的燃料取自于树木砍伐。因为收效快、创汇快,目前该国仍集中力量开发水电。除上述公共基金和软贷款外,该国政府也欢迎私人投资(BOT方式)开发水电。在未来15年内,计划增加水电装机500万kW。

尽管新的经济发展计划在实施,按人均国民生产总值衡量,老挝仍是世界上最贫穷的国家之一。国民发展指数为0.385,在世界173个国家中居133位。

总之，老挝建筑市场在近几年刚刚形成，尚在不断发育、完善中。由于其市场环境较好，吸引了许多欧、亚大企业参加角逐。

2. 市场环境分析

(1) 政治局势

该国政治稳定，社会治安状况良好。给建筑市场的正常发展创造了良好的环境。老挝与周边邻国的友好关系，为人员往来和物资交流提供了方便，也促进了经济和国际工程市场的发展。

(2) 项目资金来源及发展规划

老挝与国际金融机构商定的中、近期发展规划，已经第五次日内瓦圆桌会议批准，且正在实施中。因此，招标的资金来源是可靠的。据悉，近五年内所规划的项目，该国政府已聘请有经验的咨询公司为其编制招标文件或做前期工作。因此，如无特殊变故，近10年内在该国的所有工程项目在招标、发包方面资金是有保证的，且大多是现汇项目。

(3) 招标项目的性质及技术要求

因该国基础设施落后，招标项目集中在交通和能源方面的项目上，绝大多数都是以土木建筑为主的工程。虽然规模上有大小，但技术上无特殊要求，有经验的省级以上的中国承包企业均可胜任。

(4) 招标资金要求

据了解，从90年代开始，老挝政府一直在积极寻找除前述国际金融机构提供的公共基金和软贷款以外的外国投资者共同经营水电领域的"BOT"项目。政府与这些开发商已签订了从1994年～2000年的大部分"BOT"项目，其中政府参股25%～60%不等。中国是一个资本输入国，而不是资本输出国，因此中国企业很少在国外经营"BOT"项目。而老挝建筑市场也有许多现汇项目，这是中国企业竞争的重点。

(5) 业主支付能力和信誉

前面已指出，项目资金来源是按计划由国际金融机构支持的，是可靠的。因而业主的支付能力是有保证的。从建筑业同行了解到，该国业主在国际招标项目上有较高的信誉。

(6) 外债、外汇管制及货币的稳定性

1993年底该国外债12.02亿美元，大部分为长期、低息贷款。其中欠国际金融组织4.47亿美元，欠东欧及前苏联7.311亿美元，欠日本、中国、法国0.236亿美元。1993年应支付外债本息0.134亿美元，仅占当年出口额的4.5%。这一数额相对较低，还是有能力支付的。

外汇管制较宽松，当地货币可自由兑换外币。官方及市场换汇比相对稳定。自1990年至1995年初，市场价格当地币与美元的兑换率一直保持在703∶1至705∶1。1995年下半年汇率急剧变化，突破1000∶1大关，政府抛出美元进行干预，至1996年2月，一直保持在920∶1左右。估计在今后一、两年内，会稳定在1000∶1以下。

(7) 工资、物价水平和通货膨胀率

老挝80%的人口生活在农村，人均耕地面积与周边国家比是最高的。农业产值占国民总产值的56%。粮食自给自足，是一个不发达的农业国。工业和服务业均不发达，城市劳动力就业率仅为71%。职工收入每月50～60美元，食品支出占个人总消费的62%，居民购买力较低。通货膨胀率从1990年以来逐年下降，1993年底降至6.3%。工资水平、物价水平及通货膨胀率与邻国相比较低，这也是社会较稳定的原因之一。

(8) 建筑市场现状和经营基础

进入90年代以来,外国企业陆续进入该国建筑市场参与竞争。因当地承包企业实力弱,无力与外来者抗衡,致使国际招标的项目大多落在外国企业之中,包括中国、日本、意大利、瑞典等国的企业,主要集中在公路、桥梁和水电项目上。一些西方大企业因其国内建筑市场饱和,加上他们传统的非洲建筑市场因经济不景气而逐年萎缩,因而转移至亚洲来,尤其盯住了当今世界经济增长最快的东亚和东南亚地区。有人比喻老挝为"国际工程承包市场未被开垦的处女地"。最近某水电项目招标,通过资审的企业就有20家,且多为国际知名的大承包商。可见竞争之激烈。

有无良好的国际工程承包市场的经营基础,对于市场的开拓和发展是十分重要的。在老市场,承包商经营过项目,已取得了良好的信誉,建立了良好的人际关系(尤其是与业主的关系),并且有可靠的代理人等,这些都是良好的经营基础。同时老挝市场若有可利用的施工设备和物资,可降低投标报价以争取新项目。如果是新市场,不具备上述经营基础,就增加了竞争夺标、进入市场的难度。中国企业大多不具备如60年代日本企业以低价或赔本价(即策略性亏损)挤进市场、盈得立足之地与欧美企业相竞争的实力。幸好老挝是一个刚刚建立的工程承包市场,对多数承包商来说都是新的,大家同处在一个起跑线上,中国企业完全有能力与之竞争。

(9) 自然环境与施工条件

老挝属内陆国家,距邻国最近的港口也有数百公里,运费较高;每年旱季六、七个月,一月份气温最低,为16.4℃,四月份气温最高;无地震灾害;边远地区仍流行恶性疟疾。

交通、通讯、供电等基础设施差。工程项目多在丘陵、山地的原始丛林区,进场道路长,且有一定难度。承包商需自己解决给排水、供电、通讯设施等。

当地砂、石料场规模小而分散,承包商需自己寻找料场自己开采。水泥、钢材、木材等建筑材料均需进口。由于当地缺乏技术熟练工人,必要时需从邻国引进。

3. 评价意见

老挝政治稳定,社会秩序良好;经济发展较快,通货膨胀率较低,工资、物价水平基本稳定;项目资金来源可靠,业主有支付能力和良好的信誉;招标项目无技术难度;改善基础设施的招标项目均可免税。因此,各国承包商都积极参与投标。当然,由于该工程承包市场发育不甚成熟,施工条件相对较差,给经营管理增加了难度。因此,承包商在制定施工方案、作标价时,要小心谨慎。

综上所述,对我国企业来说,老挝不失为一个较好的国际工程承包目标市场。

思 考 题

1. 国际建筑市场的业主、承包商和中介组织各有什么特点?
2. 为什么要了解国际建筑市场的各种环境?
3. 影响国际建筑市场定价的因素有哪些?定价程序如何?有哪些方法?
4. 国际建筑市场服务包括哪些内容?怎样取得这些服务?
5. 我国开拓国际市场有哪些有利条件和不利条件?
6. 我国应怎样开拓国际承包市场?
7. 我国建筑市场的国际化趋势表现在哪些方面?你公司对此持何种态度?

第三篇 房地产市场营销

第十一章 房地产及房地产市场

第一节 房地产及房地产市场的概念

房地产业，是为人类社会的生活和生产活动提供入住空间或物质载体的行业。实行改革开放政策以来，中国的房地产业和房地产市场伴随着整个国民经济的发展而得到了长足的发展。住房制度改革、土地使用制度改革为始于城市综合开发的房地产业的繁荣提供了前提，建设和发展中国特色社会主义市场经济体制以及住宅产业发展成为促进国民经济新的增长点和消费热点的决策，为房地产市场的形成与发展开辟了广阔的前景。应该说，经过近十多年的发展尤其是1993年的宏观调控和1994年《中华人民共和国城市房地产管理法》的颁布实施，我国房地产业的结构体系、市场运行机制和政策法规框架已经初步形成。房地产业在贡献国家经济建设的同时，也正在朝着"国民经济支柱产业"的方向和目标迈进。

一、房地产的概念及特点

（一）房地产的定义

房地产是指土地、建筑物及固着在土地、建筑物上不可分离的部分以及附带的各种权益。固着在土地、建筑物上不可分离的部分，主要包括为提高房地产的使用价值而种植在土地上的花草、树木或人工建造的庭院、花园、假山，为提高建筑物的使用功能而安装在建筑物上的水、暖、电、卫生、通风、通讯、电梯、消防等设备。但由于固着在土地、建筑物上不可分离的部分，往往可以看作是土地或建筑物的构成部分，因此，房地产本质上包括土地和建筑物两大部分以及附带的各种权益。房地产的价值主要受物质实体状况与权益范围两个方面的影响。物质实体是可触摸到的"东西"；权益包括权利、利益和收益，它是无形的、不可触摸的。物质实体是权益的载体。

（二）房地产的特性

1. 位置的固定性或不可移动性

房地产投资最重要的一个特性是其位置的固定性或不可移动性。对于股票、债券、黄金、古玩以及其它有形或无形的财产来说，如果持有人所在地没有交易市场，那么他可以很容易地将其拿到其它有此类交易市场的地方去进行交易，即使这个市场是在纽约、伦敦或东京。然而，房地产就截然不同了，它不仅受地区经济的束缚，还受到其周围环境的影响。所谓"房地产的价值就在于其位置"、房地产不能脱离周围的环境而单独存在，就是强调了位置对房地产投资的重要性。

房地产投资不可移动的特性，要求房地产所处的区位必须对开发商、置业投资者和租客都具有吸引力。也就是说能使开发商通过开发投资获取适当的开发利润，使置业投资者能获取合理、稳定的经常性收益，使租客能方便地开展其经营活动以赚取正常的经营利润并具备支付租金的能力。

当投资者准备进行一项房地产投资时，很重视对房地产所处宏观区位的研究。很显然，租客肯定不愿意长期租用环境日益恶化、城市功能日渐衰退的地区内的物业，而如果没有周围众多的投资来改变物业所处地区的环境，只是某一投资者试图通过对自己投资之物业的改造甚至重建来吸引租客的话，往往是徒劳的。此外，房地产售价的高低，在很大程度上取决于其所处地区的增值潜力，而不仅仅是看其当前租金收益的高低。

由于房地产的不可移动性，投资者在进行投资决策时，对未来的地区环境的可能变化和某一宗具体物业的考虑是并重的。通过对城市规划的了解和分析，就可以做到正确地和有预见性地选择投资地点。

2. 耐久性

土地被认为是不可毁损的，其上的建筑物的自然寿命也会有数十年甚至上百年。因此，相对于其他消费品来说，房地产具有耐久性。房地产同时具有经济寿命和自然寿命（或称物理寿命）。经济寿命结束的标志是物业在正常市场和运营状态下的使用成本超过其产生的收益即净收益为零的时刻。而自然寿命结束的标志是物业重要组成部分的建筑物，由于结构构件和主要设备的老化或损坏，不能继续保证安全使用的时刻。自然寿命一般要比经济寿命长得多。从理论上来说，当物业的维护费用上升到一定程度而没有租客问津时，尽可以让物业空置在那里。然而实际情况是，如果物业的维护状况良好，较长的自然寿命可以令投资者从一宗置业投资中获取几个经济寿命，因为如果对建筑物进行一些更新改造、改变建筑物的使用性质或改变物业所面对的租客类型，投资者就可以用比重新购置另外一宗物业少得多的投资，继续获取可观的收益。

国外的研究表明，物业的经济寿命与其使用性质相关。一般来说，公寓、酒店、剧院建筑的经济寿命是 40 年，工业厂房、普通住宅、写字楼的经济寿命是 45 年，银行物业、商场物业的经济寿命是 50 年，工业货仓的经济寿命是 60 年，而农村建筑的经济寿命是 25 年。应该指出的是，税法中规定的有关固定资产投资回收或折旧年限，往往是根据国家的税收政策来确定的，并不一定和物业的经济寿命或自然寿命相同。

3. 适应性

物业本身并不能产生收入，也就是说物业的收益是在使用过程中产生的。由于这个原因，置业投资者及时调整物业的使用功能，使之既适合物业特征，又能增加置业投资的收益。例如，写字楼的租客需要工作中的短时休息，那就可以通过增加一个小酒吧满足这种需求；公寓内的租客希望获得洗衣服务，那就可以通过增加自助洗衣房、提供出租洗衣设备来解决这一问题。只要不违反政府的有关法律规定，在这方面是有很大作为的。房地产投资的这个特性被称之为适应性。

按照租客的意愿及时调整物业的使用功能十分重要，这可以极大地增加对租客的吸引力。对置业投资者来说，如果其投资的物业适应性很差，则意味着他面临着较大的投资风险。例如对于功能单一、设计独特的餐馆物业，其适应性就很差，因为几乎不可能不花太多的费用来改变其用途或调整其使用功能，在这种情况下，万一租客破产，投资者必须花费很大的投资才能使其适应新租客的要求。所以，房地产投资一般很重视物业的适应性这一特点。

4. 不一致性

市场上不可能有两宗完全相同的物业。土地由于受区位和周围环境的影响不可能完全相同；两栋建筑物也不可能完全一样，即使是在同一条街道两旁同时建设的两栋采用相同设计形式的建筑物，也会由于其内部附属设备、临街情况、物业管理情况等的差异而有所不同，而这种差异往往最终反映在两宗物业的租金水平和出租率等方面。

此外，业主和租客也不希望他所拥有或承租的物业与附近的另一物业雷同。因为建筑物所具有的特色甚至保持某一城市标志性建筑的称号，不仅对建筑师有里程碑或纪念碑的作用，对扩大业主和租客的知名度、增强其在公众中的形象和信誉，都有重要作用。因此，从这种意义上来说，每一宗物业在房地产市场中的地位和价值不可能与其它物业完全一致。

5. 政策影响性

由于房地产在社会经济活动中的重要性，各国政府均对房地产市场倍加关注，经常会有新的政策措施出台，以调整房地产商品生产、交易、使用过程中的法律关系和经济利益关系。而房地产不可移动等特点的存在，使得房地产很难避免这些政策调整所带来的影响。例如，政府的土地供给政策、住房政策、金融政策、税费政策等的变更，均会对房地产的市场价值产生影响。

6. 对专业管理的依赖性

有些类型的投资不需投资者予以特别的关心，也就是说很少需要管理。例如股票投资者不一定必须参与公司的管理，投资基金、债券的人也可以通过其信托人去面对借款人，投资古玩字画的人尽可以将其储存起来完事，投资黄金、白银的人除了要考虑安全因素外也几乎可以将其忘掉。

然而，直接投资房地产就需要管理。房地产开发投资所需要的管理是不言而喻的，但即使是置业投资，投资者也需要考虑租客、租约、维护维修、安全保障等问题。即便是置业投资者委托了专业物业管理公司，那他也要与物业管理人员一起制定有关的市场策略和经营中的指导原则。由于置业投资需要提供物业管理服务，因此就需要花费很大一笔费用，一般来说，物业管理的费用要占到物业全部租金毛收入的10%。此外，房地产投资还需要税务会计师、律师等提供专业服务，以确保置业投资的总体收益最大化。

7. 相互影响性

政府在道路、公园、博物馆等公共设施方面的投资，能显著地提高附近房地产的价值。例如香港东区隧道的建设，使附近的太古城等地段的房地产价值成倍地增长；北京市平安大街的改造工程，也使街道两侧房地产的价值大大提高。从过去的经验来看，能准确预测到政府大型公共设施的投资建设并在附近预先投资的房地产商或投机者，都获得了巨大的成功。

（三）房地产的种类

房地产主要分为两大类，即土地和建成后的物业。下面分别予以介绍。

1. 土地

土地是房地产的一种特殊形态，因为单纯的土地并不能供人们入住的需要。但是由于土地具有潜在的开发利用价值，通过在土地上继续投资，就可以最终达到为人类提供入住空间的目的。因此土地属于房地产的范畴并是其中最重要的一个组成部分。土地又分为未开发的土地和已开发的土地两种情况，前者基本属于农村用地，而后者通常属于城市用地，当然，在一定条件下前者可以向后者转化。从投资的角度来说，城市土地或规划中可以转化为城市用地的农村土地是投资者关注的重点。

依土地所处的状态不同，城市土地又可分为具备开发建设条件、立即可以开始建设的熟地和必须经过土地的再开发过程才能用于建设的生地。生地和熟地之间的价格差异并不仅仅是土地再开发的费用。对于房地产投资者来说，购买熟地进行建设时，虽然土地费用会比购买生地自行完成土地开发（拆迁、安置、补偿）后再建设的方式要高，但由于缩短了开发投资的周期，减少了投资风险，因此是许多投资者愿意选择的方式。一般来说，购买生地的投资者其投机色彩更浓一些。

2. 建成后的物业

所谓建成后的物业，即我们通常所说的已建成投入使用的建筑物及其附属物。按照建筑物的用途不同，这类房地产可以分为下述几种形式。

（1）居住物业。居住物业一般是指供人们生活居住的建筑，包括普通住宅、公寓、别墅等。这类物业的购买者大都是以满足自用为目的，也有少量作为投资，出租给租客使用。由于人人都希望有自己的住房，而且在这方面的需求随着人们生活水平的提高和支付能力的增强不断向更高的层次发展，所以居住物业的市场最具潜力，投资风险也相对较小。此外，居住物业的交易以居民个人的购买行为为主，交易规模较小，但由于有太多的原因促使人们更换自己的住宅，所以该类物业的交易量十分巨大。

（2）商业物业。商业物业有时也称经营性物业或投资性物业，包括酒店、写字楼、商场、出租商住楼等。这类物业的购买者大都是以投资为目的，靠物业出租经营的收入来回收投资并赚取投资收益。也有一部分是为了自用的目的。商业物业市场的繁荣除与当地的整体社会经济状况相关外，还与工商贸易、金融保险、顾问咨询、旅游等行业的发展密切相关。这类物业由于涉及到的资金数量巨大，所以常以机构（单位）投资为主，物业的使用者多用其提供的空间进行经营活动，并用部分经营所得支付物业的租金。由于经营者的效益在很大程度上取决于其与社会接近的程度，所以位置对于这类物业有着特殊的重要性。

（3）工业物业。工业物业是通常是为人类的生产活动提供入住空间，包括重工业厂房、轻工业厂房和近年来逐渐发展起来的高新技术产业用房、研究与发展用房。工业物业既有出售的市场，也有出租的市场。一般来说，重工业厂房由于其建筑物的设计需要符合特定的工艺流程的要求和设备安装的需要，通常只适合特定的用户使用，因此不容易转手交易。高新技术产业（如电子、计算机、精密仪器制造业等）用房则有较强的适应性。轻工业厂房介于上述两者之间。目前在我国各工业开发区流行的标准厂房，多为轻工业用房，有出售和出租两种经营形式。

（4）特殊物业。对于娱乐中心、赛马场、高尔夫球场、汽车加油站、飞机场、车站、码头等物业，我们常称之为特殊物业。特殊物业经营的内容通常要得到政府的特殊许可。特殊物业的市场交易很少，因此对这类物业的投资多属长期投资，投资者靠日常经营活动的收益来回收投资、赚取投资收益。

二、房地产市场的概念

做为房地产投资者或为其服务的专业营销人员，要想准确地分析房地产市场的现状，把握房地产市场的未来发展趋势及其对房地产投资的影响，有必要了解房地产市场的基本概念。

房地产即土地和地上建筑物是一种特殊的商品,不可移动性是其与劳动力、资本、以及其它类型的商品的最大区别。虽然土地和地上建筑物不能移动,但它可以被某个人或机构拥有,并且给拥有者带来利益,因此就产生了房地产交易行为。所以我们可以说:房地产市场是令房地产的买卖双方走到一起,并就某宗特定房地产的交易价格达成一致的任何安排。

房地产市场有时是正式的(如深圳市物业拍卖行),有时是非正式的(如通过物业代理机构或朋友等的介绍)。事实上,要想准确把握买卖双方是通过什么"市场"途径获得信息并达成交易是很困难的。许多报刊杂志都刊登房地产广告,电视广告也越来越多地涉足房地产领域,因此可以认为这些新闻媒体也是市场的一部分。此外,由于房地产市场的地区性和随时间变化的特点,我们所说的房地产市场通常还要有地域和时间范围,从这种意义上来说,房地产市场可以被认为是房地产的买家和卖家在某个特定的地理区域内于某一特定的时间段内达成所有交易的总和。

三、房地产市场的参与者

房地产市场的参与者主要由市场中的买卖双方以及为其提供支持和服务的人员或机构组成。这些参与者分别涉及到房地产的开发建设过程、交易过程和使用过程。每个过程内的每一项工作或活动,都是由一系列不同的参与者来分别完成的。按照在房地产领域的生产、交易和使用过程中所涉及到的角色的大致顺序,逐一加以介绍。应该指出的是,由于所处阶段的特点不同,各参与者的重要程度是有差异的,也不是每一个过程都需要这些人或机构的参与。

(一)土地所有者或当前的使用者

不管是主动的还是被动的,土地所有者或当前的使用者的作用非常重要。为了出售或提高其土地的使用价值,他们可能主动提出出让转让或投资开发的愿望。在我国,政府垄断了国有土地使用权出让的一级市场,当前的土地使用者也对有关土地的交易有着至关重要的影响。我国城市土地的所有权归国家所有,其使用权可以有偿、有限期地出让,土地所有权和使用权可以分离。国家作为城市土地的所有者,不仅要通过城市规划管理来影响建筑物的平面和空间布置,还要限定土地的用途和房地产开发的产品类型、开发地点及具体座落位置。土地当前使用者的影响也不可忽视,即使其使用的土地是由国家无偿划拨的,在土地的出让转让或再开发过程中,也要最大限度地满足其既得利益。同一开发地块上的当前使用者越多,对开发的影响也就越大,因开发商要逐一与他们谈判拆迁、安置、补偿方案,遇上"钉子户",不仅会使开发周期拖长,还会大大增加房地产开发的前期费用。

(二)开发商

房地产商从一个人的皮包公司到大型的跨国公司有许多种类型。其目的很明确,即通过实施开发过程获取利润。房地产商的主要区别在于其开发的物业是出售还是作为一项长期投资。许多小型房地产商大都是将开发的物业出售,以迅速积累资本,而随着其资本的扩大,这些开发商也会逐渐成为物业的拥有者或投资者,即经历所谓的"资产固化"过程,逐渐向中型,大型开发商过渡。当然,这里也有优胜劣汰的过程。对于大型房地产商来说,由于其资金雄厚,对所开发的物业既可出租也可出售。例如嘉理集团参与开发的北京国贸中心、中国国际信托资公司开发建设的京城大厦等均用来出租,以获取更高的投资收益并使其投资组合更为合理。当然,对于居住物业来说,不管是大公司还是小公司,开发完毕后一般都用来销售,这是由居住物业的消费特性所决定的。

房地产商所承担的开发项目类型也有很大差别。有些开发商对某些特定的开发类型(如商场或住宅)或在某一特定的地区搞开发有专长,而另外一些公司则可能宁愿将其开发风险分散于不同的开发类型和地点上,还有些开发商所开发的物业类型很专一但地域分布却很广甚至是国际性的。总之,开发商根据自己的特点、实力和经验,所选择的经营方针是有很大差别的。

在经营管理上,开发商的风格也有较大差异。有些开发商从规划设计到租售阶段,均聘请专业顾问机构提供服务;而有些开发商则从规划设计到房屋租售乃至物业管理,均由自己负责。开发商在社会中的总体形象并不太好,虽然他们大都拥有巨额资产。但客观地说,房地产商大都是创业者,他们的工作是融创造者、推销商、谈判家、经理、领导者、风险管理者和投资者的特征于一体的极具挑战性的工作,知识、智慧、经验和决策艺术,是开发商成功的根本。

(三) 政府及政府机构

政府及政府机构在参与房地产运行的过程中,既有制定规则的权力,又有监督、管理的职能,在有些方面还会提供有关服务。开发商从购买土地使用权开始,就不断地和政府的土地管理、城市规划、建设管理、市政管理、房地产管理等部门打交道,以获取投资许可证、土地使用权证、规划许可证、开工许可证、市政设施和配套设施使用许可、销售许可证和房地产产权证书等。作为公众利益的代表者,政府在参与房地产市场的同时,也对房地产市场其他参与者的行为发生着影响。

房地产开发投资者对政府行为而引致的影响相当敏感。建筑业、房地产业常常被政府用来作为一个"经济调节器",与房地产有关的收入又是中央和地方政府财政的一个重要来源,而对物业的不同占有、拥有形式又反映了一个国家的政治取向。所以,房地产开发投资者必须认真考虑政府的政策和开发的态度,以评估其对自己所开发或投资项目的影响。

中国政府近年来很重视房地产业的发展,并为此颁布了一系列的法律、法规,如《中华人民共和国土地管理法》、《中华人民共和国城市规划法》、《中华人民共和国城镇国有土地使用权出让和转让暂行条例》、《外商投资开发成片土地暂行管理条例》、《中华人民共和国城镇土地使用税暂行条例》、《中华人民共和国土地管理法实施细则》、《中华人民共和国土地增值税征收条例》和《中华人民共和国城市房地产管理法》及其配套法规等。各级地方政府也颁布了一系列有关房地产开发、经营、交易、税收、权属管理等方面的具体规定。政府及其有关部门对国家经济政策、人口政策、产业政策、税收政策、金融政策、特区和开发区优惠政策等的研究,也为房地产开发投资者预测未来的市场供求、确定投资开发的方向提供了重要依据。

在社会主义市场经济条件下,政府对发展房地产业的政策取向集中体现在两个方面,即通过计划管理手段对房地产市场宏观上的总量调控和通过市场机制的房地产市场供求关系、价格水平的自动调节。一般说来,政府可以通过调整土地供给来间接地干预市场,对房地产交易价格不做过多的限制。但政府要时刻关注市场的发展,适时通过有关政策,影响并调整市场参与者的行为,抑制市场的不正常发展。例如,1993年国家对房地产市场成功的宏观调控,成为对我国房地产市场健康发展具里程碑的事件。1998年加速住房制度改革,启动住宅市场,使住宅产业成为促进国民经济发展的新经济增长点的决策,又为中国房地产市场的发展提供了新的机遇。投资者在安排房地产投资项目时，必须考虑政府干预对房地产市场及项目本身可能产生的影响。

（四）金融机构

房地产投资过程中需要两类资金，即用于支付开发建设费用的短期资金即"开发融资"和项目建成后用于支持使用者购买房地产的长期资金或"抵押贷款"。由于房地产的生产过程和消费过程均需大量的资金，因此金融机构的参与对房地产市场的运行异常重要。

由于房地产方面的银行贷款大多可以用物业作为抵押，风险相对较小，所以国外金融机构对房地产的贷款竞争很激烈。例如香港的许多银行在向市民提供购楼贷款的同时，还附送家庭财产保险或火险等，以吸引顾客。随着我国金融体制的改革和商业性银行的出现，尤其是房地产抵押法规的陆续出台，许多金融机构都在积极发展有关房地产抵押贷款业务，交通银行、建设银行、工商银行和中国银行等已经开始了这方面的业务。

（五）建筑承包商

房地产商往往需要将其建设过程的工程施工工作发包给建筑承包商。但承包商也能将其承包建安工程的业务扩展并同时承担附加的一些开发风险，如购买土地使用权、参与项目的资金筹措和市场营销等。但承包商仅仅作为建造商时，其利润仅与建造成本及时间有关，承担的风险相对较少。如果承包商将其业务扩展到整个开发过程并承担与之相应的风险时，它就要求有一个更高的收益水平。但即便如此，承包商往往能够承受较低的利润水平。因为承包商为了维持其相对庞大的施工队伍，当建筑市场的中需求减少时，也可能通过自己投资来开发一些项目。但对于绝大多数承包商来说，其主要专长还是开发过程中的建筑施工阶段。开发商在选择承包商时，不仅要考虑其过往的业绩，资金实力和技术水平，还要审核其具体施工方案、工期、质量目标和报价。但过低的报价也不是开发商所希望的，因为这可能导致日后频繁的索赔甚至偷工减料。开发商更不愿意看到其所雇佣的承包商在承建其建筑工程的过程中遭到破产的厄运，因为那样很可能会使开发项目的竣工变得遥遥无期。

我国的建筑业经过近几十年的发展已经日趋成熟，国际通用合同形式及先进管理手段和机制的引入，更使得建设过程中的风险因素大大减少。所以，只要在开发商和承包商之间签订了工程承包合约，就基本能保证项目建设的顺利进行，开发过程中施工阶段的风险和不确定性因素就会变得容易控制。

（六）专业顾问

由于房地产开发投资及交易管理过程相当复杂，房地产市场上的大多数买家或卖家不可能有足够的经验和技能来处理房地产生产、交易、使用过程中遇到的各种问题。因此，市场上的供给者和需求者很有必要在不同阶段聘请专业顾问公司提供咨询顾问服务。这些专业顾问人员包括：

1. 建筑师。在房地产产品的生产过程中，建筑师一般承担开发建设用地规划方案设计、建筑设计、建筑施工合同管理等项工作。有时建筑师并不是亲自完成这些设计工作，而是作为主持人来组织或协调这些工作。在工程开发建设中，建筑师还负责施工合同的管理，工程进度的控制。一般情况下，建筑师还要组织定期技术工作会议、签发与合同有关的各项任务、提供施工所需图纸资料、协助解决施工中技术问题等。

2. 工程师。房地产开发中需结构工程师、建筑设备工程师、电气工程师等。这些不同专业的工程师除进行结构、供暖、给排水、照明,以及空调或高级电气设备等设计外,还可负责合同签定、建筑材料购买、建筑设备订货、施工监理、协助解决工程施工中的技术问题等项工作。

3. 会计师。会计师从事开发投资企业的经济核算等多方面工作,从全局的角度为项目投资提出财务安排或税收方面的建议,包括财政预算、工程预算、付税与清帐、合同监督、提供付款方式等,并及时向开发投资企业的负责人通报财务状况。

4. 经济师及造价工程师。经济师及造价工程师负责开发成本的费用估算、编制工程成本计划、对计划成本与实际成本进行比较、进行成本控制等项工作。

5. 估价师及物业代理。估价师在有关房地产交易过程中提供估价服务,在房地产产品的租售之前进行估价,以确定其最可能实现的租金或售价水平。房地产估价师在就某一宗房地产进行估价时,要能够准确把握该宗房地产的物质实体状况和产权状况,掌握充分的市场信息,全面分析影响房地产价格的各种因素。物业代理或经纪人通常协助买卖双方办理出租出售手续,同时还协助委托方制定与实施租售策略、确定租售对象与方法、预测租售价格。

6. 律师。房地产产品的生产、交易和使用过程中,均需要律师的参与,为有关委托方提供法律支持和服务。例如开发商在获得土地使用权时,需签订土地使用权出让或转让合同;出租或出售物业时需签订租赁契约,这都离不开律师的帮助。

(七) 消费者或买家

每一个人和机构都是房地产市场上现实的或潜在的消费者。人人都需要住房,每一个机构都需要建筑空间从事其生产经营活动,而不管这些房屋是买来的还是租来的。消费者在房地产市场交易中的取向是"物有所值",即用适当的货币资金,换取使用或拥有房地产的满足感或效用。但如果说市场上的买家,则主要包括自用型购买和投资型购买者两种。购买能力是对自用型购买者的主要约束条件;而对投资型购买者来说,其拥有物业后所能获取的预期收益的大小,往往决定了其愿意支付的价格水平。

第二节 房地产市场的分类

从识别和把握房地产宏观市场环境的角度出发,我们可以按照地域、房地产的用途和等级、交易目的等标准,对房地产市场进行分类。

一、按地域范围划分

房地产的不可移动性,表明其受地区性需要的依赖程度很大,这决定了房地产市场是地区性市场,人们认识和把握房地产市场的状况,也多从地域的概念开始,因此按地域范围对房地产市场进行划分,是房地产市场划分的主要方式。

地域所包括的范围可大可小,由于房地产市场主要集中在城市化地区,所以最常见的是按城市划分,例如北京市房地产市场、上海市房地产市场、北海市房地产市场等。对于比较大的城市,其城市内部各区域间的房地产市场往往存在较大差异,因此常常还要按照城市内的某一个具体区域划分,如上海浦东新区房地产市场、北京亚运村地区房地产市场、深圳市罗湖区房地产市场等。从把握某一国家房地产市场状况的角度,除按城市划分外,还可以按省或自治区所辖的地域划分，如海南省房地产市场、山东省房地产市场等。当然我们还可以说中国华北地区房地产市场、美国房地产市场、东南亚地区房地产市场、亚洲房地产市场、世界房地产市场等。但一般来说，市场所包括的地域范围越大，其研究的深度就越浅，研究成果对房地产投资者的实际意义也就越小。

二、按房地产的用途和等级划分

第一节我们已经介绍了按用途划分房地产类型的情况，由于不同房地产类型间的从投资决策、规划设计、工程建设、产品功能、面向客户的类型等方面均存在较大差异，因此需要按照把房地产的用途类型，将其分解为若干副市场。如居住物业市场（含普通住宅市场、别墅市场、公寓市场等）、商业物业市场（写字楼市场、商场或店铺市场、酒店市场等）、工业物业市场（标准工业厂房市场、高新技术产业用房市场、研究与发展用房市场等）、特殊物业市场、土地市场（各种类型用地市场）等。

根据市场研究的需要，有时还可以进一步按物业的挡次或等级细分，如甲级写字楼市场、乙级写字楼市场等。

三、按房地产交易形式划分

按照《中华人民共和国城市房地产管理法》的规定，房地产交易包括房地产转让、房地产抵押和房屋租赁。由于同一时期、同一地域范围内某种特定类型房地产的不同交易形式，均有其明显的特殊性，因此依不同房地产交易形式对市场进行划分也就成为必然。从土地市场的角度来说，包括国有土地使用权出让和转让两个子市场；新建成的房地产产品交易，存在着销售（含预售）、租赁（含预租）和抵押等子市场；面向存量房屋的交易，则存在着租赁、转让、抵押、保险等子市场。

四、按房地产购买者目的划分

房地产市场上的买家购买房地产的目的主要有自用和投资两个。自用型购买者将房地产作为一种耐用消费品，目的在于满足自身生活或生产活动对入住空间的需要，其购买行为主要受购买者自身特点、偏好等方面的影响。投资型购买者将房地产作为一种投资工具，目的在于将购入的房地产出租经营或转售，并从中获得投资收益和收回投资，其购买行为主要受房地产投资收益水平、其他类型投资工具的收益水平以及市场内使用者的需求特点、趋势和偏好的影响。根据购买者购买目的的不同，可以将房地产市场分为自用市场和投资市场。

五、其他划分方式

根据市场分析的特殊目的，房地产市场还有其他一些划分方式。例如，可以按照房地产产权的特点，将房地产市场划分为完全产权的交易市场和部分产权的交易市场；商品房租售市场、公有房屋租售市场。还可以按照房地产进入市场的时间顺序将其划分为一级市场（土地使用权出让市场）、二级市场（土地转让、新建商品房租售市场）、三级市场（存量房地产交易市场）；增量房市场、存量房市场；一手市场、二手市场。

从辅助投资决策或制定营销策略的角度出发，对房地产市场的把握一般总是要确定其地域、时间范围和所涉及到的房地产类型，如1998年北京市甲级写字楼市场、1997年南京市居住物业市场、1998年北京市商业用房租赁市场等。

第三节 房地产市场的特性及功能

一、房地产市场的特性

要想了解市场是如何有效地通过改变价格来调整房地产的供需变化，就需要对房地产市场的特性进行分析。房地产市场的特性主要表现在以下几个方面：

1. 房地产市场是房地产权益的交易市场

房地产市场交易的对象实际上是附着在每一宗具体房地产上的权益（或权利）而不是土地或物业本身。这种权益可以是所有权（包括占有权、使用权、收益权和处置权），也可以是部分所有权。这种权益一般有明确的界定，而不能象买一件衣服那样把它拿回家去供你任意穿用。例如某人购买了一块土地，只意味着他获得了该土地一定期限内的占有权、使用权、收益权和处置权。这种权利往往还受到各种事先约定的条件限制，如须给其他人以通行权、须受城市规划和建筑条例的约束等。又例如某人在住房制度改革中以成本价格购买了自己的住房，虽然他获得了房屋的产权，但售房条件中规定五年后才允许其在市场上公开转让，五年内如欲转让须按当时成本价格卖与政府或原房屋产权所有者。这都说明人们在房地产上享有的权利不是绝对的、无条件的。但由于这种权利有明确界定，因此是排他的。

2. 地区性市场

如前所述，房地产的不可移动性和受制于区域性需要的特点，决定了房地产市场是一个地区性市场。不同国家、不同城市甚至一个城市内部的不同地区之间，房地产的市场条件、供求关系、价格水平等都是不可比的。例如，北京市东北三环地区是北京市主要的对外商业贸易区，写字楼、酒店林立，西北三环地区是北京市科学、文化、教育和高新技术集中的地区，两个区所依托的具体环境不同，其房地产市场就不可比。1992年有人指责北京市的写字楼租金比美国纽约还要高几倍，乍听起来似乎有道理，但北京市当时的房地产价格基本上反映了当地的供求关系，人们没有道理去指责它，而经过数年的相对变化，1998年北京市写字楼市场租金已基本上等于甚至低于美国纽约的水平，这也没有什么大惊小怪。

3. 要求高素质的专业顾问服务

一般商品市场上的买家和卖家都很了解市场价格变动的最新情况，买卖双方都会去寻找有利于自己的价格，这就使市场能快速而容易地消除同一种商品的价格差异。然而，房地产市场就没有那么简单了。这不仅在于买卖双方都很难及时了解最新市场行情，而且在于交易过程中的费用十分昂贵。绝大多数房地产的购买者是出于自用的目的，而这种购买行为在他们的一生中也不会有几次。只有极少数的人是出于通过房地产投资或投机来达到获取收益的目的。所以对绝大多数购买房地产的人来说，要想了解最新市场行情，并根据自己欲购买的物业所处的位置、类型、建筑物及其附属设施的物理状况等确定购买价格是件非常困难的事。

因此，房地产市场需要专业人员如房地产估价师、物业代理提供服务。虽然估价师对房地产价值的评估带有主观的因素，但由于其专门从事此项工作，又受过专门训练，所以相对来说，他们能获得较新的市场资料，并能通过其市场分析工作，较为准确地预测出市场的变化趋势。而且越是缺乏市场信息的地方，估价师和物业代理在房地产市场运行中的作用就越显重要,因为他们可以根据所掌握的所有房地产交易价格信息,按照客户的意愿去寻找地段、面积大小、价格等都符合要求的物业,帮助或代理客户谈判、为客户安排融资和保险等事宜。

我国房地产市场上的中介服务体系近年来取得了长足的发展,但仍然不能满足房地产市场发展的需要。例如许多人说,买一次房子后,自己也变成房地产专家了。不管他是否真的成为房地产专家,但至少说明一个问题,即由于房地产中介服务体系的不发达,大大降低了房地产市场的运行效率,提高了房地产交易的交易成本。

4. 易于出现市场的不均衡和垄断

要评价市场的有效性,我们还必须分析房地产市场的经济特性,尤其是市场允许自由竞争的程度。也就是要回答诸如买家或卖家是否可以自由地进入市场、市场上是否存在足够多的买家和卖家,使市场不至于少数人的垄断等问题。

总的来说,进入房地产市场是自由的,也有足够的买家和卖家。但是我们也要承认,在某些情况下会出现少数物业持有者垄断、控制市场的情况。这些情况包括:(1) 房地产市场的区域性导致地区市场间的不完全竞争;(2) 资本市场的不完全性可能会阻碍潜在的房地产投资者融入必要的资金以购买某些大型物业;(3) 房地产空间位置的固定性,容易使某些物业的持有者在房地产交易过程中处于比买家更有利的地位。例如在北京市王府井开发区,某开发商拟投资开发一块土地,为了使这块土地得到更有效的利用,提高开发的整体效益,他希望将临近的一小块地也买下来,结果用了半年多时间谈判,最终以高出当地平均地价约 4 倍的价格才达成交易。

二、房地产市场的功能

房地产市场是关于房地产权益交易的市场,这种权益可以具体地表现为所有权、租赁权、抵押权等。房地产市场的最主要的参与者即买家和卖家又可以分为使用者和投资者,前者购买或卖出的是自用物业,而后者则是为了获取投资收益。当然,使用者和投资者的角色可以相互转换,所以有时很难截然分开。

在任何市场上,某种商品的价格反映了当时的市场供求状况。但市场不仅预示市场的变化及其趋势,还可以通过价格信号来指导买卖双方的行为。简言之,价格机制是通过市场发挥作用的。房地产市场的功能,可以分为以下几个方面:

1. 配置存量房地产资源和利益

由于土地资源的有限性,又由于房地产开发建设周期较长而滞后于市场需求的变化,所以必须在各种用途和众多想拥有物业的人和机构之间进行分配。通过市场机制的调节作用,在达到令买卖双方都能接受的市场均衡价格的条件下,就能完成这种分配。

2. 显示房地产市场需求的变化

我们可以先通过一个简单的例子说明市场的这种功能。假如居民想搬出自己租住的房子而购买自己拥有的住宅,则市场上住宅的售价就会上升而租金就会下降。如图 11-1 所示,售价从 OP 升到 OP_1,租金从 OR 降到 OR_1。

引起需求增加或减少的原因主要有这样几个:未来预期收益变化;政府税收政策的影响;收入水平变化或消费品味变化;原用于其它方面资金的介入和土地供给的变化。

3. 指导供给以适应需求的变化

房地产市场供给的变化可能会由于下述两个方面的原因引起:

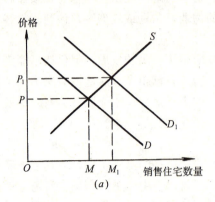 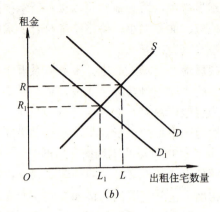

图 11-1 销售和出租住宅需求变化示意图

1）开发建设新的房地产项目或改变原来物业的使用方式。例如在图 11-1（b）中，由于部分需求从出租住宅转向出售住宅，租金价格下降至 OR_1，出租住宅的供给量从 OL 降到 OL_1，LL_1 就可以转换成出售住宅，因为出售住宅的需求量增加了 MM_1。最后形成了均衡价格 OP_1 和均衡租金 OR_1。

2）某类物业或可替代物业间的租售价格比发生变化。根据当地各类房地产收益率水平，同类型的物业都存在一个适当的租金售价比例，例如一般情况下住宅的售价相当于大约 100 个月的租金，如果售价太高，那么对出租住宅的需求就会增加，反之亦然。用途可相互替代的不同类型物业之间的租金售价相对变化也会引起需求的变化，举例来说，北京市 1994 年写字楼物业供给紧张，最高的月租金达到每平方米 110 美元，所以有些酒店和公寓作为写字楼出租，使这三类物业间的供给量发生了相对变化。

应该指出的是，房地产市场供给的这些变化需要一定的时间才能完成，而且受房地产市场不完全特性的影响，这一变化所需要的时间相对较长。同时，对市场供给与需求的有效调节还基于这样一些假设，即所有的房地产利益是可分解的，并且有一个完全的资本市场存在。但实际上这些假设条件是很难达到的。例如银行的信贷政策往往受政府宏观政策的影响，使并非所有的人都能够获得金融机构的支持；为了整个社会的利益，政府还会通过城市规划、售价或租金控制等来干预市场。房地产市场的不完全性，使之不可能象证券市场、外汇市场及期货市场等一样在短时间内达到市场供需均衡。

由于房地产市场通常需要一年以上的时间才能完成供需平衡的调节过程，而新的平衡达到了甚至还没有达到，可能马上又出现新的影响因素而造成新的不平衡，所以用"不平衡是绝对的，平衡是相对的和暂时的"来描述房地产市场是再恰当不过的了。

4．能指导政府制科学地制订土地供给计划

在我国，城市土地属于国家所有，这就为政府通过制定科学的土地供给计划来适时满足全体社会成员生产和生活的需要，调节房地产市场的供求关系提供了最可靠的保证。然而，制定土地供给计划首先要了解房地产市场，通过对市场提供的房地产存量、增量、交易价格和数量、空置率、市场发展趋势等市场信号的分析研究，才能制定出既符合市场需要、可操作性强、又能体现政府政策和意志的土地供给计划。

5．引导需求适应供给条件的变化

例如，随着建筑技术的发展，在地价日渐昂贵的城市中心区建造高层住宅的综合成本不断降低，导致高层住宅的供给量逐渐增加，价格相对于多层住宅逐渐下降，使城市居民纷纷转向购买高层住宅，从而减少了城市中心区对多层住宅需求的压力，也使减少多层住宅的供给成为很自然的事。因此，市场可以引导消费的潮流，使之适应供给条件的变化，这甚至有利于政府调整城市用地结构、提高城市土地的使用效率。

上面我们对房地产市场的功能进行了简单的介绍，目的在于令读者建立起这样一个概念，即如果有足够的时间，每一宗房地产都可以找到其获利最大的状态（最高最佳使用），因为市场价格机制的作用总能使人们获得其所拥有物业的最佳利用方式。然而，房地产市场的不完全性和复杂性，使得达到这种理想的均衡状态几乎成为不可能。

第四节　房地产市场的供求关系

一、房地产市场的需求

从前面的叙述中我们已经知道，需求曲线是一条具有付斜率的向右下方倾斜的曲线，如图 11-2 所示。常识告诉我们，如果其它条件不变，某种商品或服务的价格下降时，其需求数量就会上升，反之价格上升需求就会下降，即对某种商品或服务的需求数量与该商品或服务的价格呈逆相关关系。这里我们强调"其它条件不变"，因为需求数量不完全由价格决定。

设想图 11-2 所说的某类物业是人们特别感兴趣的商品住宅，那么有哪些因素会影响你对商品住宅的需求，或者说有那些市场条件的变化会导致对商品住宅的需求呢？

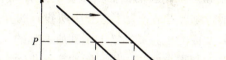
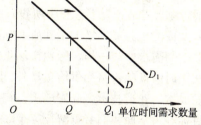

图 11-2　非价格因素变化导致对某类物业的需求变化

1. 收入的变化。一般来说，收入增加会导致对大多数商品需求的增加，从而使需求曲线向右平移。但也有例外，如收入增加导致对商品住宅购买需求增加，但对出租住宅的需求会相应减少。

2. 其它商品的价格变化。画需求曲线时经常假设其它商品的价格保持不变，但实际的市场情形并不一定是这样。例如上海的商品住宅市场，由于多层住宅价格的迅速上升使居民对高层住宅需求的增加，进而导致高层住宅价格攀升，使高层商品住宅需求曲线向右平移。所以，原商品的替代品或在功能上可以互补的商品的价格变化，会影响原商品的需求。

3. 对未来的预期。尽管某种商品的价格不发生变化，但消费者对未来收入、利率和购买某种商品的可能性等的预期也会影响到其对某种商品的当前需求。例如，居民预期未来住房抵押贷款利率可能下降、收入上升或在某一区域由于土地资源的限制不可能有充足的商品住宅供给，就会引起需求的增加，使当前的需求曲线向右平移。

4. 政府政策的变化。政府房地产税收政策、住房政策的变化或城市规划的变更，也会影响当前的房地产需求。

经济学上常常用被称作需求函数的公式来表示消费者对某种商品的需求数量与不同影响因素之间的关系，这个公式的表达形式为：$Q_n^d = f(P_n, P_{n-1}, Y, G, \cdots)$，该公式的含义是,对某种商品 n 的需求数量(Q_n^d)是该商品本身的价格(P_n)、其它商品的价格(P_{n-1})、收入(Y)、政府政策(G)以及其它因素(…)的函数。对应某种具体的商品来说,其它因素也是可以确定的。

二、房地产市场的供给

就象价格和需求数量之间存在相关关系一样,价格与供给数量之间也存在着一定的相关关系。由于价格上升或降低会导致供给数量的增加或减少,所以供给曲线是一条由左向右上方倾斜的一条曲线(如图11-3所示)。因此,供给的基本法则为:当其它因素不变时,较高的商品价格会使可供销售的商品数量增加,较低的商品价格会使可供销售的商品数量减少。供给数量与价格的关系正好和需求数量与价格的关系相反,为正相关关系。这也很容易理解,因为对于供给者来说,较高的市场价格能增加其在市场上所获取的利润。例如中国1993年的房地产市场上,由于房地产的价格不断上升,导致房地产开发企业数量的迅速膨胀和可供销售的商品房数量的迅速增长。然

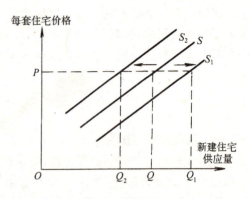

图11-3 住宅市场供应曲线的变化

而,由于房地产开发过程中所投入的资金、土地、建筑材料和管理人员能力等资源的约束,开发商的机会成本增加,其所面临的风险也在不断地加大。

与需求曲线一样,影响市场供给数量的并不仅仅是价格,所以我们在描述供给的基本法则时假设除价格和供给数量外,其它因素均保持不变。这些假设不变的市场因素包括:开发成本、建造技术、政府政策、相关产品的价格、对未来的预期、开发商获取利润水平的目标等。下面我们着重解释三个非价格因素对市场供给数量的影响,以说明市场条件变化引起的供给曲线的变化。

1. 房地产开发成本。房地产开发成本的变化会直接影响到开发商的利润水平,也会直接影响到其决定开发的商品房数量。例如,1998年银行降低贷款利率、通货膨胀率维持在较低的水平,使普通商品住宅的开发成本下降,从而导致普通商品住宅供给数量增加,供给曲线向右平移(图11-3中 $S \to S_1$)。

2. 政府政策的变化。政府的税收政策也会影响到房地产开发的成本进而影响到商品房供给的数量。例如我国1995年初开征的土地增值税加大了房地产商的开发成本,因而在一定程度上制约了房地产市场供给的迅速增加,并间接地起到了对房地产市场宏观调控的作用,使供给曲线向左平移(图11-3中 $S \to S_2$)。国家从1997年开始采取取消或降低房地产开发中的税费、降低土地出让金收取标准等措施,1998年又将发展住宅建设并使之成为推动社会经济发展的新经济增长点,这些政策措施均有利于普通住宅供给数量的增加,从而使供给曲线向右平移(图11-3中 $S \to S_1$)。

3. 对未来的预期。对未来房地产市场价格变化的预期会影响到房地产商当前的投资行为,进而影响到市场供给。例如开发商预计未来房地产价格会大幅度上升,那么他就会将其开发的部分商品房搁置起来暂不销售,使当前的商品房供给减少,令图11-3中的供给曲线向左平移。

经济学上常用被称作供给函数的公式来表示生产者对某种商品的供给数量与不同影响因素之间的关系，这个公式的表达形式为：$Q_n^s = f(P_n, P_{n-1}, C, G, \cdots)$，该公式的含义是，对某种商品 n 的供给数量（Q_n^s）是该商品本身的价格（P_n）、其它商品的价格（P_{n-1}）、生产成本（C）、政府政策（G）以及其它因素（$\cdots$）的函数。对应某种具体的商品来说，其它因素也是可以确定的。

三、房地产市场的机制

房地产市场的运作机制，在很大程度上取决于整个国家的经济体制。世界各国的经济体制有两个极端，一是香港的自由市场经济，另一个是阿尔巴尼亚的计划经济，其它各国的经济体制均介乎于两者之间。我国目前发展的是社会主义市场经济，在这种经济体制下，作为市场经济核心的价格机制对市场起着主要的调节作用，但作为计划经济特征的国家宏观调控仍然对市场产生着重要的影响。随着我国房地产市场的发展，价格机制的作用在逐渐增强。

所谓价格机制实际上是一种经济体制，在这个体制中，各种商品和服务的相对价格在不断地发生着变化，以及时反映其供给与需求关系的变化。而对价格（市场）机制的分析，在经济学发展的历史上始终占有重要的地位。人们经常使用市场供求关系曲线，通过建立起某种产品的单位价格与该产品在单位时间内的供求数量关系，来帮助了解价格机制对市场供求关系的调节作用。在利用图 11-4 分析价格与供求数量的关系时，有三个方面的问题值得注意，一是要有一个单位时间周期的概念，因为脱离了时间来分析供求数量问题是没有任何意义的，这里的单位时间通常是年、季度或月；二是为了分析问题方便，进行了除价格和供求数量外其它影响因素都不发生变化的假设，实际上我们很容易发现，影响需求数量的因素除价格外往往还有消费者收入变化和不同商品之间的替代关系等；三是为分析问题方便把供给和需求曲线都简化成了直线，这样做能满足定性分析的需要。从图 11-4 中的供给曲线和需求曲线不难看出，某种商品的单位价格上升会导致需求量的减少和供给量的增加。

供给和需求曲线的交点 E 为市场均衡点。所对应的价格 P 称为均衡价格，在这样的价格下，既没有多余的供给，也没有更多的需求，供给量和需求量相等，生产者和消费者皆大欢喜。我们可以通过图 11-5 所示的情况，来说明这一特殊的市场概念。假如在某城市的住宅市场上，新建住宅的均衡价格为 50 万元，均衡供求数量为 2000 套。如果每套住宅的销售价格变为 75 万元，就会出现供给过剩从而导致住宅不能销售出去的情况，而要使市场达到

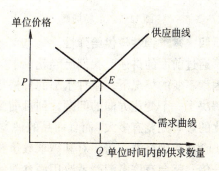

图 11-4　简化的供求曲线

均衡点 E，就需要将价格下调，使需求曲线从 H 变到 E、供给曲线从 h 变到 E；而如果每套住的销售宅价格变为 25 万元，就会出现供不应求从而导致住宅供给短缺，要想使市场在每套住宅 50 万元的价格下达到均衡，就需提升销售价格，使需求从 F 减少到 E、供给从 f 减少到 E。

在任何一个市场上，供给和需求曲线都能形成一个均衡（点）价格，但市场的这种均

衡也有稳定和非稳定之分,如果市场价格由于某种因素的作用脱离了均衡点,但在各种市场因素的作用下又能形成一个新的供求平衡点,则这种均衡叫做稳定均衡;如果原有的均衡状态被打破后不能形成一个新的均衡点,则这种均衡就叫非稳定均衡。稳定均衡和非稳定均衡之间的区别可以用两个受力变形后的球来说明,一个球是硬橡皮球,其受压后会变形,但压力消除后能恢复原状;另一个球是橡皮泥制作的球,其受压后也会变形,但压力撤销后不能再恢复原状。前者就是稳定平衡,后者就是不稳定平衡。

当市场条件发生变化时,供求关系曲线就会发生变化。例如当住房抵押贷款利率上升时,如果其它因素保持不变,商品住宅需求就会减少。如图11-6所示,商品住宅需求曲线由 D_1 变为 D_2,如果住宅价格仍为 P,则居民的购买商品住宅的需求量下降为 Q_a,如果开发商供给的商品住宅数量仍为 Q,则市场上就会有积压的商品住宅量 $Q-Q_a$ 出现。然而,开发商往往要降低价格以减少其商品房积压,在降价的情况下居民会有更多的需求数量,这样就达到了一个新的市场均衡,这个新的均衡价格就是图11-6中的 P_1,而新的供求平衡的数量是 Q_1。

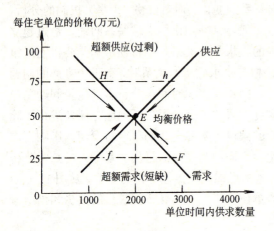

图 11-5 市场均衡

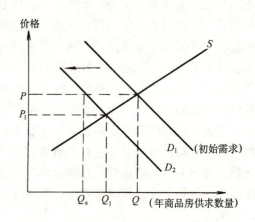

图 11-6 市场条件变化形成新的均衡价格

四、需求弹性与供给弹性

通过前面的讲述,我们已经就供求关系的基本法则建立起了一些简单的概念。即在其它因素不变的情况下,某种水平的价格与需求数量负相关,与供给数量正相关。然而,这只解决了一个变化方向的问题,到目前为止,我们还不能准确地把握价格变化对供求数量变化的影响究竟有多大。而且商品的种类不同,价格变化对其供求数量的影响也不一样。例如,食盐的价格涨一倍,对其需求数量和供给数量没有太大的影响,但如果大米的价格上涨一倍,就会有许多消费者改用面食而使大米的需求量大大减少。为了量测供求数量对价格变化的敏感程度,经济学家起了一个专用名词叫价格弹性。

1. 需求弹性

(1) 需求价格弹性

需求价格弹性的数值(又称需求价格弹性系数,PED)可以通过公式"PED=需求数量变化的百分比/价格变化的百分比"计算。从公式中可以看出,需求价格弹性系数越大,需求数量对价格变化的敏感程度就越高。当某种商品的需求价格弹性系数为小于1的数值时,我们说该商品的需求缺乏弹性，对该商品的需求为非弹性需求，一般来说，对较少有替代品的生活必需品之需求均缺乏弹性，消费者对汽油和前面提到的食盐的需求就属于非弹性需求；当某种商品的需求价格弹性系数大于1时，则称该商品的需求具有弹性，例如计算机的价格下降10%，导致需求量增长30%，需求价格弹性系数为3，所以对计算机的需求为弹性需求，一般说来，对有较多替代品的奢侈品的需求均具有弹性；当某种商品的需求价格弹性系数为1时，表明该商品的价格和需求数量同幅度变化，这是一种极端的情况。

应该指出的是，上述需求价格弹性系数的计算公式只是相对变化比率的比较，没有考虑价格和需求数量的绝对值水平。实际上，在不同的价格水平上，需求价格弹性系数也有差别。例如1994～1995年海南房地产价格大幅度下降并没有使房地产需求有较大的提高，而1992年海南房地产价格的迅速提高却导致了对房地产需求的大量增加，这是因为在高价位上，人们往往将房地产看成是一个良好的投资工具而不是为了使用它，所以此时房地产的需求价格变得非常具有弹性。国外的研究表明，居住物业的需求价格弹性系数（交易数量变化的百分比/价格变化百分比）介于0.5～1.0之间，因此价格并不是影响居住物业需求的主要因素。

（2）需求收入弹性

就需求弹性而言，除了需求价格弹性以外，还有需求收入弹性，用需求收入弹性系数YED（YED＝需求数量变化百分比/收入变化百分比）来描述需求数量对收入变化的敏感程度。例如某种商品的需求量随收入的增加而增加，则称对该商品的需求具有"正收入弹性"；如收入增加而需求减少，则称对该商品的需求具有"负收入弹性"。一般来说，居住物业的需求收入弹性系数在0.75～1.25之间，且需求数量的变化在时间上滞后于收入的变化。

2. 供给弹性

正象需求弹性有价格弹性和收入弹性一样，供给弹性也有许多种类型。但供给价格弹性系数是描述供给弹性的一个主要经济指标。供给价格弹性与需求价格弹性的定义很相似，不过供给价格弹性系数总是正值，因为价格越高，生产者供给的数量就越多。供给价格弹性系数PES的计算公式为：PES＝供给数量变化的百分比/价格变化百分比。如果某种商品的供给价格弹性系数小于1，则称该商品的供给缺乏弹性；如果某种商品的供给价格弹性系数大于1，则称该商品的供给具有弹性。

时间因素对供给弹性有着重要的影响。在一个很短的时间周期内，供给是固定的，对于价格的变动不可能马上作出反应，供给价格弹性系数接近于零，说明供给没有弹性。但是，如果把时间周期放长一些，价格变化对供给的影响就会表现出来，供给又变得具有弹性。供给弹性的这个特点在房地产市场上表现尤为明显，例如写字楼市场的租金和售价升高后，写字楼的供给数量并不能马上随之增加，但经过1～3年时间，就会有新建成的写字楼和将原建筑物改为写字楼用途的建筑物出现，使写字楼供给增加。所以，房地产供给的变化相对于价格的变化来说有一个时间上的滞后。这也使得人们在讨论供给弹性时常常将供给价格弹性分为短期的和长期的两个部分。

对于房地产市场来说，由于短期内房地产的供给数量不能得到充分的调整，所以短期内房地产市场的租金和售价是由需求决定的，供给的价格也缺乏弹性。也正是短期内房地产市场上的供给相对于需求来说缺乏弹性，导致了房地产市场的不稳定和价格的大起大落。

但从长期的角度来看，可以通过开发商投资新的开发项目或原有的业主改变房屋用途来适应房地产市场价格水平的变化，所以随着时间周期的延长，房地产市场的供给价格弹性逐渐增大。

让我们用图 11-7 所示的例子来说明时间因素对供给弹性的影响。例如在一定的市场条件下，商品住宅的价格为 P_e，供给数量为 Q_e，在短期内无论价格如何变化，供给数量均保持不变，所以供给曲线为一条垂直于横轴的直线 S_1（如价格上涨到 P_1，供给数量保持不变即 $Q_1 = Q_e$），此时供给完全无价格弹性；但是如果有一定的时间，供给曲线就会旋转到 S_2，同时使供给数量提高到 Q_2；从长期的角度来看，供给曲线还会进一步旋转到 S_3，使供给数量增加到 Q_3。供给曲线越趋向于水平方向，表明供给价格弹性越大，当供给曲线为一条水平线时，供给价格弹性为无穷大，此时的供给为完全价格弹性，或说在每个"市场"价格下，供给的数量为无穷大，这也是一种极端的情况。

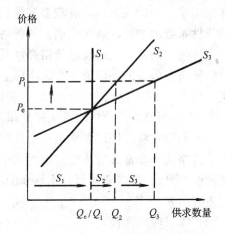

图 11-7 短期和长期供应价格弹性

五、房地产市场运行的一般规律

由于房地产是一种耐用年限很长的商品，其生产的数量和价格受投资或资本市场的制约。在房地产投资市场上，拥有房地产资产（或物业）的需求必须与其供给相等。因此住宅的价格在很大程度上取决于人们希望拥有多少房屋和有多少房屋可以被人们所拥有；零售商业中心物业的价格或价值取决于有多少投资者希望拥有这类物业以及有多少此类物业可以供人们投资拥有。在这两种情况中，拥有房地产资产的需求的增加会导致其价格上升，而过多的房地产资产供给会导致价格下降。

房地产开发是新的房地产供给之主要来源，新增房地产供给取决于这些房地产资产的价格和其开发成本。从长远的角度看，房地产投资市场的运作能够使房地产市场价格和包括土地成本在内的房地产开发成本划上等号；然而，从短期的角度看，由于房地产开发过程的滞后和拖延常常使两者不可能相等。例如，如果拥有物业的需求突然增加，而房地产资产的供给短时间内又是固定的，这肯定会导致物业价格上升。当房地产价格高于房地产开发成本时，就会出现新的房地产开发项目。当这些新开发的房地产商品推向市场后，需求得到满足，价格开始回落直至接近开发成本。

什么原因会导致拥有房地产资产的需求突然增加呢？或者更通俗地说，对物业的需求除了其价格外是否还有其它的决定因素？回答是肯定的，这些决定性因素中最重要的就是房地产资产获取收益能力标志的租金水平。为了了解租金的形成过程，我们还有必要分析一下房地产使用市场。

在房地产使用市场，需求来源于房地产使用者（用家），这些使用者可以是租客或业主，也可以是企业或家庭。对企业来说，房地产是众多生产要素中的一种，和其它要素一样，其使用的数量取决于企业的生产规模、生产水平及相应的房地产使用成本。一个家庭的支出要在许多种消费品中进行分配，住宅只是其中的一种，家庭对住宅的需求数量取决于其收入水平、住房支出的数量、以及这一数量与其它消费品如食物、服装或文化娱乐等的成本之相对比较。对于企业或家庭来说，使用物业的成本即获取房屋使用权益的年支出就是租金。

租金由房地产使用市场确定，而不是由房地产投资市场确定。在房地产使用市场上，供给量由房地产投资市场给定了，对房地产的需求取决于租金和当前的其它经济因素如生产水平、收入水平或家庭的数量，房地产使用市场的作用就是确定一个租金水平，在这个水平上对房地产的使用需求等于房地产的供给。当房地产供给固定而家庭数量增加或企业生产规模扩大时，租金就会上涨。

（一）房地产市场分析的四象限模型

房地产使用市场和房地产资产市场有两个连接点。第一，房地产使用市场确定的租金水平是确定房地产资产需求的中心。此外，购入一宗物业后，投资者购买的实际上是当前或将来收益的流量。因此，房地产使用市场上租金的变化会立即影响到房地产投资市场上对房地产所有权的需求。第二，两个市场在房地产开发部分也有连接，如果开发量增加，房地产资产的供给量也随着增长，不仅会使房地产投资市场上的价格下滑，而且也会使房地产使用市场上的租金随之下调。这两个市场的连接可以通过图11-8所示的四象限分析模型来说明。在这个图中，右侧的两个象限（第Ⅰ和第Ⅳ）代表房地产使用市场，左侧的两个象限（第Ⅱ和第Ⅲ）代表房地产（所有权）投资市场。下面结合图11-8对房地产市场分析的四象限模型介绍如下：

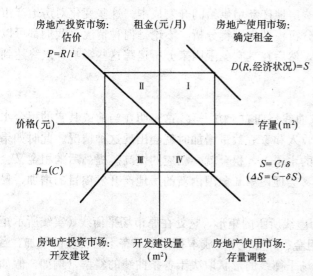

图11-8 房地产使用市场和房地产投资市场

1. 第Ⅰ象限有租金和存量两个坐标轴，曲线表明在给定的经济状况下对房地产的需求数量在多大程度上取决于租金。从水平轴上可以看出租金变化时所对应的房地产需求的数量。如果不管租金如何变化家庭或企业所需要的房地产数量不变（非弹性需求）那么曲线则会变成一条向上的直线；如果需求量对租金特别敏感（弹性需求），则曲线就会变得与水平轴平行。如果社会经济状况变化，则整个曲线就会移动。当经济增长时曲线向上平移，表明需求增加；当经济衰退时曲线向下平移，表明需求减少。为了达到需求量 D 和存量 S 的平衡，必须确定适当的租金水平以使需求量和存量达到均衡。需求是租金 R 和经济状况的函数，所以当市场达到平衡时，$D(R，经济状况)=S$。

2. 第Ⅱ象限代表了房地产投资市场的第一部分，有租金和价格两个坐标轴。两个坐标轴之间射线的斜率即代表了房地产资产的资本化率：租金和价格的比值，这是当前投资者为了继续持有物业所需要的收益率。一般说来，资本化率的确定要考虑四个方面：经济活动中的长期利率、预期租金上涨率、与租金收入流量相关的风险和国家对房地产的税收政策（法规）。当射线顺时针方向转动时，资本化率提高；逆时针方向转动时，资本化率下降。该象限的目的是通过租金水平 R 和资本化率 i 来确定房地产资产的价格 P。根据收益资本化法的概念，我们有 $P=R/i$。

3. 第Ⅲ象限是房地产投资市场的另一部分，从这里我们可以了解房地产资产的增加对市场租金、价格、成本和存量等的影响。曲线 $f(C)$ 代表房地产的开发成本。这里假设开发成本随着房地产开发活动 C 的增多而增加，所以曲线射向左下方向。如果开发成本不受开发数量的影响，则该曲线变成一条向下的直线；如果土地等房地产开发所需的要素供给是非弹性的，则该曲线向平行于水平轴的方向发展。当价格和开发成本相等时对应着一个平衡的开发数量，如房地产实际开发的数量小于此平衡数量，则开发商可获取超额利润，实际开发数量大于这个平衡数量则开发商会无利可图。所以新的房地产开发活动 C 应该保持在这样一个水平上，使即物业价格等于房地产开发成本即：

$$P=f(C)。$$

4. 在第Ⅳ象限，年新开发房地产的数量（增量）C 转换成房地产资产的长期存量，导致房地产总存量的变化为 ΔS，ΔS 在一定期间内等于新建开发房地产的数量减去由于房屋拆除（折旧）导致的存量损失。如果折旧率为 δ，则 $\Delta S=C-\delta S$。

（二）房地产市场运行过程的分析

利用图 11-8，我们就可以分析宏观经济对房地产市场的各种影响。经济可能上升，也可能紧缩，长期利率或其它的因素可能会使对房地产资产的需求发生变化，短期信贷能力或地区性房地产法规的出台可能会影响房地产新增供给的开发成本。这些变化对房地产市场的影响可以很容易地借助于四象限分析模型来进行分析。不论是何种情况，我们都可以首先确认是哪一个象限首先受到影响，然后在其它象限内来分析追踪这些影响，最终达到一个长期的平衡。

1. 经济增长和房地产使用需求

当经济增长时，第Ⅰ象限内的需求曲线将向右上方平移，这表明在当前或其它的租金水平上需求的上升。当生产增加，家庭收入和家庭数量增加时就会出现这种情况。此时如果房地产可供使用的量保持在一个不变的水平上，租金就会相应的提高。提高后的租金又会导致第Ⅱ象限内物业价值的提高，这又会促使第Ⅲ象限内新的房地产开发项目的增加，最后第Ⅳ象限内房地产资产的存量增大。

如图 11-9 所示，新的市场平衡为虚线所示的矩形，它处在原市场平衡线（实线所示矩形）的外侧。此时，房地产市场上的租金、价格、开发成本和存量都有不同程度的增加，当然这种增加并不一定等比例的，新市场平衡线的形状取决于各条曲线的斜率。例如，假如开发相对于价格来说弹性很大，那么第三象限内的曲线就会变得接近上下垂直，此时房地产市场的租金和价格可能只有少许的增长，但市场上的新开发量和存量可能会有很大的增加。如果经济不景气导致房地产租金下降，这种变化对房地产市场所带来的影响与经济景气时正好相反。

美国的统计分析表明，经济增长导致就业人数增加，如果写字楼内的工作人员从1000万人增加到2000万人，就会增加 4 亿 m^2 的写字楼面积需求，即每增加1人相应增加 $20m^2$ 的写字楼面积需求，每平方米的年租金增加 200 元，这些租金的增长会导致房地产资产价值每平方米上升 4000 元，这些增加的价值正好等于年开发 400 万 m^2 的写字楼所需的开发

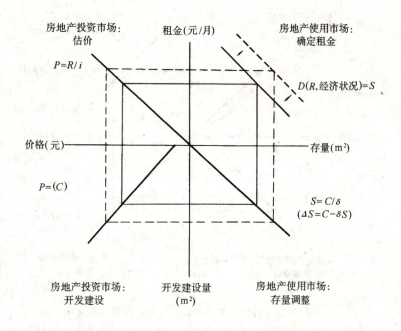

图 11-9 房地产使用和投资市场：房地产使用需求增加

成本。

2. 长期利率与房地产资产的需求

如果拥有房地产的需求变化，其对房地产市场的组合影响与房地产使用需求变化时对市场的组合影响有着很大的区别。导致拥有房地产的需求变化的因素很多，如果经济领域其它部门的利息率上升（或下降），则相对于拥有固定收入的债券投资来说，房地产投资的当前收益率就会降低（提高），这会使投资者将其投资撤出（进入）房地产市场。同样，如果房地产的风险特性预计变坏（变好），相对于其它投资来说，房地产投资当前的收益率就可能变得不足以（足以）补偿房地产投资所承担的风险。此外，政府对房地产投资收益的税收政策如房地产折旧的计算方法、房地产税项的增减等也会极大地影响着对房地产的投资需求。

长期利率下调、预期房地产投资风险降低或政府税收上的优惠，会导致对房地产资产投资需求的上升和房地产投资收益率下降，如果租金固定不变，就会使房地产价格上升，价格上升又会引起新开发房地产项目数量的增加，最终导致房地产存量增加和租金水平下降，从而达到新的平衡（图 11-10），新平衡要求初始的租金水平与新平衡达到时的租金水平相等。

如果房地产投资需求减少或房地产投资收益率上升，则会带来反方向的变化，即新开发量减少、存量减少、租金增加。在正常的市场条件下，租金增加后又会导致投资需求增加，从而又会带来相反方向的变化。

3. 短期信贷、开发成本和新增供给

影响房地产市场的最后一种可能变化是新开发供给计划的变动。这种变化可能有多方面的原因。短期信贷资金利率高企、开发项目融资难度加大都会导致提供新建物业的成本加大，此时如果房地产价格不变，房地产新开发的量就会减少。同样，严格的城市规划或

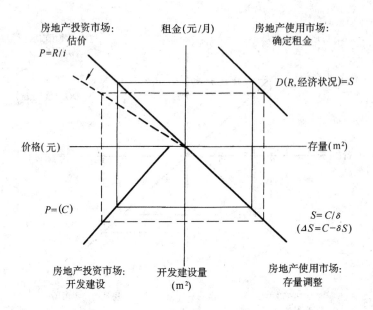

图 11-10　房地产使用和投资市场：投资需求变化

建筑条例控制、高昂的拆迁安置补偿费用或地价同样会导致开发成本的上升，减少新开发项目的获利能力。这种副面的影响会使第 III 象限内的曲线向左上方平移（图 11-11）。相反地，开发成本降低所带来的正面影响会使该曲线向左下方平移。

从图 11-11 可以看出，开发成本上升在房地产价格不变时使新开发项目的数量减少，从而导致房地产存量减少，推动租金和价格的上涨。当开始和结束的价格相等时，就达到了新的平衡。

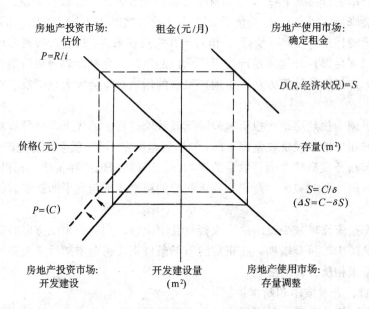

图 11-11　房地产使用和投资市场：开发成本变动

房地产市场分析的四象限模型将房地产市场划分为房地产使用市场和房地产投资市

场。这两个市场之间有两个重要的联系，第一是房地产使用市场上确定的租金影响着房地产投资市场上的房地产价格，第二是房地产投资市场上的房地产价格决定了新开发建设的房地产数量，进而影响到房地产使用市场上可使用的房地产存量及租金。

我们在进行分析时，均假设其它市场因素不变的条件下某单一因素的变化对房地产市场的影响。但由于社会经济体系的特殊复杂性，特别是国家宏观经济高速发展的时候，常有两个或两个以上的因素同时发生变化，此时对房地产市场影响的分析就变得比较复杂。例如在经济高速发展的时候，对房地产的使用需求大大增加（图11-9）；同时资金供给短缺使长期和短期贷款利率上调，其它投资市场收益率上升，使投资者对房地产的投资需求减少（图11-10的反方向变动）；房地产开发成本增加使开发难度加大，开发获利能力减少，新开发项目减少（图11-11）。这种多因素的同时变化实际上已经不是单一因素变化的简单叠加，因此要找到房地产市场新的平衡点的难度大大地增加了。同时，用四象限模型也不能把握房地产市场的瞬间调节与变化。为了解决这个难题，就需要采用更复杂的系统动力学分析模型。

思 考 题

1. 房地产市场与一般商品市场的区别有哪些？
2. 为什么说房地产市场分析所覆盖的地域范围越大，对投资者的实际指导作用就越小？
3. 影响房地产市场供求数量的因素主要有哪些？
4. 高档住宅和普通住宅市场的运行规律有哪些主要区别？
5. 住房政策、取消或降低房地产税费政策、消化空置商品房政策对房地产市场有哪些影响？

第十二章 房地产项目策划

第一节 房地产市场分析与预测

一、房地产市场分析的概念

市场分析是房地产市场营销工作的重要内容,通过市场分析,投资者就可以达到如下目的:了解影响房地产市场的宏观社会经济因素,进而把握投资机会与方向;了解房地产市场上各类物业的供求关系和价格水平,就拟投资项目进行市场定位(服务对象、规模、档次、租金或售价水平等);了解房地产使用者对建筑物功能和设计型式的要求,用以指导投资项目的规划设计和产品功能定位。

无论是房地产开发投资还是房地产置业投资,或者是政府管理部门对房地产业实施宏观管理,其决策的关键在于把握房地产市场供求关系的变化规律,而寻找市场变化规律的过程实际上就是市场分析与预测的过程。房地产市场分析是通过信息将房地产市场的参与者(开发商、投资者或购买者、政府主管机构等)与房地产市场联系起来的一种活动,即通过房地产市场信息的收集、分析和加工处理,寻找出其内在的规律和含义,预测市场未来的发展趋势,用以帮助房地产市场的参与者掌握市场动态、把握市场机会或调整其市场行为。

房地产市场分析依所服务的对象不同,其所需收集的信息的范围和内容也有所差别。一般说来,房地产市场分析需遵循以下步骤:

(1) 确定分析目的。即该分析是为投资方案选择与决策服务、为解决某一具体问题或发现市场机会服务、为场地选择或产品定位服务、还是为编制一般的市场研究报告服务。

(2) 确立分析目标。重要决定该项分析的范围及所需解决的主要问题。

(3) 选择分析方法。主要确定该项分析所需数据的类型与收集方法、数据处理过程中定性和定量方法的选择。

(4) 估算分析过程所需的时间和费用,以及分析结果的预期价值。

(5) 数据收集、数据处理和数据分析。

(6) 市场研究的结论与建议。

(一) 一般因素分析

房地产市场分析首先要就影响整个房地产市场的一般因素进行分析。投资者首先要考虑国家和地方的经济特性,以确定区域整体经济形势是处在上升阶段还是处在衰退阶段。在这个过程中,要收集和分析的数据包括:国家和地方的国民生产总值及其增长速度、人均国民生产总值、人口规模与结构、居民收入、社会政治稳定性、政府法规政策完善程度和连续性程度、产业结构、三资企业数量及结构、国内外投资的规模与比例、各行业投资收益率、通货膨胀率和国家金融政策(信贷规模与利率水平)等。

投资者还要分析研究其所选择的特定开发地区之城市发展与建设情况。例如某城市的铁路、公路、机场、港口等对内对外交通设施情况，水、电、燃气、热力、通讯等市政基础设施完善程度及供给能力，劳动力、原材料市场状况，人口政策，地方政府产业发展政策等。这方面的情况，城市之间有很大差别，甚至在同一个城市的不同地区之间也会有很大差别。例如上海市的浦东新区和浦西老市区，其政策条件、交通状况、基础设施状况等就有很大的差别。

地区的经济特征确定后，还必须对项目所在地域的情况进行分析，包括经济结构、人口及就业状况、家庭结构、子女就学条件、地域内的重点开发区域、地方政府和其它有关机构对拟开发项目的态度等。

房地产市场状况的分析，也属于一般性因素分析的范畴。市场状况的分析描述一般要从以下几个方面进行：

（1）各类物业的供求关系、空置率、市场成交量、市场吸纳能力和速度；

（2）土地批租数量和用途分布，已批租和待批租土地的面积、用途和可建建筑面积，单宗土地出让转让信息，包括土地使用权的受让方、座落位置、用途、四至范围、占地面积、建筑面积、土地价格、土地使用年限、工程建设总投资额、土地利用要求、土地使用费标准、项目投资情况和成交日期等；

（3）房地产销售价格和租金水平，地价、拆迁安置补偿成本、建造成本和其它成本费用、房地产开发经营过程中的税费；

（4）已建成投入使用的主要商业/写字楼/公寓物业。包括用途、项目名称、位置、投入使用日期、建筑面积、入住率和月租金/售价和大型商场的营业面积和营业额等。

（5）竞争性物业发展状况。包括：政府规划中的房地产开发项目用地的用途、所处区县、位置、占地面积、容积率、建筑面积和预计开工建设日期等；规划建设中的主要房地产开发项目之用途、投资者、所在区县名称、位置、占地面积、容积率、建筑面积和项目当前状态等；正在开发建设中的房地产项目的用途、项目名称、位置、预计完工日期、建筑面积、售价和开发商名称等。

（6）各类房地产投资收益率和房地产开发利润率；

（7）项目用地附近地区土地利用现状，总体规划和专业规划包括市政设施发展规划（道路交通、电力、供热、煤气、供水、雨污水排放、电信等）、公共配套设施（学校、幼儿园、医院、文体设施等）规划、大型公共建筑（商场、办公楼等）发展规划、重点商业区或工业开发区发展规划、土地利用规划等方面的情况。

（8）市场购买者对房地产商品功能的要求，购买者的职业、年龄、受教育程度、现居住或工作地点的区位分布，投资购买和使用购买的比例。

（二）针对特定开发项目的相关因素分析

当总体背景情况确定后，投资者就可以针对某一具体开发投资类型和地点进行更为详尽的分析。从房地产开发的角度来看，市场分析最终要落实到对某一具体的物业类型和开发项目所处地区之房地产市场状况的分析。应该注意的是，由于不同类型和规模的房地产开发项目所面对之市场范围的差异，导致市场分析的方式和内容也有很大的差别。

如果是住宅开发项目，那么市场分析将包括与房地产代理机构、物业管理人员特别是住户的沟通，以了解开发项目周围地区住宅的供求状况、价格水平、对现有住宅满意的程度和对未来住房的希望，以确定所开发项目的平面布置、装修标准和室内设备的配置。

对于拟开发的工业或仓储项目，首先要考察开发所必须具备的条件，诸如劳动力、交通运输、原材料和专业人员的来源问题。同时还要考虑未来入住者的意见，如办公、生产和仓储用房的比例，大型运输车辆通道和生产工艺的特殊要求，以及对隔音、抗震、通风、防火、起重设备安装等的特殊要求。

商业购物中心开发项目是一种比较特殊的形式。在分析中，往往要充分考虑项目所处地区的流动人口和常住人口的数量、购买力水平以及该地区对零售业的特殊需求，还要考虑购物中心的服务半径及附近其它购物中心、中小型商铺的分布情况。最后才能确定项目的规模、档次以及日后的经营构想。

兴建写字楼项目，首先要研究项目所处地段的交通通达程度，拟建地点的周边环境及与周围商业设施的关系。还要考虑内外设计的平面布局、特色与格调、装修标准、大厦内提供公共服务的内容、满足未来潜在使用者的特殊需求和偏好等。

但不论是什么类型的房地产开发项目，都需要就以下问题进行详细的分析：项目所处的位置、周围环境及与城市中心商业区（CBD）的关系；项目用地工程地质资料；附近地区土地利用及城市规划控制指标，城市建设规划管理的有关定额指标（如高度控制、容积率、用途、绿化比例、建筑覆盖率、内外交通组织、建筑防火、停车场车位数等；针对未来用户的需求信息；同类竞争性发展项目的信息，政府对此发展项目的态度；项目周围市政基础设施、配套设施的供应能力；针对项目的成本/价格/租金/空置率/市场吸纳能力分析；金融信息如各类贷款获取的可能性、贷款利率、贷款期限和偿还方式等。【案例12-1】为某房地产市场分析报告大纲。

二、房地产市场分析中的信息类型

影响房地产投资的信息或房地产投资过程中与市场分析相关的信息主要分为三个大的类别。一是与整个宏观市场相关的经济、人文信息，这些信息对于房地产投资者的影响虽然是间接的，但对投资者选择投资方向、确定投资的宏观区位有着重大的影响；二是房地产市场运作过程中产生的直接信息，这些信息对于投资者确定房地产投资的类型、选择具体区位和进入市场的时机，对于政府把握房地产市场状态、实施房地产市场的宏观管理起着重要作用；三是与投资项目直接相关的信息，它影响着投资者的具体投资决策。

从市场分析的角度出发，通常将房地产市场信息分为需求信息、供应信息（包括存量与增量）、房地产市场交易信息和其它信息。还应该指出的是，依据所分析的物业类型不同，房地产市场分析对信息的要求也有所变化，例如居住物业市场更需要人口、家庭方面的信息，而写字楼市场则更注重就业率、就业人口职业分布等方面的信息。

1. 房地产需求方面的信息。包括宏观经济信息（GNP及其增长率、通货膨胀率等）、房地产使用者信息（人口、失业率、家庭规模、家庭收入、公司数量与规模、对房屋使用功能需求的潮流与趋势等）和使用中的房地产数量和空置量信息。

2. 房地产供应方面的信息。包括现有房地产数量（存量）、使用中建筑物的物理状况、房地产开发成本及成本指数、新开发房地产面积（计划/新开工/在施工/竣工）、拆除或改变用途数量、可供开发的土地资源及规划要求等方面的信息、各种类型用地出让或转让的数量、楼面地价和单位地面价等。

3. 房地产市场交易方面的信息。包括租金及租金指数（含平均租期、租金折扣等）、销售价格及价格指数（包括土地价格和物业价格）、房地产投资收益率和资本化率、分类物业的市场成交量、市场吸纳周期与吸纳率。

4. 其它信息。包括政策信息、金融信息（信贷政策、信贷规模、利率水平等）和房地产税收等方面的信息。

三、房地产市场分析的基本方法

（一）市场数据的收集

市场数据的收集是房地产市场分析的开始。市场分析中经常涉及到的原始数据包括企业内部和外部两个来源。企业内部数据指企业从事房地产经营过程中所产生的信息，主要包括会计报表与财务报告、销售业绩报告、顾客反馈意见等方面所记载的数据，是市场分析的基本信息，市场分析人员应充分利用这些内部信息。外部数据主要包括加工信息和通过市场分析人员的市场调查所获得的原始信息。加工信息的来源包括政府统计和房地产主管部门发布的统计资料、学会或商会组织提供的报告、报刊杂志、企业或非盈利机构的年度报告、计算机网络信息以及咨询机构的市场研究报告等；原始信息则需要由市场分析人员根据市场分析的目的，通过专家访谈、座谈会、问卷调查、电话问讯、现场查勘等方式自行调查收集。

（二）对原始数据的加工分析

1. 列表分析。通过对某一时间点或某一时间段的房地产市场信息进行必要的编辑处理，并以表格的形式反映出来，就可以初步地判断市场状态和发展趋势。【案例12-2】为上海市居民住房购买意向的问卷调查统计。

2. 运用数理统计方法进行分析。运用统计学上的基本分析方法，通过计算所收集到的原始数据的频率分布、均值与百分比、相关分析指标、多变量分析指标、假设检验结果等，判断所收集的原始数据的质量及其所反映的内在规律。

3. 利用图形进行分析。利用图形进行市场分析最大的优点是直观、通俗、易懂。利用有关市场数据，通过计算机绘图软件绘制出二维或三维直方图、饼图、折线或曲线图等，可以给我们把握市场状态和分析未来市场变化趋势以极大的帮助。在绘制这些图的过程中，还可以使用计算机软件中的统计分析和回归分析模型、移动平均或指数平滑等预测模型等，绘制出能更好地反映市场状况的各种直观图形。

（三）充分利用加工信息

从总体上来说，中国房地产市场信息收集处理的技术还处在发展的初级阶段。加工信息已经出现，但还有待接受市场的考验和逐步树立起其社会影响。从目前我国房地产市场分析的发展的水平来看，回归分析模型等数理统计模型是目前中国房地产市场分析普遍使用的模型，地理信息系统、航空遥感技术、计算机辅助设计技术、SPSS、数量经济学模型、技术经济评价模型等在房地产市场数据分析中的应用还处在试用研究阶段。房地产市场趋势预测模型、市场决策支持系统、房地产市场周期估计与分析模型、市场吸纳力分析模型等尚有待研究开发。但是中国房地产市场上已经出现了中房指数（见【案例12-3】）、国房指数（国家统计局和国家发展计划委员会联合发布）、上房50指数等加工信息。市场分析人员在进行市场分析与预测工作时，可充分利用这些加工信息。

由于中国房地产市场发展的历史不长，对房地产市场信息的加工还缺乏科学、有效、可行的方法与手段，市场加工信息刚刚出现，没有经过一个较长时间的优胜劣汰过程。人们都希望对市场信息进行科学理性的分析，用简单的指标体系或指标来描述市场的状态、预测市场的未来。所以,不论是政府还是投资者,对市场上出现的加工信息都很关注。但这些加工信息要在市场上站住脚,对市场参与者的行为产生影响,还须有一个时间过程。

四、房地产市场预测

房地产市场预测是指运用科学的方法和手段,根据房地产市场调查分析所提供的信息资料,对房地产市场的未来及其变化趋势进行测算和判断,以确定未来一段时期内房地产市场的走向、需求量、供给量以及相应的租金售价水平。房地产市场预测的方法包括定性预测和定量预测两类方法。

1. 定性预测

定性预测主要依靠人们的经验、专业知识和分析能力,参照已有的资料,通过主观判断,对事物未来的状态如总体趋势、发生或发展的各种可能性及其后果等做出分析与判断。定性预测系统地规定了必须遵循的步骤,以便这些预测方法可以重复使用,并可对不同的预测对象给出适当的预测范围。由于目前我国房地产市场上缺乏客观数据,因此定性预测在房地产市场策划中就显得非常重要,尤其是对市场的中长期预测。【案例12-4】为中房指数系统办公室对1998年中国房地产市场走势的预测。

2. 定量预测

定量预测的基本思想是根据过去和现在的有关客观历史数据,从中鉴别出其发展的基本模式,并假定其不变,由此建立数学模型,用以定量描述预测对象未来的状态或发展趋势。如普通商品住宅需求数量、写字楼售价或租金上涨率等。定量预测主要用于短期和中期预测,往往要借助于数学模型和现代计算工具。图12-1显示了某房地产咨询机构对某城市普通商品住宅未来价格及价格上涨率的预测结果。

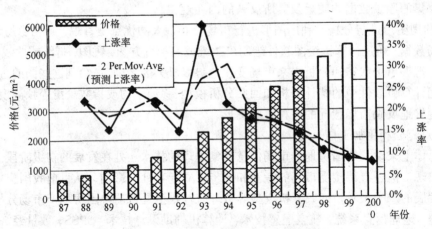

图12-1 某城市住宅价格及上涨率预测

第二节 房地产投资方向的选择

一、房地产投资的类型

从房地产投资形式来说,分为从购地开始的开发投资和物业建成后的置业投资两类。对于前一种投资方式,做为投资者的开发商主要是赚取开发利润,风险较大但回报亦丰厚;对于后一种投资方式，投资者则有收益、保值、增值和消费四个方面的利益。房地产投资还可以划分为直接投资和间接投资。直接投资是指投资者直接参与房地产开发或购买房地产的过程，参与有关的管理工作；而间接投资主要是指通过购买房地产开发、投资企业的债券、股票，或将资金投入房地产投资信托企业进行委托投资的行为。本节介绍的重点是房地产开发投资和置业投资。

（一）房地产开发投资

所谓房地产开发投资，是指投资者从购买土地使用权开始，通过在土地上的进一步投资活动，即经过规划设计和施工建设等过程，建成可以满足人们某种入住需要的房屋及附属构筑物，即房地产商品，然后将其推向市场进行销售，将商品转让给新的投资者或使用者，并通过这个转让过程收回投资，实现开发商获取投资收益的目标。

（二）房地产置业投资

与房地产开发投资相对应的是置业投资。这种投资的对象可以是开发商新建成的物业，也可以是房地产市场上的二手货。这类投资的目的一般有两个，一是满足自身生活居住或生产经营的需要即自用，二是作为投资将购入的物业出租给最终的使用者，获取较为稳定的经常性收入。这种投资的另外一个特点是在投资者不愿意继续持有该项置业投资时，可以将其转售给另外的置业投资者，并获取转售收益。

举一个简单的例子，某公司以 300 万元投资购买了一个 $150m^2$ 的写字楼单元，并将其中的 $50m^2$ 用作本公司的办公室，将另外 $100m^2$ 租给另外一个单位使用，每年扣除维修管理费用后的净租金收入是 50 万元。经过 10 年之后，该公司为了财务安排方面的需要，将购买的 $150m^2$ 写字楼全部转售出去，扣除销售费用后的净转售收入为 600 万元。可以看出，该公司的置业投资，同时达到了自用（消费）、获取经常性收益、投资保值和增值等几个方面的目的。

二、房地产投资的利弊

1. 房地产投资之利

在介绍房地产的特性时，我们实际上已经间接地介绍了房地产投资的一些优点，包括自然寿命周期长、易于满足使用者不断变化的需要、能从公共设施的改善和投资中获取利益等。这里我们再介绍房地产投资的其它一些优点。

（1）能够得到税收方面的好处

置业投资的所得税是以毛租金收入扣除经营成本、贷款利息和建筑物折旧后的净经营收入为基数以固定税率征收的。从会计的角度来说，建筑物随着其楼龄的增长，每年的收益能力都在下降，所以税法中规定的折旧年限相对于建筑物的自然寿命和经济寿命来说要短得多。这就使建筑物每年的折旧额要比物业年收益能力的实际损失高得多，致使置业投资者账面上的净经营收益减少，相应地也就减少了投资者的纳税支出。

从另外一个角度来说，即使某项置业投资的净经营收益为负值，投资者不能享受到置业投资税收上的好处，但只要物业的经营收入能支付该项置业投资的经营费用和抵押贷款的利息，投资者就没有遭受太大的损失。相反投资者却能以置业投资的亏损来充抵其它投资的净经营收入，从而在总体上获得减少交纳所得税的好处，因为置业投资往往仅是投资者众多投资项目或经营内容中的一种，所以置业投资有时可以起到蓄水池的作用。从城镇居民购买自住住宅的政策来看，自置居所投资往往能得到政府的免税或减税优惠。

(2) 易于获得金融机构的支持

由于可以将物业作为抵押,所以置业投资者可以较容易的获得金融机构的支持,得到其投资所需要的大部分资金。包括商业银行、保险公司和抵押公司等在内的许多金融机构都愿意提供抵押贷款服务,这使得置业投资者有很大的选择余地。据美国联邦储备局的专家估计,1988年美国投资者用于购买房地产的贷款达1200亿美元。中国1998年房地产抵押贷款的预计规模也将达到1000亿元人民币。

金融机构通常认为作为抵押物的房地产,是保证其能按期安全地收回贷款最有效的方式。因为除了投资者的资信情况和自有资金投入的数量外,房地产本身也是一种重要的信用保证。且金融机构看到,通常情况下房地产的租金收入就能满足投资者分期付款对资金的需要。所以金融机构可以提供的抵押贷款比例也相当高,一般可以达到70%～90%,而且常常还能为贷款者提供利率方面的优惠。

(3) 能抵消通货膨胀的影响

由于通货膨胀的影响,房地产和其它有形资产的重建成本不断上升,从而导致了房地产和其它有形资产价值的上升,所以说房地产投资具有增值性。又由于房地产是为人类生活居住、生产经营所必需的,即使在整个经济的衰退过程中,房地产的使用价值仍然不变,所以房地产投资又是有效的保值手段。

从我国住宅市场价格的变化情况来分析,在过去的十几年中价格的年平均增长幅度在15%以上,大大超过了同期通货膨胀率12%的平均水平。美国、英国和香港地区的研究资料表明,房地产价格的年平均上涨率大约是同期年通货膨胀率的两倍。虽然没有研究人员就所有的房地产投资项目全部进行统计分析,但几乎没有人会相信房地产价格的上涨率会落后于总体物价水平的上涨率。

房地产投资的这个优点,正是置业投资者能够容忍较低投资收益率的原因。例如,目前大多数西方发达国家置业投资的收益率是8%左右,与抵押贷款的利率基本相当,但由于物业的增值部分扣除通货膨胀因素的影响后还有5%～6%的净增长,所以投资者得到的实际投资收益率是11%～12%,大大超过了抵押贷款的利率水平。置业投资的增值特性还有一个好处,就是令投资者能比较准确地确定最佳的持有期限和从日后的转售中所能获得的利润。

当然,经历过房地产市场萧条的人士可能也会提出这样的问题,即1995～1997年中国南方许多城市的房地产价格迅速下滑,其速度已经远远超过通货膨胀率下降的速度,如果说其使用价值不变,房地产能够保值,但怎么能证明这个时期的房地产是在增值呢？应该看到,讲房地产投资能够增值,是从长期投资的角度来看的。短期内房地产价值的下降,并不影响其长期的增值特性。

(4) 提高投资者的资信等级

由于拥有房地产并不是每个公司或个人都能做到的事,所以拥有房地产变成了占有资产、具有资金实力的最好证明。这对于提高置业投资者或房地产资产拥有者的资信等级、获得更多更好的投资交易机会具有重要意义。

2. 房地产投资之弊

房地产投资也并不是十全十美,它也有其自身的缺点。这些缺点突出表现在：

(1) 变现性差。房地产被认为是一种非流动性资产,由于把握房地产的质量和价值需要一定的时间,其销售过程复杂且交易成本较高,因此它很难迅速无损地转换为现金。房地产的变现性差往往会使房地产投资者因为无力及时偿还债务而破产（如电视剧《北京人在纽约》的男主人公王启明的最终破产即是如此）。

（2）投资数额巨大。不论是开发投资还是置业投资，所需的资金常常涉及到几百万、几千万甚至数亿元人民币，即使令投资者只支付百分之三十的自有资金用作前期投资或首期付款，也会使众多的投资者望楼兴叹。

（3）投资回收周期较长。除了房地产开发投资随着开发过程的结束在三至五年就能收回投资外，置业投资的回收期，少则十年八年，长则二三十年甚至更长，要承受这么长时间的资金压力，对投资者资金实力的要求很高。

（4）需要专门的知识和经验。由于房地产开发涉及的程序和领域相当复杂，直接参与房地产开发投资时就要求投资者具备专门的知识和经验，这就限制了参与房地产开发投资的人员的数量。置业投资同样也对专业知识和经验有较高的要求。置业投资者要想达到预期的投资目标，必须要进行有效的资产管理和物业管理。例如，北京市1997年零售商业物业的市场销售没有象写字楼那样顺畅，这里除了北京市零售商业还没有完全放开或存在不公平竞争、经过开发商和物业代理机构等的炒作使房地产价格脱离了北京市的社会经济发展水平等宏观原因外，更深层次的原因是目前的投资者不愿接受商场置业投资回收期较长这样一个现实、商场物业价格高昂对投入资金的需要量很大、尚没有经验丰富信誉良好的专业物业管理公司为零售商业物业的投资者提供信得过的服务以保证其投资利益等。

此外应该指出的是，本节介绍的房地产投资的形式与优缺点主要是针对直接投资而言的。对于小额投资者来说，他们实际上可以通过购买房地产公司发行的股票、房地产投资信托公司的债券等间接地进行房地产投资。

三、房地产投资的风险

很显然，投资者在选择投资机会的过程中，如果其它条件都相同，他肯定会选择收益最大的投资方案。但在大多数情况下，收益并非唯一的评判标准，还有许多其他因素影响着投资决策。

风险就是影响房地产投资收益的一个重要因素。从世界范围来看，有关投资风险分析的数量研究还处在初级阶段，在房地产投资中的应用就更少。从对不同类型房地产投资者的调查显示，他们一般并不使用数量方法来分析投资风险，但对应用此类方法的兴趣却不断增长，并希望风险分析能在将来成为一种标准的管理技术。这里有两个方面的原因：一是投资工具越来越多且相互之间具有很强的竞争性，需要使用一切可能的技术来比较房地产与其它投资工具的优劣，以降低机会成本；其次，统计分析技术知识的不断普及和计算机技术的应用，使过去人们认为费时费力的分析计算工作变得轻而易举。

房地产投资的风险主要体现在投入资金的安全性、期望收益的可靠性、投资项目的变现性和资产管理的复杂性四个方面。对具体风险因素的分析，有多种分类方式，每一种分类方式都从不同的角度分析了可能对房地产投资的净经营收益产生影响的因素。通常情况下，人们往往把风险划分为对市场内所有投资项目均产生影响、投资者无法控制的系统风险和仅对市场内个别项目产生影响、可以由投资者控制的个别风险。

（一）系统风险

房地产投资首先面临的是系统风险，这些风险投资者不易判断和控制，如通货膨胀风险、市场供求风险、周期风险、变现风险、利率风险、政策风险和或自然损失风险等。

1. 通货膨胀风险

也称购买力风险。是指投资完成后所收回的资金与投入的资金相比,购买力降低给投资者带来的风险。由于所有的投资均要求有一定的时间周期,尤其是房地产投资周期较长,因此只要通货膨胀的因素存在,投资者就要面临通货膨胀风险。当收益是通过其他人分期付款的方式获得时,投资者就面临着最严重的购买力风险。不管你是以固定利率借出一笔资金还是以固定不变的租金长期出租一宗物业,你都面临着由于商品或服务价格的上涨所带来的风险。以固定租金方式出租的物业租期越长,投资者所承担的购买力风险就越大。通货膨胀导致未来收益的价值下降,换句话说,置业投资者以固定长期租金的方式承担了本来应由租客承担的风险。

由于通货膨胀风险直接降低投资的实际收益率,因此房地产投资者非常重视此项风险因素的影响,并通过适当调整其要求的最低的收益率,来减轻该风险对实际收益影响的程度。但房地产投资的保值性,又使投资者要求的最低收益率并不是通货膨胀率与行业基准折现率的直接相加。

2. 市场供求风险

市场供求风险是指投资者所在地区房地产市场供求关系的变化给投资者带来的风险。市场是不断变化的,房地产市场上的供给与需求也在不断变化,而供求关系的变化必然造成房地产价格的波动,具体表现为租金收入的变化和房地产本身价格的变化,这种变化会导致房地产投资的实际收益偏离预期收益。更为严重的情况是,当市场内某种房地产的供给大于需求达到一定程度时,房地产投资者将面临房地产商品积压的严峻局面,导致资金占压严重、还贷压力日增,这很容易最终导致房地产投资者的破产。

从总体上来说,房地产市场是地区性的市场,也就是说当地市场环境条件变化的影响比整个国家市场环境条件变化的影响要大得多。只要当地经济的发展是健康的,对房地产的需求就不会发生大的变化。但房地产投资者并不象证券投资者那样有较强的从众心理。每一个房地产投资者对市场都有其独自的观点。房地产市场投资的强度取决于潜在的投资者对租金收益、物业增值可能性等的估计。也就是说,房地产投资的决策只是基于对未来收益的估计。投资者可以通过密切关注当地经济的发展状况、细心使用投资分析的结果来避免市场供求风险的影响。

3. 周期风险

周期风险是指房地产业的周期波动给投资者带来的风险。正如经济周期的存在一样,房地产业的发展也有周期性的循环。房地产业的周期可分为复苏与发展、繁荣、危机与衰退、萧条四个阶段。有人统计,敏感房地产业的周期大约为18~20年,香港为7~8年,日本约为7年。当房地产业从繁荣阶段进入危机与衰退阶段,进而进入萧条阶段时,房地产业将出现持续时间较长的房地产价格下降、交易量锐减、新开发建设规模收缩等情况,给房地产投资者造成损失。例如,美国在1991~1992年的房地产萧条期中,房地产成交价一般只有原价的1/4甚至更低,其中商业房地产总体市场价值从1989年的35000亿美元跌到1991年的15000亿美元。房地产价格的大幅度下跌和市场成交量的萎缩,使一些实力不强、抗风险能力较弱的投资者因金融债务问题而破产。

4. 变现风险

变现风险是指急于将商品兑换为现金时由于折价而导致的资金损失的风险。房地产作为不动产，销售过程复杂，属于非货币性资产，流动性很差，其拥有者很难在短时期内将房地产兑换成现金。因此，当投资者由于偿债或其他原因急于将房地产兑现时，由于房地产市场的不完备，必然使投资者蒙受折价损失。

5. 利率风险

调整利率是国家对经济进行宏观调控的主要手段之一。国家通过调整利率可以引导资金的投向，从而起到宏观调控的作用。利率的升高会对房地产投资产生两个方面的影响：一是对房地产实际价值的折减，利用升高的利率对现金流折现，会使投资项目的财务净现值减小，甚至出现负值；二是利率升高会加大投资者的债务负担，导致还贷困难。利率提高还会抑制市场上的房地产需求数量，从而导致房地产价格下降、房地产投资者资金压力加大。

长期以来，房地产投资者所面临的利率风险并不显著，因为尽管抵押贷款利率在不断上升，但房地产投资者一般比较容易得到固定利率的抵押贷款，这实际上是将利率风险转嫁给了金融机构。然而今天就不同了，房地产投资者越来越难得到固定利率的长期抵押贷款，金融机构越来越强调其资金的流动性、盈利性和安全性，其所放贷的策略已转向短期融资或浮动利率贷款，我国各商业银行所提供的住房抵押贷款几乎都采用浮动利率。因此，如果融资成本增加，房地产投资者的收益就会下降，其所投资物业的价值也就跟着下降。房地产投资者即便得到的是固定利率贷款，在其转售物业的过程中也会因为利率的上升而造成不利的影响，因为新的投资者必须支付较高的融资成本，从而使其置业投资的净经营收益减少，相应地新投资者所能支付的购买价格也就会大为降低。

6. 政策性风险

政府对房地产投资过程中的土地供给政策、地价政策、税费政策、住房政策、价格政策、金融政策、环境保护政策等，均对房地产投资者收益目标的实现产生巨大的影响，从而给投资者带来风险。我国1993年对房地产投资的宏观调控政策、1994年出台的土地增值税条例，就使许多房地产投资者在实现其预期收益目标时遇到困难。避免这种风险的最有效的方法是选择政府鼓励的、有收益保证的或有税收优惠政策的项目进行投资。例如，我国各城市均鼓励开发商投资旧城改造项目和普通居民住宅项目，实行了减免税收、免收地价款等优惠政策，令投资者收益实现预期收益目标的可能性大大提高。

7. 政治风险

房地产的不可移动性，使房地产投资者要承担相当程度的政治风险。政治风险主要由政变、战争、经济制裁、外来侵略、罢工、骚乱等因素造成。政治风险一旦发生，不仅会直接给建筑物造成损害，而且会引起一系列其他风险的发生，是房地产投资中危害最大的一种风险。例如1992年海湾战争，不仅给包括中国在内的各国承包商造成了巨大的损失，而且给投资者造成了更为严重的损失。某些房地产开发商不履行正常的开发建设审批程序而导致工程停工，也是一种政治风险。

8. 自然损失风险

投资者可以将火灾、风灾或其它自然灾害引起的置业投资损失转移给保险公司，然而在火险保单中规定的保险公司的责任并不是包罗万象，因此有时还需就洪水、地震、核辐射等灾害单独投保，盗窃险有时也需要安排单独的保单。

尽管置业投资者可以要求租客来担负其所承租物业保险的责任，但是租客对物业的保险安排对业主来说往往是不完全的。目前国外流行的专业保险顾问公司通常被业主聘请担任保险顾问,这类保险顾问公司不仅熟悉保险业务中的投保计划、程序、保单条款、索赔等事项,而且还有专业人员负责检查物业的使用情况,及时发现可能发生事故的隐患并及时向业主提出建议。

一旦发生火灾或其它自然灾害,房子变得不能再出租使用,房地产投资者的租金收入自然也就没有了。所以,有些投资者在物业投保的同时,还希望其租金收入亦能有保障,因此也就租金收益进行保险。然而,虽说投保的项目越多,其投资的安全程度就越高,但投保是需要支付费用的,如果保险费用的支出占租金收入的比例太大,投资者就差不多是在替保险公司投资了。所以,最好的办法是加强物业管理工作,定期对建筑物及其附属设备的状况进行检查,防患于未然。

(二) 个别风险

1. 收益现金流风险

除了政府发行的债券以外,所有的投资都面临着风险,这种风险不仅在于对未来收益的影响,甚至还会对投入的股本产生影响。房地产投资也不例外,不论是开发投资,还是置业投资,都面临着收益现金流的风险。对于开发投资来说,未来房地产市场销售价格的变化、成本的增加、市场吸纳能力的变化,都会对开发商的收益产生巨大的影响;而对置业投资者来说,未来租金的变化、市场出租率的变化、物业毁损造成的损失、资本化率的变化、物业转售时的收入等也会对投资者的收益产生巨大影响。

举个简单的例子来说,某投资者购买了一个甲级商场中的物业单位,他期望的年收益率为15%,但他购买物业时该物业单位在当年的收益率(又称综合还原率)为5%(即购买价格为当年净租金收入除以5%,下同),那么,如果投资者要达到预期收益目标,他购下该宗物业后每年租金上调幅度须达到10.86%。但如果他买下了一个旧的写字楼物业,该物业当年的收益率为11%,那他购入写字楼后每年租金上调的幅度只要达到4.89%,即可达到预期收益目标。可以看出,投资者都面对着租金上调的压力,如果租金不能按预期的水平上调,则投资者就面临着投资的风险。但一般说来,综合还原率低的物业往往风险较低。上例中甲级商场物业租金上调的潜力肯定要远远大于旧写字楼物业。

2. 未来经营费用的风险

这类风险主要是对于置业投资来说的。即使对于刚建成的新建筑物的出租,且物业的维修费用和保险费均由租客承担,也会由于建筑技术的发展和人们对建筑功能要求的提高而影响到物业的使用,使后来的物业购买者不得不支付昂贵的更新改造费用,而这些在初始的评估中是不可能考虑到的。

所以,置业投资者已经开始认识到,即使是对新建成的甲级物业的投资,也会面对着建筑物功能过时所带来的风险。房地产估价人员在估价房地产的市场价值时,也开始注意到未来的重新装修甚至更新改造所需投入的费用对当前房地产市场价值的影响。

其它未来会遇到的经营费用包括由于建筑物存在内在缺陷导致结构损坏的修复费用和不可预见的法律费用(例如租金调整时可能会引起争议而诉诸法律、政府新颁布的法令中规定某一段时间内不许增加租金等)。

3. 资本价值风险

物业的资本价值在很大程度上取决于预期的收益现金流和可能的未来经营费用水平。

然而，即使收益和费用都不发生变化，资本价值也会随着收益率的变化而变化。这种情况在证券投资市场上反映得最为明显。房地产的收益率也经常变化，虽然这种变化并不象证券市场那样几乎每日都在变化，但是在几个月或更长一段时间内的变化往往是较为明显的，而且从表面上看来这种变化和证券市场、资本市场并没有直接的联系。房地产收益率的变化是很复杂的，人们至今也没有对这个问题有一个清楚的理解。但是，预期的资本价值和现实资本价值之间的差异即资本价值的风险，在很大程度上影响着置业投资的收益。

对资本价值估计不准确的原因除了包括房地产市场的不完全性而造成的缺乏对市场的了解、房地产交易的不可比性和很少有邻近的交易案例可供分析外，还由于下述一些原因：

(1) 估价所带来的误差。通常认为，如果聘请不同的估价师就同一宗物业进行估值的话，其估价结果间的差异会在±5％左右。国外一机构的研究结果表明，估价师估价结果之间的差异远不是±5％（表12-1列举了美国某咨询机构估价结果与成交价格间的比较），而且估值的差异会在很大程度上影响着物业收益的水平，有时对于估价师的选择甚至决定了置业投资是否达到了预期收益目标。

美国 TNE 咨询公司房地产估价结果与成交价格之间的比较（单位：百万美元） 表 12-1

年　份	成交价格	评估价格	差异幅度	年　份	成交价格	评估价格	差异幅度
1981~1987	952	780	22％	1991	210	189	11％
1988	72	55	31％	1992	275	302	(9％)
1989	581	511	14％	1993	472	382	12％
1990	302	240	26％	1994	2,864	2,459	16％

由于房地产交易不能象证券交易那样频繁，因此对物业的估值很难马上经过市场检验，这就导致了物业资本价值的不确定性。

(2) 市场的影响。房地产估价通常是对物业公开市场价值的估计，而对公开市场的定义实际上理论上的。实际的市场交易中是很难满足对公开市场定义中的各种假设条件的。例如，很难避免特殊性质的买家，某些物业持有者希望立即将物业变现以应付其其它投资或债务对资金的需求，这都会导致实际交易价格与评估的理论价值之间的较大差异。

(3) 政府法律和金融政策方面的影响。有时政府法律和金融政策的影响是可以预估的，但是风险依然存在，置业投资的表现仍然会受到政府金融政策变化的影响。例如，海南省经济特区在1992~1993年由于过分鼓励房地产投资，致使物业供给大大超过了实际需求，使物业资本价值大幅度下降；中央政府于1993年中施行国民经济宏观调控，收紧银根，使全国大部分地区房地产市场上的有效需求减少，导致房地产市场价格的普遍下滑。此外，在解决租金调整的争议过程中，如果法院判决某业主在若干年内或在某种情况下不能调整租金，则物业的资本价值也会受到影响。

(4) 宏观经济形势的影响。宏观经济形势的变化对于需求市场有很大的影响，这种影响可能是由于经济的滑坡对整个物业市场的影响，也可能是由于经济的发展对某一种类型物业或某一特定地区的物业的影响。同一类型物业价值的变化往往对其所处的位置特别敏感，所以常常出现这样的情况即当某一地段的物业租金上涨时，另外一个地段的物业租金却在下降。

(5) 功能陈旧。尽管功能过时对物业价值产生的影响在估价过程中会以隐含的或明确的方式考虑进去,但事实上其影响是很难预测的。比如说,1993年北京市写字楼的开发建设均以"智慧型"大厦为目标,由于北京写字楼市场供给短缺,许多70年代末至80年代末建设的写字楼虽非智慧型,可仍有很好的经营业绩表现,但如果投资者欲投资旧写字楼,那他就肯定会面临着功能过时的风险,而这种风险在写字楼市场高涨的今天又很难进行定量预测。

(6) 通货膨胀。不论是以何种方式,物业估价过程中往往都要考虑租金的增长,而通货膨胀率的实际变化对租金增长的作用是否与预期的影响相一致,也会导致对物业资本价值的变化。

(7) 法律手续不完整。虽然这种情况出现的机会很少,有关产权方面的缺陷可能会对物业的价值产生巨大的影响,因此也是一项风险因素。

4. 比较风险

房地产投资者除了要面对其实际投资表现是否能达到预期收益目标这一风险外,他事实上还承担着另外一种风险即机会成本风险。很显然,投资者将资金投入房地产后,那他就会失去其它投资机会,同时也就失去了其它投资机会可能带来的收益。这就是房地产投资的比较风险。

5. 时间风险

房地产投资强调在适当的时间、选择合适的地点和物业类型进行投资,这样才能使其在获得最大投资收益的同时使风险降至最低限度。时间风险的含义不仅表现为在物业持有过程中,选择合适的时间对物业重新进行装修甚至更新改造,以及物业转售过程所需要的时间长短,更重要的是要选择合适的时间进入市场。例如,目前在中国的部分大城市,有开发商着眼于美国等西方国家的成功经验,正在研究于市郊投资建设大型购物中心或购物城的可行性,然而目前这类投资项目尚无先例,项目建成后对消费者的吸引力、铺面出租的租金水平、资本化率等很难预测和确定,因此这类投资项目所承担的风险是很大的,对于作风稳健的开发商、置业投资者、金融机构来说,此时还不是进入该类市场的最佳时机。

6. 持有期风险

持有期风险与时间风险相关。一般说来,投资项目的寿命周期越长,可能遇到的影响项目收益的不确定性因素就越多。很容易理解,如果某项置业投资的持有期为一年,则对于该物业在一年内的收益以及一年后的转售价格很容易预测;但如果这个持有期是4年,那对4年持有期内的收益和4年后转售价格的预测就要困难得多,预测的准确程度也会差很多。因此,置业投资的实际收益和预期收益之间的差异是随着持有期的延长而加大的。

上述所有风险因素都应引起投资者的重视,而且投资者对这些风险因素将给投资收益带来的影响估计得越准确,他所做出的投资决策就越合理。

四、风险对房地产投资方向选择的影响

房地产投资者须面对着各种风险因素的作用,那么风险对投资者选择房地产投资方向都有哪些影响呢?下面我们就做一简要分析。

风险对投资者选择房地产投资方向的第一个影响,就是令投资者根据不同类型房地产投资风险的大小,确定其合理的投资收益水平。由于投资者的投资决策主要取决于对未来投资收益的预期或期望,所以不论投资的风险是高还是低,只要同样的投资产生的期望收益相同，那么无论选择何种投资途径都是合理的，只是对于不同的投资者，由于其对待风险的态度不同而采取不同的投资策略。

举个简单的例子，外商在中国进行经济适用住宅开发投资，许多城市政府均保证外商15％的年投资收益率，所以说这种投资的成功率几乎是百分之百，除通货膨胀因素外没有其它风险；但如果一个开发商欲在中国投资高档娱乐项目，由于其几乎受到所有风险因素的影响，其成功的可能性（即风险率）可能只有60％，因此，该开发商要想与投资经济适用住宅的开发商获得同样的预期收益（即15％），他所要求的投资高档娱乐项目的年投资收益率必须达到25％（25％×60％＝15％）。对于开发商来说，后面一种投资机会可能会得到25％的投资收益，但也有可能连10％也得不到，因为其投资有较大的风险；而对于前者来说，他可以保证得到15％的投资收益，但其几乎放弃了得到25％投资收益的可能性。

风险对投资者进行选择投资方向的另外一个影响就是使其尽可能回避、控制或转移风险。人们常说，房地产投资者应该是风险管理的专家，实践也告诉人们，投资的成功在很大程度上依赖于对风险的认识和管理。实际上，即使在我们日常的工作和生活中几乎每一件事都涉及到风险管理，甚至横穿马路也会涉及到风险的识别、分析和管理。人们的行动往往依赖于其对待风险的态度，但也要意识到，不采取行动的风险可能是最大的风险。

风险管理于本世纪30年代起源于美国，现已成为一门独立的学科，广泛应用于投资管理、工程项目管理和企业管理等。风险管理包括风险的辨识、评估、转移和控制。如前所述，房地产投资经营过程中充满了风险和不确定性，虽然房地产投资者尤其是开发商由于更容易接受不确定性和风险而被称之为市场上最大的冒险家，甚至有些房地产开发商到了以风险变幻为乐的那种程度，但他们实际上是在进行过精心估算条件下的冒险。

总之，房地产市场是个动态市场，房地产商通过对当前市场状况的调查研究得出的有关租售价格、成本费用、开发周期及市场吸纳率、吸纳周期、空置率等有关估计，都会受各种风险因素的影响而有一定的变动范围。随着时间推移，这些估计数据会与实际情况有所出入。为规避风险，分析者要避免仅从乐观的一面挑选数据。对于易变或把握性低的数据，最好能就其在风险条件下对反映投资经济效果的主要指标所带来的影响进行分析，以供决策参考。

第三节 房地产投资场地的选择

一、位置的含义

房地产开发投资的三要素是"位置、位置、还是位置"，这充分说明了房地产投资场地选择的特殊重要性。当然，影响房地产开发投资成败的要素绝不仅仅是"位置"，还应该包括市场宏观环境、投资决策的准确性、市场供求状况、进入房地产市场的时机选择和在市场上的持续时间长短、所投资的房地产的类型等。然而，由于房地产的不可移动性和受制于地区性需要的特性，所有其他影响要素均和房地产所处的"位置"相关。

房地产投资中"位置"的理解有狭义和广义之分。狭义理解中的位置是指某一具体投资场地在城市中的地理位置，包括宏观位置和中观、微观位置。房地产的不一致性和差异性，决定了某一具体宗地的位置是排他的、独一无二的，根据对某一宗地位置的描述，我们就可以从图上或现场找到该宗地。例如，某宗地位于北京市朝阳区、座落在建国门外大街北侧、西邻建国饭店、东邻中国国际贸易中心，人们就可以据此判断该宗地的大致位置；如果查阅地籍图，我们就可以找到该地块的宗地编号及其具体的四至范围、面积大小、宗地形状和当前的土地使用者；我们还可以根据该宗地的角点坐标，判断该宗地的位置等。

对位置的广义理解，除了其地理位置外，往往还应包括该位置所处的社会、经济、自然环境或背景。例如前述的宗地，就位于北京市CBD范围内，为高档办公、酒店、国外驻京机构和大使馆集中的地区，该地区就业人口以中高级白领阶层为主，收入水平和支付能力较高，各种消费需求的品味代表者时代的潮流。某一具体位置所处的社会、经济、自然环境，决定了该位置附近的市场需求和消费特征。

对位置的广义理解，还应包括在该位置进行房地产开发投资所须支付的成本的高低和所面临的竞争关系。土地成本占房地产投资的比重有逐渐上升的趋势，在许多城市已经超过了50%，而确定了房地产投资的具体位置后，往往也就确定了房地产投资中的土地成本支出。另外，从市场竞争的角度来说，位置确定后，也就决定了在本"位置"进行投资所面临的竞争对手和竞争关系。

房地产投资者对位置的把握还须利用发展的、动态变化的眼光。虽然某一宗地的地理位置不可能变化，但随着宏观社会经济和城市建设的发展，城市中各位置的相对重要性也会不断地发生变化。例如，上海浦东原来是上海人"宁要浦西一张床、不要浦东一套房"地区，但随着浦东新区的开发建设，基础设施、就业环境等发生了很大的变化，逐渐变成为上海人向往的地区；北京市前门商业区原是北京市三大中心商业区之一，但随着北京市城市建设的发展，交通等市政条件优良的新中心商业区陆续建成，前门商业区逐渐失去了对投资者和消费者尤其是中高档消费者的吸引力。因此，房地产投资者要通过一个城市或地区的社会经济发展计划及城市规划，利用发展的、动态变化的眼光来认识和把握房地产投资中的"位置"。

总之，房地产投资中的位置，绝不能简单地将其理解为地理位置，还应重点考察其在城市社会经济活动中的位置，在整体市场供求关系中的位置，在未来城市发展建设中的位置。从这些比较全面的意义上理解，位置在房地产投资中的重要性则是不言而喻的。

二、房地产投资场地选择的影响要素分析

1. 区位分析

项目成功的先决条件是占据好的区位，这是由房地产的位置固定性和不可移动性所决定的。一个开发投资策略的形成，需要正确理解和综合考虑特定的国家、地区或城市的政府政策、经济基础、经济增长前景、人口条件（包括人口规模与结构、人口密度、规划增长率、增长方式、就业状况以及家庭收入情况等）、发展趋势及其对市场价格水平的可能影响。对于上述研究，城市的总体规划及各年度社会经济发展计划将能提供非常有用的资料。

房地产商还应当认真分析备选区位的可进入性、交通模式、优势条件及已有竞争性项目的情况，确保开发投资项目的规划用途与周围环境相匹配。例如，当前随着城市建设向郊区的不断推进和居民生活水平的提高，在城市边缘地区特别是靠近居住区的区域，掀起了一阵大型商业购物中心开发热潮，由于有些商业设施不靠近对外交通枢纽，集聚效益较差，对城区和外地的顾客缺乏吸引力，客流量远远没有达到预期设想的水平。在这种情况下，开发者应选择交通优良，有大面积泊车位的场地进行建设，以扩大商业购物中心的吸引范围。选址前还应详细测算购物中心服务半径内的常住人口数量、购买力水平能否维持商场一定的租金回报,还要在购物中心形象、商品种类与档次、价格竞争优势等方面作文章,以吸引市中心和其它地区的顾客。

2. 场地分析

如果说区位是项目开发的大前提,那么场地条件可称为项目开发的小前提。场地条件包括建设用地的大小、形状、地质地形条件、临街状况、基础设施水平、利用现状及分区限制等方面。例如,在许多城市进行房地产开发时,场地周围的市政基础设施条件往往存在很大差异,有时需要到项目用地红线外几公里远的地方去接驳某些市政管线;场地当前的土地使用状况差异很大,当前土地用途、是单位还是居民、居住密度大小等,均会导致拆迁安置补偿和其他土地开发费用投入和所耗费的时间存在巨大差异。而建设用地的临街状况、大小和形状等,会对场地的有效利用、建筑物的平面布局等产生影响,尤其是商场类建筑,临街状况等对其未来的营业收入和租金回报产生重要影响。

一个场地如上述条件都不错,但不巧处于洪泛区、地震带或者场地附近存在"三废"污染,都会对场地的价值产生影响。一个居民小区,如邻近垃圾处理场、传染病医院或流动人口聚集地,居民的不安全感将会直接影响住宅的租金或售价。

3. 开发潜力分析

房地产开发应追求最高最佳利用,也就是说在技术可行,规划许可且财力允许的前提下达到最有效利用。设计应舒适有效,即楼群布局与场地达到协调一致,楼层各单元的分割实用并具有一定弹性,以利于物业投资者及时调整其功能。新开发项目应符合时代潮流,建筑设计要具有超前意识,以延长物业经济寿命。对于饭店和写字楼而言,符合时尚往往能在不景气的环境中维持较高的收入水平,而有的项目建成不到五年就过时了,甚至刚刚建成就会因为某些功能的过时而导致物业总体价值损失。

4. 获取场地开发权的方式

房地产商从城市规划图或现场调查中选中有开发潜力的开发场地后,还要与场地政府土地管理部门、当前的土地使用者进行接触,以获取场地开发的权利。从目前国内获取土地使用权的途径和方式来看,有通过政府土地出让和从当前土地使用者手中转让等两种途径。政府土地出让的途径操作比较简单,尤其是对于那些熟地出让项目,如果是城市生地出让,则房地产商还需进行拆迁安置补偿等土地再开发工作。从当前的土地使用者手中获取土地,则有许多种具体的操作方式,既可以从土地使用者手中买断,也可以探讨合作开发的可能性,提供土地的一方将土地作价入股,待项目建成后可以获得相应的分配利润或获得相应的房屋建筑面积。从减少初始投资、降低投资风险的角度,土地作价入股的方式较为理想;但从操作的方便性角度看,多方合作必然导致各方利益协调上的矛盾,这些矛盾有时会制约房地产商开发方案的顺利实施。

5. 影响场地选择因素汇总

综合分析的结果表明,影响场地选择的因素主要包括以下9各方面。

(1) 城市规划方面的因素。包括:场地的合法用途,规划设计条件如建筑密度、高度、容积率和建筑物平面及立面布置的限制,相邻地块的土地用途等。

(2) 自然特性。包括场地面积大小、形状及四至范围、基地的水文地质特征等。

(3) 市政基础设施条件。包括:雨、污水排放管道,供水管道,电力、煤气、热力、通讯条件等。

(4) 交通通达程度。包括场地的可及性、出入口的位置、容易识别的程度等。

(5) 停车条件。在需要地面停车的情况下，停车场用地会对建筑用地形成竞争关系。

(6) 环境条件。包括空气、水和噪声污染水平，公园、开放空间和绿地的数量与质量等。

(7) 公共配套服务设施完备情况。包括治安和消防服务，中小学校、卫生保健设施和邮电通讯，垃圾回收与处理，政府提供配套条件所收取的配套税费等。

(8) 当前土地使用者的态度。主要看当前土地使用者对场地开发的态度，如果反对，那么反对的力量有多大？如果支持，则他们能否对项目的实施有所贡献？还要分析项目的社会成本、当地社区能从项目中得到的益处以及项目开发是否符合公众的利益。

(9) 土地价格。主要看包括出让金、市政实施配套费和拆迁安置补偿费等在内的土地成本高低。

三、不同类型房地产项目对位置的特殊要求

1. 居住项目

居住项目主要为人们工作劳动之余提供一个安静舒适的生活休息空间，此类项目的投资位置选择时要考虑的主要因素包括：

(1) 市政公用和公建配套设施完备的程度。市政公用设施主要为居民的生活居住提供水、电、煤气等，公建配套设施则包括托儿所、幼儿园、中小学、医院、邮局、商业零售网点、康体设施等。国内大量置空的商品住宅，许多是因为不具备上述配套条件造成的，对于小型的居住项目，其本身不具备提供上述配套设施的能力，对场地周围所当前已具备的配套设施能力的依赖性就更大。

(2) 公共交通便捷程度。从我国目前的居民家庭结构来分析，大多数属于工薪阶层，私人汽车还只是刚刚进入少数家庭，对方便快捷的公共交通系统的依赖程度非常大，因此居住项目位置选择时应认真考虑公共交通系统的完备程度。

(3) 环境因素。随着城市居民生活水平的提高，对居住环境提出了越来越高的要求。山、水、绿地、阳光、清新的空气、无噪声污染等，都是居民选择安居，进而也是房地产商在选择居住项目位置时要慎重考虑的因素。

(4) 居民人口与收入。居住项目的市场前景受附近地区人口数量、家庭规模和结构、家庭收入水平、人口流动性、当前居住状况等方面的影响。居住项目投资如果选择在人口素质高、支付能力强的地区进行，就意味着提高了成功的可能性。

【案例12-5】分析了深圳某居住项目受到消费者欢迎的原因。

2. 写字楼项目

广义的写字楼是指国家机关、企事业单位用于办理行政事务或从事业务活动的建筑物。但投资性物业中的写字楼，则是指公司或企业从事各种业务经营活动的建筑物及其附属设施和相关的场地。依照写字楼所处的位置、自然或物理状况和收益能力，专业人员通常将写字楼分为甲、乙、丙三个等级。影响写字楼项目位置选择的特殊因素包括：

(1) 与另外的商业设施接近的程度。商业办公也存在着聚集效应，同样位于城市中心商务区的项目，则其未来的使用者就可以方便地同位于相同区域的客户开展业务。因此与另外商业设施接近的程度，决定了写字楼项目对未来使用者的吸引力，虽然这种吸引力也

会由于城市建设的发展而经常发生变化,但其对写字楼项目位置选择过程的影响则是不言而喻的。

(2) 周围土地利用情况和环境。如果写字楼项目所处的位置周围有很多工业建筑、环境恶劣,就会大大降低该写字楼的吸引力。写字楼的位置还可能由于其邻近政府、大型公司或金融机构的办公大楼而增加对租客的吸引力。

(3) 易接近性。写字楼项目位置选择还应重视其易接近性。大型写字楼建筑往往能容纳成千上万的人在里面办公,有没有快捷有效的道路进出写字楼,会极大地影响到写字楼的档次。写字楼建筑周围如有多种交通方式可供选择(公共汽车、地铁、高速公路等)能极大地方便在写字楼工作的人。是否有足够的停车位也会影响到写字楼的易接近性。一般来说,中心商贸区的写字楼不能象郊区写字楼那样提供足够的停车位,但位于大城市中心商贸区的写字楼周围往往有方便快捷的公共交通。

3. 零售商业项目

零售商业项目所包括的范围相当广泛,从小型店铺、百货商场到大型现代化购物中心,面积规模从十多平方米到十几万平方米,其服务的地域范围从邻里、居住区到整个城市甚至全国,传统的零售商业区域主要座落在市中心的城市中心商业区,但随着城市道路交通设施、交通工具的发展和郊区人口的快速增长,位于城市郊区和城郊接合部的大型零售商业设施不断涌现,使传统中心商业区的客流得以分散。

商业辐射区域分析的结果极大地影响着零售商业项目建设场地的选择。商业辐射区域是指某一零售商业项目的主要消费者的分布范围。商业辐射区域分析包括可能的顾客流量、消费者行为、喜好和偏爱及购买能力分析。此外,新零售商业项目的落成并不能创造出新的购买力;它必须从其他的零售商业项目那里吸引或争取消费者,因此对处于同一供需圈内其他竞争性物业的竞争条件分析也对场地选择有主要影响。

商业辐射区域通常被分为三个部分:主要区域、次要区域和边界区域。主要区域是与项目所处地点直接相邻的区域,其营业额的60%～75%都来自该区域;次要区域是距离项目所处地点5～15km的区域(对市级购物中心而言),项目营业额的15%～20%来自该区域;边界区域是距物业所处地点15km以外的区域,占营业额的5%～15%。对于每一个零售商业项目来说,不管其规模大小如何,都有其辐射区域和影响范围,但这些辐射区域和影响范围的大小则随每一宗具体零售商业项目的规模、类型、位置而有较大差异。人们购买食品一般只愿意走1～2km,购买服装和家庭生活用品的出行距离可达到5～8km,出行10km以上往往是为了大宗综合性购物。因此,在某一商业辐射区域内,项目建设场地的选择还受消费者到达该地点是否方便,即项目的易接近性或交通通达程度的制约。对于大型商场来说,还要考虑停车的方便程度。

4. 工业项目

工业项目场地的选择时须考虑的特殊因素包括:当地提供主要原材料的可能性,交通运输是否足够方便以有效地连接原材料供应基地和产品销售市场,技术人才和劳动力供给的可能性,水、电等资源供给的充足程度,控制环境污染的政策等。

第四节 房地产产品功能的定位

一、房地产产品功能的特点

1. 功能的含义

功能是指功用、效用和能力等。可以从不同性质对功能加以分类。

从性质角度，可以将功能分为使用功能和美学功能。使用功能不仅要求产品的可用性，还要求产品的可靠性、安全性、易维修性。例如住宅，不仅要能供人们生活居住，还要有良好的防水、保温隔热、采光和通风等性能，易于家具布置，有足够的承重能力和抵抗风力、地震力的能力等，住宅构件如门窗和各种管道损坏后便于维修。美学功能包括造型、色彩、图案、与周围环境的协调等方面的内容。随着生活水平的提高，人们对住宅的使用功能和美学功能都提出了越来越高的要求。

从功能的重要程度，有基本功能和辅助功能。基本功能是产品的主要功能，也是用户购买的原因、生产的依据。辅助功能则是次要功能或者未来辅助基本功能更好地实现或由于设计、制造的需要而附加的功能。例如，写字楼建筑的基本功能是供人们办公使用，但在写字楼内设一个职工餐厅和咖啡厅，则是为写字楼内办公人员提供就餐、小憩空间的辅助功能。

此外，按功能的有用性还可以把功能划分为必要功能和不必要功能。使用功能、美学功能、基本功能和辅助功能都是必要功能，多余功能、重复功能和过剩功能均属于不必要功能。

2. 房地产产品功能的特点

房地产产品即房屋建筑不论其用途属何种类型，均为人类的生活或生产活动提供入住空间，这是其基本功能。从满足人类入住需要的角度出发，房地产产品的功能可从适用程度、屋宇设备完备程度、平面布置、物理性能、耐固程度和建筑艺术等方面进行评价。随着社会经济的发展，在有无的问题基本解决后，人们对各类房屋的辅助功能提出了越来越高的要求。例如，在居住建筑中，人们对书房、客厅、储藏、阳台、厨房和卫生间的有无或面积大小，对管道煤气、集中供热、公共电视天线、电线和电话线插座，对居住建筑公共部位的卫生、保安，对住宅区的环境绿化等，均提出了很高的要求，甚至成为居民选择购买住宅时的主要制约因素。

房地产产品功能的主要特点，是其功能调整的难度大、费用高，其辅助功能如此，基本功能更是如此。由于房屋建筑的使用寿命相对较长，为了尽可能降低房屋建筑的功能性贬值对房地产价值的影响，要求房屋建筑的功能设计和生产中具有超前性和适当的弹性。

二、房地产产品功能定位的含义及重要性

1. 功能定位的含义

房地产产品的功能定位，是指在目标市场选择和市场定位的基础上，根据潜在的目标消费者使用需求的特征，结合房地产特定产品类型的特点，对拟提供的房地产产品应具备的基本功能和辅助功能做出具体规定的过程。

2. 功能定位的重要性

功能定位的目的是为市场提供适销对路、有较高性能价格比的产品。因此，功能定位

的准确与否，在很大程度上决定了房地产商所提供的产品能否被市场所接受，能否按照房地产商所期望的价格被接受，这对房地产商投资目标的实现有着重要影响。随着房地产市场的不断发展，人们对房屋空间的认识和购买观念也在不断地发生变化，令房屋的平面布局及功能设计，成为房地产商项目市场策划的一个重要内容。以住宅为例，现代家庭居住的需求的变化，对住宅户型与功能设计提出的要求包括：

（1）超前的户型设计。在提高住宅质量和居住质量的呼声日益强烈的今天，人们旧日的传统居住习惯受到新潮、海派的挑战，大多数居民的需求已经从求解困、图实惠转变为小康型、舒适型。在1997年房地产市场处于低潮的情况下，仍然不乏受市场欢迎的"明星楼盘"，一经面市，即为市场所吸纳，除地段环境因素外，户型设计的超前性也是一个重要原因。例如上海1998年新年楼市最热门的楼盘"华佳花园"，开盘仅一个多月时间，近3万m^2建筑面积的多层住宅就售出40%以上。该开发项目的成功，新加坡ATA建筑师事务所超前户型设计起了很大的作用。住宅中使用的直角转角窗，集良好的采光、通风、观景于一体，既可独立又可有机组合的餐、客厅给人以一个最佳空间视觉感受。华佳花园住宅最小户型建筑面积为79m^2，除复式以外最大户型建筑面积为120m^2，有效面积系数超过了80%。

（2）功能分明，突出舒适便利。户型设计，不仅要显示其功能的综合性与有机结合，各部位的独立性也非常重要。现时人们祈求的户型，要求客厅、餐厅、卧室、书房、厨房、卫生间等功能空间能够体现最大的使用价值。购楼家庭的层次虽然有高有低，但都对住宅功能提出了更高的要求，休息、娱乐等缺一不可，户型结构和功能布局的合理性，已成为影响住宅项目开发成败的重要因素。例如：深受市场青睐的上海"正润欧洲花园"住宅，不但全部采用明厅、明卧、明厨、明卫等户型设计，而且着重突出功能的独立性和实用性。如其二室二厅一卫户型的住宅，建筑面积约100m^2，有效面积系数达到80%，其入口处的餐厅、厨房及厨房阳台一气呵成，宽阔的客厅除与餐厅自然连接外，四周几乎没有门洞，形成几乎独立的公共休息娱乐空间，卫生间在两卧室之间，中间以一自然走道过渡。

（3）严格控制每套住宅的价格与功能价格比。设计合理、功能齐全是居住建筑受市场欢迎的先决条件，但户型面积和每套住宅单元的整体价格，也是发展商不可忽视的重要问题。在这方面有许多失败的案例，例如有些楼盘虽有较好的户型设计，但过大的面积不仅导致部分功能面积利用率低，而且导致每套住宅的价格大大超过了一般高收入家庭的承受能力，使项目建成后的住宅长期空置，给房地产商带来了沉重的财务压力。研究机构对需求户型抽样调查的结果表明，70%以上的家庭认为80～120m^2建筑面积的户型较为合适，过大的面积容易形成多余或重复的不必要功能。因此，在安排住宅功能面积的分配时要精打细算，开发商或其聘请的建筑师不能慷用户之慨，尤其是对自用型的卖家，对每一平方米建筑面积都希望"物有所值"。

（4）住宅结构和设备布置最大限度满足建筑功能及美观的要求。建筑是一个整体，必须各方同心协力才能创作设计精品。例如深受广州居民欢迎的锦城花园，每个住宅单元的室内看不见一根梁、一条水管，建筑外部也很少见排水立管。供水系统采用变频稳压给水，建筑顶部不设水箱，地下车库设发电机房，为正常供水提供了保障。给排水管道的连接水管采用加保护套的铜管，且预埋入楼层结构板内，水表则选用远程式集中电脑抄表、计费，准确、可靠。

三、房地产产品功能定位的原则与方法

以未来潜在使用者的功能需求特征为导向，站在使用者的立场上精打细算，体现以人为本和对人的关怀，是进行房地产产品功能定位应遵循的根本原则。对房地产产品进行功能定位的具体方法与步骤是：

（1）明确目标使用者群体。任何房地产产品，都是为满足某一种特定类型的使用者设计生产的。借助市场研究和市场细分的结果，明确拟开发建设的房地产项目的潜在目标使用者群体。例如，对居住项目，目标使用者群体可能包括高收入阶层、中等收入阶层和低收入阶层；对写字楼项目，目标使用者则可能包括境内或境外企业、大型或中小型企业、不同经营类型或内容的企业，在境外企业中还可以进一步分为欧美或日本、韩国企业等；对零售商业项目，则可将消费者群体定位在高、中或低收入阶层，也可以按照消费者的习惯或地域范围定位。当然，在目标使用者群体定位时，还要综合考虑项目所处的区位、项目的建设规模、房地产商的经验和投资实力等因素的影响。

（2）分析研究目标使用者的需求特征、消费偏好和可支付能力。每一类目标使用者群体，其需求特征、消费偏好和可支付能力都有很大的差异。例如写字楼物业的境外使用者中，欧美企业喜欢豪华、宽松的办公环境，并愿为此支付较高的租金，日本和韩国企业则喜欢布局紧凑、精打细算，北京建国门地区的长富宫中心写字楼专为日本企业设计，而华润大厦则主要为欧美大型跨国公司设计，从而在功能设计上体现了明显的差异。就住宅项目而言，南方和北方居民生活习惯的差异、接受教育程度的不同、所从事职业的特点等，都从某一方面影响着其对住宅需求的特征、消费偏好和可支付能力。

（3）针对目标使用者群体设计。房地产商或其市场分析、市场营销人员对目标使用者群体特征的把握，要想真正体现在房地产产品设计的图纸上，还要与建筑师建立良好的沟通渠道，以便使设计师领会房地产商的意图。当然，为了占领市场，越来越多的建筑师也开始注重市场需求的分析研究。【案例12-6】介绍了房地产产品功能定位方法的应用情况。

第五节 房地产投资项目融资策略

一、融资及其在房地产投资中的作用

融资是以信用方式调剂资金余缺的一种经济活动，其基本特征是具有偿还性。拥有多余资金的机构或个人在融出资金后便处于债权人的地位，有权按期收回融出的资金，并要求获得融出资金的报酬即利息；而暂时需要资金进行项目开发建设或购买房地产的投资者，在融入资金后便处于债务人的地位，他可以暂时支配融入的资金，以弥补自身资金的不足，但条件是到期必须偿还，并按借贷合同规定支付一定利息，作为使用资金的代价。因此，融资活动直接涉及到融资双方的经济利益，只有在双方都认为有利的情况下，才会发生融资行为。

拥有闲置资金并融出资金的机构或个人，其融出资金的目的是为了获取利息或分享收益，以便提高资金的使用效益。而融入资金的房地产投资者，其融入资金的目的则是为了弥补投资能力的不足，摆脱自有资金的限制，以相对较少的资金来启动相对较大的投资项目，从而达到获取更大经济效益的目的。

资金问题历来都是房地产投资者最为关切和颇费心机的问题，任何一个房地产投资者，

要想在竞争激烈的房地产市场中获得成功，除了取决于其技术能力、管理经验以及他在以往的房地产投资中赢得的信誉外，还取决于其筹集资金的能力和使用资金的本领。就房地产开发投资而言，即使开发商已经获取了开发建设用地的土地使用权，如果该开发商缺乏筹集资金的实际能力，不能事先把建设资金安排妥当，其结果很可能是流动资金拮据、周转困难而以失败告终；对于置业投资来说，如果找不到金融机构提供长期抵押贷款，投资者的投资能力就会受到极大的制约。所以，尽管人人都知道房地产投资具有获得高额利润的可能，但这种高额利润对绝大多数人来说，是可望不可及的。

从金融机构的角度来说，其拥有的资金如果不能及时融出，就会由于通货膨胀的影响而贬值，如果这些资金是通过吸收储蓄存款而汇集的，则还要垫付资金的利息。所以金融机构只有设法及时地将资金融出，才能避免由于资金闲置而造成的损失。当然，金融机构在融出资金时，要遵循流动性、安全性和盈利性原则。世界各国的实践表明，房地产业是吸纳金融机构信贷资金最多的行业，房地产开发商和投资者，是金融机构最大的客户群之一，也是金融机构之间的竞争中最重要的争夺对象。

二、项目融资的资金来源与结构

房地产投资者在进行某一房地产项目的投资决策过程中，除需评价该项投资的技术经济可行性外，很重要的一项工作就是要考虑用于该项投资的资金来源，确定资金结构并制定项目融资策略。

（一）项目融资的资金来源

置业投资的资金通常仅来源于股本金和抵押贷款，而房地产开发项目筹集资金的过程相对较为复杂，因此对项目融资资金来源的介绍以房地产开发项目投资为主。

1. 股本金

尽管"永远不使用你自己的钱"通常被说成是开发商的第一信条，也确实有一些开发商由白手起家在几年之内成为房地产界的巨子，但这只是十分特殊的情况。大多数房地产开发企业或是利用现有的自有资金支持项目的开发、或是努力通过多种途径扩大自己的资金基础。尤其是房地产开发投资的特性本身，就要求开发商必须有一定量的股本金投入。从投资者的角度来说，只要预计项目的投资利润率较多地高于银行存款利率，就可以根据企业的能力适时投入自有资金作为股本金。开发商的自有资金，包括现金和其他速动资产，以及在近期内可以收回的各种应收款等。

通常情况下，开发商存于银行的现金不会很多，但某些存于银行用于透支贷款、保函或信用证的补偿余额的冻结资金，如能争取早日解除冻结，也属于现金一类。速动资产可包括各种应收的银行票据、股票和债券（可以抵押、贴现而获得现金的证券），以及其他可立即售出的建成楼宇之回款和近期出售的各类物业之应收款等。

2. 银行信贷

任何房地产开发商要想求得发展，就离不开银行及其他金融机构的支持。如果开发商不会利用银行信贷资金，完全靠自己的现金本钱周转，就很难扩大投资项目的规模及提高自有资金的投资收益水平，还会由于投资能力的不足而失去许多良好的投资机会。利用信贷资金经营，实际上就是"借钱赚钱"或"借鸡生蛋"。下面举一个简单的例子，说明"借钱赚钱"的一般情况。

假定某开发商现有自有资金3000万元可投入房地产开发项目，当前房地产开发投资的年投资利润率为20%，贷款利率为10%。如果开发商不向银行贷款或不能得到贷款，则只能承担总投资额为3000万元的开发项目，假设项目开发周期为2年，则开发商可获取的开发利润总额为1200万元，自有资金年平均收益率为20%。但如果开发商以抵押贷款或其他贷款方式从银行贷入7000万元，则他就可以承担总投资额为1亿元的开发项目，假设此时开发周期为3年，则其开发利润为10000万元×20%×3＝6000万元，扣除付给银行的贷款利息7000万元×$[(1+10\%)^{1.5}-1]$＝1076万元之后，得净利润4924万元，此时，开发商自有资金年平均收益率为$[(4924\div 3000)\div 3]\times 100\%=54.7\%$。

从上面的例子可以看出，同样是3000万元的自有资金，如不向银行贷款，则其每年的净收益仅有600万元，但如果向银行贷款，则每年的毛收益可达2000万元，扣除向银行支付的利息359万元后，得净收益1641万元，比不利用银行贷款时可多收入1041万元。很明显，这一笔超出的利润就是借别人的钱赚来的，或说是利用了财务杠杆的结果。当然房地产开发投资中贷款的比例并非没有什么严格限制，一般贷款比例应小于总投资的75%，而且是以开发项目本身的抵押贷款为主。

3. 社会集资

向社会集资是一种重要的资金筹措手段。经过十几年的改革开放，我国的总体经济实力明显增强，社会资金大量增加，如果能聚集一部分社会闲散资金集中用于项目建设，就可以缓解向金融机构筹资的压力。目前，我国社会集资的主要方式有以下几种：

(1) 发行股票

股份制房地产开发企业在投资开发房地产项目时，可以通过发行股票的办法筹措资金。发行股票的范围，可以在境内，也可以在境外，但均需要经过操作程序和严格的审查与审批程序。国内深圳和上海股票市场上的房地产板块，目前已成为我国股市的一支重要力量，珠江实业、陆家嘴、深万科、兴业房产、南油物业、深深房等房地产股在股票市场上均有很高的知名度，且因为交投活跃而倍受投资者关注。沪深股市还通过发布"上房指数"和"深房指数"来及时反映房地产板块的股市变化。除了众多企业在国内上市外，还有许多国内房地产企业直接或间接地在境外上市成功，为这些企业的房地产开发项目注入了大量资金。1996年11月，北京市华远房地产股份有限公司通过其控股公司华润北京置地公司在香港联交所成功上市，就是房地产开发企业通过股票市场筹措资金的成功案例（见【案例12-7】）。

房地产股票是房地产有限公司发给股东的所有权凭证，股票持有者作为股东承担公司的有限责任，同时享受相应的权利，承担相应的义务。房地产开发股份有限公司可根据企业不同时期、不同经营情况的需要，选择发行不同种类的房地产股票，包括普通股和优先股。优先股在收益分配上享有优先权，但一般没有公司的经营管理权。优先股又可分为累计优先股、股息可调整的优先股和可转换优先股三类。普通股代表持股人在股份中的财产和所有权。持有普通股的股东对公司的经营管理行使权利，参加股东大会并有投票权。但普通股的股息要视公司经营业绩好坏和收益高低而升降，不予固定。另外，普通股股东可以通过股份公司资产的增值和股票交易价格的上升取得收益，股份公司发行股票时，必须发行一定数量的普通股。

股票的发行一般有两种方式，一是由股份公司直接向社会发行，由银行或其他金融机构协助；二是由银行或债券公司代理发行或包销。股票的发行价格通常有四种确定方式，一是按面值发行，即按票面价格发行；二是市价发行，即按照或接近股票市场上该种已发行股票或同类股票的近期买卖价格发行；三是折价发行，即按股票票面价格打折扣后发行；四是按股票票面价格和市场价格的中间价发行。

(2) 发行公司债券

公司债券又称为企业债券，是股份公司为筹集资金而发行的债务凭证。发行债券的公司或企业向债券持有者作出承诺，在指定的时间，按票面额还本付息。在我国，企业债券泛指各种所有制形式企业，为了特定的目的所发行的债务凭证。

企业债券作为一种有价证券，其还本付息的期限一般应根据房地产企业筹集资金的目的、金融市场的规律和有关法规及房地产开发经营周期而定，通常为3~5年。债券的偿付方式有三种，第一种是偿还，通常是到期一次偿还；第二种是转期，即用一种到期较晚的债券来替换到期较早的在发债券，也可以说是以旧换新；第三种是转换，即将债券转化成股票。债券的付息方式有剪息（分期付息）和一次付息两种，后者还可能在发行时一次付息即贴现发行。

4. 其他融资方式

(1) 预收定金或购楼款

在房地产市场前景看好的情况下，大部分投资置业人士和机构，对预售楼宇感兴趣，因为他们只需先期支付少量定金或预付款，就可以享受到未来一段时间内的房地产增值收益。例如某单位以现时楼价15%的预付款订购了开发商开发建设过程中的楼宇，如果一年后楼宇竣工交付使用时楼价上涨了12%，则其预付款的收益率高达$12\% \div 15\% \times 100\% = 80\%$。预售楼宇对于买家来说，由于他可以降低购楼费用（如果楼宇建成后，买家再将所预定的楼宇转买，则可获得很高的投资收益），所以有很高的积极性；对于开发商来说，预售一部分楼面面积，既可以筹集到必要的建设资金，又可将部分市场风险分担给买家，虽然可能会损失掉一些未来收益，但"钱要大家赚，况且我还可以赚大头"，因此，开发商的积极性也是不言而喻的。当然，预售楼宇通常是有条件的，一般规定开发商投入的建设资金（不含土地费用）达到或超过地上物预计总投资的25%以后，方可获得政府房地产管理部门颁发的预售许可证。

在没有获得预售许可证的情况下，一些开发商还创造了"预约销售"的形式，通过收取预约定金，筹措了开发项目所需的资金，同时也降低了开发商的市场风险。北京万泉花园物业开发有限公司的"万泉新新家园"项目，就成功地利用了"预约销售"的形式。

(2) 令承包商带资承包建设工程

虽然我国对承包商带资承建建设工程有所限制，但从国际建筑市场的运作规则来说，这种发包建筑工程的方式得到了相当普遍的运用。因为在建筑市场竞争激烈的情况下，许多有一定经济实力的承包商，有可能愿意带资承包建设工程，以争取到建设任务，特别是在开发项目有可靠收入保证的情况下。这样，开发商就将一部分融资的困难和风险分担给了承包商，当然，对延期支付的工程款项，开发商也要支付利息，但通常这个利息率较贷款利率为低，而且更低于整个开发项目的投资收益率。如果开发商决定令承包商带资承包，一定要对承包商的经济实力进行严格的审查，对其筹资方案进行认真的分析。必要时，在承包商筹资过程中，开发商也要给予必要的支持与合作，如为承包开具银行付款保函等。

承包商带资承包建设工程时，其带资的比例可由开发商与承包商协商确定。目前通常的做法，是请承包商带资建设到基础工程结束（±0.00），此时开发商基本上达到了申请预售许可证的条件，可以用预售收入来支付已完成工程量和后续工程量的工程款。

(3) 合作开发

开发商如确实筹款困难，则选择一家或数家有经济实力的投资者联合开发，是一种分散和转移资金压力的较好办法。开发商可以充分发挥合作伙伴的各自优势，并由各合作伙伴分别承担或筹集各自需要的资金。当然，开发商也应让出一部分利益，否则难以找到合作伙伴。目前国内许多房地产开发项目采用了合作开发的模式，使有房地产开发专营权但资金短缺的开发商和拥有资金实力但没有专营权企业优势互补，收到了很好的效果。

(二) 项目融资的结构

面对不同的市场环境和竞争条件，项目融资结构设计合理与否，也是开发商能否成功的关键。在预售市场不很明朗的情况下，开发商必须作好用股本金和贷款来解决全部开发建设投资的准备。在大多数情况下，只要开发商能投入占项目总投资30%的股本金，就基本具备了由信贷资金解决余投资需要的条件。当然，在市场条件较好、项目对购买者有较强吸引力的情况下，项目投资所需的资金可以有很大部分通过预售收入解决，但在1994～1997年房地产低潮中，许多房地产开发项目由于过分依赖预售收入的投入，没有安排足够的信贷资金，也没有足够的投入自有资金的能力，结果导致开发项目成了"烂尾楼盘"，还有相当多的开发商步入了破产的境地。因此，对预售收入投入数量和比例的预期，一定要与项目所处的市场条件相配合，详细分析项目获取预售收入的可能性。

三、融资方案的选择与决策

(一) 融资方案的选择

尽管人们总容易认为金融机构会对开发商提出各种苛刻的要求，其实对开发商而言，正确地选择融资方案也同等重要。融资的目的是为房地产开发项目服务的，因此融入的资金必须在币种、数量、期限、成本四个方面满足房地产开发项目对投资的需求。随着我国金融体制的改革，房地产开发项目融资渠道逐步拓宽，开发商在选择自己的融资方式时，应重点考虑如下因素。

1. 资金融出机构的资金来源和财力状况。这一点常被开发商所忽略，而事实上，开发商在选择自己的银行伙伴时，应考察其国际和国内交往的信誉、受政府和公众信任的程度及银行的规模。

2. 资金融出机构的办事效率。这反映在对贷款申请反应的速度上。

3. 各项融资收费的合理性。包括贷款利率、佣金和手续费等收费项目。

4. 对资金的调动和转移的灵活性。

从对各种融资方式的比较来看，向金融机构融资手续相对简单，较容易获金融机构同意，且金融机构对项目的直接干预较少；但银行和其他金融机构信贷受国内政治、经济形势尤其是国家金融政策影响较大，且国内金融机构一般不承担利率风险。向社会直接融资期限较长，尤其是发行股票方式，股东与开发商共担投资风险；但该方式报批手续及实施过程复杂，手续费和利息负担要比银行融资大，且不易获得政府批准。利用外资受国内金融政策影响较少，利率比较优惠，但也存在政治风险和汇率风险，且申请难度较大，贷款者对项目干预较多。

对融资方式的选择通常取决于对融资的数额、流量、资金来源结构、融资步骤安排、融资风险评价和融资成本分析等的综合评估结果。开发商可以通过对各种可能融资方案的安全性、经济性和可行性进行比较分析后择优选用。

(二) 融资决策

融资活动存在着一定的风险因素,一是可能得不到资金,二是可能得到资金的代价很高,以至于开发商得不到应有的利润甚至出现入不敷出而导致破产。融资决策就是为了避免上述不利情况的出现而采取的一种措施。它是对资金融通活动确定目标和方向,合理选择最优行动方案的活动进程。融资决策在房地产开发项目融资进程中占有极其重要的地位,对于灵活融通资金,提高资金使用效益具有重要作用。

融资决策具有综合性、政策性和调节性等特点,在融资决策中,要综合考虑中央银行的宏观金融政策,开发项目的资金需要和资金融通的风险和收益情况等因素。融资决策没有一个固定的模式,它是一个动态的过程,应根据具体情况的变化而相应调整,但通常由以下几个环节构成,即发现问题、确定目标、拟定方案、方案选择、组织实施和信息反馈调整。

1. 发现问题是融资决策的起点。所谓发现问题是指开发商在开发项目投资过程中遇到了资金矛盾,为了解决这个矛盾,需要制定相应的融资策略,这就要求开发商根据实际情况,确定主要问题,抓住主要矛盾,通过分析研究,根据主要矛盾制定融资策略。

2. 确定融资决策目标是决策的前提。所谓决策目标,是指在一定环境和条件下,根据融资进程中的主要矛盾,在预测的基础上,制定融资活动预期达到的目标。决策目标必须要在充分分析现有资料和信息的基础上提出,并且要求具体、明确,有实现可能性。

3. 拟定决策方案是融资决策的基础。这个环节主要是寻找达到既定目标的各种可能途径。在拟定决策方案时,应充分了解决策对象的情况、性质,掌握较多的经济信息和市场信息,从而确保融资决策方案的可行性。此外,还要对可行决策方案进行定性、定量和定时分析,指出其优越性和存在的问题,研究可行性程度,以便进行方案比较和选择。

4. 融资方案选优是融资决策的关键,通过方案选优,最终确定最优能满足决策目标的融资决策方案,从而基本确定决策的经济效益。

5. 组织最优决策方案的实施是融资决策具体贯彻执行,使方案付诸于实践。实践进程中应制定周密的计划和相应的措施。

6. 反馈调整则是在融资决策实施过程中,对可能出现偏离决策目标的情况进行跟踪调整,以便及时发现问题,适时调整和修改融资方案。

四、金融机构提供融资的原则与条件

(一) 金融机构提供融资的原则

从金融结构的角度出发,其融出资金的目标是在按时、安全收回本金的条件下,获取尽可能多的盈利,因此其在资金融通过程中通常遵循下列原则:

1. 流动性原则。所谓流动性,是指金融资产在无损状态下迅速变现的能力。金融机构在进行资金融通时,通常将资金的流动性放在首位,因为这是避免资金被长期占用、到期不能偿还等情况发生的必要条件,也是保障金融机构信誉的有效手段。

2. 安全性原则。安全性是指融资中所具有的风险程度或其安全保障程度。它要求金融机构在融出资金时应尽量避免和减少风险,以确保资金安全。这可以通过对项目加强可行性研究、进行风险预测和对开发商的资信进行调查分析等手段来实现。

3. 盈利性原则。盈利性是指融资过程中资金获得利润的能力,即资金融通给资金融出者所带来收益的大小。一定量的资金融通所带来的收益越多,盈利性越好。

(二) 金融机构提供融资的条件

金融机构在提供资金融通的过程中,会对开发商提出许多具体要求。不过大多数情况下,开发商和其融资银行都有着合作关系,因此融资的成功与否在很大程度上取决于双方彼此的信任和信心。但对于初次向金融机构融资的开发商来说,金融机构对其及其所开发项目的审查就要严格得多。下面就简要介绍一下金融机构对一个初次向其申请项目融资的开发商需要重点审查的内容。

1. 开发商过去的业绩表现

金融机构对项目融资的审查往往从开发商过去的业绩记录开始,尽管通过这种方式对开发商作出的评价或许有些主观,但金融机构借此可以很快地形成对开发商的总体印象。此外,金融机构还要重点了解开发商在过去房地产市场上的表现,公司内部主要管理人员的经历、经验,开发商所聘请的专业顾问机构的水平和经验等。开发商过去完成的开发项目情况,特别是工程质量,是否按期完成开发项目,是否按期租售完毕,客户的反映如何等也是金融机构要了解的内容。因为金融专家们清楚,开发商是用开发项目完成后的租售收入偿还其贷款的,一旦开发商不能如期将楼宇租售出去,金融机构将无法收回其贷出的资金。

2. 开发商的会计报表

开发商的会计报表最能反映其财务状况,因此对初次申请项目贷款的开发商,金融机构都要求其提供近年的会计报表,包括资产负债表和近期的损益表、财务状况变动表和利润分配表。通过审查开发商的会计报表,金融机构还能了解开发商的资产及其组合情况、资产管理情况等。金融机构了解这些内容的主要目的,是来衡量开发商有没有足够的经济实力和管理能力来投入拟贷款的项目。

此外,金融机构还希望通过对开发商会计报表的审查,来确认开发商的资产负债比例、承受各类债务的能力、是否用本次融入资金偿还其他到期债务等。如果开发商在国外有分支机构,金融机构还要审查其外汇负债以及其海外资产和收入来源能否平衡这些债务。

从会计报表尤其是损益表上,金融机构还能分析出开发商当前收益的数量和质量能否满足其目前的开销,是否足以应付未来利率上涨和其它不可预见因素出现时所带来的财务压力。此外,开发商为了提高其所提供资料的可信程度,开始向金融机构出示由评估机构为其提供的资产评估报告,所以大多数金融机构开始关心开发商资产评估报告的内容,同时审查其每次重估的时间间隔、评估的基本依据以及评估报告提供者的信誉。金融机构还会认真了解开发商出具的担保书据等会计报表上可能显示不出来的项目,因为这些项目的存在,会大大影响开发商财务上的可信度。

3. 拟开发建设项目的情况

从金融机构的立场来说,拟开发建设的项目不仅要满足开发商的投资目标,重要的是还须满足金融机构自己的目标。总的来说,项目应具有适当的经济规模,但单一项目的投资额不宜超过开发商各类项目全部投资额的5%。从房地产投资组合的角度来说,一般写字楼项目可占其总投资的35%~40%,商业零售用房35%~40%,工业厂房10%~15%,土地和其他物业5%~10%;从地区分布来说,项目也最好能满足金融机构地区分布均衡的原则。显而易见，银行这样要求，主要目的是为了分散融资风险。

在项目融资金额较大或某些其他特殊情况下，金融机构还很可能亲自去了解有关开发项目的详情，如果开发商是自己的新客户，更需要这样做。他们自己调查的内容包括项目所在的确切地点、当地对各类楼宇的需求情况，项目改变用途以适应市场需要的可能性，市场上的主要竞争项目等。金融机构批准贷款时通常还会考虑建筑设计质量和建筑师的水平情况。此外，有时金融机构还会对未来租客的选择进行干预，尤其是大宗承租的租客，这也是金融机构控制项目和开发商的重要措施。很有必要记住这样一句话，即在开发商看来是机会的时候，银行家看到的往往是风险。

在咨询业日益发达的今天，金融机构还会要求开发商向其提供房地产咨询机构提供的项目评估报告，这也是金融机构化解和分散融资风险的有途径效。在咨询机构提供的项目评估报告中，咨询机构会就房地产市场情况、预期的租金和售价水平及总开发成本、项目自身的收益能力和还贷能力、财务评价的有关技术经济指标、不确定性分析的结果等提供专业意见，供银行或其他金融机构参考。

4. 开发商拟贷款数量

金融机构对开发项目的融资通常只占项目总投资的一部分。有些情况下，金融机构会同意按土地费用的50%、建造费用的100%予以融资，但更多的情况是仅对建造费用的一部分进行融资。当开发商以项目用地的土地使用权作抵押时，金融机构提供抵押贷款的数量通常是土地价值的70%～75%，对于特别看好的项目，也可能提高到80%～85%。对于销售对象或承租对象已明确的项目，金融机构有可能提供占总开发成本90%左右的融资贷款。但一般情况下70%～75%是一个限度，因为从原则上来讲，开发商也应对项目的投资作出贡献，从惯例上来说，开发商投入的自有资金要占到项目总投资的25%～30%。

从实际操作上来看，不同的金融机构在不同的市场条件下，对融资数占建造成本或总开发成本的比例有不同的观点和准则。关键是令金融机构相信，开发商有信心并确实承担了开发项目的主要风险。

5. 贷款期限

从资金的流动性、安全性和盈利性角度出发，提供短期信贷的金融机构一般不希望项目开发建设贷款的期限超过5年，虽然在某些特殊情况下这个限度也可以适当放宽。但长期信贷银行、保险公司和各类基金放贷的期限可以达到10年以上，这些金融机构提供的长期融资常被称作替出式贷款，即当开发商开发建设的项目用于出租经营时，替出式贷款可以用来归还短期的开发建设贷款，开发商以建成的项目作为替出式贷款的抵押担保，用项目未来的出租收入，逐渐归还替出贷款。

6. 利息率

对直接贷款来说，利率通常是在基础利率的基础上上浮不同的百分点。例如对于非银行贷款，利率通常是政府同期债券利率加上1.5%～2.25%，而对银行贷款来说，通常是同业银行拆借利率加上1.5%～2.5%。利率有时是浮动的（浮动一般是指基础利率的浮动），有时是固定的，也有时在一定时间内固定，一段时间内浮动。另外，目前还有一种趋势，即银行的贷款利息可以用分红的方式体现。

7. 目标收益率

目标收益率是判断项目盈利能力的重要技术经济指标，是将开发项目预期或实际上所获得的年净收益进行资本化时采用的一个贴现率,目标收益率的大小取决于开发项目的风险程度、相关投资的收益率水平等,项目所承担的风险越大,目标收益率就应越高。开发商或咨询机构在对项目进行经济评价时,其所采用的目标收益率的高低,对项目评价的结果有重要的影响。因此,金融机构不仅要看项目评估的结论,还要审查得出该结论的判别标准,即评价项目所采用的目标收益率。例如对一宗已经建成出租的物业进行长期融资,金融机构可接受的目标收益率可能是8%;如果在项目建成出租前谈妥的于项目建成并出租时提供的长期融资,目标收益率可能是8.8%;如果在项目建成并出租前谈妥的融资,此时物业已预租完毕,但须在项目建设阶段开始支付,则目标收益率会达到9.2%;在上一种情况下,如项目没有预租出去,此时的目标收益率就会达到9.6%;如果项目承担的风险相当高,融资是项目投资的主要来源,则此时的目标收益率应达到10.4%。

8. 有助于金融机构同意融资的其他因素

从上面的介绍可以看出,金融机构总是在千方百计地降低其融出资金的风险。如果开发项目在位置、规模、功能质量、设计风格、预计的出租率、租期等方面有些与众不同,金融机构更会小心谨慎。但如果项目具备下述条件,金融机构可能会放宽其评判标准。这些条件包括:

(1) 开发商已经拥有了项目用地的土地使用权;

(2) 开发商准备进一步投入自有资金用于项目建设;

(3) 有充分的证据证明,项目确实可以顺利租售出去;

(4) 其他财力雄厚的合作伙伴如总承包商与开发商一起担保或承包商拥有银行开具的履约保函;

(5) 开发商所在集团内部有威望和杰出成就的人士以个人名义担保。

【案例12-1】

某市场分析报告的大纲

Ⅰ. 摘要

A. 市场分析的目的;

B. 分析方法、主要假设条件和风险因素;

C. 建议——做/放弃/推迟/改进以后可以做。

Ⅱ. 概述

A. 国家或整体社会经济状况和主要的增长领域。

a. 确认有吸引力的物业投资类型——可选择的投资方向;

b. 分析当前所处的经济周期或房地产周期中的位置。

B. 地区经济概况(可与国家进行对比分析)。

C. 城市经济状况。

a. 与国家和地区相比城市的就业状况及趋势;

b. 本城市就业情况短期预测;

c. 确认和介绍当地主要产业、企业和产品。

D. 市场环境与场地分析。

a. 市场区域的划分、土地面积、土地利用情况；
　　b. 场地描述；
　　c. 场地周围交通环境及可及性分析；
　　d. 场地周围土地利用情况和竞争情况。
　Ⅲ. 需求分析
　　A. 预计的总需求（详细分析项目所在市场区域内就业、人口、家庭规模与结构、家庭收入等，以预测拟开发房地产类型的市场需求）。
　　a. 就业分析；
　　b. 人口和家庭分析；
　　c. 收入分析。
　　B. 吸纳率分析（就每一个相关的细分市场进行需求预测，以估计市场吸纳的价格和质量）。
　　a. 市场吸纳和空置的现状与趋势；
　　b. 预估市场吸纳计划（相应时间周期内的需求）。
　Ⅳ. 供给分析
　　A. 调查房地产当前的存量、过去的走势和未来可能的供给。
　　a. 相关房地产类型的存量、在建数量、计划开工数量、已获规划许可的数量、改变用途数量和拆除量等；
　　b. 估计短期的新增供给数量。
　　B. 分析当前城市规划及其可能的变化和土地利用、交通、基本建设投资等计划；
　　C. 分析房地产市场的商业周期和建造周期循环运动情况，分析未来相关市场区域内供求之间的数量差异。
　Ⅴ. 竞争分析
　　A. 列出与竞争有关的项目功能和特点（价格、质量、设计形式、功能、装修标准）。
　　a. 描述已建成或正在建设中的竞争性项目（价格、数量、建造年代、空置、竞争特点）；
　　b. 描述计划建设中的竞争性项目。
　　B. 市场细分，明确拟建项目的目标使用者。
　　a. 目标使用者的状态（年龄、性别、职业、收入）、行为（生活方式、预期、消费模式）、地理分布（需求的区位分布及流动性）；
　　b. 了解每一细分市场下使用者的愿望和需要；
　　c. 按各细分市场结果，分析对竞争项目功能和特点的需求状况，指出拟建项目应具备的特色。
　Ⅵ. 分析市场占有率
　　A. 基于竞争分析的结果，按各细分市场，估算市场供给总吸纳量和吸纳速度和拟开发项目的市场份额，明确拟开发项目吸引顾客或使用者的竞争优势。
　　a. 估计项目的市场占有率；
　　b. 在充分考虑拟开发项目优势的条件下，进一步确认其市场占有率；
　　c. 简述主要的市场特征。

B. 市场分析结果（市场占有率、拟建项目销售或出租进度、价格、销售期）。
a. 在一定时间内以某一价格出售或出租的面积或单元数量；
b. 有利于增加市场占有率的建议。

【案例12-2】

上海市部分市民住房购买意向问卷调查统计

尽管上海商品住宅有效需求逐年提高，但1997年上海商品住宅的空置面积仍超过600万 m²。为研究住房需求的具体情况（包括区域、房型、面积、单价、总价等），制定启动住房消费、盘活存量房产，上海社科院房地产业研究中心自1997年10月至1998年3月，通过在市交易中心和部分区交易中心、有关房展设立的购房咨询服务点以及举办购房知识讲座，向需购房的市民（主要是工薪阶层）调查购房意向，获得了可靠的第一手市场需求信息。将收集到的8078份购房意向书的部分内容汇总如下：

拟购房房型	一室	一室一厅	二室	二室一厅	二室二厅	三室	三室一厅	三室二厅	四室以上	其他
比例（%）	1.57	9.17	0.99	55.98	5.79	0.12	17.36	8.02	0.82	0.14
交房期	现房	半年	一年	二年						
比例（%）	61.96	20.07	14.16	3.73						
购房时间	今年	明年	后年	置换						
比例（%）	46.25	40.78	4.20	17.17						
拟购建筑面积（m²）	0~48	49~58	59~68	69~78	79~88	89~98	99~113	114~128	129~143	144以上
比例（%）	5.83	6.51	8.78	15.93	22.37	9.12	23.01	4.12	1.56	2.72
可承受住房单价（元/m²）	<1400	1500~1800	1900~2300	2400~2800	2900~3300	3400~3800	3900~4300	4400~5300	5400~6300	>6400
比例（%）	0.35	1.42	9.17	16.08	23.64	10.91	15.49	13.60	4.05	1.77
住房总价（万元）	<9	10~14	15~18	19~23	24~32	33~42	43~52	53~67	68~83	>83
比例（%）	1.98	7.61	11.97	14.89	28.09	15.88	9.01	3.35	2.31	1.38
需房区域	内环线内			内外环线间			外环线外			
比例（%）	46.97			51.18			1.51			

资料来源：房地产报，1998年4月3日第4版。

【案例12-3】

中房指数系统

中国房地产指数系统，简称"中房指数系统"，是一套反映中国各大城市和全国房地产市场发展变化轨迹和发展态势的指标体系。中房指数分为中房城市指数（如中房上海指数等）和中房综合指数。价格指数向社会发布，效益指数和分类物业情况为内部资料。该指数的计算，以1994年11月为基期，以基期的北京物业比较价格为基值，并令北京的基值为1000。然后把各城市的同期比较价格与比较的基值相比较，确定相应的该期指数值。计算公式为：

$$某时期某城市价格指数 = \frac{某时期该城市物业比较价格}{1994年11月北京物业比较价格} \times 1000$$

中房指数系统提供的系列产品服务，包括：中房指数系统月报，全国17个大城市的中房指数和市场现状行情分析，包括房地产总体形势、各地各类物业价格、租金、供应、销售、需求及走势的详细分析，与样本项目有关的详细资料，各城市的总体价格指数、分类物业价格指数，各类物业如普通住宅、公寓、别墅、写字楼等的销售率和区位分布，各类物业的需求主体分析；中国房地产信息每周快递，通过传真、E-mail等方式发送一周内房地产动态信息与资料；中国房地产市场报告（季刊），提供全国及各主要城市季度房地产总体形势和分物业市场的综合因素分析，包括各类物业价格、租金、投资、开工、竣工、施工、空置、销售等多方面的分析，还包括详细的市场案例介绍；中房预警系统季报，通过50多个微观和宏观指标系列及其复合指数判断房地产市场运行状态，预测未来市场走向及其健康程度；房地产信息数据库，包括房地产项目库、指数库、城市统计库、新闻库、政策法规库、上市公司资料库、宏观经济库和金融数据库。

从功能上来说，中房指数中的单个城市指数反映了各种综合因素影响下，本地房地产市场供求关系发生的变化；两个或两个以上城市指数的比较，既能显示城市房地产价格水平的差异和不同城市房地产市场走势，还能说明各类物业在不同城市的走俏程度以及不同城市的房地产发展方向；中房综合指数反映以若干个城市房地产市场为代表的中国房地产市场走势，并由此也反映国民经济的发展状况。

【案例 12-4】

1998 年中国房地产市场走势预测

展望1998年，住房消费的启动和住房市场的回升对房地产市场已经产生并将进一步产生积极的影响，普通住宅市场无论是在消费需求方面还是在政策支持方面都不缺乏继续发展的动力。目前，政府对加快住宅建设、加速培育住宅消费市场的思路已经达成了广泛一致的共识，住房制度改革不断深入，实现住房实物分配向货币工资分配的转化，将有效地推进住房商品化进程。住宅金融进一步拓展，商业银行对个人住房抵押贷款业务的开展和增加1000亿元住房贷款规模，将在很大程度上提高个人购房能力，支持住房消费。1998年即将出台的取消福利分房等政策措施在短期内会刺激国家机关和各国有企事业单位尽快将剩余的购买力释放出来。但从长期来看，对住宅市场起重要支撑作用的集团购买力将会明显下降。个人购房将会逐步成为住宅市场的主力。同时应当看到，1998年房地产业的发展也面临一系列的困难和问题。一是城市居民收入增长速度不快，1997年全国城镇居民的人均收入只增长了2.9%，这种低幅度增长的收入格局决定了1998年消费需求的增长将比较平稳。再加上2000万下岗职工失业问题和城市贫困面的扩大，客观上会对居民住房消费需求产生一定的结束。

东南亚金融危机和货币大幅度贬值不仅会对我国出口竞争力产生一定影响，从而进一步影响到经济增长的速度。世界的金融动荡还影响了国际资本市场的重新配置，在重新配置的过程中可能会对引进外资产生一定的影响。特别是会对外销物业造成较大的影响，虽然内资购买力的发展可对外销物业市场起到一定的支撑作用。根据市场发展趋势和政策走势,预计1998年住宅市场大势继续保持平稳,并逐步趋于繁荣。再加上启动住房消费的各项政策措施真正发挥作用需要一段时间,因此对1998年的房地产市场持谨慎乐观的态度。

资料来源:中国房地产市场报告(1997年第4季度),中房指数系统办公室,1998年3月。

【案例 12-5】

东海花园"卖点"何在?

1997年,深圳房地产市场全面升温,明星楼盘你方唱罢,他又登场,好不热闹。5月底6月初,市场的焦点一下瞄准了位于农科中心的东海花园,买东海花园的楼宇居然要排队抽签,且应者踊跃;售楼现场更是观者如潮,络绎不绝。一时间,有关东海花园的文字充斥大小报端、广告宣传不绝于耳。如此购房盛况,加上令人咋舌的楼价,令每位市场人士不禁心中暗揣:东海花园的真正"卖点"在哪里呢?区位与环境。

投资环境是决定一个房地产项目能否成功的第一要素,所以有种说法,房地产开发的关键是位置、位置加位置。从大区位看,东海花园位于福田区深南大道北侧,背面为天然湖泊和拟建的植物公园,南面远眺大海,距离规划中的深圳市中心区仅咫尺之遥。交通往来方便畅通,离皇岗口岸5min车程,经广深珠高速公路至广州及往罗湖火车站都非常便捷。

在目前的大势下,买家的眼光格外挑剔,在关注区位的同时,买家把更多的心思花在对小环境全方位的考查上。东海花园的小环境营造的是比较成功的。东海花园占地34888m^2,由7幢19层公寓式高级住宅组成,建筑面积104665m^2。

从深南大道进入小区的自建道路开始,开发商精心树立的漂亮广告围板即给人以清爽的感觉,与一些楼盘泥泞的道路,杂草丛生的环境形成强烈的视角反差。来到网壳穹顶下的会所大堂,富丽堂皇的气派不由深深打动买家的心,游泳池、壁球场、网球场、健身室、桑拿室及偌大而翠绿青葱的典雅花园,为买家勾勒出一幅幽静、动感、独具清丽韵致的人间至境,怎不激起买家强烈的居住欲望?尺度和装饰怡人的样板房,更能显示开发商的品味与匠心。

资料来源:严每蓉,中外房地产导报,1997年。

【案例 12-6】

度身订做——房地产营销新策略

在房屋供应量急剧增加的今天,购房者对户型的关注可谓前所未有。户型的作用如同服装款式的作用,同时它对面积的规定又影响到销售价格,许多楼盘销售欠佳,与户型设计欠当有很大关系。对消费者的这一心理变化,发展商只有实现营销策略的转变,才能顺应市场变化,立于不败之地。

最近,广州、深圳和上海等地推出了可供购房者自由分隔组合的户型,这种户型使用密肋板结构,只建承重墙,形成大空间格局。购房者可根据自身需求和爱好,将户室任意搭配，厅室自由转换，自行装修。既提高了房屋的利用率，又最大限度地满足了消费者的需求，体现了消费者的个性特征，解决了众口难调的难题。

购房者在交了首期房款并签订协议后，即可根据个人兴趣爱好自行或委托发展商度身订做进行户型设计，并可进行简单装修，免除了以往居民购房后二次装修打断间隔重新布局的麻烦。购房后即可入住，不再象以前新房入伙半年甚至一年后，左邻右舍的装修声仍此起彼伏，影响生活和休息。由发展商统一设计和装修，在管线的改装和走向上可通盘考虑，减少了消防和安全隐患，在装修过程中发现问题也能及时修改完善。材料由发展商统一购买，可大大降低成本并可提高工效。在设计过程中，发展商可提供专业咨询，消费者相当于请了花钱的顾问。发展商精心准备了数十种风格迥异的户型，供购房者挑选或修改，成本仅相当于自行施工的三分之一。上海的梧桐花园和深圳的金地花园，自开盘以来，销售势头强盛，许多购房者就是冲着可自由分隔的户型而来。

独特的购房模式，优美的户型设计，吸引了众多的消费者。对发展商来说，这种方式施工简便易行，缩短了工期，装修时还可赚取装修费，利润可观，可看成售后服务的延续，因而受到市场供需双方的欢迎，将成为今后一段时间住宅市场的热点。

资料来源：周力军，房地产报，1997年1月10日。

【案例12-7】

北京华远在香港间接上市取得巨大成功

1992年北京西城区华远建设开发公司获得了西单商业区110万m^2建筑面积的大型综合改造工程——"西西工程"的开发权，但资金短缺成了公司运作此开发项目的最大障碍。从企业的长远发展考虑，公司的决策者提出了面向市场，走股份化、集团化、国际化的发展之路战略，着手进行股份制改造。1993年4月，公司正式改组为北京市华远房地产股份有限公司（北京华远），发起人股东包括北京市华远集团公司、中国银行北京信托咨询公司、北京市正阳实业发展总公司、北京市华远自动化系统公司，注册资本25000万元，总股本25000万股。1994年5月，北京华远又通过分红配股，将股本扩大到37500万股，公司净资产达到6亿元。

股份制改造使北京华远吸引了大量社会资金，公司净资产由原来的1700万元扩张到6亿元人民币。1993年6月国家开始进行宏观调控，几乎所有的房地产公司都遇到了资金困难，北京华远却因为获得了充足的资金而获得了加速发展的机会，股份制改造的当年即1993年，公司税后利润就达到了2.2亿元。

为了进一步扩大融资渠道，北京华远又提出了在境内或境外上市的问题。由于境内上市面临许多限制条件，因此北京华远就把目光投向了海外。1994年12月，北京华远与香港华润创业有限公司控股的坚实发展有限公司（坚实公司）合资，坚实公司以北京华远当时每股净资产作价，认购了公司新发行的40625万股外资普通股，使北京华远的股本扩大为78125万股，注册资本扩大到78125万元，全部净资产增加到12.9亿元。合资后，中国股份占48％，外方股份占52％。至1995年底，北京华远净资产已达17亿元。

1996年初，北京华远逐年增加的开发面积达到了300万m^2（建筑面积），房地产开发投资资金占用量大、资金周转速度慢的特点，使北京华远的资金又难以满足开发业务量迅速扩张的需要。国内普遍存在的资金短缺状况又使公司不可能在国内大量筹资。但在与坚实公司合资的过程中,北京华远看到国际资本市场有丰富的游资,只要企业自身具备满足国际投资者需求的条件,就可以到国际资本市场上去融资。因此公司董事会决定请外方股东坚实公司到香港上市,在国际市场筹集资金,然后注入北京华远,通过海外间接上市,打开北京华远向国际资本市场融资的大门。

由于坚实公司的注册地维尔京群岛法律不适应香港联交所的要求,坚实公司的股东于是在开曼群岛新注册了华润北京置地公司(北置),由北置100%持有坚实公司股权,北置向香港联交所申请上市成功,1996年11月北置招股在香港地区获得125.7倍超额认购,全球配售获得50倍超额认购,在香港联交所成功上市。

北置上市共发售了3.45亿股,获得1亿美元的净发行收入,这些资金作为北京华远配股的认购款以及股东贷款全部注入了北京华远。上市后北京华远的股权结构发生了变化,坚实公司持股比例上升到62.5%,中方持股比例为37.5%。由于上市规则的制约,北京华远放弃了控股权,但由于北置股票的销售对象多数是只投资分红、基本不参与管理的投资基金(包括养老基金、保险基金、信托基金等),因此北京华远巧妙地控制了公司的经营权。1996年底,北京华远完成了1996年的配股并换发了营业执照,注册资本扩大到10亿元,净资产扩大到24亿元,总资产扩大为40多亿元。1997年北京华远进一步增资扩股后,注册资本13亿元,净资产34亿元,总资产达到55亿元。由于有了雄厚的资金保障,北京华远公司的房地产经营走上了快速稳定发展的轨道。

思 考 题

1. 我国房地产市场分析中存在的主要困难和问题有哪些?
2. 风险对房地产投资者选择投资方向的影响有哪些?
3. 为什么说位置对房地产投资有着特殊的重要性?
4. 房地产产品功能定位的含义是什么?您所在企业是如何进行房地产产品功能定位的?
5. 房地产业和金融业的关系是什么?

第十三章　房地产定价策略

价格是市场营销组合因素中十分敏感而又难以控制的因素。对房地产开发商来说，价格直接关系到市场对其所开发的房地产产品的接受程度，影响着市场需求和开发商利润，涉及到开发商、投资者或使用者及中介公司等各方面的利益。中国房地产市场的日趋完善使价格竞争越来越激烈，掌握科学的房地产定价方法，灵活运用定价策略，确保预期利润和其他目标的实现，是所有房地产商最关心的事情。

第一节　房地产价格构成及定价

一、房地产价格的类型

1. 房地产价格的定义及主要特征

价格有各种不同的定义，例如：(1) 价格为获得一种商品或劳务所必须付出的东西，它通常用货币来表示，虽然不一定用货币形式来偿付（见戴维 W 皮尔斯主编：《现代经济学词典》，上海译文出版社，1988 年 12 月第 1 版，第 476 页）。(2) 价格是商品价值的货币表现，价值是凝结在商品中的抽象人类劳动（见许涤新主编：《政治经济学辞典》上册，人民出版社，1980 年 3 月第 1 版，第 379 页）。上述第一种第一说的是现象，第二种说的是本质。在市场经济条件下，某种商品或劳务的价格主要取决于供求关系，但商品或劳务的质量和交易技巧，同样对价格高低产生重要的影响。而针对所有的买主制定一个价格是一种较新的观念，它是在十九世纪末期，大规模零售业萌芽后才开始发展起来的。

房地产价格是指消费者为获得房地产所有权或使用权所支付的货币数目。房地产的有用性、相对稀缺性和有效需求，是房地产价格形成的基础。相对于一般商品的价格，房地产价格具有六大特征：(1) 房地产价格实体基础构成的双重性，即房地产价格是建筑物价格和土地价格的统一；(2) 房地产价格有明显的地区性，这主要反映了级差地价；(3) 房地产价格既可以表示为交换代价的价格，同时也可以表示为使用和收益代价的租金；(4) 房地产交易实质上是房地产权益的交易，房地产价格实质上是房地产权益的价格，权益不同价格也就不同；(5) 由于房地产的不可移动性和不一致性，房地产的现实价格一般随着交易的完成而个别形成，所以具体交易对象和交易主体的个别因素容易对房地产价格产生影响；(6) 房地产价格趋升性强，这主要是由于土地资源的有限性造成的。

2. 房地产价格的类型

房地产价格种类名目繁多，不同的分类有不同的房地产价格含义。下面是在房地产市场交易中几种较为常用的分类。

(1) 买卖价格与租赁价格（租金）。买卖价格，是消费者购买房地产所有权所支付的货币数目，简称买卖价或买价、卖价。租赁价格就是通常所说的租金，是指消费者购买一定时间内房地产使用权所支付的货币数目，在土地场合称之为地租，在房地混合场合俗称为房租。

(2) 土地价格、建筑物价格和房地产价格。土地价格，是土地收益的购买价格，其实质是地租的资本化，在我国表现为购买一定时期的土地使用权。建筑物价格，是建筑物商品价值的货币表现。房地产价格，是建筑物价格与土地价格的总和，通常简称房产价格。

(3) 总价、单位价格和楼面地价。总价，是指一宗房地产的总价格，一般用货币数目表示。单位价格，是指单位面积房地产的价格，一般用单位面积上的货币数目表示。楼面地价，则是将总的地价折算到楼宇各层全部建筑面积而得到的价格，一般用单位（建筑）面积上的货币数目表示。

(4) 市场价格、理论价格和评估价格。房地产的市场价格是房地产交易双方的实际成交价格，该价格通常随着时间、供求关系的变化及交易双方的心态、偏好、素质等而经常波动，市场价格包括公平市价和非公平市价。房地产的理论价格，是如果将该房地产放到合理的市场上交易，它应该实现的价格是多少，理论价格通常由市场价值或公开市场价值来表达。评估价格是依据一定的评估方法对房地产所估计的价格，它广泛应用于房地产买卖、租赁、抵押、转让、征用、继承及法律纠纷等各方面。

二、房地产成本构成及价格影响因素

在市场经济条件下，价格主要由市场供求关系确定，与成本没有必然的联系。因此人们通常分析成本构成，将成本加上利润再加上销售税费就等于价格，但考虑到各种市场因素对价格的影响，价格当中所包含的利润因素可以是正值，也有可能是负值。

1. 成本构成

在房地产开发经营中，成本是贯穿项目整个开发和销售过程的各项支出费用的总和。成本是公司定价上的重要因素。了解成本构成，对于合理确定房地产产品价格、预测开发利润、完善企业内部核算、提高经济效益、增强企业竞争能力等，均具有十分重大的意义。一般来说，房地产产品的成本包括土地费用、前期工程费、房屋开发费、管理费、销售费用、财务费用、税费和不可预见费等。

(1) 土地费用。土地费用是开发商为获取土地使用权并进行土地开发所应支付的费用。包括：

1) 土地出让金。国家以土地所有者身份将土地使用权在一定年限内让与土地使用者，并由土地使用者向国家支付土地使用权出让金。土地出让金的估算一般可参照政府近期出让的类似地块的出让金数额并进行时间、地段、用途、临街状况、建筑容积率、土地出让年限、周围环境状况及土地现状等因素的修正得到；也可以依据城市人民政府颁布的城市基准地价，根据项目用地所处的地段等级、用途、容积率、使用年限等项因素修正得到。

2) 城市建设配套费。城市建设配套费是因进行城市基础设施如自来水厂、污水处理厂、煤气厂、供热厂和城市道路等的建设而分摊的费用，在北京市该项费用包括大市政费和四源费。有时该项费用还包括非营业性的配套设施如居委会、派出所、幼儿园、中小学、公共厕所等的建设费分摊，称配套设施建设费。这些费用的收费标准在各地都有具体的规定。

3) 拆迁安置补偿费。在城镇地区，国家或地方政府可以依照法定程序，将国有储备土地或已经由企事业单位或个人使用的土地划拨给房地产开发项目或其它建设项目使用。因划拨土地使原用地单位或个人造成经济损失，新用地单位应按规定给予合理补偿。拆迁安置补偿费实际包括两部分费用，即拆迁安置费和拆迁补偿费。拆迁安置费是指开发建设单位对被拆除房屋的使用人,依据有关规定给予安置所需的费用。拆迁补偿费是指开发建设单位对被拆除房屋的所有权人,按照有关规定给予补偿所需的费用。

4) 征地补偿费。根据《中华人民共和国土地管理法》的规定,在非城镇地区征用农村土地发生的费用主要有土地补偿费、土地投资补偿费(青苗补偿费、树木补偿费、地面附着物补偿费)、人员安置补助费、新菜地开发基金、土地管理费、耕地占用税和拆迁费等。

(2) 前期工程费。前期工程费主要包括项目前期规划、设计、可行性研究、水文地质勘测以及"三通一平"等施工现场准备工作所需的费用支出。

(3) 房屋开发费。房屋开发费包括建安工程费、附属工程费和室外工程费。1) 建安工程费是指直接用于工程建设的总成本,主要包括建筑工程费(结构、建筑、特殊装修工程费)、设备及安装工程费(给排水、电气照明及设备安装、通风空调、弱电设备及安装、电梯及其安装、其它设备及安装等)和室内装饰家具费。2) 附属工程费包括锅炉房、热力站、变电室、煤气调压站、自行车棚、信报箱等建设费用。3) 室外工程费包括自来水、雨水、污水、煤气、热力、供电、电信、道路、绿化、环卫、室外照明等的建设费用。4) 其他费用。其他费用包括质量监督费、招标管理费、施工执照费、开发管理费、竣工图费、保险费等杂项费用。

(4) 管理费。管理费是指企业行政管理部门为管理和组织经营活动而发生的各种费用,包括公司经费、工会经费、职工教育培训经费、劳动保险费、待业保险费、董事会费、咨询费、审计费、诉讼费、排污费、房地产税、土地使用税、开办费摊销、业务招待费、坏账损失、报废损失及其它管理费用。

(5) 销售费用。销售费用是指开发建设项目在销售其产品过程中发生的各项费用以及专设销售机构或委托销售代理的各项费用。包括销售人员工资、奖金、福利费、差旅费,销售机构的折旧费、修理费、物料消耗费、广告宣传费、代理费、销售服务费及销售许可证申领费等。

(6) 财务费用。财务费用是指企业为筹集资金而发生的各项费用,主要为借款或债券的利息,还包括金融机构手续费、融资代理费、承诺费、外汇汇兑净损失以及企业筹资发生的其它财务费用。

(7) 其它费用。其它费用主要包括临时用地费和临时建设费、施工图预算和标底编制费、工程合同预算或标底审查费、招标管理费、总承包管理费、合同公证费、施工执照费、开发管理费、工程质量监督费、工程监理费、竣工图编制费、保险费等杂项费用。这些费用一般按当地有关部门规定的费率估算。

(8) 税费。开发建设项目成本中还包括开发项目所应负担的各种税金和地方政府或有关部门征收的费用。在一些大中型城市,这部分税费已经成为开发建设项目投资费用中占最大比重的费用。这些税费的内容主要包括固定资产投资方向调节税(投资总额的0%~30%)、市政支管线分摊费、供电贴费、用电权费、非经营性公建配套设施建设费、绿化建设费、电话初装费、人防工程费等。

(9) 不可预见费。不可预见费根据项目的复杂程度和前述各项费用估算的准确程度,以上述各项费用的3%~7%估算。

2. 房地产价格的主要影响因素

房地产价格并不是固定不变的,它受政治、经济、行政、社会、自然及其他等因素的影响而经常起伏变化。

（1）政治因素。影响房地产价格的政治因素包括：战争、动乱、大的政府机构变动或重大政治性政策出台等。

（2）经济因素。影响房地产价格的经济因素包括：

1）经济增长速度。经济增长迅速，表示居民所得提高，购买力增强，房地产价格就会提升；反之，则会使房地产价格下降。

2）物价、工资及就业水平。物价变动导致货币价值变动而波及房地产价格，由于房地产具有保值性、增值性，一般物价上涨时房地产价格上扬幅度更大；工资及就业水平提高，居民所得增加，会促使房地产价格升高，反之则令房地产价格降低。

3）储蓄率。储蓄率提高，表示居民购买能力增强，房地产价格也会跟着上涨；反之，则房价下跌。

4）财政及金融状况。财政和金融状况反映了一个城市或地区的经济状况，其健康与否直接影响房地产价格。不良的财政状况会导致政府购买力下降，金融状况恶化会导致银根紧缩，二者都会使房地产需求减退、价格下跌。

5）利率。较高的银行利率会增加房地产买卖双方融资成本，使房地产行为受到抑制，从而导致房地产价格下跌；而较低的银行利率则会对房地产投资者起到激励的作用，有利于房地产市场价格的上扬和市场的繁荣。

6）外资投资意愿。外资进出对房地产影响很大，特别是对高档写字楼、公寓、别墅及商场的影响更大。外资涌入时，房地产跟着看好；外商投资意愿降低时，房地产市场也会跟着下跌。

7）地价。具有资源稀缺性、有限性的土地是房地产的"原料"，房地产价格起伏和地价涨跌密切相关。

（3）行政因素。影响房地产价格的行政因素包括：

1）土地利用规划及供应管制。土地的用途由政府规划管理部门确定，居住、商业、工业等不同类型的用途，其价格差异很大；政府通常通过土地出让计划来控制进入市场的土地数量，从而影响了房地产市场的供应数量和价格。

2）房地产税制。契税、房产税、土地增值税等影响房地产交易量的增减，税率降低则鼓励交易，房地产价格上升；反之亦然。

3）住房政策。国家的住房政策极大地影响着房地产市场的价格。中国长期以来实行的福利分房制度，导致商品房市场空间狭小，居民的购买力与商品房市场价格脱节；1998年停止传统福利分房的新住房政策出台，必将推动居民个人对商品住宅需求数量的提高。

4）政策法规。政府对房地产开发或交易的限制或鼓励性政策，对房地产市场价格有很大的影响。

5）城市规划。城市规划随着经济发展、人口增长而作局部或通盘调整，如增加新的可开发区域或允许对旧城区进行更新改造，则有利于房地产市场的发展。

6）公共建设。交通条件的改善会令地价上涨，进而带动房地产价格上升；电力、上下水、煤气、热力、电讯等公共设施建设都对提高房地产价格有重要影响。

（4）社会因素。影响房地产价格的社会因素包括：

1）人口状态。人口增长率高或人口集中的地区，存在较大的房地产潜在需求，有利于房地产价格上调。

2) 家庭结构。核心家庭增加、离婚率提高等会令家庭户数增加，从而导致对住宅需求的显著增加，这经常是城市房地产价格上涨的重要推动因素。

3) 社会福利。社会福利状态会影响社会生活水准，进而影响房地产价格。若住房亦成为福利品时，则需求降低而使房地产价格趋于平缓。

（5）自然因素。影响房地产价格的自然因素包括：

1) 位置。即地段属性。人们常说，成功的房地产开发取决于三条准则：位置、位置、还是位置。这句话说明了房地产项目对土地位置的极端敏感性。地段好、工商发达、交通便利、人口集中的地区，地价较高，房地产价格也较高；城市规划中均确定有生活、商务、生产等核心区，离此区域越远，地价通常越低，房地产价格也越低。

2) 面积。土地面积大小适度，才会有较高的价格。而土地面积多大合适，与土地使用功能有关。比如商务区，因为需要建造各种大厦，故面积较大、易于整体规划、能广设公共设施的宗地地价就较高。

3) 地势。平原或地势平坦适于房屋建设，效益较高，地价也较高；山坡地、林地、低洼地区，则地价较低。

4) 地质与地基。地基是否有足够的承载力，是决定地价的重要因素。若地质松软，安全性低，就要增加地基处理费用，因此地价较便宜；若地质坚硬，则可减少开发成本，地价较高。

（6）其他因素。建筑物施工质量、建筑物式样外观、设计水平、设备状况等其他因素也对房地产价格有较大影响。

三、房地产定价目标

房地产商首先需要确定的是其价格制定要实现什么目标。如果公司已经认真地选择好目标市场和市场定位，那么它的市场营销组合（包括价格）策略就非常简单。例如，如果房地产商打算为富裕阶层的顾客设计豪华公寓，那么这就意味着要收取较高价格。因此，定价策略在很大程度上由最初的市场定位决定。公司的目标越明确，价格的制定就越容易。追求利润额、销售额或市场份额等不同的目标，要求公司制定出不同的价格；反过来说，每一种不同的价格都会对公司上述各目标的实现产生不同的效果。房地产商可以通过定价来实现下述目标。

1. 生存。当房地产商面临经济不景气、市场萧条、供过于求、竞争激烈或者消费需求变化时，它可能将维持公司的生存作为自己的主要目标。为了保持不破产倒闭，保持公司继续运转，房地产商经常会降低价格。这时，利润比起生存来要次要得多。只要收入能够偿还贷款利息、支付必需费用等，房地产商就能在行业中生存下去。所谓"留得青山在，不怕没柴烧"。但是，生存只能作为短期目标，从长远的角度看，房地产商必须知道如何提高所开发物业的价值以吸引消费者，否则，便会面临倒闭的危险。

2. 当期利润最大化。许多房地产商希望制定的价格能使当期利润最大化。它们为各种可能的价格估计相应的需求和成本，然后选定某一价格，该价格将能带来最大的当期利润、现金流量或投资回报率。

当期利润最大化存在一些问题：它假设房地产商知道自己的需求函数和成本函数；而事实上这两个函数很难估计。同时，它会使得房地产商只注重自己的短期财务业绩，而忽视长期效益,并且容易忽略其他营销组合变量、竞争对手的反应、法律对价格的限制等影响因素。

3. 当期收入最大化。有些房地产商的定价是为了当期的收入最大化。要实现收入最大化只需考虑需求函数。许多房地产商相信收入最大化能导致长期利润最大化和企业实力、声望的提高。

4. 当期销售量最大化。有一些房地产商特别是刚进入某地区房地产业界的房地产商希望快速回收资金以创造良好金融信誉,或是希望创造好的销售业绩以制造轰动效应从而提高开发商声望等等,都可能以较低的价格将物业上市,达到当期销售量最大化。该价位对消费者有一定的让利,但开发商仍然有利可图。

5. 市场利润最大化。还有的房地产商喜欢在一个综合开发项目中采用一定的策略来获取最大的市场利润。比如开发一个综合小区,房地产商可能会将其中的某一幢楼以较低的价格销售,从而在短期内制造该小区销售"火爆"的轰动效应,引起广大消费者对该小区的购买热情和对该开发商信誉的相信。这时,房地产商会将小区中的其他楼盘逐渐推向市场,并且采取价格逐渐提高的策略,不但始终保持旺销的形势而且也获取最大的市场利润。

6. 行业领导地位。有一些实力雄厚的房地产商的目标更为长远,他们更注重企业的长期发展,追求企业在行业中或是某一类物业市场中的领导地位、名牌形象。这类公司一般注重公司形象,讲究信誉,所开发物业的质量和形象都较佳,往往保持较高的价格和较大的市场份额,是行业中的"老大"。

7. 其他目标。比如与政府联系较紧密的国有房地产公司会与政府合作,开发大量的安居工程、成本房、微利房等,以促进政府的住房制度改革,提高人民居住水平。公司也会从中得到政府支持等其他好处。

四、房地产定价程序

定价是一项很复杂的工作,要遵循一定的程序。在一般情况下,房地产商定价的程序可分为以下 7 个步骤:

1. 选择定价目标。根据企业发展方向、经济实力及所处的市场环境,选择符合企业战略目标的具体定价目标。
2. 市场调查。即搜集目标市场信息、测定需求、考察竞争者的价格水平等相关因素。
3. 估算成本。根据编制的概预算、实际经验和实时成本跟踪控制,估算成本费用水平。
4. 选择定价方法。根据本企业实际及营销策略的要求,选择定价方法。
5. 确定基准价格。根据选定的定价方法,确定所开发物业基准价格。
6. 单元价格调整。针对各单元房屋的不同位置、楼层、朝向等,在基准价格的基础上进行价格调整。
7. 市场价格调整。根据市场变化情况和企业自身营销策略的要求,及时进行价格调整。

第二节 房地产定价方法

一、价格形成的市场原理

马克思的政治经济学认为,商品的价格是价值的货币表现形式,而价值是指凝结在商品中的无差别的人类劳动。商品价值是 $C+V+M$,其中 $C+V$ 是商品的成本,M 是正常利润。根据经济学原理，价格以价值为基础，并根据市场供需关系上下波动。房地产商品的价格也符合该原理。

房地产商所定的价格，必定是介于两个极端（一端为低到没有利润的价格，另一端为高到无人问津的价格）之间。图13-1 综合说明了房地产定价的三个主要考虑因素。成本是定价的下限；消费者对房地产价值的感受是定价的上限；房地产商必须考虑竞争者的价格及其他内在和外在因素，在两个极端间找到最适当的价格。

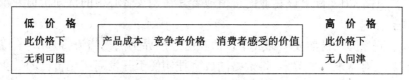

图13-1 定价过程中须考虑的三个主要因素

房地产商制定价格时理应全面考虑到这些因素。但是，在实际定价工作中，房地产商往往只侧重某一方面的因素。大体上，房地产商定价有三种导向，即成本导向、购买者导向和竞争导向。其中，成本导向包括成本加成定价法和目标定价法，购买者导向包括认知价值定价法和价值定价法，竞争导向包括领导定价法、挑战定价法和随行就市定价法。

二、成本导向定价

1. 成本加成定价法

所谓成本加成定价法，是指开发商按照所开发物业的成本加上一定百分比的加成来制定房地产的销售价格。加成的含义就是一定比率的利润。这是最基本的定价方法。成本加成定价法的基本公式为：

$$目标加成率 = 总利润 \div 总成本$$
$$总利润 = 总收入 - 总成本$$

或者

$$目标利润率 = 单位利润 \div 单位成本$$
$$单位利润 = 单位价格 - 单位成本$$

由于目标加成率（利润率）一般是在扣除销售环节中的税费后来计算的，因此还要考虑税金（包括营业税及各种附加税），故有：

$$目标利润率 = 单位税后利润 \div 单位成本$$
$$单位税后利润 = 单位价格 - 单位成本 - 单位税金$$

这里的单位成本不包括销售税金。
将以上两式合并成为：

$$目标利润率 = (单位价格 - 单位成本 - 单位税金) / 单位成本$$

而

$$单位税金 = 单位价格 \times 税率$$

从而得到

$$单位价格 = 单位成本 \times (1 + 目标利润率) \div (1 - 税率) \tag{13-1}$$

即

$$P = C \times (1 + R) \div (1 - T) \tag{13-2}$$

式中 P 为房地产单位价格，C 为房地产单位成本，R 为成本加成率即利润率，T 为税率。一般情况，P 和 C 都用单位面积上的货币单位表示，R 和 T 则为百分比。关于成本加成法的应用，请参阅【案例13-1】。

依据成本加成法来定价是否合理呢？一般而言是不合理的。因为成本定价法忽视了当前的需求、购买者的预期价值以及竞争者状况。例如上例中，假设其他因素不变，仅由于某种原因造成工期延误，从而使成本增加，则依成本加成定价法该大厦的价格应该比 8233.34 元/m^2 更高，但实际上该物业的价值或者其在购买者心中的认知价值并没有提高，该价格就变得不合理。

但基于以下的原因，目前成本加成定价法在房地产界仍然相当流行。第一，房地产商对成本的了解要比对需求的了解多。将价格同成本挂钩便于开发商简化自己的定价过程；他们无需根据需求的变动来频繁地调整价格。第二，当同行的房地产商都采用这种定价方法时，他们所制定的价格必然比较相似。这样可以尽量减少价格竞争。第三，许多人认为，成本加成法对买卖双方都比较公平。在买方需求强烈时，卖方不会乘机抬价，同时仍能获得合理的利润。

2. 目标定价法

所谓目标定价法，是指根据估计的总销售收入和估计的销售量来制定价格的一种方法。目标定价法要使用损益平衡图这一概念。损益平衡图描述了在不同的销售水平上预期的总成本和总收入。图13-2 展示了一个假设的损益平衡图。

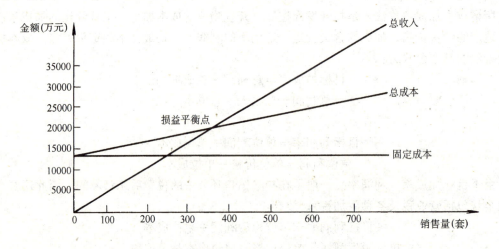

图13-2 损益平衡图

由上图，容易看出：

$$总利润 = 总收入 - 总成本$$

而

$$总利润 = 资本投资额 \times 目标收益率$$
$$总收入 = 单位价格 \times 销售量$$

于是，单位产品的价格可由下式算出：

$$单位价格 = 单位成本 + 资本投资额 \times 目标收益率 \div 销售量 \tag{13-3}$$

图中，损益平衡点的销售量就是保本点数量，可由下式算出：

$$\text{保本量} = \text{固定成本} \div (\text{价格} - \text{可变成本}) \tag{13-4}$$

一般房地产商通常考虑20%～30%的投资回报率。当经济景气时，30%以上的投资回报率并不为过；但当经济不景气时，房地产商有时不得不销价出售，降价以求，能维持20%的投资回报率就算不错了。

目标定价法有一个重要的缺陷，即房地产商以估计的销售量求出应制定的价格，殊不知价格却又恰恰是影响销售量的重要因素。在上述分析中，房地产商忽略了需求函数，即不同价格下公司可售出的数量。

三、购买者导向定价

1. 认知价值定价法

所谓认知价值定价法，就是房地产商根据购买者对物业的认知价值来制定价格的一种方法。用这种方法定价的房地产商认为定价的关键是顾客对物业价值的认知，而不是生产者或销售者的成本。它们利用市场营销组合中的非价格变量，在购买者心目中确立认知价值。制定的价格必须符合认知价值。

认知价值定价法与产品市场定位的思想非常符合。房地产商针对某一特定的目标市场开发出一个物业概念，并策划好物业的质量和价格。然后营销管理部门要进行市场调查，估计该价格下所能销售的数量。根据这一销售量再决定公司的投资额和单位成本。接着，营销管理部门要计算出在此价格和成本下能否获得满意的利润。如果能，就可以开发；否则，就要放弃该计划。

认知价值定价法的关键在于准确地评价顾客对公司物业价值的认识。如果公司高估了自己的物业价值，则其定价就会偏高；相反，如果公司低估了自己的物业价值，则其定价就会偏低。另外，为了有效地定价，公司需要进行市场调查，测定市场的需求。

认知价值定价法中，最常见的就是品牌定价法，或者叫名牌策略。现代社会，品牌信誉能主导消费者的消费意愿。房地产商品当然也是如此。当购买者对房地产商的品牌有信心时，纵然定价较高，购买者仍会欣然前往。而若购买者对推出个案的房地产商不具信心时，即使公司定价较低，消费者反而怀疑其品质而不予信任。因此，在用认知价值定价法时，公司更重要的是要通过广告或其他舆论工具做好物业的市场推广工作，或是公司形象的宣传，提高公司及其物业在消费者心中的地位，从而制定较高的价格。【案例13-2】是认知价值定价法应用的典型案例。

2. 价值定价法

价值定价法与认知价值定价法不同。后者是"高价格，高价值"的定价哲学，它要求公司的价格水平应与顾客心目中的物业价值相一致。而价值定价法则要求价格对于消费者来说，代表着"较低（相同）的价格，相同（更高）的质量"，即"物美价廉"。

价值定价法不仅是制定的产品价格比竞争对手低，而且是对公司整体经营的重新设计，造成公司接近大众、关怀民生的良好形象，同时也能使公司成为真正的低成本开发商，做到"薄利多销"或"中利多销"。处于中档阶层的消费者总是最多的，他们比较注重价值。这样做，公司还可以得到政府较大的支持。

我国现在正处在住房制度改革的关键阶段，而要彻底停止住房福利分配、实现住房商品化，较大的困难在于长期的低家庭收入与高商品房价格之间的矛盾。除了政府努力出台各项政策来扶持外，开发商的支持也十分重要。因此，开发商如能开发出"物美价廉"的微利或中利商品房，必然会受到社会的欢迎，开发商也会得到合理的报酬。而开发商还会由此提高社会信誉和声望，并得到政府的优惠政策或支持，有利于其企业的长期发展。这方面的典型例子，可见【案例13-3】。

四、竞争导向定价

在消费品市场，竞争是非常激烈的。象我们大家很熟悉的饮料业的可口可乐与百事可乐，快餐业的麦当劳与肯德基，胶卷业的柯达与富士，美国汽车业的福特与通用等等，都是很好的例子。而价格是竞争上的一个重要筹码。房地产市场由于其异质性，与其他行业相比，房地产商有较大的自由度决定其价格。房地产商品的差异化也使得购买者对价格差异不是十分敏感。但时至今日，我国的房地产业经过近十余年的发展，房地产市场早已由卖方市场转变为买方市场，市场竞争十分激烈。因此，在激烈的市场竞争中，公司相对于竞争者总要确定自己在行业中的适当位置，或充当市场领导者、或充当市场挑战者、或充当市场跟随者、或充当市场补缺者。相应的，公司在定价方面也要尽量与其整体市场营销策略相适应，或充当高价角色、或充当中价角色、或充当低价角色，以应付竞争者的价格竞争。

1. 领导定价法——市场领导者策略

处于市场领导者地位的房地产商可以采用领导定价法。更准确地讲，这是一种定价策略。一般地，由于该公司在房地产业或同类物业开发中的龙头老大地位，实力雄厚，声望极佳，故其可以制定在该类物业中较高的价位。例如，一些外商独资、合资的房地产公司往往采用此策略，其主要开发豪华公寓、花园别墅、高档写字楼等高档物业市场，赚取较高的利润。

2. 挑战定价法——市场挑战者策略

与领导定价法不同，挑战定价法的定价比市场领导者的定价稍低或低得较多，但其所开发的物业在质量上与市场领导者的相近。如果公司具有向市场领导者挑战的实力，或者是其成本较低，或者是其资金雄厚，则房地产商可以采用挑战定价法，虽然利润较低，但可以扩大市场份额，提高声望，以争取成为市场领导者。

3. 随行就市定价法——市场追随者策略

所谓随行就市定价法，是指房地产商按照行业中同类物业的平均现行价格水平来定价。市场追随者在以下情况下往往采用这种定价方法：（1）难以估算成本；（2）公司打算与同行和平共处；（3）如果另行定价，很难了解购买者和竞争者对本公司的价格的反应。

采用随行就市定价法，公司在很大程度上就是以竞争对手的价格为定价基础的，而不太注重自己产品的成本或需求。公司的定价与主要竞争者的价格一样，也可以稍高于或稍低于竞争对手的价格，主要是中价策略。随行就市定价法非常普遍。人们认为市价反映了该行业的集体智慧，该价格既带来合理的利润，又不会破坏行业的协调性。

关于上面三种典型的竞争导向定价方法，请见【案例13-4】。

第三节 房地产定价技巧

一、价格折扣与折让

许多房地产商调整基准价格，以鼓励顾客采取对公司有利的行动，例如购买期房、提前付款、大批量购买、淡季购买等。这类定价技巧和价格调整策略,就是下面要讨论的价格折扣与折让。

1. 期房折扣

期房折扣是对付款购买期房的顾客提供的优惠减价。比如房地产商通常给予购买期房的顾客8~9折左右的优惠折扣,低的甚至达7~8折。具体的折扣行情各地不同。

在房地产业界,期房折扣是最常见的一种折扣形式。这是由于房地产项目投资金额巨大,资金占用周期长,是一种资金密集型商品,房地产商不可能也无必要全部用自有资金进行开发建设,一般都期望能充分利用银行贷款或其他融资手段进行较大规模的投资,以获得较高的投资回报率。房地产商的融资手段除了银行贷款外,还可以预售物业。通过预售,房地产商既可以筹集到必要的建设资金,又可将部分市场风险分担给买家。当然,对于消费者来说,购买期房有较大的风险,比如不能按期竣工入住、实际施工与设计图纸有差异、质量没有达到预定要求等。特别在我国,房地产业的发展还不很规范,消费者权益缺乏充分的保障,大部分消费者都倾向于买现房。因此,需要房地产商提供一定的折扣来鼓励消费者购买期房。

2. 现金折扣

现金折扣是对迅速付款的购买者提供的减价优惠。房地产商一般对一次性付款的购房者提供9~9.5折左右的优惠折扣,低者甚至达8~9折。

消费者购房往往难以一次筹齐全部款项,故买房一般都是分期付款,有一定的付款期(注意,这里讲的分期付款与居民按揭购房的分期付款不是一个意思)。同样,由于房地产项目的投资量巨大,一般房地产商都希望早日回收资金,减轻利息负担,同时也减少购房者分期付款的违约风险或通货膨胀等风险。因此,现金折扣虽然让利给消费者,但房地产商鼓励购房者一次性付款或迅速付款的积极性还是很高。

3. 数量折扣

数量折扣是向大量购买的顾客提供的一种减价优惠。房地产商品对居民来讲一般并不会大量购买,但在我国,机构购买、大户购买在现阶段仍然存在,今后一段时间也还会存在。虽然机构购买对价格并不很在意,但在房地产市场已转变为买方市场的今天,房地产商必须打好营销战、价格战,以应付同行之间的激烈竞争。因此,提供数量折扣不失为吸引顾客大量购买的一种好技巧、好办法。当然,其他公司基于竞争很快也会采取这种办法,以至于整个行业形成一种惯例。虽然数量折扣使房地产商降低价格,但并不一定会减少收益,因为大量销售可以减少公司的销售成本和费用,还可以尽快收回资金,偿还巨额利息,同时,还能够造成旺销局面,带动剩余楼盘的热销和物业升值,房地产商可以稍微提高剩余楼盘的定价,赚取更大的利润。

4. 职能折扣

职能折扣又叫贸易折扣,是指当贸易渠道的成员愿意执行一定的职能时,如销售、广告、宣传、包装、创意与策划等,房地产商向它们提供的折扣。一般来说,随着房地产业的规范发展,更多的公司在销售时甚至开发时就借助房地产代理机构。由于房地产代理机构往往对其所擅长的市场领域有充分的认识,对市场当前和未来的供求关系非常熟悉,或就某类物业的销售有专门的知识和丰富的经验,因此现在许多开发商都借助房地产代理机构来进行销售。当然,房地产商必须提供一定的折扣以作为佣金。代理机构执行的职能不同，房地产商给予的职能折扣也不同。

5. 季节折扣

季节折扣是房地产商给那些在淡季购买或租用物业的消费者提供的一种减价优惠。它可以使房地产商在淡季时也有一定的收入。比如旅游地区别墅的租售受季节影响较大，春夏季较好销，秋冬季较难销，则房地产商可以在秋冬季时提供适当的季节折扣，以鼓励顾客购买或租用。这样，房地产商可以降低物业空置率，提高综合收益水平。

6. 折让

折让是另一种类型的促销减价形式。例如房地产商宣布物业推出的第一周提供9折优惠，或者前十户购房者将获得免费空调赠送或是免费电话赠送，或者现场参加其物业竣工典礼并签约购买的消费者可获红包赠送等。

二、心理定价

1. 声望定价

所谓声望定价，是指房地产商利用消费者仰慕名牌物业或著名开发商的声望所产生的某种心理来制定物业的价格，故意把价格定成高价。在现代社会，消费高价位的商品是财富、身份和地位的象征，而物业的消费更为如此，价位、地段、环境、配套、装修、设计、面积等均是物业档次的说明。因为消费者有崇尚名牌的心理，往往以价格判断质量和档次，认为高价格代表高质量或高档次，低价格意味着低质量或低档次。有雄厚实力和良好声望的公司可以采取声望定价，这时房地产商应主要设计物业的极品价格形象，以强劲厚势的广告宣传及其他营销手段来强调公司或物业品牌的著名、质量的上乘、装修的豪华、配套的齐全、档次的高尚、设计的先进和超前、地段的繁华或便利、环境的幽雅以及能给消费者精神上的高度满足等等。当然，该定价策略主要是定位于高收入阶层的。

声望定价策略和前面讲过的认知价值定价法中的品牌定价法、或名牌策略很类似，具体的例子可见【案例13-2】"'万科城市花园'的认知价值定价法——名牌策略"。

2. 尾数定价

又称奇数定价，即房地产商利用消费者对数字认识的某种心理来制定尾数为奇数的价格，使消费者产生价格较廉的感觉，还能使消费者留下房地产商定价认真的印象，即认为该价格是经过认真的成本核算的价格，从而使消费者对定价产生信任感。许多销售商认为价格的尾数应为奇数。这种奇数结尾的价格在报纸广告上随处可见。例如某物业的定价为9999元/m^2，而不是10000元/m^2。虽然实际上的价格差距只有1元/m^2，但是心理上的差异可能大得多。许多顾客会认为该价格处于万元以下的档次，而不是处于万元以上的档次，认为9999元/m^2的奇数尾数价格代表着折扣或廉价，而10000元/m^2的价格就代表着高价、更高的档次或质量。另一种解释认为奇数尾数代表着该价格是经过认真的成本核算的价格，代表着房地产商定价比较认真。当然，如果公司想树立高价格形象，而不是低价格形象，则应避免这种奇数定价策略。

3. 吉祥数字定价

吉祥数字定价即房地产商利用消费者对不同数字的不同喜欢程度来制定顾客喜欢的吉祥数字价格。例如中国人特别是南方的香港人、广东人对数字8很喜欢，而对4不喜欢，因为8的发音和"发"相近，所以认为8代表着发财、运气好、气道旺，是个吉祥数字，而4的发音和"死"是谐音，所以认为4代表着死亡、衰败、运气不好。另外，中国人对6和

9也很喜欢，因为6代表着"六六大顺"，9则是王道、权力的象征。而这些数字的组合也很有讲究。例如，168是"一路发"的谐音，而174则是"一起死"的谐音。因此，我们经常可以在报纸广告上看见房地产商定出例如8888.88元/m2或是6688.99元/m2的价格。在国外，人们同样对不同数字有着不同的喜欢或厌恶程度。有些心理学家认为每一个数字都有其象征性和视觉性的质感，例如8能产生圆润和舒心的效果，反之7则是尖锐的，会产生不调和的效果。因此，房地产商在定价时必须考虑到当地居民的这些风俗习惯。

4. 招徕定价

房地产商利用部分顾客求廉的心理，特意将某些物业或其中的某些单元的价格定得较低以吸引顾客。例如，我们经常可以看到"××××元/m² 起"的房地产广告价格。该起价较低而对消费者较有吸引力，但实际上该物业的平均价格可能并不低。因为该起价可能是一幢楼宇中层次最不好且朝向也最不好的那个单元的价格，其他单元的价格则比该起价会有较大的上升。因此，对消费者来说，该起价有可能只是一个骗你上钩的陷井。如果是这种带有欺骗性的招徕定价，则会引起公众的反感和受到社会的谴责。招徕定价有很多种类型，房地产商要注意选择有效的且不违背社会公德的方式。

三、差别定价

公司经常根据顾客、产品、时间、地点等差异来制定不同的价格。差别定价是指房地产商按两种或两种以上的价格来销售物业,而这些价格不一定完全反映成本费用上的差异。差别定价有如下几种方式。

1. 顾客差别定价

即房地产商按不同的价格把同一物业租售给不同的顾客。例如，虽然房地产商在物业报价单上制定了对每位顾客统一的价格，但实际上的成交价格却并非该价格，而是根据不同购买者的地位及其与房地产商进行谈判、讨价还价技巧的不同而有较大不同。这种情况在房地产业界较为常见。例如，单位购买、集团购买的物业价格有可能并没享受到前面说过的数量折扣而且价格还比个人购买贵，因为单位可能并不很在意价格是否优惠而没有和房地产商很好地进行谈判或讨价还价。又例如，某政府机关购买的物业价格有可能比较便宜，因为该机关可能正是房地产商搞项目开发审批过程中必须通过的一环。实际上，这种情况可以说是价格歧视。

房地产市场相对其他消费品市场是很不透明的,消费者大多数并不很了解市场行情.对于个人消费者而言，物业购买者一般都要和房地产商进行讨价还价，但购买者能争取到多大的优惠则有赖于其谈判技巧了。这点和自由市场上买服装一样。对于房地产商的物业销售而言，业内一般有所谓的"过三关"来形容顾客和房地产商的价格谈判。"第一关"即售楼人员的最低底价；如果顾客的还价有足够的谈判技巧而突破了"第一关"，则一般售楼人员会向其上级主管即销售部的部门经理汇报请示。部门经理掌握的最低价格即"第二关"；如果顾客在和部门经理的谈判中仍有力量和技巧而突破了"第二关"，则其可闯进最后一关谈判——"第三关"，即公司老板的价格最低线。当然，一般的顾客是只能在"第一关"里走走的，而很难闯进后面的"第二关"或"第三关"。比如这"三关"可能分别是9.0折、8.5折和8.0折。具体各"关"的价格比起报价单上的报价有多大的折扣，各地有各地的行情，各个不同的房地产商之间也都不同，此行情又随时间和其他因素的变化而变化。

2. 形式差别定价

即房地产商对不同形式的物业或单元制定不同的价格,但并不和它们各自的成本成比例。例如,同一幢楼,复式设计单元的价格要比普通设计单元的价格高出较多,而其成本并无什么差别。另外如开放空间、休闲空间等新潮流的设计也因提高居住品质而提高价位,但并无什么成本上的差别。实际上,这种差别定价还是有一定根据的,即购买者对不同形式的物业或单元的认知价值或市场需求不同。

3. 形象差别定价

即房地产商对不同形象的物业制定不同的价格。例如,某房地产商在同一个小区内开发了四幢楼,分别称之为"牡丹苑"、"兰花苑"、"菊花苑"、"茉莉苑",虽然这四幢楼只是在外观颜色上根据其起名而分别是红色、蓝色、黄色和白色,实际并没有什么成本上或质量上的区别,但其在购买者心中的形象却有较大的不同。因此,房地产商对四幢楼制定了不同的价格,分别是 8888 元/m^2、8788 元/m^2、8688 元/m^2、8588 元/m^2。实际销售结果说明了该定价较为成功。

4. 地点差别定价

即房地产商根据地点或位置的不同来制定不同的价格,即使在不同地点或位置开发物业的成本相同。例如,同一个小区里,不同地点位置的楼宇其价格不同,即使在同一幢楼里,不同楼层、不同朝向的单元其价格也相差较大。而这些不同位置的楼宇,或是不同楼层的单元,或是不同朝向的单元,实际上其成本并无什么差别。基于地点差别定价的房地产价格调整是房地产商品所特有的一个重要特征,关于房地产价格调整我们在第四节里作具体的讨论。

5. 时间差别定价

即房地产商的定价随年份、季节、月份或日期的变化而变化。由于房地产产品的销售期比较长,因此这一点是很显然的。随着时间的变化,社会经济形势也会有所变化,消费者的需求以及物业的供应等都会有所不同,因此制定不同的价格是应该的,也是符合市场导向的。相反,长期使用同一个定价反而是不合理的,也是不现实的。关键是开发商应该时刻把握市场脉搏,这样才能使相应的差别定价比较科学和符合市场特点。

房地产商采取差别定价必须具备以下条件:(1)市场必须是可以细分的,各个细分市场表现出不同的需求程度;(2)以较低价格购买某种物业的顾客不会以较高的价格倒卖给别人;(3)竞争对手没有可能在公司以较高价格销售物业的市场上以低价竞销;(4)细分市场和控制市场的成本不得超过实行差别定价所得的额外收入;(5)差别定价不会引起顾客的厌恶和不满;(6)采取的差别定价形式不能违法。

四、产品组合定价

假如物业属于整个开发项目物业组合中的一部分时,房地产商定价的策略就应当修正。在这种情况下,物业的价格应该以整个物业组合的利润最大为目标。由于各种物业的需求和成本的关系各有不同,而面临的竞争程度也有差异,因此这种定价相当不容易,下面将分六种情况加以讨论。

1. 产品线定价

公司通常开发出来的是产品线,即一系列物业,而不是单一物业。例如某房地产商开发的一个综合小区,在规划上有普通住宅、公寓、别墅、酒店、写字楼、商场以及保龄球馆、游泳池等文化体育娱乐设施。房地产商要确定各种不同物业之间的价格差距。制定价格差距时要考虑不同物业之间的成本差额、不同顾客对不同物业的评价以及竞争对手的价格。如果普通住宅、公寓、别墅之间的价格相差较小，顾客有可能就会偏向于购买公寓或别墅；但若价格相差悬殊，顾客就可能购买价格较低的普通住宅或公寓。又比如若酒店和写字楼的价格差距过小的话，则很多租户就会偏向于在酒店里租房办公。因此，如何使价格差距合理和科学是十分值得房地产商研究的，这需要房地产商综合考虑成本、需求、竞争等因素的不同。

2. 选择品定价

许多公司在提供主要物业产品的同时，还会附带一些可供选择的物业产品和特征，相应采用所谓的选择品定价。例如通常我们在广告上看到的物业价位只是毛坯房或只是粗装修的价位，而不包括精细装修和各种厨厕卫设备在内。房地产商提供各种具体的装修、设备的档次和内容，由购买者做出选择。如 A 公司在北京市北四环附近开发的某物业，其基本价位是 6000 元/m^2，选择面砖地板和瓷砖贴面装修、"天坛"牌洁具设备的价位是 500 元/m^2（总价位为 6500 元/m^2），而选择木地板和木墙裙装修、"TOTO"牌洁具设备的价位就会是 1000 元/m^2（总价位为 7000 元/m^2）。又比如地下车位，在厦门市普通住宅房价一般在 3000 元/m^2 左右，一个地下车位仅 25m^2 左右其价位却一般在 6 万元，即每平方米价格为 2400 元，竟然与房价相近；而实际需求情况和销售情况还说明该车位定价比较符合市场需求。

由于购买房屋款额巨大，顾客通常愿意再多付点钱以进行较豪华、精细的装修，而不会只住在水泥抹面、大白浆粉刷的"毛坯房"里。因此，一般房地产商只对"基本物业"的价位做广告，但广告中出现的却是装修、设备齐全的房间，并非与该广告价位相应。较低的价位容易吸引人们到物业现场看楼参观，而房地产商将样板间、展示间搞成豪华装修、高级设备等特征齐全，与广告中的样子基本相同，给消费者造成开发商诚信、实在的印象。这样房地产商可在选择品里赚取较大的利润。当然，房地产商也可以采取相反的方式，"基本物业"的价位较高，而装修、设备等选择品定价较低，这样可使顾客感受到公司所给予的选择品优惠，从而喜欢购买该物业。总之，房地产商进行选择品定价时，不但必须决定哪些该包含在物业价格里，哪些该另定价格，让顾客自己决定是否购买，而且还必须决定其合理的价格差距。

3. 补充品定价

又叫附属品定价。在消费品市场，有些产品需要附属品或补充品，典型的如照相机需要胶卷；剃须刀需要刀片，等等。生产主要品（如照相机或剃须刀）的制造商经常为产品制定较低的价格，同时对附属品制定较高的价格。例如惠普彩色喷墨打印机的价格很低，原因是它从销售墨盒上盈利很多。同样，房地产市场也有附属品。比如现代物业都需要物业管理。举个例子来说，房地产商开发的某物业采用了价值定价法，其品质较好，价位比起同类物业却较低，因此吸引了众多购买者。但该物业的管理服务费较贵。原来该物业管理服务公司即是开发商的子公司。房地产商采取这种定价策略，并没有在利润上比其他公司或物业受损失，反而制造了很好的销售业绩。

4. 产品束定价

房地产商也经常以某一价格出售一组产品，这一组产品的价格低于单独购买其中每一产品的费用总和。因为顾客可能并不打算购买其中所有的产品，所以这一组合的价格必须有较大的降幅,来推动顾客购买。例如某房地产商开发的小区,为了鼓励顾客在购买物业的同时也购买其所开发的健身房、保龄球馆和游泳池等体育娱乐配套的会员资格,房地产商采取了产品束定价,即"物业价格+健身房会员资格+保龄球馆会员资格+游泳池会员资格"的总价比这四项各自的价格之和低了很多,这样,吸引了较多喜爱体育及娱乐的消费者来该小区购买物业。房地产商也获得了可观的总利润,否则,它可能要面临健身房、保龄球馆和游泳池利用率很低的结果。

第四节 房地产价格调整与变动

一、房地产价格调整

房地产商用上面所讲的定价方法、策略制定出来的物业价格只是一个小区或一幢楼的平均价格,一般简称均价,而不是各个单元的具体价格。而一般地,除了集团购买之外,个人购房或公司租写字楼都是以单元为单位的。由于房地产商品的异质性,实际上找不着两个完全相同的房地产单元。不同的单元由于位置、楼层或朝向的不同,对购买者来说,有不同的效用和价值,虽然对房地产商来讲它们并不意味着成本上的差异。因此,在制定出一个小区或一幢楼的平均价格之后,房地产商还需要对各个出售单元进行价格调整,主要包括位置调整、楼层调整和朝向调整。

理想而科学的价格调整,应该使各个不同单元之间的价格差异恰好合理反映了其效用和价值的差异,这样,消费者根据其购买力和对不同单元效用和价值的认可而各买所需,使各个不同单元的供求关系都达到平衡状态。然而,目前我国许多开发商在进行单元价格调整时往往只是根据自己的"经验","想当然"地"拍脑袋",缺乏科学性。典型的例子请见【案例13-5】。

由此可见,商品房单元价格调整的合理与否,对整个物业的销售成功与否十分重要。合理的单元价格调整,能使楼盘的整体销售业绩比较理想,同时也对开发商和消费者有好处。因此,对商品房的价格调整进行科学的研究是十分必要的。

1. 价格调整的经济学解释——效用调节因素

由于房地产商品的特殊性,同一幢楼里的各个单元的价格各不相同。从经济学的角度来讲,这是因为各个单元的效用不同。效用是指能够满足消费者欲望的程度。效用高,消费者就愿意支付较多的费用;反之,效用低,消费者则支付较低的费用。在一栋建筑中,各个单元的位置、楼层和朝向等对单元的实际效用有着重要影响。这些效用调节有一个特点:与单元本身的成本无关。

2. 价格调整因素

(1) 楼宇位置系数(表13-1)。楼宇位置系数是指在一个小区中,该楼宇的位置、座向、临街状况,与其他楼宇的间距,与小区花园、公共建筑等配套服务设施的距离,该建筑物的外观,该楼宇每个梯间的户数等等的综合影响系数。一般地,南北座向、临街、较大的楼间距、临配套设施、外观气派、每个梯间户数少等,要比东西座向、不临街、较小的楼间距、离配套设施远、外观不美、每个梯间户数多等的物业的价格高。

(2) 单元楼层系数(表13-2)。单元楼层系数是指该单元所处的层数,楼房间距,光照时间,视野,景观,电梯配置情况,居民生活习惯等等的综合影响系数。在我国,如果是

楼宇位置系数表　　　　　　　　　　　　　　　表 13-1

位置类别	一	二	三	四
楼宇位置系数（%）	+5	+2	-2	-5

注：1. 表 13-1、表 13-2、表 13-3 的系数均为假设，仅供参考；
　　2. 如果位置差异较大（如临街），可取得更大的系数，但一般不超过 15%。

六层的多层住宅，一般是一、六楼较便宜，二、五楼居中，三、四楼最贵；如果是高层公寓，一般是越高越贵。

单元楼层系数表（%）　　　　　　　　　　　　表 13-2

	二层楼	三层楼	四层楼	五层楼	六层楼	七层楼	高层楼
一层	-1	-2	-2	-3	-3	-2	-(N/2) m
二层	0	+2	+2	+1	+1	+1	-(N/2-1) m
三层		0	+3	+4	+3	+3	-(N/2-2) m
四层			-3	+2	+4	+4	-(N/2-3) m
五层				-4	0	+1	-(N/2-4) m
六层					-5	-2	-(N/2-5) m
七层						-5	-(N/2-6) m
...							...
N/2-1 层							-m
N/2 层							0
N/2+1 层							+m
...							...
N-2 层							+(N/2-2) m
N-1 层							+(N/2-1) m
N 层							+(N/2) m

注：1. $m=k/N$，其中 k 为不同楼层的楼层系数之最大差值，一般取 10%～15%；
　　2. 如果有另楼遮挡本楼，则在另楼的最高层处上下，本楼的楼层系数会有一个较大的跳跃。

单元朝向系数表　　　　　　　　　　　　　　　表 13-3

双朝向单元	朝向	南北向		东西向	
	单元朝向系数（%）	+3		-3	
单朝向单元	朝向	朝向南	朝向北	朝向东	朝向西
	单元朝向系数（%）	+4	-4	+2	-2
复杂朝向单元	朝向	东南	西南	东北	西北
	单元朝向系数（%）	+4	+2	-2	-4

注：仅适用于由阳光照射引起的朝向效用差异。如果有较大的景观差异，可取更大的系数，但一般不超过 15%～20%。

(3) 单元朝向系数（表13-3）。单元朝向系数是指该单元的朝向、通风、采光、视野、景观、平面布局和消费习惯等的综合影响系数。一般说来，正面朝南、视野宽广、景观秀丽等单元的价格较高。

3. 价格调整公式

单元价格调整，即将小区内若干幢同类物业的基准价格乘以各调整系数，从而得出各单元的调整后价格。计算公式为：

单元价格＝基准价格×（1+楼宇位置系数）×（1+单元楼层系数）×（1+单元朝向系数） (13-5)

或者

单元价格＝基准价格×（1+单元楼层系数）×（1+单元朝向系数）　(13-6)

其中，(13-6)式适用于单幢楼的单元价格调整计算。各系数均为百分比，可大于零，亦可小于零。具体的调整系数必须根据具体情况确定。

4. 数学推导

(1) 定义各参数

设：S_{ijk}：为第 i 栋楼、第 j 层、第 k 单元的建筑面积；

$i=1, 2, \cdots\cdots, q$；$j=1, 2, \cdots\cdots, m$；$k=1, 2, \cdots\cdots n$；下同

S_i：为第 i 栋楼的建筑面积；

S：为小区的建筑面积；

c_i^0：为第 i 栋楼的位置系数；取 $c_i=1+c_i^0$；

a_{ij}^0：为第 i 栋楼、第 j 层的楼层系数；取 $a_{ij}=1+a_{ij}^0$；

b_{ik}^0：为第 i 栋楼、第 k 朝向的朝向系数；取 $b_{ik}=1+b_{ik}^0$；

P：为小区的平均价格；

P_i：为第 i 栋楼房的平均价格；

P_{ijk}：为第 i 栋楼、第 j 层、第 k 朝向的单元价格；

T：为小区的基准价格；

T_i：为第 i 栋楼的基准价格。

(2) 基本公式

$$P_{ijk}=T\times c_i\times a_{ij}\times b_{ik}=T_i\times a_{ij}\times b_{ik} \tag{13-7}$$

其中 $T_i=T\times c_i$

$$P=\frac{\sum_{i=1}^{q}\sum_{j=1}^{m}\sum_{k=1}^{n}P_{ijk}S_{ijk}}{\sum_{i=1}^{q}\sum_{j=1}^{m}\sum_{k=1}^{n}S_{ijk}} \tag{13-8}$$

$$P_i=\frac{\sum_{j=1}^{m}\sum_{k=1}^{n}P_{ijk}S_{ijk}}{\sum_{j=1}^{m}\sum_{k=1}^{n}S_{ijk}} \tag{13-9}$$

$$S=\sum_{i=1}^{q}\sum_{j=1}^{m}\sum_{k=1}^{n}S_{ijk}=\sum_{i=1}^{q}S_i \tag{13-10}$$

(3) 计算小区基准价格 T

将 (13-7) 代入 (13-8)，得

$$P=\frac{\sum_{i=1}^{q}\sum_{j=1}^{m}\sum_{k=1}^{n}P_{ijk}S_{ijk}}{\sum_{i=1}^{q}\sum_{j=1}^{m}\sum_{k=1}^{n}S_{ijk}}=\frac{\sum_{i=1}^{q}\sum_{j=1}^{m}\sum_{k=1}^{n}Tc_{i}a_{ij}b_{ik}S_{ijk}}{\sum_{i=1}^{q}\sum_{j=1}^{m}\sum_{k=1}^{n}S_{ijk}}=T\frac{\sum_{i=1}^{q}\sum_{j=1}^{m}\sum_{k=1}^{n}c_{i}a_{ij}b_{ik}S_{ijk}}{\sum_{i=1}^{q}\sum_{j=1}^{m}\sum_{k=1}^{n}S_{ijk}}$$

从而

$$T=\frac{P\sum_{i=1}^{q}\sum_{j=1}^{m}\sum_{k=1}^{n}S_{ijk}}{\sum_{i=1}^{q}\sum_{j=1}^{m}\sum_{k=1}^{n}c_{i}a_{ij}b_{ik}S_{ijk}}=\frac{PS}{\sum_{i=1}^{q}\sum_{j=1}^{m}\sum_{k=1}^{n}c_{i}a_{ij}b_{ik}S_{ijk}} \tag{13-11}$$

(4) 计算第 i 栋楼基准价格 T_i

同理，将 (13-7) 代入 (13-9)，得

$$P_{i}=\frac{\sum_{j=1}^{m}\sum_{k=1}^{n}P_{ik}S_{ijk}}{\sum_{j=1}^{m}\sum_{k=1}^{n}S_{ijk}}=\frac{\sum_{j=1}^{m}\sum_{k=1}^{n}T_{i}a_{ij}b_{ik}S_{ijk}}{\sum_{j=1}^{m}\sum_{k=1}^{n}S_{ijk}}=T_{i}\frac{\sum_{j=1}^{m}\sum_{k=1}^{n}a_{ij}b_{ik}S_{ijk}}{\sum_{j=1}^{m}\sum_{k=1}^{n}S_{ijk}}$$ 从而

$$T_{i}=\frac{P_{i}\sum_{j=1}^{m}\sum_{k=1}^{n}S_{ijk}}{\sum_{j=1}^{m}\sum_{k=1}^{n}a_{ij}b_{ik}S_{ijk}}=\frac{PS_{i}}{\sum_{j=1}^{m}\sum_{k=1}^{n}a_{ij}b_{ik}s_{ijk}} \tag{13-12}$$

(5) 求各单元价格 P_{ijk}

有了基准价格 T 和 T_i，利用公式 (13-7) 即可求出各单元价格 P_{ijk}。即，

$$P_{ijk}=T\times c_{i}\times a_{ij}\times b_{ik} \text{ 或 } P_{ijk}=T_{i}\times a_{ij}\times b_{ik}$$

5. 基准价格和平均价格的区别和联系

这里需要对基准价格和平均价格的区别和联系进行一些说明。在我国目前房地产业界，开发商在进行单元价格调整时，往往将二者混淆了，把平均价格当作基准价格来进行单元价格调整。实际上，这是一个严重的概念错误。如果把平均价格（P_0）当作基准价格（T）来进行单元价格调整，则根据最后求出的各单元价格，用各单元总价之和除以各单元面积之和，就可求出总的平均价格（P_1），这时我们可以发现 P_0 和 P_1 不一致。

而如果是用基准价格 T（用公式 (13-7) 或 (13-8) 根据平均价格 P_0、各单元建筑面积、各单元的位置系数、楼层系数和朝向系数求得，）来进行单元价格调整，根据最后求出的各单元价格，用各单元总价之和除以各单元面积之和，可求出总的平均价格 P_1，这时我们可以发现 P_0 和 P_1 是一致的（见【案例 13-6】）。

一般情况下，基准价格并不等于平均价格。平均价格是房地产商根据某种定价方法而制定的物业的平均价格，它对该物业的收益起决定作用。而基准价格则是为了进行单元价格调整而引入的中间变量，它的大小取决于位置系数、楼层系数、朝向系数的选取，各单元的建筑面积，以及平均价格（可由公式 (13-7) 或 (13-8) 看出）。由于各单元的建筑面积是不变的，所以如果平均价格定了之后，则基准价格只随位置系数、楼层系数、朝向系数等的变化而变化，但物业的收益并不会也随之变化。

由 (13-7) 式 $T = \dfrac{P \sum_{i=1}^{q} \sum_{j=1}^{m} \sum_{k=1}^{n} S_{ijk}}{\sum_{i=1}^{q} \sum_{j=1}^{m} \sum_{k=1}^{n} c_i a_{ij} b_{ik} S_{ijk}}$

可以看出，若要 $T=P$，必须满足 $\sum_{i=1}^{q} \sum_{j=1}^{m} \sum_{k=1}^{n} S_{ijk} = \sum_{i=1}^{q} \sum_{j=1}^{m} \sum_{k=1}^{n} c_i a_{ij} b_{ik} S_{ijk}$

在特殊的条件下，上式可以成立，即基准价格可以等于平均价格。这些条件是：

(1) 各栋楼的位置系数之和等于零，即，$\sum_{i=1}^{q} c_i^0 = 0$，或 $\sum_{i=1}^{q} c_i = 1$；

(2) 每栋楼的各楼层的楼层系数之和等于零，即 $\sum_{j=1}^{m} a_{ij}^0 = 0$，或 $\sum_{j=1}^{m} a_{ij} = m$；

(3) 每栋楼的各朝向的朝向系数之和等于零，即 $\sum_{k=1}^{n} b_{ik}^0 = 0$，或 $\sum_{k=1}^{n} b_{ik} = n$；

(4) 各单元的建筑面积相等，即 $S_{ijk} =$ 常数 S_0，或 $\sum_{i=1}^{q} \sum_{j=1}^{m} \sum_{k=1}^{n} S_{ijk} = qmn\, S_{ijk} = qmn\, S_0$。

显然，只有理想情况下才可能完全满足上述四个条件。实际上，一般各单元的建筑面积是不等的，因此基准价格不等于平均价格。但是，如果将位置系数、楼层系数、朝向系数取成其各自之和为零（即满足上述（1）～（3）条件），则可以使基准价格比较接近于平均价格。实际上，在各系数的取值中，一般有两种方式：一种即各系数取成其各自之和为零，满足（1）～（3）的条件；另一种即不考虑各系数其各自之和是否为零，只要各系数之间保持一定的比例关系，其结果不会影响单元价格调整。以高层公寓的楼层系数为例，一般有两种取值方式，分别如图 13-3 和图 13-4 所示。

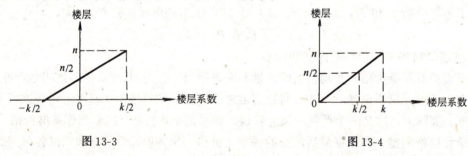

图 13-3　　　　　　　　　　图 13-4

在表 13-1、表 13-2、表 13-3 三个系数表中，我们采取的是第一种方式，即各系数其各自之和为零。

6. 应用举例

L 公寓共 18 层，其中 3～18 层为公寓，每层有 6 个单元。各单元的建筑面积见表 13-5，整个公寓的均价（P_0）已用成本加成法算出为 8051 元/m²。所取的楼层系数和朝向系数见表 13-5。有了各单元的建筑面积，各系数和楼宇均价，则可按前面所讲的计算方法，先算出基准价格，再由基准价格算出各单元价格。具体计算和数据见表 13-5。

从表 13-5 最后的统计结果可以看出，各系数是按照第一种方式取值的，基本符合条件（1）～（3），所以基准价格（8065 元/m²）与最后求出的平均价格（P_1）（8051 元/m²）相差很小。而最后求出的平均价格（P_1）和刚开始进行计算利用的均价（P_0）是一致的。

L公寓的单元价格调整 表13-4

楼层	1+楼层系数	单元号	1+朝向系数	建筑面积（m²）	单价（元/m³）	总价（万元）
18	1.045	L	1.01	141.59	8512	120.52
		M	1.00	141.59	8428	119.33
		N	1.01	103.31	8512	87.94
		O	1.00	129.60	8735	113.21
		P	1.09	141.59	9193	130.16
		Q	1.08	141.59	9102	128.88
17	1.040	L	1.01	141.59	8471	119.94
		M	1.00	141.59	8388	118.77
		M	1.01	103.31	8471	87.51
		O	1.00	129.60	8693	112.66
		P	1.09	141.59	9194	129.54
		Q	1.08	141.59	9059	128.27
16	1.030	L	1.01	141.59	8390	118.79
		M	1.00	141.59	8307	117.62
		N	1.01	103.31	8390	86.68
		O	1.00	129.60	8610	111.59
		P	0.93	141.59	7719	109.29
		Q	1.00	141.59	8307	117.62
15	1.025	L	1.01	141.59	8349	118.21
		M	1.00	141.59	8267	117.05
		N	1.01	103.31	8349	86.25
		O	1.00	129.60	8568	111.04
		P	0.93	141.59	7681	108.76
		Q	1.00	141.59	8267	117.05
14	1.020	L	1.01	141.59	8309	117.65
		M	1.00	141.59	8226	116.47
		N	1.01	103.31	8309	85.84
		O	1.00	129.60	8526	110.50
		P	0.93	141.59	7644	108.23
		Q	1.00	141.59	8226	116.47
13	1.015	L	1.01	141.59	8268	117.07
		M	1.00	141.59	8186	115.91
		N	1.01	103.31	8268	85.42
		O	1.00	129.60	8484	109.95
		P	0.93	141.59	7606	107.69
		Q	1.00	141.59	8186	115.91

续表

楼层	1+楼层系数	单元号	1+朝向系数	建筑面积（m²）	单价（元/m³）	总价（万元）
12	1.005	L	1.01	141.59	8186	115.91
		M	1.00	141.59	8105	114.76
		N	1.01	103.31	8186	84.57
		O	1.00	129.60	8401	108.88
		P	0.93	141.59	7531	106.63
		Q	1.00	141.59	8105	114.76
11	1.000	L	1.01	141.59	8146	115.34
		M	1.00	141.59	8065	114.19
		N	1.01	103.31	8146	84.16
		O	1.00	129.60	8359	108.33
		P	0.93	141.59	7494	106.11
		Q	1.00	141.59	8065	114.19
10	0.995	L	1.01	141.59	8105	114.76
		M	1.00	141.59	8025	113.63
		N	1.01	103.31	8105	83.73
		O	1.00	129.60	8317	107.79
		P	0.93	141.59	7457	105.58
		Q	1.00	141.59	8025	113.63
9	0.985	L	1.01	141.59	8023	113.60
		M	1.00	141.59	7944	112.48
		N	1.01	103.31	8023	82.89
		O	1.00	129.60	8234	106.71
		P	0.93	141.59	7382	104.52
		Q	1.00	141.59	7944	112.48
8	0.980	L	1.01	141.59	7983	113.03
		M	1.00	141.59	7904	111.91
		N	1.01	103.31	7983	82.47
		O	1.00	129.60	8192	106.17
		P	0.93	141.59	7344	103.98
		Q	1.00	141.59	7904	111.91
7	0.975	L	1.01	141.59	7942	112.45
		M	1.00	141.59	7863	111.33
		N	1.01	103.31	7942	82.05
		O	1.00	129.60	8150	105.62
		P	0.93	141.59	7307	103.46
		Q	1.00	141.59	7863	111.33

续表

楼层	1+楼层系数	单元号	1+朝向系数	建筑面积（m²）	单价（元/m³）	总价（万元）
6	0.965	L	1.01	141.59	7861	111.30
		M	1.00	141.59	7783	110.20
		N	1.01	103.31	7861	81.21
		O	1.00	129.60	8066	104.54
		P	0.93	141.59	7232	102.40
		Q	1.00	141.59	7783	110.20
5	0.960	L	1.01	141.59	7820	110.72
		M	1.00	141.59	7742	109.62
		N	1.01	103.31	7820	80.79
		O	1.00	129.60	8025	104.00
		P	0.93	141.59	7194	101.86
		Q	1.00	141.59	7742	109.62
4	0.955	L	1.01	141.59	7779	110.14
		M	1.00	141.59	7702	109.05
		N	1.01	103.31	7779	80.36
		O	1.00	129.60	7983	103.46
		P	0.93	141.59	7157	101.34
		Q	1.00	141.59	7702	109.05
3	0.945	L	1.01	141.59	7698	109.00
		M	1.00	141.59	7621	107.91
		N	1.01	103.31	7698	79.53
		O	1.00	129.60	7899	102.37
		P	0.93	141.59	7082	100.27
		Q	1.00	141.59	7621	107.91

统 计 分 析

3～18层（1+楼层系数）合计	3～18层（1+朝向系数）合计/16	建筑面积合计（m²）	12788.32
15.94≌16	5.98≌6	总价合计（万元）	10295.97
3～18层楼层系数合计	3～18层朝向系数合计/16	平均价格（元/m²）	8051
−0.06≌0	−0.02≌0	基准价格（元/m²）	8065

二、价格变动对顾客、竞争者的影响

在确定好定价方法和定价策略之后，房地产商有时将会面临价格变动即削价或提价的问题。

1．房地产商的价格变动

（1）削价

在下列几种情况下，房地产商可能会削价。一种情况是市场整体不景气。在这种情况下，需求大大减少，房地产商就不得不考虑削价。例如，我国1993年之后由于国家宏观调控，整个房地产市场开始不景气，市场严重供过于求，整个销售市场由卖方市场转为买方市场，许多物业空置率惊人。房地产商在这种形势下就不得不采取削价的办法来刺激需求，以求尽快收回被套牢在空置物业上资金。许多房地产商正是由于及时合理地进行了削价，给各自的物业再次重新定位，才又立于不败之地。

另一种情况是房地产商面临严峻的竞争。比如相邻的由竞争者所开发的物业采用了价值定价法，价格攻势咄咄逼人。这时公司若不在价格上进行削价竞销以及在整体营销策略上作相应调整，就会面临失去市场的危险。

第三种情况是房地产商的成本费用比竞争者低，公司希望通过削价来提高销售量，掌握市场主动权，即采取挑战定价策略。在这种情况下，房地产商往往也主动削价。

(2) 提价

许多房地产商需要提价。成功的提价措施可以大幅度地增加利润。尽管提价可能会招致顾客和代理商的抱怨以及公司销售人员的不满。

促使提价的主要原因之一是通货膨胀造成的成本上升。成本上升而价格不变，利润就会降低，因此公司只好提高价格，以保持其投资回报率。实际上，由于房地产商品的保值增值性，在通货膨胀时房地产通常还会保值或增值，因此房地产商的提价幅度一般要比通货膨胀引起的成本上涨幅度高得多，从而得到更高的利润。在通货膨胀时，房地产市场一般会空前繁荣，价格上涨很快。

另一种导致提价的因素是需求增强。当经济形势好转，人们的收入提高，购买力增强，或城市人口大量增加，都会导致需求的增强。同时由于土地资源的稀缺性和有限性，房地产供应的时间滞后性等，都会使供求关系进一步朝着有利于房地产商的方向转变。这时房地产商可以比较容易地提价。

提价可以使房地产商得到更高的利润。但在市场行情好转时，房地产商应该看准市场形势，不要提价过高或过低，前者会导致房地产商物业销售下降、利润反而下降，后者则会造成物业立刻销售一空，房地产商没有达到当时市场应该达到的利润水平。

2. 价格变动对顾客的影响

房地产商无论是削价还是提价，这种价格变动都会对顾客、竞争者、代理商产生影响，也会引起政府的关注。这里我们先分析价格变动对顾客的影响。

顾客并不总是对价格变动作出与房地产商价格变动的原因或动机相一致的解释。他们会对削价产生下列理解：该物业质量不好；小区销售不畅，人气不旺；公司财务困难，难以在行业中继续经营下去；价格会进一步下跌，要耐心等待最佳购买时机；等等。

顾客对公司提价通常会有以下理解：物业很畅销，不赶紧买就没有了；物业代表着不同寻常的高价值；物业升值很快，货币正在迅速贬值，要赶快购买房地产以保值、升值；房地产商很贪心，要从顾客身上取得更多的利润；等等。

无论是削价还是提价，顾客对其理解都可能有利于房地产商，也可能不利于房地产商。房地产商在价格变动之前就必须对顾客的各种可能反应有所准备，否则可能会产生意想不到的结果。

3. 价格变动对竞争者的影响

房地产商在考虑价格变动时，不仅要考虑其对顾客的影响，也要考虑其对竞争者的影响。当行业内提供同类物业的公司数目较少,不同开发商提供的物业质量差别不大,购买者信息灵通时,竞争者很有可能作出反应。

　　房地产商如何去估计竞争者的可能反应呢?假定在该地域、该类物业市场上,公司只面临一家大的竞争者,则房地产商可以从两个不同的角度来分析竞争者的反应。一种是假设竞争者以固定方式对价格变动作出反应,那么这种反应应是可预测的;另一种是假设竞争者将每一次价格变动都视为一次新的挑战,它会根据当时的自身利益作出反应。竞争者可能以下列几种想法来解释公司的价格变动:该公司物业销售情况不好,需要减少空置;该公司想夺取市场;等等。这时房地产商必须每次都分析竞争者的自身利益是什么。公司要调查竞争者目前的财务状况、最近的销售情况、顾客对其物业的需求以及竞争者的目标等。关键是房地产商要通过竞争者内部和外部的信息来源来了解竞争者的所思所想。

　　如果并非只有一家竞争者,则房地产商必须分别预测各竞争者的可能行动。若全体竞争者行动一致,则相当于只有一家竞争者;若各竞争者由于公司大小、企业目标、竞争战略等不同而采取不同的反应措施,则房地产商必须个别分析。这会变得比较复杂。另一方面,若房地产商处于市场领导者地位,其价格变动使得有一部分竞争者跟着改变价格时,则有理由相信其他公司也会采取相同的行动。

【案例 13-1】

厦门市帝豪大厦的成本加成法定价

　　帝豪大厦是厦门市汇成建设发展有限公司在厦门市黄金地段文园路口开发的一幢写字楼。公司在该物业的定价上主要采用了成本加成定价法。帝豪大厦的成本构成如表 13-5 所示。

帝豪大厦的成本构成　　　　　　　　　　　表 13-5

内　　容	楼面价格 (元/m²)	百分比 (%)	备　　注
项目总成本	6000.84	100.00	
(一) 土地费用	1000.00	16.66	
1. 地价	650.00	10.83	
2. 拆迁安置费	350.00	5.83	
(二) 开发成本	3503.72	58.39	
1. 前期工程费	139.05	2.32	
(1) 临时水电费、场地平整费	46.35	0.77	建筑安装工程费的 1.50%
(2) 勘察设计费	92.70	1.54	建筑安装工程费的 3.00%
2. 建筑安装工程费	3090.00	51.49	
(1) 基础工程	120.00	2.00	
(2) 地下室工程	200.00	3.33	
(3) 主体工程	1250.00	20.83	
(4) 防水工程	20.00	0.33	
(5) 铝合金工程	300.00	5.00	
(6) 装饰工程	450.00	7.50	
(7) 机电设备	750.00	12.50	
3. 室外工程	70.00	1.17	
4. 公用事业工程	80.00	1.33	

续表

内　容	楼面价格（元/m²）	百分比（%）	备　注
5. 各类许可规费	61.80	1.03	建筑安装工程费的2.00%
6. 保险费	9.27	0.15	建筑安装工程费的0.30%
7. 经营费用	123.60	2.06	建筑安装工程费的4.00%
（三）开发费用	1052.61	17.54	
1. 投资利息	747.98	12.46	
2. 销售费用	247.00	4.12	按销售额3.00%
3. 楼宇管理基金	57.63	0.96	按销售额0.70%
（四）其它费用	444.51	7.41	按以上费用的8.00%
1. 营业税及附加税	433.25		按销售额5.25%
2. 成本利润率			30.00%
3. 销售价格控制线			8233.34

注意，成本中开发费用之销售费用、楼宇管理基金两项分别按销售额的3.00%、0.70%计算；而税金中的营业税及附加税按销售额的5.25%计算。这几项都需要知道售价。因此，须列出二元一次方程组，以售价X和总成本Y为未知数，求解后才可得出总成本和售价。按照成本加成法，方程组列出如下：

$(X-Y-5.25\%X) \div Y \times 100\% = 30.00\%$

$Y = [1000.00 + 3503.72 + (747.98 + 3.00\%X + 0.70\%X)] \times (1 + 8.00\%)$

解得：$X = 8233.34$（元/m²），$Y = 6000.84$（元/m²）。

【案例 13-2】

"万科城市花园"的认知价值定价法——名牌策略

1997年，北京万科城市花园楼盘的热销是京城房地产界的一道亮点。全年累计售房300多套，销售率达到95%以上，这在近两年豪宅物业的销售中是少有的。强劲的销售势头一直持续到年底，以致于万科（深圳）企业集团股份有限公司的董事长王石先生不得不提醒北京万科的销售要"悠着点儿"。

北京万科城市花园位于北京顺义县机场高速路旁，其周边物业价格大致为2000～3000元/m²，而万科城市花园的均价却是在5000元/m²以上，为其他物业价格的2倍左右。然而，其他物业卖不动，买万科物业却要排队，这是为什么？

让我们再把眼光移到深圳和上海。1997年，深圳景田的万科城市花园的售价平均为12000元/m²，最高更达14500元/m²（而其周边同类物业的价位一般在8000元/m²左右），但销售业绩仍然看好，至1997年11月底销售率达到85%。在上海，占地515亩、规划建筑面积45万m²的万科城市花园的推出同样取得了极大的成功，现已入住2000余户。有件趣事是万科刚开盘不久，万科公司的车在上海市区被警察拦住，警察第一句话就是问他们"你们万科到底在哪？"，原来近来有众多人向警察询问去万科怎么走，但警察自己也不知道。

"万科城市花园"系列在全国各大城市取得了极大成功，其背后究竟是什么呢？答案只有两个字——名牌。

万科（深圳）企业股份有限公司创立于1984年，创立初始主要从事摄录像器材的进口贸易。1988年，公司看准房地产业的良好市场前景，才开始进入房地产领域。初期主要立足深圳市场，走中高档路线，建造小规模的住宅精品，以其良好的售后服务在客户和业界中树立了口碑。1991年始，为寻求更大的发展空间，万科开始跨地域的房地产规模经营，触角扩展到了上海、天津、青岛、北京等12个城市，以城市居民住宅为主导开发品种。1993年，公司确立了以房地产为主导业务的发展战略，并集中精力完善"万科城市花园"物业品牌，树立了万科物业精品的名牌形象。

那么万科的名牌形象靠什么树立起来？用万科自己的话讲，"优雅、前卫的规划设计和优质、安全的物业管理，这二者的有机结合，使万科物业形成了一个完整的品牌概念"。

在项目的规划设计上，万科的每一个项目都聘请了著名的外国设计师来设计，因为国内的设计条条框框较多，设计较单调、生硬，而相比之下，国外的设计显得流畅、色彩舒服，设计语言丰富。但单靠这还不够，万科还拥有自己的设计师团队——万创建筑设计顾问有限公司。这是一个由来自清华、同济、深大等的十几位年轻人组成的队伍，其定位是一切从开发商角度来考虑，即在一般建筑设计的基础上还加进了市场概念、营销概念、顾客意识和竞争意识。正是靠这样强大的综合的设计力量，万科城市花园率先推出了"多层带电梯"的花园公寓，率先倡导了"不要防盗网"的安全社区，率先提出了小区绿色环保概念，率先推出内部环境按中国人居住习惯设计、外观采用澳洲明快亮丽之建筑风格的所谓"中国人穿澳洲人衣服"的突破传统思维的新设计理念，等等。因此，1997年在全国几个大城市推出的万科城市花园系列都被业界称为"叫好又叫座"的成功之作。

除了优雅、前卫的规划设计之外，万科更大的优势在于其优质、安全的物业管理。物业管理堪称是万科物业的生命线。进入房地产开发领域之初，万科即十分重视物业管理，是国内最早涉及物业管理领域的企业集团之一。经过数年的探索，万科以其专业化、规范化、优质安全的物业管理在业界中脱颖而出，不断取得骄人业绩。1996年10月，深圳万科物业管理公司获得了ISO9002国际认证，成为国内第一家通过第三方国际认证的物业管理公司。截至1996年底，全国各地由万科集团开发并管理的小区中已有深圳、上海、天津、青岛、北海等地的6个小区先后获得建设部颁发的"全国物业管理优秀示范小区"和"全国优秀物业管理小区"荣誉称号。1997年，万科与北京大学共同组建了社区发展研究中心，以对我国社区发展问题进行长期系统的研究。可以说，万科的社区物业管理是国内最负盛名的。

正是如此，经过近9年的发展，万科树立起了自己的地产品牌，特别是"万科城市花园"系列在消费者中的名牌效应产生了巨大的市场效果，万科集团的董事长王石先生说："虽然'万科城市花园'品牌的无形资产没有进行评估，但是如果简单来看，那么'万科城市花园'要比同地段的同类物业每平方米至少多卖1000元以上。"名牌效应形成了开发商与市场互动的良性循环，万科也从名牌效应里得到了更快更好的发展。据香港《亚洲周刊》杂志排出的中国大陆前100家最大的上市企业里（以1997年6月底的上市流通股票市值为依据），其中深圳万科名列第三，仅次于深圳发展银行和四川长虹。

有这样的实力和声望，万科公司自然对其所开发物业的定价采取了认知价值定价法，采取了名牌策略。除了在注重物业的精品设计和优异的物业管理之外，万科公司在营销策略上也更注重通过广告或其他舆论工具做好物业的市场推广工作以及公司形象的宣传，以提高公司及其物业在消费者心中的地位，使消费者对万科物业的认知价值达到极品形象，从而制定极品价格。实际上，无论是万科公司的"教师节行动"(《北京经济报》1997年9月14日报道，万科在9月10日教师节去北京新星里中学、新源里三小、京华学校、力迈学校等附近学校慰问)，还是万科与北京大学联合成立"北大万科社区研究中心"等，都是万科名牌战略的一部分。事实证明，万科的名牌战略取得了极大的成功。有趣的是，在"北京万科城市花园"的旁边，另外一个物业被其发展商起名为"万科芳邻"，可见万科的品牌效应。

【案例13-3】

北京"望京新城"的价值定价法

在近几年全国房地产业不甚景气的大背景下，北京的房地产市场也是波澜不惊。在这样一片淡静之中，京城东北角处望京新城的热销、旺销就显得尤为突出。1997年8月30日，望京新城A5区甲1楼开盘销售。当天上午，现场售楼大厅人山人海，人们排着长长的队伍等着交定金。摩托罗拉公司的王先生和他的女友十点才赶到现场，好不容易挤进队伍，最后却发现他们准备购买的单元早已销售一空。王先生只好感叹："这哪儿是拿钱买房，简直是在抢房！"当天，甲1楼售出120套，其中126m^2的大三居当天就被抢购一空。一个星期内，甲1楼整幢楼就基本全部售出。其时各界舆论也炒得沸沸扬扬，报界这样评论："就象买房不要钱似的。"再看望京新城总体的销售情况，从1996年6月望京首开盘至1997年11月，望京A5区开盘的11栋楼中，已售出2000余套24万m^2，销售率高达90%以上，而且购买者多为个人。如此高的散盘销售率，在近两年北京市甚至是全国的房地产市场中也是少见的，总之在京城抢购住宅的情景我们已经许久不曾见到了。

究竟望京有什么特别的地方呢？

望京新城位于北京市朝阳区北四环外，是目前规划中北京市最大的一个小区，占地860公顷，规划总建筑面积1000多万m^2，其中住宅420万m^2，可容纳25~30万人居住，总户数7万户，是著名的方庄小区的4倍，其规模在全国也是首屈一指的。望京新城在规划上也十分先进，配套齐全，集金融、贸易、商业、居住、文化和娱乐为一体。同时，望京新城在住居的设计上十分现代化和适当超前，居室设计突出三大一小，还铺设光缆、每家预留两个电话线路、预留空调位置、使用天然气、提供24h热水、有比较充足的车位等等。

望京新城不但规模大、规划设计先进，而且它还是被列入《北京市城市总体规划》的重点建设项目，同时又是北京市目前唯一一个被列入建设部小康住宅示范区的在建居住社区。另外，望京新城手续齐全、工程进度快，同时，其开发商——北京市城市建设开发集团总公司的实力和信誉也是吸引购买者的一个重要原因。北京市城建开发总是北京市最大的国家资质一级房地产开发企业，1993年被建设部、国家统计局等评选为中国房地产开发企业百强之首，1996年公司总资产达80多亿元。除了这些荣誉和数字的证明以外，对于购房的老百姓来说，著名的方庄小区成了城建开发总实力的最好证明。因此购买者对于望京新城的未来充满信心。

然而，除了以上这些，望京新城能吸引众多个人消费者购买的最重要的一个原因便是其价格优势。望京东临机场高速路，南抵北四环路，交通十分便捷，而且如上所述，其规划设计先进，建筑标准也是中档以上，还能享受24h热水、电梯、保洁等服务。这样的位置和建筑档次,其平均售价却只有 4500 元/m² 左右。比较北三环及亚运村地区 7000 元/m² 以上的房价,望京的价位优势是显而易见的。

实际上,开发商在望京新城的价格策划和制定上正是应用了价值定价法的方法与策略。1996 年 6 月望京 A5 区一期推出的楼盘起价是 3792 元/m²。而当时与之相邻的花家地小区的价位却为 4000~5000 元/m²,北三环及亚运村地区的房价更是在 7000 元/m² 以上。到了 1997 年 9 月,望京 A5 区二期推出的甲一、甲二楼的均价也才 4576 元/m²。正是因为望京新城不仅规划设计好、可信度好,而且其定价比较适合中等收入的居民家庭,所以才会有前面所述的旺销热销景象。在望京首开盘至今近两年的时间里,望京的价位也在逐渐提高,但其始终保持了中低价位或中等价位,以"物美价廉"吸引了越来越多的消费者。而这样的"薄利多销",并没有使开发商利益受损;相反,城建总还会因此而有一个长期的稳定的投资回报率,使公司得到更好的发展,实力、信誉和声望更加"如日中天"。

【案例 13-4】

北京市东二环与东三环周边甲级写字楼竞争定价分析

外商投资企业的迅速增加和北京第三产业的迅猛发展,使北京市的写字楼市场发展很快。而北京市东二环及东三环地区因其特殊的地理位置,近几年来已成为北京市的商务中心区。1992 年底,北京外资企业有 3763 家,到 1994 年底则猛增到 10033 家。各大跨国公司基本都选择了东二环至东三环这一带作为其办公的理想地点。巨大的需求拉动使得租金水平不断上涨,北京市写字楼的租金水平在 1994 年跃居世界第三高,仅次于香港和东京。在 1994 年 8 月,国贸中心 37 楼更是创造出每月每平方米实用面积 110 美元的最高租金记录。1995 年,优质写字楼的平均租金高居每月每平方米实用面积 90 美元。世界最高的投资回报率使得众多投资商纷纷买下好地段,大搞开发。1996 年之后,新落成的甲级写字楼的供应速度超过了市场的接纳速度,写字楼市场也从卖方市场转变为买方市场,市场竞争逐渐加剧,各写字楼的空置率开始急速上升,在短期内平均达到大约 40% 的高峰。到 1997 年,北京优质写字楼的平均租金水平较 1995 年下降了 38.7%。

图 13-5 为东二环与东三环周边一些主要的甲级写字楼的租金水平比较,从中可以看出,1997 年总体的租金水平较 1995 年平均 90 美元每月每平方米实用面积的水平有较大的下降。而面对激烈的竞争,各开发商不得不在价格上纷纷采取各自的策略。

国贸中心是典型的市场领导者策略。由于长期以来国贸形成的顶级形象,进驻国贸成了客户公司实力和声望的象征,故即使国贸的价位高出其他甲级写字楼近 50%(以平均租金水平 50 美元每月每平方米实用面积估算),但国贸的出租率仍是最高的,几乎达到 100%。

与国贸相比,京广中心、长富宫、京城大厦、赛特大厦、港澳中心等则是市场挑战者策略。这些甲级写字楼和国贸一样都是北京市早期的著名写字楼,声望亦极佳。虽然其租金水平不能高到国贸的水平,但却是紧随其后,而且亦都有较高的出租率。从另一方面讲,作为市场领导者的国贸,其租金水平的制定亦不得不考虑到这些挑战者的存在。如果国贸不视市场情况,在 1997 年仍保持 1995 年前后的价位,恐怕就会面临人去楼空的局面。

大部分新落成的写字楼和部分老写字楼则是典型的市场追随者策略,如光华长安大厦、

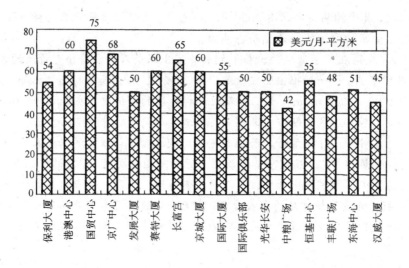

图 13-5　北京市东二环与东三环周边甲级写字楼租金（1997）

国际俱乐部、恒基中心、东海中心、中粮广场等新写字楼和国际大厦、发展大厦、保利大厦等老写字楼。市场追随者总是整个市场中占最大比重的部分。这部分写字楼或由于刚落成而从低出租率开始，或虽然楼龄较老、但原来就只是市场追随者，或地段稍差等等，其价位只好随行就市，以适应竞争，保持出租率。实际上，随行就市的价格比较准确地反映了市场的平均价位，从图 13-3 中我们可以看出这些写字楼的价位大致就在每月每平方米实用面积 50 美元左右，与市场的平均租金水平相近。

【案例 13-5】

汕头市 A 大厦的销售是好是差？

A 大厦位于汕头市的黄金地段，由地下两层车库、地上五层商业裙房和二十六层办公塔楼组成，总建筑面积达 60,200m²。自五层至二十九层的高档写字楼，每层划分为 8 个办公单元，每个办公单元面积从 104m² ～ 471m² 不等，每一单元内部配套齐全。

对于因楼层、朝向（景观）不同而导致效用不同的各个单元，开发商在定价上考虑了二者对单元价格的影响，进行了单元价格调整。然而，不同单元的销售情况却大不一样。从 1998 年 1 月 1 日开盘到 4 月底，各层中朝向（景观）较好的第 1 单元、第 8 单元（单元 1 面对湖，单元 8 面对海滩）已售出 92%，销售速度极快；而各层中朝向较差的第 4、5、6、7 单元（面对另一幢楼）才售出 45%。

A 大厦的销售究竟是好是差？这恐怕不能简单的用一句话来概括。但是，不同单元之间销售速度的巨大反差，则不能不使人深思。显然，开发商在各单元的价格调整上不够合理和准确。据开发商提供的报价单数据来看，同一层中朝向（景观）好与朝向（景观）差的单元之间的价格差异最大只有 8%。这一系数对于一般的朝向差异（由阳光照射引起）所导致的价格差异是比较符合业界行情的。然而，A 大厦各单元的朝向差异更重要的也许在于景观。对于选择 A 大厦这一高档写字楼的客户来说，能够面临碧波荡漾的湖海办公，与面对另一幢写字楼相比，更多的大公司都愿意多花点钱（仅比均价多出 4%）而选择前者。

思 考 题

1. 房地产定价与市场价格的关系是什么？
2. 企业应如何运用定价策略进行卓有成效的市场竞争？
3. 您所在企业经常使用的定价方法有哪些？是如何用这些方法对房地产产品进行定价的？
4. 企业在采取降价策略时，经常遇到的问题与挑战有哪些？
5. 面对竞争对手的降价或提价，企业应如何应对？

第十四章　房地产分销与促销策略

第一节　房地产销售形式分析

成功的房地产销售过程一般包括三个阶段，一是为使潜在的租客或购买者了解物业状况而进行的宣传、沟通阶段；二是就有关价格或租金及合同条件而进行的谈判阶段；三是双方协商一致后的签约阶段。从房地产市场营销的具体方式来看，主要分为开发商自行租售为和委托物业代理两种。

一、开发商自行销售

由于委托物业代理要支付相当于售价1％～3％的佣金，所以有时开发商愿意自行租售。一般在下述情况下开发商愿采取这样的营销方式。

首先是在大型房地产开发公司，他们往往有自己专门的市场营销队伍和世界或地区性的销售网络，他们提供的自我服务有时比委托物业代理更为有效。例如北京市住总集团每年所开发的数十万平方米普通商品住宅，均由其所属的销售中心负责销售工作。

其次是在房地产市场高涨、市场供应短缺，所开发的项目很受使用者和投资置业人士欢迎，而且开发商预计在项目竣工后很快便能租售出去的项目。例如，中建海外地产有限公司1989年在香港开发的某中低档写字楼项目，由于当地的需求很旺盛，公司决定自己直接租售，结果只用了半个月左右的时间就将大厦的主要部分（写字楼）销售完毕，节约代理费约150万港元，而该大厦底层的商业用途楼面，该公司考虑到自己租售较为困难，委托了物业代理。

另外，当开发商所发展的项目已有较明确，甚至是固定的销售对象时，也无需再委托物业代理。例如，开发项目在开发前就预租（售）给某一业主，甚至是由业主先预付部分或全部的建设费用时，开发商就没有必要寻求物业代理的帮助了。

二、委托物业代理

经纪人和代理商是从事购买或销售或二者兼备的洽商工作，但不取得商品所有权的商业单位。其主要职能在于促成商品的交易，借此赚取佣金作为报酬。他们通常专注于某些产品种类或某些顾客群。房地产市场上的经纪人或代理商通常被称为物业代理。

物业代理在我国还是一个较新的概念，是随着房地产市场的发展二逐渐产生和发展起来的。解放后至80年代初期，房地产市场基本不存在，交易量很少且大都是秘密地进行，"经纪人"、"掮客"被认为是不劳而获，属于被禁止的行当。人们在电线杆上贴广告、或通过朋友介绍来实现与房地产有关的交易，市场效率很低。从80年代开始，随着我国土地使用制度的改革，房地产开始可以作为一种特殊的商品在市场上进行交易，物业代理的概念才开始被人们所认知。

一般来说，物业物业代理负责开发项目的市场宣传和租售业务。但为什么要委托代理、委托什么类型的代理、委托物业代理的原则是什么呢？一般要针对具体情况进行分析。尽管有些开发商也有自己的销售队伍，但他们往往还要借助于物业代理的帮助，利用物业代理机构所拥有的某些优势。因为物业代理机构有熟悉市场情况、具备丰富的租售知识和经验的专业人员，它们对所擅长的市场领域有充分的认识，对市场当前和未来的供求关系非常熟悉，或就某类物业的销售有专门的知识和经验，是房地产买卖双方都愿意光顾的地方。

1. 物业代理的作用

传统的房地产经纪人留给人们的印象是，通过传递信息、居间介绍，待交易成功后收取佣金。然而，现代的物业代理则是一个全新的概念，已经从单纯的协助推销逐渐发展为参与开发项目市场营销工作的全过程，其所提供的服务具有很高的专业技术含量。物业代理的作用主要体现在以下几个方面：

（1）通过市场调查，了解潜在的市场需求，准确地预测消费者行为、偏好、潮流与品味，协助开发商或业主进行准确的市场定位。

（2）通过广告等市场宣传活动，对潜在的投资置业人士进行有效的引导。

（3）从房地产开发项目的前期策划到项目租售完毕，物业代理参与整个开发过程，协助开发商最终实现投资收益目标。

（4）按照置业人士提出的有关要求（位置、价格、面积大小、建筑特点等），帮助其选择合适的物业，并为其提供完善的购楼手续服务。

（5）帮助买卖双方进行有关融资安排，例如有一信誉良好的机构有物业的使用需求但没有足够的资金购买、有一基金组织想投资房地产但找不到理想的投资项目、又有一公司想通过出售所拥有的物业以解决财务困难，在这种情况下，物业代理就能通过其掌握的信息，作出有关安排，使有关三方均能达到自己的目的。

（6）提高市场运行效率。因为少有集中和固定的房地产市场，房地产又是一种特殊的商品，常常需要代理人的服务来寻找买卖双方，使潜在的买家和卖家均能迅速地完成交易，从而提高了房地产市场运行的效率。

2. 物业代理的形式

物业代理的形式通常在委托代理合同上有具体的规定。物业代理的形式主要有以下几种分类方式：

（1）联合代理与独家代理。对于功能复杂的大型综合性房地产开发项目或物业，开发商经常委托联合代理，即由两家或两家以上的物业代理公司共同承担项目的物业代理工作，物业代理公司之间有分工，也有合作，通过联合代理合约，规定各代理公司的职责范围和佣金分配方式。对一些功能较为单一的房地产开发项目或物业，或者对综合性中的某种特定用途的物业，开发商常委托某一家拥有销售此类物业经验的物业代理公司负责其物业代理工作，称为独家代理。当然，某些大型物业代理公司亦可能独家代理综合性房地产开发项目或物业。

（2）买方代理、卖方代理和双重代理。依代理委托方的不同，物业代理还可以分为买方代理、卖方代理和双重代理。对于前两种情况，物业代理只能从买方或卖方单方面收取佣金；对于第三种情况，物业代理可以同时向买卖双方收取佣金，但佣金总额一般不能高于前两种代理形式，而且双重代理的身份应向有关各方事先声明。

（3）首席代理和分代理。对于大型综合性房地产开发项目或物业，开发商或业主也可以委托一个物业代理公司作为项目的首席代理，全面负责项目的物业代理工作。总代理再去委托分代理，负责物业某些部分的代理工作。有时，分代理的委托还必须得到开发商或业主的同意。特殊情况下，开发商或业主还可以直接委托分代理，此时，代理公司的佣金按照各代理公司所承担的责任大小来分配。

不论是采用哪种代理或代理组合，很重要的一点是在开发项目前期就尽快确定下来，以便使物业代理公司能就项目发展的规划、设计和评估有所贡献。物业代理公司可能会依市场情况对项目的开发建设提供一些专业意见，使物业的设计和功能尽可能满足未来入住者的要求；物业代理公司也可能会就开发项目预期可能获得的租金、售价水平，当地竞争性发展项目情况以及最有利的租售时间等给开发商提供参考意见。此外，通过让代理机构从一开始就参加整个开发队伍的工作，能使其熟悉未来要推销的物业，因为倘若物业代理不能为潜在的买家或租客提供有关物业的详细情况，则十分不利于他们开展推销工作。

3. 物业代理公司的运作

从目前物业代理公司的实际运作情况来看，其物业代理工作可视与委托方的关系不同分为与业主（卖方）合作和与客户（买方）合作两种类型。

(1) 与业主合作

物业代理公司虽然可同时为买卖双方服务，但如果没有房源可供给客户，即使有很多买家也难以成交。一手市场上的房源主要来自开发商，而二手市场上的房源则主要来自那些从开发商手中购入物业后又想转让的业主。从当前我国二手市场不发达的现状来看，代理商的房源主要来自开发商。

纯粹的独家代理目前在我国房地产市场比较少见，通常是开发商自己的销售部与其委托的代理公司合作销售。合作销售的运作过程是：代理商以开发商的名义寻找客户→由开发商确认客户由该代理商介绍→客户与开发商签订购/租合同→开发商如约向代理商支付佣金。在有些项目的营销工作中，为了开发商为了更好地发挥代理商的作用，由开发商的销售部门和代理组成销售联合体，以销售联合体的名义进行市场推广工作，按销售额提取的代理佣金，由销售联合体的有关各方按事先约定比例分配。例如北京望京新城A5区的市场营销工作，就成功地利用了销售联合体这种方式。

销售总策划，是物业代理公司与业主合作的另一种主要方式。此时，通常由开发商出资，提供办公场所及所有宣传推广费用，利用代理商所提供的销售人员、专业的项目策划、丰富的市场信息及拥有的客户网，共同组建经营一个项目的"销售中心"，为项目作策划及推广销售。具体运作方法是：代理商选派人员去开发商处办公→双方协作向市场推广该物业→客户与开发商签订购/租合同→开发商如约向代理商支付佣金。

开发商希望有多家代理公司共同推销其项目时，也会请代理商做为分销代理商，并与之签订《分销代理合同》。具体运作方法是：代理商向开发商登记意向客户→由开发商确认客户由该代理商介绍→代理商代客户与开发商签订购/租合同→开发商如约向代理商支付佣金。

(2) 与客户的合作

客户代理是近年从国外引进的新概念，代理商通过优质的服务与良好的信誉，试图与房地产市场上的一些大客户建立固定的联系，成为该客户的长期独家代理，当客户有购/租房的需要时，均委托该代理公司提供购/租房全过程服务。例如美国拉塞尔代理公司，为美国通用汽车、IBM等大型跨国公司提供了全球范围的代理服务，该公司于1996年落户北京，为其固定客户提供在中国购/租楼宇的服务。国内一些有较大规模的物业代理公司，也在开始发展此项业务，其服务对象主要集中在经常需要拓展办公和居住用房的单位（机构购买者），如银行、证券公司等金融机构、零售商、大型企业集团等。

除大客户外，物业代理公司面向的客户群的主体，还是那些个人或中小型购买者。这些客户虽然没有较频繁的购买行为，但由于量大面广，通常是代理的主要服务对象。代理商一般可通过媒体宣传、印刷宣传品、主动上门寻访等方式与这些客户建立联系，当代理商寻找到客户并了解了该客户的需求后，可为客户提供详尽的市场信息、提供租用或购买建议，以利成交。应客户的要求，一些代理商还提供更加深入的"售后服务"，如协助办理按揭手续、入住手续等。

4. 物业代理佣金收取的原则

当仅由一个代理机构独家代理物业租售时，则依每宗交易的成交额收取佣金或代理费。收费标准是：出租物业收取年租金的10%或相当于一个月的租金；出售物业收取销售额的1%～3%。对联合代理的情况，委托方需对每宗出租或出售交易支付较高的代理费，通常为独家代理时的1.5倍，各代理机构之间要依事先协议来分割这笔佣金。

一般说来，代理商只应从买方或卖方单方面收取佣金。如果有客户委托代理机构帮助买楼或租楼，则代理商相对开发商而言就相当于"顾客"，此时的代理商应从买方或承租方获取佣金，不能再从开发商那儿得到另外一份佣金，尤其是代理商为其客户向房地产开发商预定楼面时，更不应从开发商处获取佣金。如果没有客户向代理机构预定，而是代理机构申请为开发商推销时，则开发商应支付佣金，买房或租房的客户就不需付佣金给代理商了。

有时开发商会做出这样的承诺，即对所有介绍来买家或租客并能达成正式租售协议的代理人均支付佣金。这时一般没有正式的委托协议，与前面所说的开发商委托的物业代理有明显不同。有时，开发商的这种承诺对所有为其介绍客户的人都适用，但有时开发商的这种承诺只对有限的几家代理机构有效。

从表面上看来，那种开发商对所有成功的代理人都作出支付佣金的承诺，似乎更有利于加速物业租售速度，但事实却往往不是这样。因为如果很多代理机构掌握该物业，就会形成在市场上"沿街兜售"的情况，其结果会在社会上造成一种不好的印象，即人们往往会认为这么多的代理机构持有该物业，肯定该物业不易出手或是有些什么其他问题，如质量不好等。也许一开始市场对该种租售安排下推出的物业积极响应，但当人们知道多家代理机构有这种物业时，信誉好的物业代理机构就不再参与此物业的租售了。所以，如果确实需要多家共同代理时，也应尽量分工明确，并在各家代理机构之间及时通报信息，以免造成误会。

三、委托物业代理公司应注意的问题

1. 充分了解物业代理公司及其职员的业务素质。由于房地产交易涉及到的资金量巨大，所以无论对开发商或业主来说，还是对投资置业的人士来说，都是须慎重对待的大事，能否做到公平交易，切实保障参与交易过程的各方面的利益，物业代理起着非常重要的作用。因此在选择物业代理公司时，首先要考察物业代理公司及其职员是否有良好的职业道德，其中包括物业代理公司是否只代表委托方的利益，能否为委托方保密，工作过程中是否具有客观、真实、真诚的作风，在物业交易过程中除佣金外是否还有其它利益。一些代理公司采用保底价按比例收取代理费，超出保底价格部分按另外的比例分成，就是一种严重违反职业道德的做法。

2. 物业代理公司可投入市场营销工作的资源。很显然，地方性的物业代理公司由于其人员、经验和销售网络的限制，一般没有能力代理大型综合性房地产开发项目的市场销售工作。但大型综合性代理公司也未必就能代理所有的大型项目。例如，某国际性物业代理机构曾一度同时代理着北京近30个大中型房地产开发项目，其中有些同类型项目处于同一地段，结果代理费比例高的项目销售十分火爆，但代理费比例低的项目成交寥寥无几。纠其原因，就是物业代理在有意的以低佣金作诱饵，垄断同类型物业的租售市场，并将其主要的人力、物力投入到代理费比例高的开发项目上去了。

3. 物业代理公司过往的业绩。看物业代理公司过往的业绩，不是看其共代理了多少个项目或成交额有多少，而是要看其代理的成功率有多大，如果某公司代理10个项目只有两个成功，而另外一个公司代理了两个项目均获成功，显然后者的成功率要远远大于前者。考察物业代理公司的过往业绩，还要看其代理每一个项目的平均销售周期。

4. 针对物业的类型选择物业代理。住宅和公寓的销售常由当地的代理机构办理，当然，这些机构也许是全国性甚至国际性代理公司的分支机构。但对工业和商业物业来说，常委托全国性或国际性代理公司，当地的代理机构有时参加，有时不参加。这里没有一个统一的原则可供遵循，需具体问题具体分析。一般说来，全国或国际性代理公司通常对大型的复杂发展项目有更丰富的代理经验，且与大公司有更直接、更频繁的接触；而地方性代理机构对当地房地产市场及潜在的买家或租客有较详细了解。

5. 认真签定物业代理合同。通常开发商与物业代理之间都有一个合同关系，签订代理合同时，应对合同内容及每一文字书面和隐含的意义认真考虑。代理合同应清楚地说明代理权存在的时间长短，在什么情况下可以中止此项权利，列明开发商所需支付的费用、代理费（佣金）比例，并说明何时在什么条件下才能支付此项佣金。同时还应在合同中载明是独家代理还是联合代理，涉及雇佣另外的代理时，什么是首席代理的权利，是否连续处置（租售）该物业（出于财务和收益的考虑，开发商有时希望分阶段出租或出售某物业）等。花些时间尽可能精确地表述开发商和代理商之间的关系可避免以后造成误解和争议。

第二节　沟通与促销组合

现代市场营销不仅要求企业开发适销对路的产品，为其制定有吸引力的价格，并使之易于为目标消费者买到，还必须与现有和潜在的消费者进行沟通。每个公司都不可避免地承担起沟通者和促销者的角色。为有效地进行沟通，公司需聘请广告代理商设计有效的广告，请销售促进专家设计销售激励方案，请直销专家建立数据库并利用邮寄和电话与潜在的消费者进行沟通，请公关公司负责产品的宣传并塑造公司形象。

现代的公司都管理着复杂的市场营销沟通系统。开发公司与其代理商、消费者和各种公众进行沟通，其中代理商又和自己的消费者和各种公众进行沟通。消费者也与其他消费者和各种公众进行口头沟通。同时，各个群体提供的信息又会反馈给其他群体。

一、促销组合的含义

促销组合是指企业根据促销的需要，对广告、销售促进、公关宣传与人员推销等各种促销方式进行的适当选择和综合编配。市场营销沟通组合（也称促销组合）由 5 种主要工具组成：

(1) 广告。由特定出资者付费所进行的构思、商品与服务的非人员的展示和促进活动。

(2) 直销。利用邮寄、电话和其他非人员接触的手段与现有或潜在的消费者进行沟通活动或收集其反应。

(3) 销售促进。鼓励对产品与服务进行尝试或促进销售的短期激励。

(4) 公关与宣传。为提高或保护公司的形象或产品而设计的各种方案。

(5) 人员推销。为了达成交易而与一个或多个潜在的买主进行面对面的交流。

表 14-1 所列的是上述工具的具体手段。但同时，沟通并不仅仅局限于这些特定的沟通与促销手段。产品的式样、价格、外观、销售人员的举止与着装、业务场所、公司的办公用品，所有这些，都向购买者传递着某种信息。整个市场营销组合，而不只是促销组合，都必须为取得最大的沟通效果而有机地结合起来。

房地产开发商常用的沟通与促销手段　　　　表 14-1

广告	销售促进	公关	人员推销	直销
印刷广告与广播	展示会	讲者报道参考材料	销售展示	商品目录
电视广告	交易会	研讨会	销售会议	邮寄
招贴广告	折扣	年度报告	上门服务	电子营销
电影广告	低息贷款	捐赠公益事业	样品试用	电话营销
售楼书	以租代售	赞助		电视购物
现场广告牌	以旧换新	出版		
视听材料	附送厨具	标识宣传		
标志图形	样板房展示	公司期刊		

各种促销工具均有其特殊的潜力和复杂性，因此也就影响着营销人员选择促销工具。广告的形式与用途多种多样，广泛地用于商业和公共宣传，具有非人格性的特点；销售促进能起到沟通信息、刺激购买欲望、诱导交易等三个方面的作用；公关和宣传具有可信度高、降低购买者疑心等特点；个人推销通过直接的人际接触，有利于建立和培养长期稳定的客户关系，且能及时获得顾客的意见；直接营销则可以通过有选择性地将最新的商品信息传递给特定的消费者，提高了营销工作的效率。从促销的历史发展过程看，企业最先划分出人员推销职能，其次是广告，再次是销售促进，最后是宣传。

二、确定促销预算

公司遇到的最棘手的营销决策之一是究竟应花多少钱在促销项目上。百货业巨头约翰·华纳梅克说："我知道我的广告费有一半浪费了，但我并不知道是哪一半。"应该说，不同行业、不同企业在决定促销费用问题上差异很大。在化妆品行业，促销费用可能高达销售额的 30%～50%，在机械行业可能达到 10%～20%，而在房地产业通常只占 2%～5%。就房地产业内部来说，普通住宅项目可能是 2%，但大型商业项目可能要达到 5%，这也就是说，同一行业内部不同企业间、不同产品类型间也存在着很大差异。企业确定促销预算的方法可参考本章第三节有关广告预算确定的方法。

三、制定促销组合需考虑的因素

确定促销组合实质上也就是企业在各促销工具之间合理分配促销预算的问题。一般来讲，企业在将促销预算分配到各种促销工具时或在确定促销组合时，需考虑如下因素。

1. 产品类型

主要指产品是消费品还是产业用品。从现代市场营销发展史看，消费品与产业用品的促销组合是有区别的。广告一直是消费品的主要促销工具，而人员推销则是产业用品的主要促销工具。销售促进在这两类市场上具有同等重要程度。但是，广告在产业用品促销中也执行着诸如建立知晓、建立理解、有效提醒、提供线索、证明有效、再度保证等十分重要的职能。主要表现为：（1）企业广告在能够树立企业声誉的前提下，将有助于推销员的工作。（2）著名企业的推销员在销售方面具有优势，只要他们的销售展示达到预期标准；较不著名企业的推销员如果销售展示工作做得卓有成效，也可以克服其弱点；较小企业愿意用其有限的资金来挑选、训练优秀的推销人员，而不愿用来做广告。（3）企业声誉在产品复杂、风险大以及购买者所受专业训练少的情况下，一般具有较强的影响力。

2. 推动与拉引策略

企业是选择推动策略还是选择拉引策略来创造销售，对促销组合也具有重要影响。推动策略是指利用推销人员与代理商促销将产品推入渠道，它要求生产者将产品积极推到批发商手上，批发商又积极地将产品推给零售商，零售商再将产品推向消费者。拉引策略是指企业针对最后消费者，花费大量的资金从事广告促销活动，以增进产品的需求。如果做得有效，消费者就会向零售商要求购买该产品，于是拉动了整个渠道系统，零售商会向批发商要求购买该产品，而批发商又会向生产者要求购买该产品。企业对推动策略和拉引策略的选择显然会影响各种促销工具的资金分配。

3. 购买者的准备阶段

在不同的购买者准备阶段，促销工作的成本效应不同。广告在产品认知阶段发挥着重要作用，它比销售人员的拜访或是销售促进更有效。顾客知晓度主要受广告及人员推销的影响；顾客的信任度主要受人员推销的影响，而广告和销售促进活动影响不大；销售成交主要受人员推销及销售促进影响较大；再次购买主要受人员推销及销售促进的影响，或多或少也受提示性广告的影响。很显然，广告及宣传在购买者决策过程的初期最具成本效应；而人员推销及销售促进在后期成本效应最大。

4. 公司的市场地位

排名靠前的品牌做广告比销售促进可以获得更多的利益。研究表明，排名前三位的名牌投资回报率随着广告与销售促进费用之比的增加而增加。而排名第四及其后的品牌的利润率在广告增加的情况下递减。

5. 经济前景

企业应随着经济前景的变化，及时改变促销组合。例如，在通货膨胀时期购买者对价格反应十分敏感。在这种情况下，企业至少可采取如下对策：（1）提高销售促进相对于广告的份量；（2）在促销中特别强调产品价值与价格；（3）提供信息咨询，帮助顾客知道如何明智地购买。

第三节 宣传与广告策略

在房地产市场营销工作中进行广告与宣传的主要目的,是通过该项工作让潜在的房地产使用者或置业投资者认识自己所营销的物业,影响其购买或投资行为及决策,尽可能快速销售自己所推销的物业以实现房地产开发商或物业持有者的经济目标。从中可以看出,这一目标的实现极大地依赖于有效的市场宣传工作。

一、市场宣传策略

宣传作为促销组合因素之一,在刺激目标顾客对企业产品或服务的需求、增加销售、改善形象、提高知名度等方面,都起着十分重要的作用。

1. 宣传的作用

美国市场营销协会定义委员会把宣传定义为:"宣传是指发起者无需花钱,在某种出版媒体上发布重要商业新闻,或者在广播、电视中和银幕、舞台上获得有利的报道、展示、演出,用这种非人员形式来刺激目标顾客对某种产品、服务或商业单位的需求。"宣传作为一种促销工具,具有以下重要作用:(1)卖主可以利用宣传来介绍新产品、新品牌,从而打开市场销路;(2)当某种产品的市场需求和销售下降时,卖主可利用宣传来恢复人们对该产品的兴趣,以增加需求和销售;(3)知名度低的企业可利用宣传来引起人们的注意,提高其知名度;(4)公共形象欠佳的企业可利用宣传来改善形象;(5)国家也可利用宣传来改善国家形象,吸引更多的外国观光者和外国资本,或争取国际支援。

2. 宣传与赞助

在现代市场经济条件下,随着消费者生活水平、生活质量的提高,消费者自我强身意识不断增强,积极关注或参与各种体育赛事,观众既关心比赛的名次,也对出资赞助比赛的企业有好感,同时还特别注意比赛场四周的广告。在此,体育与企业找到了结合点。赞助这种新兴的促销方式与宣传实现了有机的结合。二者相得益彰,为提高促销效果发挥着重要作用。那么,如何给赞助下定义呢?所谓赞助,是指企业为了实现自己的目标(获得宣传效果)而向某些活动(体育、艺术、社会团体)提供资金支持的一种行为。

从上述定义不难看出,企业赞助同广告、销售促进、人员推销和宣传一样,构成了企业促销组合的一部分。但它又同其他要素有着明显不同:(1)虽然赞助往往被视作广告的工具,但却不可把广告同赞助混为一谈。广告的作用在于引起人们的注意,而赞助则注重激发人们的认识。同时,二者在费用支出方面也存在差异。(2)赞助与销售促进的区别在于被赞助的活动并不构成赞助者商业行为的主要部分,否则,就成为促销了。(3)赞助与宣传也不一样。后者通常无需花钱,而前者则要提供资金支持。

企业赞助的主要目的是为其产品及企业自身提供宣传的机会。目前,电视是最有效的传播媒体,而体育活动又为人们所喜爱,因此,大部分企业愿意通过电视这一媒体赞助某些体育活动,以扩大企业的影响。此外,企业通过赞助来塑造企业及其产品与品牌的形象也是至关重要的。所以,企业要根据自己的目标来选择合适的赞助对象,以便这种赞助同企业的形象相匹配。如果运用得当,赞助要比广告更能为企业带来庞大效益。它不仅能增加销售额,加强企业同潜在顾客的个人联系,而且能提高企业及其产品的声誉和知名度。

3. 宣传的优势与特性

与广告及其他促销工具相比，宣传具有许多优势。宣传能使公众留下难忘的印象，而广告则很难做到这一点，即使做到了，所花费的成本也不会那么低。企业并不需要花钱购买媒体的版面或时间，虽然制作供刊播的新闻和说服媒体予以采用要有所花费，但这项费用微乎其微。如果企业真有重要新闻发布，所有的新闻媒体都会抢着报道，其效果要比广告好得多。

更重要的是，宣传具有如下特性：(1) 高度真实感。由于新闻报道是由记者写出来的，体现了企业外部公众的利益和看法，所以，顾客认为它具有高度客观性和真实性。在顾客看来，新闻报道是属于真实客观的信息，而广告则属于自吹自擂的主观信息，影响效果不同。(2) 没有防御。对企业广告或推销人员不予理睬的顾客，一般不会对宣传报道反感，因为这是一种新闻活动，而不是企业推销的信息传播，在心理上不必时时担心受骗上当。(3) 戏剧化表现。宣传和广告一样，都具有把企业及其产品呈现在顾客面前所产生的潜在作用，远比人员推销的影响效果好。

4. 宣传策略

为提高宣传效果，加强宣传管理，企业促销部门在制定宣传策略时应作好以下工作：

(1) 确定宣传目标。美国纽约 Tishman 房地产公司曾委托丹尼尔．J．爱德曼公共关系公司拟定一个宣传方案，以实现其两个市场营销目标：1) 使美国人确信居住乡村别墅是优裕、快乐生活的一部分；2) 强化 Tishman 乡村别墅的形象及其市场占有率。为实现这两大目标，将宣传目标确定为：1) 撰写有关乡村别墅的报道，并在一流杂志（如《时代》周刊等）及报纸的休闲娱乐版发表；2) 从医学的角度，指出乡村别墅的环境对身体健康大有裨益；3) 分别针对年轻人市场、退休者市场、政府机关及各种团体拟出特定的宣传方案。

(2) 选择宣传的信息与工具。促销部门必须确定企业产品有何重大新闻可供报道。假设有一个不太著名的房地产开发企业想要增进公众对它的了解。宣传人员应先从各个角度来看这个企业，以确定它是否有现成的材料可供宣传：专业管理队伍有什么特色？曾成功开发过哪些有影响的房地产项目？当前拟开发的新项目在设计上有何特色？有没有项目获得设计、建造质量或物业管理等方面的国家奖励？是否向社会公益事业提供过支持或赞助？最高管理层的经营理念、公司目标和公司文化有何特色？这样探究下去，通常可以找出大量的宣传材料，交新闻媒体发表后便能增进公众对这个企业的认识。所用的宣传题材最好能体现该公司的固有特色，并支持其理想的市场定位。

(3) 实施宣传方案。从事宣传工作必须谨慎仔细。凡重大新闻不管是谁发布的，都很容易被新闻媒体刊登发表出来。但是，大多数新闻并非都那么有份量，不一定能被忙碌的编辑所采用。宣传人员的重要资本之一，就是他们与各种媒体的编辑之间所建立的私人关系。他们可能过去当过记者，因此结识不少编辑，也深知他们所需要的是那些妙趣横生、文笔流畅而且易于进一步取得资料的新闻。宣传人员如果把媒体编辑视为一种市场，并满足其需求，则这些编辑也必然会愿意采用他们所提供的新闻。

(4) 评价宣传效果。评价宣传效果的最大难题在于宣传通常都与其他的市场营销沟通工具合并使用，很难单独分辨出什么是宣传的贡献。但是，如果在使用其他工具之前开展宣传活动，再评价其贡献就容易多了。宣传活动是根据某些沟通对象的反应而设计的，因此，这些反应便可作为测量宣传效果的依据。一般来说，企业可根据展露次数、知晓-理解-态度的改变以及销售变化等来评价宣传效果。

二、广告策略

广告是一种十分有效的信息传播方式,是公司用来对目标顾客和公众进行直接说服性沟通的五种主要工具之一。在制定广告方案时,市场营销经理必须先确定目标市场和购买者动机,然后才能作出制定广告方案所需的五种决策(图14-1),即所谓的5M,包括广告的目标即任务(Mission)、可用的费用即资金(Money)、应传送的信息(Message)、应使用的媒体(Media)和广告效果评价即衡量(Measurement)。

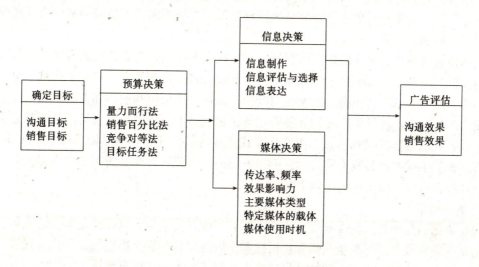

图14-1 广告管理中的主要决策

(一)确定广告目标

制定广告方案的第一步是确定广告目标,这些目标必须依据以前所作出的有关目标市场、市场定位及市场营销组合的决策。市场定位与市场营销组合策略决定了在整个市场营销方案中广告应该完成的工作。企业的广告目标主要有提供信息、诱导购买、提醒使用等。根据广告目标的不同,广告的类型划分为:主要用于市场的开拓阶段,为建立初步的需求服务的信息性广告;为特定的品牌培植选择性需求的说服性广告;为提醒顾客使用某产品的提醒性广告。

(二)确定广告预算

广告目标确定后,企业即可制定广告预算,即确定在广告活动上应花费多少资金。一般来讲,企业确定广告预算的主要方法有四种:

1. 量力而行法

尽管这种方法在市场营销学上没有正式定义,但不少企业确实一直采用。即企业确定广告预算的依据是他们所能拿得出的资金数额。也就是说,在其他市场营销活动都优先分配给经费之后,尚有剩余者再供广告之用。企业根据其财力情况来决定广告开支多少并没有错,但应看到,广告是企业的一种重要促销手段,企业做广告的根本目的在于促进销售,企业做广告预算时要考虑企业需要花多少广告费才能完成销售指标。所以,严格说来,量力而行法在某种程度上存在着片面性。

2. 销售百分比法

即企业按照销售额(销售实绩或预计销售额)或单位产品售价的一定百分比来计算和

决定广告开支。这就是说，企业按照每完成100元销售额（或每卖1单位产品）需要多少钱广告费来计算和决定广告预算。

使用销售百分比法来确定广告预算的主要优点是：(1) 暗示广告费用将随着企业所能提供的资金量的大小而变化，这可以促使那些注重财务的高级管理人员认识到：企业所有类型的费用支出都与总收入的变动有密切关系；(2) 可促使企业管理人员根据单位广告成本、产品售价和销售利润之间的关系去考虑企业的经营管理问题；(3) 有利于保持竞争的相对稳定，因为只要各竞争企业都默契地同意让其广告预算随着销售额的某一百分比而变动，就可以避免广告战。

使用销售百分比方法来确定广告预算的主要缺点是：(1) 把销售收入当成了广告支出的"因"而不是"果"，造成了因果倒置；(2) 用此法确定广告预算，实际上是基于可用资金的多少，而不是基于"机会"的发现与利用，因而会失去有利的市场营销机会；(3) 用此法确定广告预算，将导致广告预算随每年的销售额波动而增减，从而与广告长期方案相抵触；(4) 此法没能提供选择这一固定比率或成本的某一比率，而是随意确定一个比率；(5) 不是根据不同的产品或不同的地区确定不同的广告预算，而是所有的广告都按同一比率分配预算，造成了不合理的平均主义。

3. 竞争对等法

指企业比照竞争者的广告开支来决定本企业广告开支多少，以保持竞争上的优势。在市场营销管理实践中，不少企业都喜欢根据竞争者的广告预算来确定自己的广告预算，造成与竞争者旗鼓相当、势均力敌的对等局势。如果竞争者的广告预算确定为100万元，那么本企业为了与它拉平，也将广告预算确定为100万元甚至更高。

采用竞争对等法的前提条件是：(1) 企业必须能获悉竞争者确定广告预算的可靠信息，只有这样才能随着竞争者广告预算的升降而调高或调低；(2) 竞争者的广告预算能代表该行业的集体才智；(3) 维持竞争均势能避免各企业之间的广告战。但在实践中，上述前提条件很难具备。这是由于：(1) 企业没有理由相信竞争者所采用的广告预算确定方法比本企业的方法更科学；(2) 各企业的广告信誉、资源、机会与目标并不一定相同，因此某一企业的广告预算不一定值得其他企业效仿；(3) 即使本企业的广告预算与竞争者势均力敌，也不一定能够稳定全行业的广告支出。

4. 目标任务法

前面介绍的几种方法都是先确定一个总的广告预算，然后，再将广告预算总额分配给不同的产品或地区。比较科学的程序步骤应是：(1) 确定广告目标；(2) 决定为达到这种目标而必须执行的工作任务；(3) 估算执行这些工作任务所需的各种费用，这些费用的总和就是计划广告预算。上述确定广告预算的方法，就是目标任务法。

目标任务法的缺点，是没有从成本的观点出发来考虑某一广告目标是否值得追求这个问题。譬如，企业的广告目标是下年度将某品牌的知名度提高20%，这时所需要的广告费用也许会比实现该目标后对利润的贡献额超出许多。因此，如果企业能够先按照成本来估计各自标的贡献额（即进行成本效益分析），然后再选择最有利的目标付诸实现，则效果更佳。实际上，这种方法也就被修正为根据边际成本与边际收益的估计来确定广告预算。

（三）选择广告媒体

企业媒体计划人员还必须评核各种主要媒体到达特定目标沟通对象的能力，以便决定采用何种媒体。主要媒体有报纸、杂志、直接邮寄、广播、户外广告等。这些主要媒体在送达率、频率和影响价值方面互有差异。例如，电视的送达率比杂志高，户外广告的频率比杂志高，而杂志的影响比报纸大。

1. 媒体的特性

媒体计划人员在选择媒体种类时，须了解各媒体的特性。报纸的优点是弹性大、及时、对当地市场的覆盖率高、易被接受和被信任；其缺点是时效短、转阅读者少。杂志的优点是可选择适当的地区和对象、可靠且有名气、时效长、转阅读者多；其缺点是广告购买前置时间长、有些发行量是无效的。广播的优点是大量使用、可选择适当的地区和对象、成本低；其缺点是仅有音响效果、不如电视吸引人、展露瞬间即逝。电视的优点是视、听、动作紧密结合且引人注意、送达率高；其缺点是绝对成本高、展露瞬间即逝、对观众无选择性。直接邮寄的优点是沟通对象已经过选择、有灵活性、无同一媒体的广告竞争；其缺点是成本比较高、容易造成滥寄的现象。户外广告的优点是比较灵活、展露重复性强、成本低、竞争少；其缺点是不能选择对象、创造力受到局限等。

2. 媒体的选择

企业媒体计划人员在选择媒体种类时，须考虑如下因素：(1) 目标沟通对象的媒体习惯。例如，开发高档外销商品房的企业，在把境外人士作为目标沟通对象的情况下，绝不会在当地报刊上做广告，而只能在国际性外文报刊上做广告。(2) 产品特性。不同的媒体在展示、解释、可信度与颜色等各方面分别有不同的说服能力。例如，建筑机械之类的产品，最好通过电视媒体做活生生的实地广告说明；新型装修材料之类的产品，最好在有色彩的媒体上做广告。(3) 信息类型。如果广告仅宣布明日的销售活动，必须是在电台或报纸上做广告；而如果广告信息中含有大量的技术资料，则须在专业杂志上做广告。(4) 成本。不同媒体所需成本也是一个重要的决策因素。电视是最昂贵的媒体，而报纸则较便宜。不过，最重要的不是绝对成本数字的差异，而是目标沟通对象的人数与成本之间的相对关系。如果用每千人成本来计算，可能在电视上做广告比在报纸上做更便宜。

（四）评估测定广告效果

妥善地规划和控制广告，关键在于对广告效果的衡量。但是对广告效果的基础研究还没有受到足够的重视。许多公司把大量的资金都花费在广告的预先检验和广告上，只有极小的部分花在了广告效果的事后评价上。一般说来，对广告效果的评价，可从沟通效果调查和销售效果调查两个方面来进行。

1. 沟通效果调查

调查沟通效果的目的，在于确定广告是否正在产生有效的沟通。通常可在广告进入媒体前和印刷或广播后进行所谓的广告文稿测试。

广告预先检验主要有三种方法。第一种是直接评分法，即由目标消费者的一组固定样本或广告专家给不同的广告打分，然后用它来评价广告在引起注意、阅毕、认知、情绪和行为等方面的强度，尽管这不是对广告实际效果衡量的完善方法，但得高分就表明该广告可能很有效。第二种是组合测试法，即先给消费者一组试验用的广告，要求他们愿看多久就看多久，等到他们放下广告后，让他们回忆所看到的广告，并且对一个广告都尽其最大能力予以描述，所得结果则用以判别一个广告的突出性及其期望信息被了解的程度。第三种方法是实验室测试法，即使用电流计、脉搏计等仪器测量消费者对广告的生理反应，如心跳、血压、瞳孔的放大、出汗等，但这些生理测试充其量只能测量广告引人注意的能力，无法衡量对消费者信条、态度和意图等方面的效果。

广告活动整体效果的事后测试，也为市场营销人员所重视。事后测试主要用来评估广告出现于媒体后所产生的实际沟通效果。例如广告活动到底把品牌知名度、品牌理解力与明确的品牌偏好等方面提高到什么程度等。假如公司在事前已测定过上述指标，则可在广告活动后从消费者中随机抽样来评估沟通效果。如果公司希望把品牌知名度从20%提高到50%，但结果只达到了30%，就说明广告活动在某些方面出了问题：广告支出不够、广告乏味或遗漏了某些因素等。常用的测量方法有回忆测试法和识别测试法。

2. 销售效果调查

广告沟通效果调查可以帮助公司评估广告的沟通效果，但对了解销售效果没有作用。如果某开发商知道他最近的广告活动提高了20%的品牌知名度和10%品牌偏好，但因此会产生多少销售额呢？

一般来讲，广告的销售效果要比沟通效果难以测定。除了广告外，销售还会受到多种因素的影响，如产品特性、质量、价格、可获得性和竞争者的行为等。广告的销售效果最容易测定的是邮购广告的销售效果，最难测定的是树立品牌或企业形象的广告的销售效果。测定广告对销售状况的影响即广告的销售效果，可通过历史资料分析和实验设计分析两种方法进行。

三、房地产市场宣传的主要手段

从广义的角度来理解，广告也是市场宣传活动的一种。随着我国房地产市场的发展，有关房地产的广告和宣传，在有关宣传媒体上已占有了非常重要的份额。人们在报刊、杂志、街道两旁、广播电视等传媒工具上经常可以看到推出的新楼盘以及房屋、场地租售的广告，或有关开发项目开工、封顶或竣工的新闻，还可能碰到开发商或其委托的物业代理，上门推销建设中或已建成的楼宇，这都是房地产市场促销活动的具体体现。

房地产市场宣传或吸引租客和购买者的主要手段包括：（1）媒体广告，含报刊杂志上的印刷广告、广播电视广告和招贴广告；（2）邮寄宣传材料；（3）发送售楼书；（4）制作现场广告牌；（5）楼盘正式推出仪式；（6）样板房展示。这些宣传手段的利用程度一方面要视开发项目的特点，另一方面还要看市场宣传工作的资金预算情况。

1. 广告

广告旨在通过开发商直接，或通过开发商的物业代理间接地向潜在的买家或租客就欲租售的物业进行宣传。根据项目推销的范围和重点，可选择印刷广告、广播电视广告和招贴广告等多种形式。

广告中应具备足够的信息以吸引购买者，但注意不要使人们很难看懂或难以辨认。通常一则房地产广告应包括物业所处位置、物业类型、面积大小、装修标准、出租还是出售、产权性质、所要求的价格、是否有金融机构提供按揭、销售许可证号码、物业的入伙时间或交吉程度等。代理商和开发商的电话号码、办事处地址、联系人也应出现在广告上，以使可能的买家或租客能方便地与有关人员直接联系。

（1）印刷广告。利用印刷品进行广告宣传相当普遍，这也是市场营销工作的主要手段之一。报刊、杂志等人们日常生活中经常接触到传媒工具，有关专业书籍（如房地产投资指南、房地产年鉴等）以及开发商或其代理商自行印刷的宣传材料等，都是广告的有效载体。对投资置业人士而言，有时需花钱购买这些宣传材料，有时可获免费赠送。

当进行城市新开发区域的宣传时，可以用来广告的传媒范围相当广泛，因为几乎所有的出版物都有可能导致有兴趣的投资者到新开发区投资置业。但经验表明，用影响力较大的"日报"如《人民日报》、《经济日报》等进行这类宣传最为有效。由于每一出版物的发行范围和读者的层次都有差别，所以市场营销人员要根据自己所推销的物业特点，选择适当的出版物作为传媒工具。

为了吸引物业代理和投资置业人士，利用房地产广告专版最为有效；对于特定物业，如店铺，选用商贸方面的杂志也能收到很好的效果；普通住宅项目选择当地的日报、晚报或专业报纸比选择全国性报纸要经济得多，效果也好得多，例如北京市的开发商或物业代理公司多选择《北京晚报》和《精品购物指南》等地方报纸刊登广告；对于写字楼、工业厂房等要想选择合适的广告媒介就比较困难。一般说来，发行量很大的"日报"最为安全可靠，当然，广告费用也就相对地较高，但当开发项目较大时，为市场营销而支付的广告费用就显得微乎其微了。

人们不可能花费所有的时间来阅读报纸和商贸杂志，许多人是在闲暇或在其它活动的间隙随便翻阅一些报刊杂志之类的印刷品，所以在杂志上不定期地刊登广告可能会对这些人有影响，但要注意所刊登广告的杂志发行面尽量不要重复。

广告的费用依出版物的种类和广告在出版物中的位置有很大差别。例如，在《人民日报》和某些地方报纸上刊登版面同样大小的广告费用就不可能一样，在同一版面的显著位置和普通位置登同样大小的广告，收费也有很大差异。有时多支付一些广告费来选择较好的版面和位置是很值得的，尤其是设有房地产专版的报纸更是如此。目前有些出版物可刊登彩色广告，但费用更高，通常很重要的广告才用彩色。如果广告费预算有限，在选定刊登广告的出版物后，还要考虑是选择刊登次数少，但每次刊登时所占版面较大的呢，还是刊登次数多一些但每次的版面小一点儿。一般说来，人们常喜欢先登几次大幅广告，再用登小幅广告的方式持续一段时间，这样常能给人留下较深的印象。

（2）广播电视广告。到目前为止，广播、电视仍被普遍地认为是房地产广告中最为昂贵的一种，因此这些传媒工具在房地产广告中较少采用，人们很少在电视上看到有关房地产方面的广告就是一个例证。但一些政府部门为了大型新开发区域的市场宣传工作，或大型房地产开发公司推出大型综合性物业时，也偶尔利用广播、电视来进行宣传。目前我国各地商业（经济）电台或电视台的相继建立，降低了利用这种现代化手段进行市场宣传的费用，使将来较多地利用这种手段进行房地产市场营销工作成为可能。

值得一提的是，随着现代通讯技术的飞速发展，国外已开始利用电话线路传送数字化广告信息，顾客可通过其计算机终端或电视屏幕，观看将数据信息还原后的广告图象。在同一个城市内，利用图文传真机收发广告已成为一种趋势。

（3）招贴广告。招贴广告通常指那些贴在布告栏或招贴栏中的广告。但当今的招贴广告不一定具备传统招贴的形式。

当涉及单宗物业时，招贴广告常贴在物业或现场周围，有时也在物业所处的城市中一些显著的位置，如火车站、汽车站、主要街道拐角处张贴。招贴广告仅在对重大物业发展项目，或大型开发区域进行宣传时才考虑在更大范围内张贴。招贴广告在火车站、地铁车站、公共汽车内，甚至城市中的出租汽车上张贴，对于那些每天在上下班路途中的人最为有效。

在机场、火车站和其他主要交通起讫点的招贴性广告，尽管在这些显著位置做广告费用高得惊人，但可以有效地宣传某一特定的开发区域或大型发展项目。人们匆匆地从一个地方到另一个地方一晃而过，很少有时间仔细研究广告的内容，而要想让广告在极短的时间内就给人们留下一个深刻的印象，对这类广告设计的专业和艺术水平要求就更高。

在贸易洽谈会、展览会，甚至体育比赛的赛场上的广告更有价值。在这种情况下，广告既能烘托会场气氛，又能给与会者留下深刻的印象，甚至可以通过电视转播将广告传播到更广的范围。但要注意的是，广告所处的位置很重要，如果找不到合适的位置或好位置已被别人占用了，倒不如干脆放弃这种广告宣传的机会。

任何一幅成功广告都应使其信息在一瞬间给人们留下印象，招贴广告在这方面的要求就更高，因为这些广告的读者注视广告的时间可能就只有几秒钟。

2. 邮寄宣传品

通过邮寄宣传材料进行房地产市场宣传工作有时单独使用，也有时作为报刊广告的辅助手段。主要邮寄对象是根据有关线索筛选出的潜在买家或租客。这项工作可由开发商自己做，也可委托物业代理机构或专门代理邮寄业务的公司来做。这种邮寄材料，一般能比广告提供更多的信息，但也要注意简明扼要，避免冗长。

利用邮寄宣传品的方式进行市场宣传活动，首先要仔细选择邮寄名单，因为邮寄宣传品方式的成功与否，主要取决于邮寄名单是否具有针对性。在国外有许多专门的邮寄服务组织可提供一流的邮寄服务，并可帮助开发商的市场销售人员编制很准确的邮寄名单。这些机构把所有的企事业单位的性质、规模、所处位置等进行分类并用计算机进行管理。房地产开发经营单位一般很少用直接邮寄广告材料的方式寻找顾客，所以在需要时可以聘请这类专门公司来提供此类服务。在选择这种专业公司时，要注意其单位名录是否及时更新，否则由于地址变化或不确切而导致大量退信很不合算。

3. 发送售楼书

售楼书是有关物业的详细介绍材料。这类材料通常印成精美考究的小册子，对于易变动的资料如售价等也可印成活页附在里面。售楼书可由开发商直接寄送给潜在的客户或由有关代理机构向对物业有兴趣的人士派发。售楼书的制作通常由开发商、代理机构和有关顾问人士联合完成。

售楼书应包括照片和相应的说明文字，文字资料一般包括：（1）有关物业位置的描述；（2）具体物业情况介绍，如面积、高度和主要设计特色等；（3）物业的装修标准和所具备的主要设备如电梯、空调、煤气、供热、电力、通讯等；（4）欲出售的物业权益性质。如果是所有权，应列明有关限制条件，如是租赁权，则需要说明租约期限；（5）希望的价格和租金水平。介绍材料还应给出开发商、抵押（按揭）银行、律师事务所和物业代理的名称、地址、电话以及有关联系人姓名。

售楼书的图片资料包括物业的位置图、平面图、有关照片和简要文字说明，还应提供一些有关当地可能为购买者提供的专业服务（如律师服务）和银行按揭等信息。对物业周围的相关服务设施与环境也要介绍。如写字楼物业应说明其与附近商业中心，与其它写字楼的位置关系；工业或仓储物业则应说明周围道路情况，与车站、港口、机场的关系；居住物业则要说明附近学校、娱乐设施和店铺的情况等。

售楼书一般仅寄给那些对广告、邮寄宣传材料有反应的人，或直接寄给那些已知的对租买该物业有兴趣的人。售楼书的封面很重要，因为它反映了其所介绍物业的质量，或者说至少会就物业质量给顾客留下较深的印象。所以，除非开发商有专门设计人员，否则需请外界专业设计师设计，以保证其图、文、形、色并茂，富于吸引力。

4. 现场广告牌和广告围栅

大多数施工现场都有一广告牌来介绍开发项目情况，在项目租售完成前，该广告牌要始终妥善保护。广告牌的位置要很好地选择。广告牌的内容一般包括项目规划模型图、位置图、项目介绍以及有关项目的参与者，如开发商、设计师、承造商、监理工程师、物业代理等的名称。广告牌的宣传作用也不可忽视，其质量好坏直接影响到人们对开发项目工程质量的信心。

近年来开发商还越来越注重利用开发项目施工场地四周的围栅板进行广告宣传。这种宣传有两个优点，首先是挡住了施工现场的不雅观，给过往行人（他们中也许有该项目未来的买家或租客）提供一个良好的、有吸引力的景观；其次该种广告有助于强化项目的市场形象。这种广告常令路过此地的人不自觉地驻足观看，使之了解围栅内的项目是怎么一回事。当然，这要增加一些费用支出，而且还可能损失一笔出租围栅给其他公司做广告的收入。但实践证明这种广告能很好地配合项目其它的市场宣传工作，使人们对项目、开发商留下良好的、持久的印象。

5. 楼盘推出庆典仪式

在某些情况下，有必要在工程建设过程中进行封顶仪式或工程竣工后举行开业典礼，以正式将所开发的楼宇推向市场。仪式中，可邀请当地和全国有关的新闻出版机构、物业代理及可能的买主和租客参加，还可邀请中央和地方政府的有关官员参加，有时银行界、商业界及有关社会团体的人士也要邀请。庆典活动的安排没必要千篇一律，但开发商和当地政府官员或知名人士致词、物业情况介绍、现场参观是必须有的程序。庆典活动中通常还有茶点或自助餐招待，向与会者赠送一些小纪念品和有关宣传材料，有些开发商可能还会安排一些文娱活动。

这里要特别注意的是，如果举行的是开业典礼，则必须选择物业具备了正常运行条件时进行，要求有关设备必须可以投入使用，并在仪式进行过程中保持正常运转。对于出租性物业，最好有几部分已经租出，承租方的开业庆典也能与整栋大厦同步进行。

6. 现场展示样板房

由于开发项目的市场营销工作通常在施工阶段或更早的方案设计阶段就开始了，所以给人们展示的只能是建筑物的平面图、立面图和模型。当建筑物施工完毕后，对开发商来说很重要的一点就是提供样板房，即将建筑物的某一层或某层的一部分进行装修、配齐家具设备和必要的装饰品，供有兴趣买楼或租住的人士参观，让其亲身感觉假如入住该建筑物，将是一种如何的感受。除样板房外，对于建筑物的主要入口、通道和大堂也要装修，并在展示过程中保持清洁。

对于某些大型房地产开发项目，如大型商业中心、商贸中心或居住区，还有必要在项目建筑施工过程中即在场地附近临时建一套样板房，其内部装修和家具布置要充分反映项目的设计思想和意图，由开发商或其代理机构驻施工现场并熟悉项目情况、擅长市场营销工作的人员向前来参观的人士进行宣传、讲解。当项目施工完毕后，样板房就可以搬入正式的建筑物。此外，临时建设的样板房的室外环境也应引起开发商的重视，需要开发商细心地设计、很好地维护。总之，作为市场宣传活动的铁的原则，要尽最大的可能给使用者留下美好的第一印象。

四、房地产市场宣传中的几个特殊问题

1. 针对物业类型进行市场宣传工作

(1) 写字楼。有些情况下，在项目动工兴建前就开始预先租售。也有些项目的租售过程是在建设过程中开始的，此时的租售主要是依据规划设计平面图、立面图和模型以及相应的政府准予建设和租售的文件等。一旦建筑物正式竣工，开发商就要注意使大厦有一个良好的整体形象。通常的做法是，先将大厦外装修和公共部分，如主要出入口和大堂的内装修进行完毕，使电梯、电信、供水、供热等建筑设备投入正常运营；再选择一标准层或其中一部分进行示范性装修；然后即可接待可能的买家或租客参观，使其对自己一旦入住后，该写字楼的运行情况有一个总体印象；最后再按照租客或买家的要求，对其所购买或承租的面积进行内部装修。写字楼租售过程中，开发商或其物业代理，应主动与有迁址意向或暂时租用酒店等非办公用房的公司接洽。如果写字楼的设计和所处位置更适合某一类公司或机构入住，则开发商或其物业代理就应该仔细了解这些公司或机构的意向，主动地向其开展促销工作。

(2) 零售商业用房。较大型的商业发展项目的建设，大都是以预先出租给诸如百货商店、超级市场之类的入住者为基础的。虽然工程建设初期也可能会邀请一部分商业单位来预订一部分楼面，以保证租客所经营的类型在整个大厦中有一个合理的搭配，但标准的店铺单位直到项目接近竣工时才能提供。一栋商业大厦中，各商业单位租用面积的实际用途是否搭配合理，对整个发展计划的成功与否影响极大。对此，开发商必须认真对待并进行适当的引导。视开发项目规模的大小，公开的市场营销活动有可能被开发商或其物业代理直接与特定的入住者接触、洽谈所代替。

(3) 工业和仓储用房。这类物业一般较少有预先租售，大部分潜在的使用者寻找该物业时希望在短期内就能迁入，这是由此类物业使用者的经营性质所决定的，即工业产品开发时间性很强。所以刚刚开工或需很长时间才能投入使用的该类物业缺乏吸引力。工业或仓储用房的使用者不太计较建筑物的外形，而是主要看其是否能满足生产工艺需要，如建筑物的承载能力、起重设备情况、出入口大小及交通是否方便等，有时用户还有些特殊的需要。在没有特定用户的情况下，该类物业的开发一般都使其具备通用性。

(4) 住宅。由于住宅通常是面向当地各层次的居民，所选的传媒工具应以地方性的报刊为主，广告或宣传材料的设计必须通俗易懂，尽量不用专业术语，考虑到平面图不易被普通人看懂，最好辅之以照片和其他形象、直观的材料。

2. 为购楼者提供良好的购买环境

不论是否委托当地物业代理，开发商都应在物业建设现场设办事处，接待前来看楼或买楼的人士。现场办事处尽量不要用承包商临时搭建的房屋，这主要是为了给购楼者留下一个良好的第一印象，因为买楼置业对每个人来说都是一生中的大事，人们不会轻易做出决策。

进入物业的引导牌必须醒目，如果没准备好不要开始接待人参观。当尚有部分工程还在施工时，就要设法用围栏隔开，以保证参观者的安全。现场办事处的设置要考虑方便人们寻找，办事处内要准备好有关的介绍材料、价格表供人们索取，办事处的接待人员要熟悉物业本身及周围的环境情况。

设置样板间供人们参观是一种很重要的宣传手段。样板间应达到正常使用状态，对人们普遍重视的室内装修、卫生洁具、厨房设备要重点宣传，室内供热、供水、供电、电讯设备都要接通，使参观者能有"到家了"的感觉。

3. 各种宣传材料必须真实可靠

不论是开发商还是代理机构，诚实可靠是立业的根本。过分夸大甚至是虚假的宣传，不仅会损害消费者的切身利益，也最终会使利用虚假宣传暂时获取了不义之财的人自食其果。

4. 与律师保持密切的联系

律师常被聘请来协助处理租售过程中的有关法律手续。开发商或其物业代理与律师保持密切联系，不仅能使律师熟悉物业情况，还能使其在今后办理法律手续过程中持友好态度。在可能的情况下，尽量使用由政府主管部门推荐的标准合同文本，也可以由律师事先起草一份合同范本，将来成交后仅需填写双方名称和价格或租金，这样在交易过程中就很方便了。一旦交易成功，法律手续越快完成越好。

5. 向客户提供购房指引

另外一个值得注意的问题是，购房者一般不知道如何办理有关手续，所以开发商或其代理商有必要向参观者详细介绍买房程序、佣金和定金数额以及哪家金融机构可以提供抵押贷款等。

第四节 人员推销

一、人员推销策略

人员推销是一种传统的促销方式，国内外许多企业在人员推销方面的费用支出要远远大于在其他促销组合因素方面的费用支出。在现代企业市场营销和社会经济发展中，人员推销起着十分重要的作用。

1. 销售队伍规模

销售人员是企业最有生产价值、花费最多的资产之一，销售队伍的规模直接影响着销售量和销售成本的变动。因此，销售队伍规模是人员推销决策中的一个重要问题。它既受市场营销组合中其他因素的制约，又影响企业的整个市场营销战略。企业确定销售队伍规模通常有三种方法：

(1) 销售百分比法。企业根据历史资料计算出销售队伍的各种耗费占销售额的百分比以及销售人员的平均成本，然后对未来销售额进行预测，从而确定销售人员的数量。

(2) 分解法。这种方法是把每一位销售人员的产出水平进行分解，再同销售预测额相对比，就可判断销售队伍的规模大小。

(3) 工作量法。该方法主要从销售人员的数量与销售量之间的内在联系出发确定销售队伍规模。

2. 销售工作安排

销售工作安排是指销售努力分配，即在销售队伍规模既定的条件下，销售人员如何在产品、顾客和地理区域方面分配时间和资源。

(1) 时间安排（顾客方面）。大多数市场的顾客都是互不相同的。因而，每位销售人员在做销售时间安排时总涉及这样三个问题：1) 在潜在顾客身上要花多少时间？2) 在现有顾客身上要花多少时间？3) 如何在现有顾客和潜在顾客之间合理地分配时间？对企业而言，时间安排通常表现为销售目标，有比较明确的规定。某家企业指示其销售人员，要将80%的时间花在现有顾客身上，20%的时间花在潜在顾客身上。如果企业不这样规定比例，销售人员很可能会把绝大部分时间用于向现有顾客推销产品，从而忽视新顾客方面的工作。所以，企业进行人员推销决策时，必须重视销售时间的安排。

(2) 资源分配（产品方面）。一支销售队伍通常要推销一系列产品。所以，销售人员必须寻求一种最为经济的方式在各个产品间配置推销资源（时间）。这项决策是较为困难的。新产品的推销有时甚至要花上好几年的时间才能使销售额达到最高水平。因此，企业在决策时不能仅看到近期的销售额和利润率，而必须着眼于长远的利益，从战略角度来分配资源和时间，设计市场营销组合。

3. 销售区域设计

企业委派销售代表驻到一些地区负责产品销售，这些地区通常被称为销售区域（或地区）。区域设计是人员推销决策的重要内容之一。无论是设计新的区域系统，还是调整现有的区域构成，企业都要考虑下述条件：(1) 区域要易于管理；(2) 各区域的销售潜量容易估计；(3) 能够严格控制推销旅途的时间花费；(4) 对推销员来说，每个区域的工作量和销售潜量都是相等的，而且足够大。

企业要想满足这些条件，可以通过对区域单位大小和形状的确定而达到。设计区域大小主要有两种方法，即同等销售潜量法和同等工作量法，这二者各有千秋。企业按同等销售潜量法划分区域能给每个销售代表提供相同的收入机会，并有利于企业衡量销售代表的工作绩效。由于各区域间长期存在的销售额差异反映出各销售代表能力与努力程度的不同，这就促使他们互相竞争，尽最大努力工作。

4. 销售人员的挑选

企业要制定有效的措施和程序，加强对销售人员的挑选、招聘、训练、激励和评价。只有通过一系列的管理和控制活动，才能把销售人员融入其整个经营管理过程，使之为实现企业的目标而努力。企业的销售工作要想获得成功，就必须认真挑选销售人员。这不仅是因为普通销售人员和高效率销售人员在业务水平上有很大差异，而且错用人将给企业造成巨大的浪费。一方面，如果销售人员所创造的毛利不足以抵偿其销售成本，则必然导致企业亏损；另一方面，人员流动造成的经济损失也将是企业总成本的一部分。因此，挑选高效率的销售人员成为管理决策的首要问题。

5. 销售人员的招聘与训练

企业在确定了挑选标准之后，就可着手招聘。招聘的途径和范围应尽可能广泛，以吸引更多的应聘者。企业人事部门可通过由现有销售人员引荐、利用职业介绍所、刊登广告等方式进行招聘。此后，企业要对应聘者进行评价和筛选。筛选的程序因企业而异，有的简单，有的复杂。一般可分为初步面谈、填写申请表、测验、第二次面谈、学历与经历调查、体格检查、决定录用与否、安排工作等程序。

许多企业在招聘到销售人员之后，往往不经过培训就委派他们去实际工作，企业仅向他们提供样品、订单簿和区域情况介绍等。之所以如此，是因为企业担心训练要支付大量费用、薪金，并会失去一些销售机会。然而，事实证明，训练有素的销售人员所增加的销售业绩要比培训成本更大，而且，那些未经训练的销售人员其工作并不理想，尤其是在顾客自主意识和自由选择度日益增强的今天，如果销售人员不经过系统的训练，他们很难获得与顾客的沟通机会，所以，企业必须对销售人员实行训练。

6. 销售人员的激励

激励在管理学中被解释为一种精神力量或状态，起加强、激发和推动作用，并指导和引导行为指向目标。事实上，组织中的任何成员都需要激励，销售人员亦不例外。由于工作性质、人的需要等原因，企业必须建立激励制度来促使销售人员努力工作。

（1）销售定额。订立销售定额是企业的普遍做法。它们规定销售人员在一年中应销售多少数额并按产品加以确定，然后把报酬与定额完成情况挂起钩来。每个地区销售经理将地区的年度定额在各销售人员之间进行分配。

（2）佣金制度。企业为了使预期的销售定额得以实现，还要采取相应的鼓励措施，如送礼、奖金、销售竞赛、旅游等。而其中最为常见的是佣金。佣金制度是指企业按销售额或利润额的大小给予销售人员固定的或根据情况可调整比率的报酬。佣金制度能鼓励销售人员尽最大努力工作，并使销售费用与规期收益紧密相联，同时，企业还可根据不同产品、工作性质给予销售人员不同的佣金。但是佣金制度也有不少缺点，如管理费用过高、导致销售人员短期行为等。所以，它常常与薪金制度结合起来运用。

7. 销售人员的评价

销售人员的评价是企业对销售人员工作业绩考核与评估的反馈过程。它不仅是分配报酬的依据，而且是企业调整市场营销战略、促使销售人员更好地为企业服务的基础。因此，加强对销售人员的评价在企业人员推销决策中具有重要意义。

（1）要掌握和分析有关的情报资料。情报资料的最重要来源是销售报告。销售报告分为两类：一是销售人员的工作计划；二是访问报告记录。工作计划使管理部门能及时了解到销售人员的未来活动安排，为企业衡量他们的计划与成就提供依据，并由此看出销售人员制定工作计划及执行计划的能力。访问报告则使管理部门及时掌握销售人员以往的活动、顾客帐户状况，并提供对以后的访问有用的情报。当然，情报资料的来源还有其他方面，如销售经理个人观察所得、顾客信件与抱怨、消费者调查以及与其他销售人员交谈等。总之，企业管理部门应尽可能从多个方面了解销售人员的工作绩效。

（2）要建立评估的指标。评估指标要基本上能反映销售人员的销售绩效。主要有销售量增长情况、毛利润、每天平均访问次数及每次访问的平均时间、每次访问的平均费用、每百次访问收到订单的百分比、一定时期内新顾客的增加数及失去的顾客数目和销售费用占总成本的百分比等。为了科学、客观地进行评估，在评估时还应注意一些客观条件，如销售区域的潜力、区域形状的差异、地理状况、交通条件等。这些条件都会不同程度地影响销售效果。

（3）实施正式评估。企业在占有了足够的资料，确立了科学的标准之后，就可以正式评估。大体上有两种评估方式。一种方式是将各销售人员的绩效进行比较和排队。这种比较应当建立在各区域市场的销售潜力、工作量、竞争环境、企业促销组合等大致相同的基础上，否则，就显得不太公平。同时比较的内容也应该是多方面的，销售额并非是唯一的，销售人员的销售组合、销售费用以及对净利润所作的贡献也要纳入比较的范围。另一种方式是把销售人员目前的绩效同过去的绩效相比较。企业可以从产品净销售额、定额百分比、毛利、销售费用及其占总销售额的百分比、访问次数、每次平均访问成本、平均客户数、新客户数、失去的客户数等方面进行比较。这种比较方式有利于销售人员对其长期以来的销售业绩有个完整的了解，督促和鼓励他努力改进下一步的工作。

二、房地产营销人员的主动促销

市场营销人员与消费者或顾客面对面的交流是市场营销工作的一种重要形式。这种形式通常以广告宣传为基础。例如当看到广告后的顾客找上门来时，由销售人员向顾客具体介绍物业的位置座落、装修标准、销售价格、入住前的手续和费用等情况，有时还要带顾客去直接观看物业或样板房。当然，随着市场竞争的日趋激烈，许多市场销售人员亦主动走出办公室与可能的潜在顾客接触，借以推销自己的产品。

房地产市场营销人员，不论是来自开发商内部，还是来自开发商委托的物业代理机构，都应该从开发项目方案策划阶段，就开始在制定市场营销策略方面发挥作用。在开发建设过程中，市场营销人员应及时将市场的发展状况和趋势报告给开发商，并注意搜集整个销售过程中周围竞争性物业的发展情况。开发商应定期与其代理商及其它有关顾问会商，以便对自己所开发项目的市场营销情况心中有数。

市场营销人员还要使自己与物业市场保持紧密的联系，对当地物业市场价值、供求状况有比较清楚的了解，及时掌握置业人士的潮流和品味及其发展趋势，经常与金融机构、物业代理机构的人员交换意见。换句话说，必须将一个手指按在市场的脉搏上。

房地产市场营销人员要与一系列的组织机构得保持接触。如各类物业管理公司、房地产咨询机构和物业代理，常向顾客就寻找新的营业、办公、生产或居住地点提供咨询；一些金融机构、保险公司和其他投资信托基金组织，也常就投资置业向顾客提供咨询服务；一些行业协会也常被邀请提供咨询意见。所以市场营销人员如果能及时使上述组织机构随时了解自己所销售项目的情况，将是十分有益的。

市场营销人员还应注意出版物上的有关金融、商业和公司的新闻。有时根据这些线索，主动打电话或写信询问对方有无迁址或变换办公地点的意向，也许会导致一笔交易的成功。不同工业部门总体经济效益变化的信息，也常建议人们在何时何地集中进行市场营销工作可能最为有效。

第五节 房地产市场促销策略

一、房地产市场促销的类型与规模

1. 房地产市场促销工作的类型

房地产开发经营中的市场促销工作主要分为两类。一类是成片开发的各种开发区，例如工业园区、高科技产业园区、经济技术开发区、自由贸易区、出口加工区等，这类开发区的市场促销工作，通常由带有政府职能的开发区管理委员会或公司来做，周期一般较长。其主要目的是吸引投资者到开发区"安家落户"，以带动该区域的经济增长与繁荣。另外一类则是房地产开发商针对自己开发建设的某一项目或物业持有者针对自己欲转让的物业进行的市场促销工作，所需时间较短，以推销所开发的某宗物业或持有的某宗物业为目的。

通常由地方政府参与的开发区市场促销工作,最基本的问题是要确定其规模和范围、所要达到的目标以及所持续的时间。从我国开发区市场促销的规模和范围看,依开发区的性质和面积大小以及当地政府的重视程度有很大差别。例如,上海浦东新区属国家级重点开发区域,其宣传的范围是世界性的,宣传规模也是相当大的,可以说从中央的主要领导,到浦东新区管委会的工作人员,都是这一浩大宣传工作的参与者。又例如某县属开发区,其市场促销工作所要达到的目标主要是招徕投资者,即"筑巢"前后的"引鸟"或"招商"。北京市人民政府1992年12月组织的,由400多人参加的大型"赴香港招商团"就带有市场促销的性质,目标在于吸引海外投资者,加速北京地区的经济发展与繁荣。市场营销工作所持续的时间与开发区开发进度计划安排相关,往往要贯穿于整个开发活动的始终。

开发区市场促销工作的第一步就是在本地区建设一些市政基础设施,同时发行一些介绍该地区情况的小册子。主要介绍该地区的地理位置、社会经济发展状况,历史回顾及发展预测,可利用的市政公用设施如公路、铁路、航运与水运等,当地所具备的基本建设条件如水、电、路、煤气、热力、通讯及场地平整情况等。还要介绍该地区经国家批准可享受的优惠政策。对于该地区的劳动力供应情况、科学教育发展水平、职工购买住宅或租住公寓的可能性、生活配套设施的建设情况等也应进行介绍,因为有些投资商及其工作人员对投资场所的生活居住环境及质量通常也很重视。

针对某一宗物业进行的市场促销工作,通常由房地产开发队伍中的市场营销小组直接负责,根据所开发项目的规模和性质,确定市场促销工作的规模和范围。如厦门特区天安工业村,其租售对象主要是台湾、香港、澳门的投资者,项目开发商——香港天安中国投资有限公司的市务小组的活动就主要集中在上述地区。此时市场促销工作的目标就是在尽可能短的时间内。为建成或建设中的物业找到买主或租客,以实现开发商或物业持有者的投资目标。房地产开发项目市场促销工作的时间往往是从项目可行性研究开始至项目竣工验收并完全投入使用为止。

单宗物业的市场促销工作,通常要针对物业所处的位置及周围环境条件,准备一些介绍物业状况的文字、图片或者音像材料。例如,某房地产开发公司开发的高级商住综合楼,其宣传材料主要包括了大厦所处的城市情况,大厦周围环境、邻里关系及交通条件,建筑物的设计形式及平面布置,大厦中的各种设备及所提供的服务,公寓的户型、面积、家具布置,银行、购物中心、康乐设施等在大厦内的分布情况等。

2. 房地产市场促销工作的费用

市场促销工作的费用即销售费用是指在房地产销售过程中发生的各项费用以及专设销售机构的各项费用,包括广告费、宣传费、代理费、物料消耗费、接待费、折旧费、修理费、销售许可证申领费和销售人员的工资、福利、奖金、差旅费等,这项费用依所销售房地产的具体情况和所处的市场环境而定,没有统一的标准。

从政府的角度来讲,有时为了支持某一开发区的发展可能会在市场促销工作中投入大量资金,尽管这种开销不会给他们带来直接的收益。但如果地方政府从企业家的角度来为投资者提供建设用地或其它工商业方面的服务,那么市场促销工作的开销就应视为整个开发活动开支的一部分。

对于一个具体的房地产开发项目来说,到目前为止,还没有任何的条文或方法来确定市场促销工作的开支应该是多少,开支的数额完全是依靠主观的判断和开展此项工作时所确定的范围、规模、目标以及持续时间。通常说来，有效的促销活动为开发商带来的收益要远远大于为此所支付的费用。例如，某大厦落成后如果没有市场促销工作，售价可能为 5000 元/m^2，但如果有效地开展了促销工作，虽然费用为 10 元/m^2，但可能会使售价变为 5200 元/m^2，且销售期较原先的预期缩短 6 个月，市场促销工作的效益则显而易见。但由于市场促销工作的费用发生在先，销售收入在后，所以这种工作的效益又往往得不到人们的充分认识。当然，也要避免造成一种误导，即认为市场促销费用投入越多，促销工作的效益就越显著。从以往的经验看，代理费和代理费之外的其它费用支出分别占销售收入的 1%～3% 和 0.5% 是较为合理的。另外，政府和开发商在不同领域的市场促销工作能够相辅相成，最有效的市场促销工作往往不需要任何开支或者至少不是直接开支。

二、房地产营销理念与促销方式

1. 房地产市场营销理念

我国房地产业经过 1993 年的高热和 1993 年后的低迷，从 1997 年稳步进入平稳发展期，在这段盘整蛰伏期，房地产市场营销成为业内外人士最热门的话题，房地产营销理念逐步被开发商所了解、认识与接受。但是，在连篇累牍的报刊广告、整街满巷的灯箱路牌、印刷精美的手册文案、应接不暇的公关活动等营销活动的背后，仍不难发现房地产市场的稚嫩与无序，有些甚至步入营销误区，把市场营销视为一般推盘促销手段。其实，房地产商品及房地产市场固有的特性，决定了房地产营销必然有其独特的运作方式。正确树立房地产营销理念是进行房地产营销策划及实施的关键前提所在。房地产营销基本理念可从十二个方面来考察。

（1）区域营销

区位营销意识早已为大多数房地产企业所认识。但是，区域营销理念的树立与贯彻，对我国房地产业界来说还是一个新概念。房地产区域营销理念应包含以下三个层次：第一、地区营销。如上海、北京、深圳、成都等中心城市，由于各地区的经济发展水平不一致，房地产投资的预期收益也会不同，各地区的投资环境比较分析结果决定了投资者的投资取向，因此，如何对城市或地区进行营销推广，增强投资者的地区偏好，就变成促进各地区房地产业发用的首要条件。地区营销理念应主要由政府部门以宣传综合投资环境为主要内容，全面展示地区营销优势以赢得本地区投资意向。第二、片区营销。如成都市呈现的春熙路、骡马市、盐市口三大商圈；上海的徐家汇、四平路、打浦桥、江苏路等商务片区，由于历史原因及城市规划要求，已成为中高档楼盘的集中地，片区营销要求各片区首先形成某个特定的商业气氛而后反过来促进个盘营销，这里，片区营销内有共同利益的开发企业组成的非正式集团联合进行该片区全面营销策划。体现片区整体营销定位，寻找共同市场品味。第三、区位营销，在大势已定的片区营销态势中，个盘的营销活动将由开发企业独立完成，主要突出的是个盘特征。

（2）信息营销

"知己知彼，百战不殆"是一条千古不变的商战规律，但是，如何真正地做到以及做到何种程度的"知己知彼"，又是一个具体而现实的问题。谁掌握了信息，谁就意味着掌握了市场。信息营销可以说是下一个世纪营销理念的核心。对房地产开发企业而言，在进行项目可行性研究的论证过程中，信息拥有量（包括数量和质量），以及信息处理方法的选择，直接决定了决策的正确性与科学性，房地产开发活动以其涉及面广为重要特征，因此，房地产的信息营销不仅包含了对自己企业内部信息的分析与控制，还包括对地区、区域的社会、经济、文化等发展状况信息、竞争对手开发现状信息、房地产市场供应信息、各有关部门对房地产的直接与间接作用信息等的全面分析与控制，如何建立起一套行之有效的"营销信息系统"，对房地产开发企业进行有效的信息营销至关重要。

(3) 竞争营销

在计划经济体制下，企业按国家下达的指令性计划生产，产品由国家统购包销或行政分配，基本没有市场和竞争的概念。在市场经济发展的初期，供给短缺的状况没有得到根本的改变，市场竞争者较少，房地产开发企业主要分析需求状况即可进行决策。但是随着市场经济的日益发展和完善，房地产市场上的开发企业为争取有限的有效需求市场的竞争日趋激烈。由于不适应市场经济的运作规律，很多房地产开发企业仅分析了市场供需状况就匆忙决策，房地产开发项目遍地开花，但是等到开发项目建成进入销售阶段时，才发现原有市场早已被竞争对手所占领，这就犯了"营销近视症"的错误。因此，在开发活动中，要研究与分析相同市场各领先者、挑战者、追随者及补缺者的开发动向及营销态势，准确进行自我定位及目标市场定位，并有效控制营销过程。只有这样，营销策略的实施才具有对消费者及竞争者的针对性。在激烈竞争的市场环境中，房地产开发企业的素质逐步提高，企业盈利或生存的关键点，除正确把握市场的当前状态和可能变化、提供符合市场需求的产品之外，对竞争对手的分析也成为制胜的关键因素。

(4) 全面营销

据资料显示，在1994年初至1995年，上海有近86%的营销方案都是价格方案，在我国房地产供应结构不尽合理，社会有效需求不足的情况下，价格策略的实施在一定程度上确能起到立竿见影的营销目的，但从发展的眼光来看，房地产价格的下降不可能没有一个限度，房地产开发商的利润水平已接近社会全行业平均水平，房地产营销走向立体性、综合性的全面营销将是一种必然趋势，传统的四大营销策略即产品策略、价格策略、渠道策略及促销策略必须紧紧围绕企业市场定位逐步向全面营销理念过渡。

(5) 全过程营销

近年房地产界掀起的营销热，主要是开发项目后期的市场推广工作，很多营销方案只是针对于开发商已建成的物业进行定位与推广，其实质只是营销策略中的销售促进，真正意义的房地产营销，是贯穿于开发项目的选址、设计、投资、建造、销售以及物业管理整个开发过程的全过程营销。可以说房地产营销的目的主要在于深度的前期参与和策划，使得项目的市场推广变得容易。市场的有效需求有多少？哪种物业类型是该市场中的供给空隙？主要竞争对手的供给量及营销动作如何？开发企业及物业的市场定位如何？本物业推出时市场的变化趋势又怎样？这一系列的问题在项目评估或可行性研究报告就应深入研究，也就是说从项目策划开始，就应该注入全过程营销理念，请有权威的营销人员对物业的市场前景作出前期预测及营销策划报告。【案例14-1】介绍了全过程营销理念的应用评价。

(6) 全员营销

"最高最好的营销人员是谁？是总统！"市场营销学自从引入中国，伴随着社会主义市场经济的迅猛发展，很快得到企业的重视与发挥。我们知道，现在营销理念至少已完成从卖方市场出发的以生产为中心过渡到从买方市场出发的以顾客为中心，这就必然要求企业组织人员树立全员营销理念。"随时随地把您的手放在市场脉搏上，随时随地寻找市场、发挥市场、开拓市场、创造市场",这也是一条市场规律,对于房地产开发企业而言,营销策划人员作出的一纸策划报告并未说明全部的问题,更重要的是在一个很好的营销策划方案的后面,全公司从经理人员到销售人员、从董事会成员到财务人员均积极参与控制和实施该方案,营销策划人员还要根据不断变化的市场环境作出适当与适时的方案调整。房地产的营销牵涉面广、专业人员参与较深,是面对从机构(组织)到个人、从富翁到平民各类客户的特性营销,要想单纯依靠销售人员完成楼盘的销售不太现实,也不太可能。因此树立全员营销理念,把组织内部人员及扩延人员的积极性调动起来,实际上体现的是一种开拓市场、控制市场的营销理念。

(7) 专业营销

房地产市场营销,由于其服务行业的特殊性和购买者的慎重性,需要有具备较强的宏观分析能力、房地产专业知识、心理学知识、法律常识及公关技巧等的综合素质人才。我国房地产业由于经历了一段不太规范的发展阶段,各房地产开发企业对房地产的综合性与专业性认识不足,形成了一种低层次小而全的运作方式。不少的开发公司几十甚至十几个职工,就要进行包括项目投资、项目开发、物业销售甚至物业管理在内的工作。随着行业的发展及市场日益细分,树立专业营销理念势在必行。专业营销理念不仅要求开发企业运作机制专业化,还要在行业细分化的趋势下,逐步形成各专业市场相互支持和依托的房地产市场体系。就营销内容而言,对于住宅、零售商业物业、写字楼、工业物业、旅游物业等要有专业的特性营销;就营销手段而言,要有专业的房地产广告公司、房地产中介公司、物业管理公司、房地产市场咨询公司等专业营销企业。

(8) 服务营销

美国著名经济学家西奥多·莱维物曾经指出,新的竞争已不是发生在各个企业在其工厂中生产什么产品,而是发生在其产品能提供什么附加利益,当IBM公司提出"IBM就意味着最好的服务"而风靡世界时,我们发现服务营销理念实际上已深深侵入营销理念系统,对于房地产业,物业管理是以其经营、管理、服务三者协调配合,"寓经营管理于服务之中,在服务中完善经营管理"的以服务为核心的经营理念,1996年被视为中国房地产业界的物业管理年。物业管理的服务质量优劣已成为决定开发企业物业营销业绩的重要因素,众多高级商厦的市场定位无不依赖于更高层次的物业管理以提升其营销品味,但是,我们也应该看到,我国物业管理市场作为房地产市场体系中的要素市场还远未成熟,作为房地产开发企业,率先认定服务营销理念,贯彻服务策略应该是今后的房地产市场营销的热点之一。

(9) 品牌营销

"品牌"二字,是我国商界这几年使用频率极高的词汇之一。《销售与市场》1997年第二期"中国十年商战风云"一文详尽阐述了品牌在商战中的地位与影响力。随着房地产市场竞争的不断加剧,品牌营销已日益被开发商提高到极重要的位置。但由于房地产商品及房地产市场的独特性,如何进行准确的品牌定位,如何引导业主把握品牌取向,如何营造品牌意识即房地产商品如何进行品牌化及如何有效实施和控制房地产品牌战略等问题,对我国房地产界而言还都是急待解决的全新课题。请参阅【案例14-2】。

(10) 文化营销

"房地产不等于钢筋加水泥,名牌的背后是文化——文化承载量越大的项目,其效益释放量越大",这是在南国广东顺德营造了中国房地产界著名的"碧桂园神话"的策划大师王志纲的一句名言。诚然，房地产作为一种特殊的营销，不再仅仅是钢筋水泥加设备器具和推销，也是业主本身的追求、业绩、理念、归宿甚至一种精神的映射。房地产文化营销的操作，可以是发掘历史渊源和传统，塑造楼盘的品牌和个性，渲染楼盘的艺术氛围和情调，提引楼盘的生活质量，开发商的开发理念或实力等等。

（11）非价格化营销

非标准化物业生产带来了非恒定的价格概念，一味降价、低价冲市会有相应的市场反响，但物业一旦具备了优势和特色，就会游离出一般意义上的价格因素，而扩大市场有效供给。从上海荣联家园项目非价格化营销案的成功运用过程中，可看出非价格化营销方案的推出和实施有如下特点：

1）一是适从了新盘行情。新盘亮相有着原始的冲击力，其强弱程度来自于"新版"内容。上海荣联家园以新字入手，在沪推出了声势浩大的"全面提高居住质量"征询活动，勾勒出了"新"字的本质概念。

2）二是迎合特色楼盘行情。价格是一种特色，那么，品质也是一种特色。荣联家园"以物业封顶，品质绝不封顶"和"世纪之门拒绝平庸"，构筑了特色楼盘的替代概念，使购房者心理的价格防线得以打破，从而以其品质来衡量物有所值的市场卖点。

3）三是满足精神渴求。正如马斯洛理论强调的金字塔式的满足，即从居住满足到精神满足，五个层次的剖面上，荣联家园从精神到物质的逆向线路设定下，以"增绿减楼"行动，注释了房地产所带来的种种精神满足。

（12）目标转移营销

营销思路强调直线性，而运作方式则注重曲径通幽。目标转移方案的出现有着值得研究的新思路。例如在上海明道大厦办公楼项目遇到市场销售困难的情况下，上海旭阳万欣专业营销公司首次推出"以租房的钱买房"方案，仅用不到一个月时间便完成了一万多平方米办公房的市场销售，从此申城办公房市场掀起一股强烈的"旭阳效应"，这一案例的成功之处是销售目标从售销市场的重叠性寻找到了转移方案的实施可能性。

1）一是目标的跳跃性。旭阳万欣并没有从原先的目标市场细分概念运作，而是注意到上海办公房市场租售倒挂所引发的市场重叠部分，跳跃式地追寻到了游离于销售市场以外，固定于租赁市场的目标客户，得出"以租房的钱买房，最为合理和经济"的营销主线，正好适应了租赁市场向买卖市场的有机过渡。

2）二是目标的移动性。以租赁市场目标向买卖市场移动，推租赁新概念，抢销售新客户，切入口是"租房不如买房"，每月的租房款相当于分期付款的购房款，令本质意义上多年分期付款的销售成为抢占租赁市场的新方案。

3）三是目标的定格化。办公房市场租赁困难、买卖又难以动销，目标市场的切割、分离和再组合，形成定格化，主线是"租房是一种浪费，无需多付款，让业主轻松拥物业"，这种以价格轴心设定的坐标系中，形成了定格化公式，引出了写字楼市场新的市场热点。

2. 房地产促销方式

能否加速商品房的销售，在很大程度上取决于营销策略的运用，营销策略运用得好，就能创出骄人的销售业绩，反之，即使是一流楼盘，也会陷入"皇帝女儿也愁嫁"的困境。如何搞好市场营销工作，尤其在房地产市道低迷的情况下，是令开发商费尽思考的问题。

经过十多年的努力，人们摸索出了一系列行之有效的市场营销策略，但这些策略往往都有其固定的属性，即是说，并不是任何一种市场营销策略可以在任何时候任何地方适合楼盘，其具体操作方式及策略本身所具有的优劣势等问题，如果没有掌握好，就可能出现事倍功半甚至损害物业形象、影响销售进度的不良现象。为了帮助开发商及其营销从业人员在运用市场营销策略时，能做到正确配搭、有的放矢，这里对一些比较常用的促销方式简单分析如下。

(1) 展销会

参加带有官方或半官方性质的展销会，是房地产企业常用的一种促销方式，为大多数开发商所钟爱。具体操作方式是：制作小型展示牌（每块展示牌只展示物业一两项内容，切忌集中在一块展示牌上，例如配套设施、地理位置、环境建设、楼盘结构等分别制作一块展示牌，以强化记忆）及详尽的物业介绍资料，选择展厅内显要位置摆放展示牌，展厅工作人员要熟悉项目的情况并统一着装，通过参加统一组织或单独组织的新闻介绍会，配合媒体广告，以引起社会公众的尤其是潜在客户的广泛注意。如果能邀请到社会名流或政界领导莅临展台，则可以增加名人效应和权威性。

1) 优点：针对性强，影响面广，因为召开展销会，不仅仅能在会场广泛散发资料，而且展销会前的新闻介绍会及密集性媒体广告可以收到广泛而良好的宣传效果。

2) 缺点：费用昂贵，成交率低。因为召开展销会，需要制作大量展示牌及全套资料，还要发布大量的广告，费用十分高。房地产是一种特殊商品，不能象其它商品一样可以随时随地移动，在展销会上最多只能将其模型搬到展场，而在展销会上，消费者只能靠开发商的资料及售楼员的介绍了解楼盘情况，这往往被认为是一面之词，消费者大都持怀疑态度，买楼人士无论如何必须会亲临现场作详尽的实地考察。

3) 适用范围：参加展销会较适合普通商品住宅和小型商铺等项目，而高档住宅、写字楼和大型商场项目则通常只会起到广告宣传的作用。因为普通商品住宅和小型商铺面向普通居民，众多同类型项目参展，为那些慎重且对市场缺乏全面认识的潜在购买者提供了鉴别比较的机会，他们往往容易在比较过程中形成购买决策。高档住宅、写字楼和大型商场物业的潜在购买者多为对房地产市场比较熟悉的人士或机构，他们参观展销会的主要目的是了解市场信息，辅助其日后的购买决策。

(2) 先租后买

这是近几年来很流行并行之有效的一种新型营销策略。操作方式是：制定最长租期、租价及租户购买方式和优惠措施，在制定租价时，不宜过高，最好以比市场价低的价位出租，因先租后买这一营销策略的目的，是以资金不太宽松的消费人士为对象的，旨在吸引潜在客户入住，最终诱发其购买欲望，如租价太高，会将其吓退，另外，开发商的最终意图是售而非租，即是说不是以出租为赢利的手段。有关措施制订后，要制成印刷资料，给客户以信心。接下来就是借助广告传播出去。

1) 优点：操作方便，诱导性强，说服力大。这一方式无需动用大量人力和物力，只要将有关的措施制订并发布出去就可实施，简单易行。先租后买策略本身就是诱导过程，以低廉的租价诱导缺房人士入住，再依靠楼盘本身的优势诱导租户转租为买，其低廉的租价，具有很强的诱惑力，客户租住的过程，也是对楼盘了解的过程，这等于是对物业做身临其境的考察，楼盘的好坏及其软件管理、硬件设施和周围环境等，经过一段时间的入住，可以了如指掌，而如果没有人住进来，即使现场考察再细致，也有隔岸观火之嫌，难免挂一漏万。换句话说，开发商让客户入住，是将楼盘及其配套解剖给客户看，这种现身说法，比任何方式都更具有说服力。包租销售则是以代理出租这一售后服务方式来吸引购楼投资的客户。

2) 缺点：容易损坏房屋、增加管理难度。客户租住房屋，不会象对待自家的房子一样进行精心的养护和维修，容易造成破损。此外，租房人士大都不是本地人士，这不但加速房子的老化而且增加了物业管理的难度。

3) 适用范围：微利房、小型商铺、专业市场和写字楼采用先租后买的方式比较有效，而高级住宅、大型商场就不太适宜。无论是写字楼还是普通商品房，采用先租后买的方式，很受外地企业或个人欢迎。因为外地企业想在当地设立办事机构，拓开当地市场，往往会先租下一套房子作为临时办公场所，如果创业顺利，就会长期驻扎，从而转租为买，如果创业受阻，则会转移方向，退掉租用的房子。外地的个人客户也是同样的道理。高级住宅和大型商场造价昂贵，如果租户不买而退出，则房子及自身的投资造成的损失比较巨大，其收回的租金可能还不够房屋的维修资金，另外还影响物业售价，任何一个人都不愿花高价购置人家使用过的房屋。

（3）双卡保证销售

这是一种全新的信誉营销策略，采用率尚很低，主要是尚未为人所认识。所谓双卡保证，是指"质量保证卡"和"工程进度保证卡'。操作方式是：印制两款精致的卡片，一面印上保证内容，一面印上物业名称及物业基本概况。交给售楼员，由售楼员在签订购房合同时交给客户。

1) 优点：可提高开发商信誉，树立良好物业形象，增强经营开发透明度，实行双卡保证，既约束和规范了开发商自身的开发经营行为又无异于给客户吃了一颗定心丸，为客户免除了后顾之忧。当前房地产行业的烂尾楼盘泛滥，严重挫伤了置业人士的购楼积极性，质量得不到保证、工程无限期拖延现象十分普遍，如果向购楼者发放"双卡保证"，购楼者再遇到上述侵害其权益的事情，他们便有证可依，能利用它通过法律途径为自己讨回公道。因而采用双卡保证法，能有效地加速楼盘销售进程，是值得推广的营销策略。

2) 缺点：除了给开发商带来了履约压力外，很难找出什么不足之处。

3) 适用范围：适用任何物业。因为这一策略是开发商主动对客户负责任的一种积极态度，而任何行业、生产企业有了这种高度的责任心，不但会受到消费者的一致好评，而且也是企业走向成功的重要标志之一。

（4）优惠销售

优惠销售就是给符合一定条件的客户提供价格上的折让或附送某些利益。可采取的优惠手段包括：前若干名买家优惠百分之几、某些节日针对教师或其他人士提供打折优惠、一次付款优惠、附送家庭财产保险或火险等优惠销售措施。通常来说，优惠都是有明确对象和名额限制的，不可能无目标地无限优惠，这只是开发商吸引买家早日入市的一种手段。因而首先要做的是选定优惠对象和名额，然后订出优惠数量和优惠品名，最后就是广告发布，将优惠讯息传播出去。

1) 优点：具有一定的吸引力，可缩短销售时间，成交率较高，不仅可以争取到在几家物业中权衡和犹豫的客户（边缘客户），而且能促使本来暂时不想入市的客户（准客户）提前入市，因为优惠销售让客户感到有利可图。

2）缺点：因为不少开发商上演过"送车位只送自行车车位""送电话只送电话线路"之类投机取巧、言过其实的把戏，使得置业者增强了防范心理，大部分人都对所谓的优惠销售持怀疑态度，不见开发商履行诺言，轻易不会付诸行动。因此，在采用优惠销售策略时，开发商一定要想办法打消置业者的顾虑，最好的办法是借助法律，去公证处公证，为置业者主动寻求法律保护，如此优惠策略才会创出良好销售业绩。

3）适用范围：所有商品房都能采用，优惠本身就是让利的过程，这是人人都乐意接受的实惠。

三、房地产营销应注意的问题

以购房者的需求特征为出发点，是房地产营销的要点。房地产市场到了今天，已不是几年前的单一产品竞争了。花花绿绿的销售大战曾经迷惑过众多客户，曾经在特定的历史条件下出现过所谓的效应，终于有一天被许多客户、不少购房者明白其中的道理，无论是开发商还是专业营销商，再想要推广物业、立足市场，就不能不去系统地、综合性地研究市场问题，将其产品观念、生产观念、交易观念都真正纳入房地产营销的主线，围绕行业的社会因素、文化因素、心理因素和行业区域因素，提出新一轮房地产营销的定义和概念。这是一项比房地产商品的设计、生产困难得多的工作。

营销至今仍是一个概念，没有固定的模式，由于其正在不断发育，需对其相关连的环节和内容进行不断的完善。房地产商品的非标准化，导致了营销的非标准化。房地产开发的某种误区，致使营销出现了误区，同时，房地产营销出现的误区，又直接使房地产开发步入了歧途，而后者所带来的影响，要比前者严重得多。

1. 营销要求首先重视房地产的商品属性

商品房的市场概念，应该先有商品的属性再有房地产的属性。就是说要以商品概念去看待房地产，绝不是造了房以后把它当作商品去出售。前者是融入了营销成份，后者是简单的买卖关系。现在有许多开发商自认为造了很好的房，但为什么就没人买？为什么没有市场兴奋点？是因为开发商刻意地把其房地产作为一种作品去看待，而没有把房地产作为商品去看待。

客户是上帝，但当前许多房地产商并未真正如此看待。从开发商的角度来说，开发建设商品房的目的是出售并盈利。艺术作品和进入流通的房地产商品其归属的渠道不同，片面地按照开发商的意愿去构筑理想的商品房，又尽力想去引导某种潮流或观念，让客户适从市场，这是一种误区。内行引导外行本是天经地义之事，面对众多从未接触过房地产的市民、原始客户群，许多开发商过于强化这种引导概念，反而使产品积压、闲置，这种例子已经不胜枚举。

任何一个开发商只能创造出某些卖点，但绝不可能替代客户意愿，营销是一种相对的现实性，没人问津的物业再好，绝不能称之为优秀的商品房。一件设计、制作都很精良的服装，永远挂在店堂，就不是商品性能服装。

当多次发现许多设计、制作不错的物业极其可惜地成为库存物、闲置品的时候，许多营销专家便与开发商讨论这样一个问题：怎样去造商品房？"地段、地段、还是地段"虽然被认为是房地产开发中的金科玉律，但有时也会产生误导。这种纯开发观念所带来的众多市场问题，导致了许多难以解决的营销问题。例如，上海静安区一直是高级商品房的重要供应地，前几年所有的开发商都认为这一区域的住宅是最有市场竞争力的，短时间内推出了大量的商品住宅，这些住宅地段划一、价格雷同、房型相似，供过于求和产品的无差异，使地段的品质落到了谷底，结果成为目前上海高层住宅积压最多的地区之一。

客户是圆心，开发是圆弧，营销仅仅是一种途径、一条线路。按客户的意愿去开发，适当引导客户适应所开发的房地产商品，是房地产营销的基础（参见【案例14-3】）。

2. 全过程营销是第二代营销的核心

房地产营销和开发不可分离，营销是开发的龙头又服务于开发。就目前的现实性状况分析，涉及房地产销售的三种模式为：企业自产自销、代理销售、营销指导或分销。从营销角度看，这三种模式本质上没有好坏之分。从1997年6月上海房地产十佳营销案例得奖情况看，全盘代理的有三家、自产自销的有五家、营销指导和分销的有二家。

开发和销售的分离只是一种形式，实质上不可能分离，完全独立于开发的销售，不能称之为是房地产营销，或者仅能称之为第一代营销。营销的前期介入和全过程性，是第二代营销的根本点。

如果在物业开发以后，甚至在取得预售证后再来商量研究销售问题，把营销作为一种灵丹妙药，是一种认识的误区。没有一个行业象房地产业如此轻视市场问题。当成千上亿资金进入投资领域时，市场化意识还未建立、形成，或者即使有所谓的市场调查和可行性研究报告，也都建立在许多个人意志或简单的形式过程基础上，那其所带来的市场问题就日益明显。应该认识到，营销虽然有"治病"功能，但其主体应该是"防病"功能。

怎么卖楼是关键，但更重要的是与此相关的一系列问题：在什么地方造？造何种类型的物业？房型设计如何？大、中、小面积比例如何？每套面积多少？外立面的处理和环境如何？等等。设计、建造是刚性的，营销是柔性的，后期无法弥补先天不足，至少不可能在根本上去克服。

强调物业第一性，营销第二性，但物业的第一性应建立在全过程营销基础之上。去年轰动上海楼市的沙田花园，曾以两个月完成了整个小区四万多平方米商品住宅主体的销售、就是其在上海市中心率先建造了多层带电梯住宅，这种物业的出现是在选址、开发前期营销介入，在建设前就明确了如何卖，卖给谁的营销思路，成为上海比较成功地完成全过程营销的第一个例子。

国内许多大型房地产开发企业把原来的销售部都纷纷转制为营销公司，负责企业所有楼盘的销售，尽管形式上似乎走出了市场化的第一步，重视了房地产营销，其实又犯了一种错误，即把营销完全独立于开发，成为房地产小卖部。专业营销公司近几年能够生存并飞速发展，说明了这样一个问题：营销有其特有的运作和空间，是一门专业学科。

房地产营销，是个人和集体针对特定的楼盘，通过创造性劳动来挖掘市场的兴奋点，在获得购房者认同的前提下实现买卖并提供服务。开发商较多关心产品本身，而营销商较重视服务和产品的推广、包装，注意到市场需求水平和时机。

因此，专业营销商在房地产产品走向市场进入流通领域时，有着其巨大的空间，包括其成熟的运作模式和运作技巧。近年来出现了一大批有影响的营销企业，如上海的旭阳万欣、北京的伟业顾问等，这些企业活跃在物业和消费者之间，起到了提高房地产营销整体水平的重要作用。

3. 避免营销近视症

作为一种特殊形态的商品，房地产有着其特殊的市场群体，需要具备营销的条件和前提，才有可能热销。制约营销的因素很多，诸如总量因素、区域因素、社会因素、政策因素、文化因素、需求因素和购买力因素。需求量很大但实际支付能力不足，激发有效购买力和扩大购买力，在不同的时间段所产生的效力和效应不尽相同。

跟踪一批物业的销售过程，人们发现大多企业都存在着深浅不一的营销近视症：价格近视症，为求得利润最大化，忽略了房地产的增值空间；节奏近视症，众多楼盘同时上市，结果剩下的"死角房"无人问津；效应近视症，片面地运用花色销售来产生效应，物业面市无计划，前后矛盾。营销近视症的关键原因在于：开发商仅仅注意到了成交消费区域，而忽略了客户培养区域，难以产生市场恒稳效应。

解决这一问题的关键，是处理好营销导入区域、发育区域和运作区域的关系问题。导入区域包括了广告、包装等对外宣传手段，积聚人气的导入是重要的第一步；较好的包装、广告等吸引了众多的购房者，如何发育有效购房队伍，需要拿出怎样售房的方案，这应该是营销方案的核心；并不是任何人都可以挂牌上岗搞销售，叫谁去营销、营销操作人员的水准直接影响到成交量。某开发企业的统计表明：A营销员月均销售7套，调换了B营销员，月均销售23套。同样的物业、同样的价格、同样的营销环境，为什么相差近四倍？这足以说明营销技巧和营销手段，在同一个营销案例中所产生的不同市场效应。

4. 营销方案的各异性

没有完全相同的物业，也没有完全一样的营销。即使在同一座城市、同一个地区、同一条街坊，不会有完全相同的物业出现。因此，所谓营销不是万能的，某种意义上说，就是没有一个完全相同的营销方案会同时完全适应于两个或两个以上物业的推广之中。防止在这方面出现营销误区的关键，要注意如下四个环节中存在的问题。

（1）在市场调查方面普遍存在问题，主要表现为供给调查方面缺少真实性。一些企业在进行市场营销方案制订时，往往以见报的广告为依据，其收集的信息偏差较大。需求调查方面既缺少专业咨询，也很少进行实地调研，从目前可见的营销报告中，对房地产消费者的调查，包括购买类型调查及购买者心理分析，对竞争者的调查，包括销售动态、优势、借鉴经验，都几乎没有仔细的分析，这一定程度上制约了房地产营销水平的提高，也会影响到房地产营销产生直接经济效益的程度。

（2）房价策略单一陈旧。从定价角度看，大多是以低价开盘，逐步提高，缺少有机的调节和合理的升降，至今仍少见成功的成本导向定价、需求导向定价、竞争导向定价的实例，即使出现一些迹象，仍属于构思或意识阶段。从价格策略看，如折扣价格策略、变动价格策略等都基本类同，虽然普遍懂得时间变动的价格策略，有些楼盘也推出个案变动策略，但大多停留在实际操作过程，缺少先期的理论定位。

（3）促销策略方面比较单一。从表面上看，房地产营销气氛比较浓烈，但深入分析便不难发现问题不少。从广告策略方面看，仅仅局限于一般的信息发布广告，最多在编排形式上做些处理，至于广告目标、针对性、物业命名及形象、媒体运作、文案处理等方面都远远滞后于行业对房地产营销的要求。同时，由于第一线营销人员总体素质难以提高，从接待、看房等过程都出现了不少滞后问题。

（4）营销理论与实践的脱节。房地产营销理论的研究滞后于实践，使房地产开发企业习惯于从实效的角度进行营销策划并实施，缺乏营销理论的指导。对有些在实际操作过程中表现出非凡成绩的成功的营销实例，未能进行理论的解剖并加以推广。一些从理论上已经较为成熟的营销方案,又难以在实践中运作。

5. 房地产营销中尚需进一步认识的问题

(1) 营销地位问题。房地产企业对自身楼盘营销地位的认识,直接左右了该企业营销水平的好与坏。房地产开发的目的是为了尽快实现销售并获得利润,只有按照市场需求去组织生产,企业才能立于不败之地。营销在当前房地产开发中的地位十分重要。

(2) 营销人才问题。房地产企业进行营销的成功与否,除了企业自身的优势和楼盘的品质和定位外,最重要的是人才问题。以为建立了销售部或营销部就拥有了营销人才,这是一个错误。

(3) 营销节奏问题。目前房地产营销在节奏掌握上出现的问题有:一是把注意力集中在开盘亮相期,而忽视了销售中期;二是无计划推盘,没有设定销售时间和比例。

(4) 营销价格问题。房地产的营销最实质的内容是价格控制。价格的有序设置应预先慎重安排。一般的方案是设置开盘价、封顶价、竣工价和入住价等四个价格,并要有与此价格相适应的销售比例。以小幅频跳逐步实施价格策略。

(5) 营销机遇问题。房地产营销必然会受到营销环境的影响,营销环境可分为宏观环境和微观环境。正是由于各楼盘同时面临各种营销环境的制约,所以会出现各不相同的营销机遇。发现机遇、把握机遇,会从根本上改变一个楼盘的销售业绩及前景。类似这样的成功实例已在房地产营销中出现多次。

(6) 营销控制问题。营销过程的控制其实是对开盘和中期的控制。一般的楼盘亮相,开盘期控制主要是价格和形象的控制,在制订整体营销方案时,可设置一个最基本的恒定主流方案,然后设置一些滚动推出的单体营销方案,这些最有效的单体方案在销售中期推出,以控制30%至60%销售比例的实现。

【案例14-1】

全过程营销方案的成功启示

上海胶州路安远路沙田花园项目,自1996年8月18日开盘后的两个月中,完成了近4万平方米的主体销售量,成为1997年中等价内销住宅销售速度最快的物业,其引起如此市场反响的原因是全过程营销方案。

全过程营销案例在沪成功实施还是第一次,这一案例给行业带来了何种启示?

一是营销重心前移。前移营销是在选址起便以市场化目标运作,即以市场化要素为设定点,反过来设计物业。当时上海市中心多层住宅太贵,高层住宅又有难度,沙田花园以8层带电梯的定位,是看准了市场紧缺的房源组织生产。

二是实行营销套菜。期房销售除了价格、地段、环境、房型以外,质量成为左右人们购房的重要因素,沙田花园在沪首推住宅质量保证卡,消除了客户担心,并结合这一物业现浇施工特征,推出按需定制、自由分割的设计配套,赢得了市场。

三是提升附加值。早在设计规划时,沙田花园已经制定了提升物业附加值的方案,以此留出潜在价格空间给购房者,让业主在购房过程中享受增值利益。

正因为全过程的营销设定,使沙田花园在后期销售中实现了"无市场障碍销售",这一案例说明,营销的前期介入和全过程控制,是未来物业竞争的焦点。

资料来源：许仰东，房地产报，1997年6月10日。

【案例 14-2】

<h2 style="text-align:center">南海城中心的品牌</h2>

1997年8月22～25日，南海城中心展销会在香港新世纪酒店举行，展销期间，共售出100余套，在深港引起较大的轰动。到目前为止，香港人共购房400多套，占销售总量的四成左右，平均售价约6000港币/m^2；内销约60%，平均售价为6180元/m^2；创南山住宅销售的天价。现在南海城中心已近售罄，但购房者仍络绎不绝，可见其品牌的份量。

一、地理位置得天独厚

由于现代交通的逐步发达，城市规划的中心与周边的概念已经越来越模糊，特别是现代人的居住思潮更偏向于远离都市的喧嚣、追求大自然赋予的宁静和闲适，因而，在前、后海和大南山环抱中的南海城中心，其优越位置就愈发显露出来。环绕在南海城中心周边的南山商业文化中心区、南海中心区、深圳大学区、大南山休闲娱乐区，购物、娱乐、休闲、教育应有尽有，因此对于南海城未来的业主而言，地理位置的优越将为未来的居室生活带来无尽方便。

南海城中心的位置处于未来西部通道与滨海大道的相交点。由于深港西部通道的建设将在近期开工，四年工期后，由香港的屯门到深圳西部的跨海通道将直接带动沿线经济的繁荣；而正在建设中的滨海大道不日建成，从南海城中心区驱车到皇岗口岸仅仅15min车程，远胜深圳市内的交通状况。南海城中心西临南山区政府，东倚南油中心区，左有愉康、桃园，右有海王、怡海，特别是南油工业区的逐步外迁，此地的居住环境将大幅度改善。因此，其蕴含的升值潜力是显而易见的。

二、匠心独运的建筑设计

南海城中心占地15000m^2，建筑面积45000m^2，容积率3.0，中心庭院3000m^2，游泳池600m^2。

1. 多层带电梯

在住宅建筑上，多层带电梯既有高层楼宇的建筑品质，又有人均密度低、社区氛围浓的特征，因而近十年在发达国家中十分盛行。其优势是由于有电梯、公用分摊面积小、实际使用率高、配套设施齐全而使居家生活非常方便；同时又能避免高层建筑带来的人均密度大、居住成本高、邻里关系冷漠、居住心态压抑及易导致犯罪等特征。

2. 科学的设计

小区采用围合式布局，用九栋建筑围成一个封闭的花园庭院式的环境，一来安全性高，二来能创造良好的社区氛围，加强住宅之间的联系和交往，这种设计是21世纪的居住区的典范之作。小区中心的花园占地3000m^2，采用欧陆情调的庭院绿色小品、象征现代惬意生活的600m^2游泳池及现代儿童游乐场（场地有儿童游戏组合器及安全地面）。小区的欧陆风格还体现在所选用的建筑色彩、立面竖向比例、线角、基座石材以及红色的西班牙瓦坡屋顶的美妙组合上。耗资四百多万元的坡屋顶组合错落有致，代表着形式美学上的极品意识。墙面采用的英国ICI晴雨漆，既能保证外墙的整体效果，又能有效地避免外墙渗水问题。

3. 高档的室内装修

室内墙面采用ICI乳胶漆,地板采用瑞典进口柏丽复合地板,是目前世界上较好的地板材料;厨房配全套的名牌康威厨具;卫生洁具为美国标准洁具;房间安装进口木门;楼宇入口安装电子密码锁,每月更换密码,以保证家庭安全。

4. 合理的结构

南海城中心放弃了多层建筑常用的砖混或框架结构,而采用了高层建筑常用的剪力墙结构,这无形中为开发商大幅度增加了成本,但对业主来说,一是提高了楼宇的安全程度,二是避免了房内柱梁穿越,扩大了房内的实际使用面积,为装修及摆放家具提供了方便。这点对业主来说极具吸引力。在室内的户型设计上,各房间的户型安排合理,布局上充满大师气魄,适宜家庭合理节省地安排空间。

5. 完善的配套设施

南海城中心的配套设施包括幼儿园、洗衣房、羽毛球场。小区附近还有超市、银行、菜市场、免税店、医院、饭店等,生活起居非常方便。

6. 一流的居住群

一流的建筑环境创造一流的居住品味,在具备优秀硬件的条件下,南海城中心致力于创造最佳的社区环境。作为南山半岛最高档次的住宅区,其定位的消费群体是:有相当经济实力、追求高尚生活素质的城市"贵族"。因此,居住在南海城中心不仅能享受到一流的硬件环境,而且更重要的是业主能与管理者一起创造最佳的软环境。因为:整齐划一的居住群体素质是高尚住宅品质的保证;融洽的社区文化有助于增加居民的群体意识,沟通感情的联络,避免现代人的孤独和冷漠感,有效地防止犯罪的发生;一流的软硬环境不仅能创造出楼宇中的名牌,同时还能增加业主的荣誉感及自信心,为日后事业上的发展大有裨益。

三、卓越的管理凝铸雅致的社区环境

南海城中心将委托深圳南海物业管理有限公司管理,该公司现正管理着南海明珠小区、鸿隆大厦,曾创造过娇人的业绩。在南海城中心,该公司将按星级标准进行全封闭式的管理,其中24h保安、全方位服务(包括定点房间卫生服务、托儿服务、订车船票等)、星级卫生标准等将使南海城中心以高品位的品牌形象巍居于深圳南山半岛。

资料来源:寒江雪,中外房地产导报。

【案例14-3】

房地产营销:消费者是主体

市场的主体是消费者,企业的一切经营活动,都必须围绕消费者的愿望和需求来展开,这是市场经济的客观要求。武汉市城市建设开发集团公司形成的以市场为取向的营销体系,即按消费者的需求组织好营销,做好了营销这篇章。

一、合理规划,精心设计,使消费者称心

搞好市场调研,以敏锐的市场洞察力和灵活的应变能力慎重决策。建立市场信息快速反应机制,搞好市场信息的收集和反馈,把握开拓市场、抢占市场的主动权。在此基础上,制定出切合市场和本公司实际的发展方针和营销决策。在开发目标项目的选择上,以效益为中心,做到"三不开",即:已出现商品房滞销的地段不开,无明显前景的项目不开,纯属投资的项目不开，把重点放在具有开发价值潜力的项目上。在开发项目的选择上，优先开发一些"短、平、快"的项目。为此，开发了一些环境配套好、投资少、见效快、建设周期短的房地产项目，收到了良好的经济效益。

在开发商品房品种类型的选择上，销售部门将消费者需求信息反馈给开发企业、设计院，商品房设计以满足消费者需要为原则。一是根据不同地段、不同消费层次的不同消费需求设计商品房。二是针对消费者对住房装修的不同需求设计不同的装修标准。三是住房装修讲究新颖、美观、实用，避免了以后住户自行装修后造成的外观不统一。

二、铸造品牌，合理定价，使消费者放心

商品房质量优劣，不仅关系到企业的经济效益和信誉，而且关系到消费者的权益和企业的社会效益。因此，将提高商品房建设质量，作为企业创名牌效应、为民造福、为社会作贡献的长远大计，常抓不懈。由于良好的工程质量，赢得了客户的广泛信赖，使公司销售量名列前茅。

房地产企业要生存、要发展，开发出来的商品房不仅要质量优，而且要价格廉。为此，要将成本管理贯穿到生产经营管理各个环节，工程成本管理的具体做法为落实"三抓"，就是抓基础台帐落实，抓成本分析落实，抓前期投资节俭落实。把好"四关"，即三通一平关、现场签证关、计划外工程预决算关、物业移交关。做到"五严"，即严格审查设计变更、严格审批新增项目、严格审查设计图纸、严格执行预算定额、严格核稽材质材价。由于开发成本的降低，使公司的商品房销售价比市场上同区位、同类型的商品房平均销售价每平方米低100～200元左右，即让利于民，又获得了合理利润，还提高了商品房的市场竞争力。

三、全员销售，灵活营销，让消费者动心

建立和健全合理的营销机制，将已竣工的商品房推销出去，是房地产企业盘活资金、实现可持续发展的重要环节。为此公司采取了上下结合，全员有奖销售为主的营销方式。

一是从领导到职工，人人都背有售房指标，并以此作为年度经济目标责任考核的首款内容；二是建立市场信息反馈网络和销售人员网络；三是采取最低价保底、视不同情况浮动的薄利多销策略；四是采用成品房销售和期货预售相结合，定向销售定向建设与项目合作转让相结合，分期付款、试行银行按揭等促销手段；采取买房办证"一条龙"服务，缩短办证时间，为消费者购房提供方便；五是根据购房70%都是大户（企事业单位）、回头客多、多数新客户都是老客户介绍而来等特点，采取重点抓大户，巩固老客户，发展新客户，不放散客户的全方位营销策略；六是加大广告宣传力度，扩大消费者购房信息来源。

由于全员销售，灵活营销，减少了库存商品房，盘活了存量资金，保证了建设资金的需求。

四、优化环境，完善服务，使消费者安心

为使消费者购房免除后顾之忧，注重正在建设的小区单体与配套公建同步，使消费者一入住就能在良好的环境中安居乐业。

物业管理是营销在消费领域的延伸，是商品房售后服务的高级发展形式，是树立和宣传企业形象、促进商品房销售最有力、最现实的广告。同时使物业公司成为为居民提供优良服务、自我完善、自我发展的经营服务型的经济实体。为此，公司加强了物业管理人员的业务培训，建章立制、规范运作、持证上岗。实行急修不过天、小修不过夜、24小时为居民提供综合服务的承诺制。由于重视抓好小区的规范化管理和优质服务，不仅树立了企

业的良好形象，也提高了集团公司的商业信誉，有力促进了商品房销售。

房地产开发各项工作只要围绕商品房营销这个中心，以满足消费者需要为宗旨，眼睛向外找市场，以销定产保重点，那么，无论市场风云如何变幻，我们都能立于不败之地。

资料来源：李永光，房地产开发报，1997年7月23日。

思 考 题

1. 房地产销售的形式有哪些？如何看待物业代理的作用？
2. 您所在的企业是否应用了促销组合策略？经验与教训有哪些？
3. 您所在的企业是否对广告宣传的效果进行过评价？应如何看待广告宣传的费用与效益？
4. 房地产产品促销的策略和手段中，哪些最有效？为什么？
5. 房地产市场营销过程中应注意哪些问题？
6. 营销理念对房地产促销方式有何影响？

参 考 书 目

1. 郭国庆,成栋. 市场营销新论. 北京:中国经济出版社,1997
2. 【美】菲利普·科特勒等. 市场营销管理(亚洲版). 北京:中国人民大学出版社,1997
3. 【美】菲利普·科特勒等. 营销原理:分析、计划和控制. 上海:上海人民出版社,1996
4. 姚兵. 建筑业和工程建设管理. 北京:中国建筑工业出版社,1998
5. 刘洪玉. 房地产开发. 北京:北京经济学院出版社,1993
6. 刘洪玉. 房地产开发经营与管理. 北京:中国物价出版社,1996
7. 周汉荣等. 中国房地产业务大全. 北京:中国物价出版社,1993
8. 朱成钢. 市场营销学. 北京:立信会计出版社,1993
9. 冯丽云. 现代市场营销学. 北京:经济管理出版社,1995
10. 万成林,邓向荣. 市场营销理论及其应用. 天津:天津大学出版社,1996
11. 邓荣霖,张用刚. 社会主义市场经济与现代企业制度. 北京:中国人民大学出版社,1997
12. 魏兴华,顾学荣. 政治经济学原理. 北京:经济科学出版社,1993
13. 汪波. 国际工程市场学. 北京:中国建筑工业出版社,1996
14. 吴振坤. 市场经济学. 北京:中共中央党校出版社,1994
15. 罗锐韧,曾繁正. 市场营销原理. 北京:红旗出版社,1997
16. MBA 核心课程编译组. 市场营销. 北京:中国国际广播出版社,1997
17. Philip Koter Marketing Management—Analysis,Planning,Implementation,and Control,9th Edition. 北京:清华大学出版社,1997.
18. David A. Aaker and George s. Day. Marketing Research. 4th Edition,John wiley & Sons,Inc. New York,1990
19. William J. Poorvu. Real Estate—A Case Study Approach. Regents/Prentice Hall,New Jersey,1993
20. Mike E. Miles. Real Estate Development—Principles into Process. The Urban Land Institute,Washington D. C. 1991